KB084176

3D에서의 학습

3D 에서의 학습

Learning in 3D
Adding a New Dimension to Enterprise Learning and Collaboration

Karl M. Kapp / Tony O'Driscoll 지음
노석준 옮김

WILEY   아카데미프레스

Learning in 3D

Adding a New Dimension to Enterprise Learning and Collaboration

Karl M. Kapp, Tony O' Driscoll
ISBN 978-0-470-50473-4

Learning in **3D**

Adding a New Dimension to Enterprise
Learning and Collaboration

첨단 정보통신공학기술과 그러한 기술을 활용한 첨단매체들의 도래는 삶의 거의 모든 측면에서의 변화를 요구하고 있다. 교육도 마찬가지다. 기존의 교육은 시간, 장소, 학습자 등이 거의 고정되어 있고, 교육내용 역시 극히 제한적인 형태로만 이용 가능한 환경에서 행해졌다. 그러나 오늘날의 교육은 컴퓨터, 인터넷, 스마트폰, 태블릿 PC와 같은 첨단 교수 · 학습매체 및 그러한 매체들을 활용 가능하게 해 주는 무수한 응용 프로그램의 개발에 힘입어 언제, 어디서나, 누구나 자신이 원하는 곳에서 다양한 형태의 교육내용을 학습할 수 있는 환경으로 바뀌었다.

이러한 환경의 변화는 단순히 물리적인 여건의 변화만을 초래한 것은 아니다. 교과서 중심 교육, 단순한 지식의 암기에 초점을 둔 교육, 강의식 집체교육, 교수자중심적이었던 기존의 정적(static)이고 탈맥락적인 교육은 학습자들의 흥미와 학습활동에의 참여를 이끌어 내고 문제해결적 · 창의적인 학습을 행하는 데에는 많은 한계가 있었다. 그러나 오늘날의 교육은 직접 보거나 듣고, 조작하는 것 등이 가능한 다양한 첨단 교수 · 학습매체를 활용하여 학습자의 흥미와 학습활동에의 적극적인 참여를 유도하고 있을 뿐만 아니라 학습자중심적, 실재적인(authentic) 학습맥락을 제공함으로써 문제해결적 · 창의적인 학습과 학습의 전이를 극대화하고 있다.

특히 최근에는 초 · 중 · 고등학교의 여러 교과목들에서 증강현실(augmented reality)이나 3D 기반의 교수 · 학습매체나 자료들을 활용하여 학습자들에게 보다 실재적인 학습맥락을 제공함으로써 학습자들의 경험을 더욱 구체화하고 풍부화하고 있으며, 심지어 일부 대학에서는 Second Life 상에 가상대학교를 구축하여 실제 물리적인 교육환경에서 학습하는 것과 같은 경험들을 제공하고 있다.

교육과학기술부는 2015년까지 초 · 중 · 고등학교에 디지털교과서를 개발 · 활용토록 할 계획이다. 이 점을 감안해 볼 때, 태블릿 PC 등을 활용한 증강현실이나 3D 기반의 교수 · 학습매체나 자료들의 교육현장에서의 활용 가능성은 그 어느 때보다도 높아질 것으로 예측된다. 이러한 증강현실이나 3D 기반의 교수 · 학습 형태는 또한 학교교육에만 국한되지는 않을 것이다. 이미 몇몇 국내외 기업체들에서 이러한 증강현실이나 3D 기반의 협업이나 직원연수 등을 행하고 있으며, 그로 인해 얻는 직접적인 재정적 효과뿐만 아니라 직원들 간의 유대감이나 커뮤니케이션의 증진과 같은 간접적인 효과들도 보고되고 있다. 따라서 이 시점에서 3D를 활용한 학습의 가능성을 구체적으로 검토해 보고 시도해 보는 것은 학교교육 기관뿐만 아니라 기업체 등에게도 매우 의미 있는 일이라 하겠다.

본 역서 『3D에서의 학습』은 Karl M. Kapp와 Tony O' Driscoll이 2010년에 출간한 『Learning in 3D: Adding a New Dimension to Enterprise Learning and Collaboration』을 번역한 것이다. 이 역서는 총 4부, 10개의 장으로 구성되어 있다. 제1부 '가능성 탐색'에서는 몰입적인 인터넷의 정의와 그것의 비즈니스에의 영향 및 진화, 독특한 비즈니스의 학습 기능(learning function)의 현행 접근방법이 안고 있는 문제들과 그것들을 해결하기 위한 방안으로서의 3D 학습에 대해 살펴본다. 제2부 '청사진 구축'에서는 매력적인 3D 학습경험을 구축하기 위하여 요구되는 핵심적인 설계원리들, 3D 학습환경을 구축하기 위한 11가지의 학습원형(learning archetypes), 그리고 성공적인 3D 학습경험 설계의 9가지 사례연구에 대해 기술한다. 제3부 '새로운 기반 조성'에서는 전통적인 ADDIE 과정의 3D 학습경험을 구축하기 위한 개선책과 3D 학습경험이 채택되도록 하기 위한 핵심 단계들, 그리고 3D 학습채택을 성공적으로 촉발한 혁신론자들의 경험을 공유한다. 끝으로, 제4부 '지평선을 넘어'에서는 이 분야의 선두적인 비전가들 중 두 사람이 예측한 3D 학습의 미래를 제시한다.

한편, 본 역서는 다음과 같은 점에서 독자들에게 매우 유용할 것이다.

첫째, 본 역서는 3D 학습에 관한 개념에서부터 이를 실제로 구현하기 위한 구체적이고 핵심적인 설계원리들과 그러한 설계원리들을 활용한 실제 사례들을 상세하게 제시하고, 그러한 과정을 통해 얻은 경험들의 공유 및 3D 학습의 미래에 대한 예측까지를 제시하고 있다. 따라서 독자들은 이 한 권의 책으로 3D 학습 자체와 실증적인 사례들을 통해 그것을 활용해야 하는 이유 및 그것의 활용을 통한 가시적인 이점들을 알 수 있을 뿐만 아니라, 그것을 효과적으로 활용하기 위한 구체적인 설계전략들, 그리고 향후 발전가능성 등을 모두 습득할 수 있을 것이다.

둘째, 본 역서에는 새롭거나 익숙하지만 명확하지 않은 용어들이 상당히 언급되어 있어 내용을 이해하는 데 어려움을 초래할 수 있다. 그러나 이러한 문제를 해결하기 위해 저자들은 해당 용어들에 관하여 다른 어떠한 책들보다 본서에서 사용된 용어들을 많이, 그리고 상세하게 기술하고 있다. 그럼에도 불구하고 지금까지 우리는 이 분야에 대해 익숙하지 않기 때문에, 다른 용어들을 이해하는 것이 쉽지 않다. 따라서 역자는 원서에서 제공한 용어해설 뿐만 아니라 [역주]를 통해 독자들이 이해하기 힘들 것이라고 생각되는 내용이나 용어들에 대한 추가적인 정보를 제공함으로써 독자들이 별도의 노력 없이 해당 내용이나 용어들을 보다 쉽게 이해할 수 있도록 하였다.

번역서를 낼 때마다 그러하지만, 역자는 문장이나 용어들을 가급적이면 독자들이 이해하기 쉽도록 번역하려고 노력하였다. 이러한 노력에도 불구하고, 역자는 여전히 원저자들의 의도를 최대한 살리면서 동시에 독자들이 내용을 쉽게 이해할 수 있도록 번역을 하는 것이 쉽지 않음을 절감하였다. 따라서 오역 등에 대한 책임은 모두 역자에게 있으며, 독자 여러분들의 따가운 질책과 비판을 겸허한 마음으로 수용하겠다.

끝으로, 이 역서를 세상에 내놓기까지 도와주신 많은 분들께 감사의 말씀을 드린다. 특히 이 역서가 나오기까지 상당 기간 동안 여러 번에 걸쳐 역자를 독려해 주시고 가장 훌륭한 역서가 될 수 있도록 노력해 주신 아카데미프레스 홍진기 사장님 이하 관계자분들께 진심으로 감사의 말씀을 드린다. 또한 번역본을 꼼꼼히 읽고 피드백을 준 제자들과 편집자들에게도 감사의 말씀을 드린다. 아울러, 바쁜 일정 때문에 제대로 챙겨 주지 못한 역자의 가족 모두에게 깊은 이해와 힘든 시간을 견디어 준 것에 고마움을 표한다.

2012년 4월
성신여자대학교 수정관 연구실에서
역자 노석준

Learning in 3D

*Adding a New Dimension to Enterprise
Learning and Collaboration*

저자 소개

Karl M. Kapp는 펜실베이니아주, 블룸스버그에 있는 블룸스버그대학교(Bloomsburg University) 교수공학과 교수다. 블룸스버그대학교의 대학원 프로그램에서, 그는 대학원 학생들에게 가상의 몰입적인 환경에서 학습을 설계하는 방법을 가르치는 "3D에서의 학습(Learning in 3D)"이라는 강좌를 가르친다. 그는 또한 학생들이 "회사(companies)"를 만들고, 이러닝 제안요청서(RFP)를 받으며, 40페이지의 제안서를 작성하고, 프로토타입을 개발하며, 미국 전역의 다양한 학습과 이러닝 회사의 대표자들에게 자신들의 솔루션을 제시하는 문제중심학습(PBL)을 사용하는 우수한 강좌(capstone course)를 가르치고 있다.

아울러, Karl은 불룸스버그대학교에서 찬사를 받는 상호작용테크놀로지연구소(Institute for Interactive Technologies: IIT)의 이사보(assistant director)로서, 정부, 기업체, 비영리단체들이 학습의 효과적인 활용을 통하여 고용인의 생산성과 기관의 수익성에 긍정적인 영향을 미치는 학습테크놀로지에 투자하도록 도와주고 있다. 그는 AstraZeneca, Pennsylvania 공공복지부(Department of Public Welfare), Toys R Us, Kaplan-Eduneering, Kellogg's, Sovereign Bank, 연방정부기관과 같은 회사들과 기관들에게 이러닝 설계, 학습 인프라구조, 이러닝 테크놀로지에 관한 자문을 제공했다.

Karl은 몇몇 학습테크놀로지 회사들과 정부기관들에게 컨설팅을 제공하고, 포춘 500(Fortune 500) 회사들에게 지식을 고용인들에게 전달하기 위한 테크놀로지의 사용에 관하여 자문을 하고 있다. 그는 학습과 테크놀로지에 관한 자신의 연구와 관련하여 *Training*, ASTD의 *T&D*, *Software Strategies*, *Knowledge Management*, *Distance Learning*, *PharmaVoice*와 같은 잡지와 텔레비전 및 라디오 프로그램에서 인터뷰를 했다.

Karl은 국내외 컨퍼런스뿐만 아니라 민간기업과 대학교 행사에서 빈번하게 발표하는 기조 연설자, 워크숍 리더, 모더레이터(moderator), 패널리스트(panelist)다. 그는 학습과 테크놀로지에 관한 세 권의 책 『전사적 자원관리(ERP) 성공을 위한 통합된 학습(Integrated Learning for ERP Success)』, 『이러닝 프로포절 따기(Winning e-Learning Proposals)와 『학습을 위한 도구, 게임, 그리고 장치(Gadgets, Games, and Gizmos for Learning)』의 저자다. Karl은 기관들이 가상의 몰입적인 환경, 모바일 학습 솔루션, 그리고 소셜 네트워킹을 통한 학습, 지식 전이, 교수설계, 학습전략 개발과 관련한 전략들을 고안할 수 있도록 도와준다.

여러분은 www.karlkapp.blogspot.com에 있는 널리 읽혀지는 "Kapp Notes" 블로그에서 Kral의 숙고(musings)와 이따금의 고함을 볼 수 있다.

Tony O' Driscoll은 듀크대학교(Duke University) 푸쿠아경영대학(Fuqua School of Business)의 실습교수(professor of the practice)다. O' Driscoll은 현재 가상세계와 같은 새롭게 도래하는 테크놀로지들이 기존의 비즈니스 모델과 산업구조를 얼마나 빠르게 붕괴시킬 수 있는가에 연구의 초점을 두고 있다. 그의 연구는 *Management Information Sciences Quarterly, Journal of Management Information Systems, Journal of Product Innovation Management*와 같은 우수 학술지에 게재되어 왔다. 그는 또한 *Harvard Business Review, Strategy and Business, Supply Chain Management Review, Chief Learning Officer* 잡지와 같은 권위 있는 전문 저널에 기고해 왔다.

Tony는 18년 동안의 산업체 근무기간 동안 IBM과 Nortel Networks의 전략적인 비즈니스 계획, 신상품과 서비스 개발, 서비스 과학(services science) 연구, 경영 컨설팅, 인간자원관리 분야에서 몇 가지 지도자적인 지위에 있었다. 자신의 산업체 근무 전(全) 기간 동안, Tony는 엄청나게 네트워크화되고 시각화된 세계 경제 속에서 지속적인 기관의 성장과 수익성 창출을 위하여 테크놀로지를 활용할 것인지에 대한 심도 깊은 지식과 집중적인 경험을 쌓았다.

Tony는 백여 개 이상의 국내외 컨퍼런스에서 기조 연설자, 워크숍 리더, 모더레이터(moderator), 강연자, 그리고 패널리스트(panelist)로 활동하고 있다. 그는 또한 *The Wall Street Journal, BusinessWeek, Virtual Worlds News, Chief Learning Officer* 잡지, *Wired* 잡지, *Training* 잡지와 같은 지방방송국과 Gartner와 Forrester와 같은 산업체 분석가들을 위해 전문가 분석과 인터뷰를 빈번하게 제공하고 있다. Tony는 또한 Second Life에서 주관하고 있는 Robert Bloomfield의 인기 있는 메타노믹스(Metanomics) 주간 쇼의 기업학습 통신원이다.

여러분은 http://wadatripp.wordpress.com에 있는 그의 인기 있는 "Learning Matters" 블로그에서 Tony의 숙고(musings)를 볼 수 있다.

Learning in **3D**
*Adding a New Dimension to Enterprise
Learning and Collaboration*

콘텐츠(content)는 항상 인간-컴퓨터 인터페이스(human-computer interface: HCI)의 중심에 있어 왔다. 우리는 현재까지 인간-컴퓨터 상호작용의 주요한 메타포(metaphor)였던 "데스크톱(desktop)"과 "서류정리용 캐비닛(filing cabinet)"과 함께 수십 년간 살아왔다. 학습에서, 우리는 본질적으로 학습콘텐츠를 보관·관리하는 학습관리시스템(learning management systems: LMS)을 실행하는 데 여러 해를 소비했다. 우리는 학생들이 적절하게 추적되고 점수가 매겨졌는지에 대한 데이터는 확실하게 확보했지만, 학습에 대한 핵심은 놓쳤다. 우리는 조직과 당시에 이용할 수 있는 학습모델들에 관한 위계(hierarchy)를 반영한 콘텐츠에 초점을 두었다. 이제 실시간 아바타기반(avatar-based) 가상적인 환경이 도래함에 따라, 우리는 콘텐츠와 엄격한 위계, 데스크톱을 뛰어넘어 학습맥락에 초점을 둔 학습환경으로 나아갈 수 있는 기회를 가지게 되었다. 이제 맥락 속에서 학습(learning in context)은 학습을 위한 가장 강력한 구성요소가 될 것이며, 인간과 인간-컴퓨터 인터페이스를 위한 협력(collaboration)이 보다 자연스러운 것이 될 것이다.

왜 비즈니스와 학습전문가들이 학습과 협력을 위하여 가상의 몰입적인(immersive) 환경을 진지하게 고려할 필요가 있는가? 왜 새로운 인간-컴퓨터 인터페이스가 중요한가? 다음의 것들을 고려해 보자.

- 최근에 첨단도구를 사용하고 있는 과학자들이 우리에게 우주는 137억 3천만 년 ±1억 2천만 년이나 되었다고 말했다.
- 일반적으로 받아들여지는 지구와 태양계의 나이는 약 45억 5천 년이다.
- 생명체는 45억 5천 년의 상당부분 동안 단지 몇 10만 년 전에 나타난 상대적으로 지

적인 포유류의 양족(兩足) 동물과 함께 지구상에서 번성해 왔다.

● 나는 단지 과거 10여 년 전쯤에서야 온라인에서 좋은 중고 기타를 구입할 수 있었다.

이제 학습과 개발 분야에서 진보가 이루어질 때다. 여러분이 막 읽기 시작한 이 책은 그 미래를 향한 진실을 솔직하게 서술한다. 여러분은 사회적 생산(social production)과 분산학습(distributed learning)이 우리가 알고 있는 문화와 비즈니스를 어떻게 바꾸어 버릴지에 관한 매우 대범한 비전(sweeping vision)을 읽을 것이다. 여러분은 또한 이 초기의 타임라인(timeline)을 따라 구체적인 예와 사례연구의 형태로 순환점들(iteration points)을 살펴볼 것이다. 이 책 전체에서, 여러분은 새로운 몰입적인 인터넷을 창출하기 위한 협력과 학습의 융합(convergence)을 목격하게 될 것이다. 나는 이 새로운 인터넷이 우리가 알고 있는 기업체에 중요한 영향을 끼칠 것이라고 확신한다. 우리가 오늘날 경험하고 있는 것으로서의 오늘날의 업무적인 삶(work life)은 거대한 정보의 소방 호스(fire hose)로부터 물을 마시는 것과 같다. 엄청난 양의 콘텐츠가 수신함(inbox), 모바일 장치, 브라우저로 쏟아져 들어오지만, 그 정보는 우리에게 의미(meaning)를 주지 못한다.

인간 상호작용은 우리에게 의미를 준다. 그리고 소비자로서, 소셜 네트워킹(social networking)과 게임 세계는 우리 아동들에게 아버지 세대의 인터넷이 이미 디지털 빌보드(billboard)로부터 사람들이 개인적인 고립을 종식시키기 위하여 가는 장소(PLACE), 즉 그들이 의미를 찾기 위하여 가는 장소로 진화해 왔음을 보여 주었다. 이 강력한 새로운 맥락은 우리가 새로운 경제, 즉 급격하게 순환하는 맥락이 정보와 우리 삶의 데이터 흐름을 맥락적인 의미로 형상화하는 경제를 구축하는 기초가 될 것이다.

이것은 "후기 불황(post-depression)" 경제에서 가지면 좋은(nice-to-have) 옵션이 아니다. 어떤 조직이 이러한 대범한 새로운 세계에서 영향력을 높일 수 있는 유일한 경쟁적인 이점은 지식 전이의 효율성(속도)과 효능(파지/초점), 3D 인터넷 지원 양자 모두다. 지식 전이는 미래의 궁극적인 화폐(currency)다. 그것은 협력과 학습이 데이터가 다운로드되는 한시적 "사태"(time-bound "events")를 넘어갈 때 대부분 효과적으로 흘러갈 것이다. 새로운 맥락적인 "상시(always on)" 접속권에 이르기까지, 콘텐츠와 맥락은 방대하고 매우 적응적인 공유 뇌(communal brain)에서 뉴런들 간의 신호들처럼 흐른다.

학습은 우리들에게 있어 적응의 메커니즘이었으며, 항상 그러할 것이다. 그것은 지식이 전이되는 방법이다. 그러나 현재 이러한 가장 어려운 시기에, 조직은 지식을 매우 신속하게 전이하거나 다원적인 시장의 힘(Darwinistic market forces)에 의해 소멸되어야 한다.

우리는 이제 전통적인 위계와 조직의 경계를 위에서 아래로, 아래에서 위로, 측면에서 측면으로 무너뜨리는 것을 배워야 한다. 협력과 학습은 전통적인 조직적 위계와 기능적인 저장고(silos)를 퇴화시키는 강력한 "지식 네트워크(knowledge network)" 효과를 창출하기 위하여 통합될 것이다. 학습전문가들은 실행안(executive table)에서 보다 전략적인 위치를 차지하기 위하여 이러한 전환에 영향을 미칠 수 있는 기회를 가지고 있다.

이 책을 쓰기 위하여 협력해 온 두 사람, 즉 듀크대학교(Duke University) 푸쿠아경영대학(Fuqua School of Business)의 실습교수(professor of the practice)인 Tony O' Driscoll 박사와 블룸스버그대학교(Bloomsburg University) 교수공학과 교수공학 교수인 Karl M. Kapp 박사는 내가 만난 적이 있는 가장 역동적인 마음을 지닌 사람들 중 두 사람이다. 만약 여러분이 그 두 사람과 함께 식사를 할 수 있는 영광을 얻는다면, 여러분은 즉각적으로 어떤 보이지 않는 힘이 여러분의 지성을 끌어올리고 있는 것처럼 느낄 것이다. 그들은 이 책 속에 이러한 완전한 신생공간을 위하여 집단지성을 증진시키는 내용을 담아 놓았다. 따라서 나는 여러분이 Tony와 Karl의 위키북과 www.learningin3d.info에 있는 협업공간에 가입하고 기여함으로써 그들뿐만 아니라 이러한 점차 발전하는 연구와 지속적으로 관계를 유지하기를 바란다.

고대 신비주의자들은 우리에게 깨달음(enlightenment)에 이르기 위한 열쇠는 우리의 사고들 간에 약간의 "공간(space)"을 두는 것, 즉 우리가 생각들에 반응하기 전에 그 생각들을 이해할 수 있도록 우리의 생각이 몰입하는 순간에 제시하는 것을 오랫동안 가르쳐 왔다. 월스트리트의 몰락한 대형회사들이 거대하고 매우 역기능적인 조직들을 위한 비슷한 메커니즘들을 가지고 있었다면, 아마도 우리가 최근에 경험하고 있는 경제적인 위기는 결코 일어나지 않았을 것이다. 이 기회를 결코 알기 어려운 콘텐츠가 전체 사회적·재정적인 조직들을 지배하지 않는, 보다 더 자기 각성적인 조직을 만들어야 할 시점에 사용하기 바란다.

새롭게 도래하는 몰입적인 인터넷은 보다 인간적인 네트워크, 즉 보다 효과적인 의사소통 방법에 관한 약속, 다시 말해서 우리가 새롭고 보다 지속 가능한 방식으로 생활하고 함께 일하기 위하여 학습할 수 있는 장을 마련한다는 약속을 지켜 나가고 있다.

Ron Burns
CEO
ProtoMedia

Learning in **3D**

*Adding a New Dimension to Enterprise
Learning and Collaboration*

집을 짓는 과정을 경험해 본 사람이라면 누구나 최종산출물이 실망스럽지 않다는 것을 보장하기 위하여 절대적으로 필수적인 일련의 핵심 단계들이 있음을 몸소 체득했을 것이다. 우리는 몰입적인 3차원 학습경험을 구축하기 위한 단계들도 크게 다르지 않다고 생각한다.

집을 짓는 데 있어서 첫 번째 단계는 선호하는 스타일, 대지 형태, 이용 가능한 예산과 같은 기준들에 기초하여 "포함해야 할" 것과 "빼야 할" 것을 반복적으로 결정하기 위하여 가능한 공간에 관한 적극적인 탐색을 필요로 한다. 이 단계에서는 항상 집에 포함할 바람직한 설계 요소들에 관한 대략적인 생각들을 모은다.

다음 단계는 1단계에서 확인된 설계 요소들 모두가 어떻게 응집적인 전체 속에 통합되는지를 상세하게 윤곽을 그린 하나의 통합된 청사진을 제작하기 위하여 건축사와 함께 일하는 것이다. 이 단계는 또한 선호하는 배치(layout)와 건축상의 제약 간의 거래에 기초하여 수많은 반복과정을 거친다.

일단 건축 청사진이 완성되면, 마지막 단계는 땅을 분할하기 시작하고 이사(move-in)하는 것으로 마무리되게 된다. 이 두 가지 사태들 간의 경험이 긍정적인지, 부정적인지는 주로 "청사진에서 건물"로 진행하기 위한 계획이 얼마나 잘 관리되고 실행될 수 있는가와 밀접한 관련이 있다. 어떤 건축 프로젝트에서나 항상 변화를 필요로 하는 예기치 못한 상황과 장애들이 있다. 이러한 예기치 못한 변화들을 조절할 수 있는 견실한 계획 과정 없이는 좋지 않은 결과를 초래할 가능성이 엄청나게 높아진다.

이 책의 목적은 여러분이 매력적인 3D 학습경험을 구축하고자 할 때 좋지 않은 결과를 피하는 방법을 기술하는 것이다. 따라서 위에서 개괄적으로 언급한 집을 짓는 것과 관련된 주요한 단계들은 이 책의 첫 번째 세 부분을 구조화하는 데 좋은 준거틀(framework)을 제공한다.

이 책은 많은 정보와 도구, 모델, 그리고 이 초기 단계 분야에 종사하는 저자들과 다른 사람들의 조언을 담고 있다. 이 책의 목적은 여러분에게 이 분야에 관한 일련의 지식을 제공하여 여러분이 제공된 모델과 도구를 적용함으로써 가상의 몰입적인 환경을 창출하는 과정을 시작하도록 하는 것이다.

시작하기

만약 여러분이 가상세계와 아바타에 익숙하다면, 여러분은 곧바로 제1장으로 갈 수 있다. 만약 여러분이 그렇게 익숙하지 않다면, 여러분은 부록을 검토하고, 이러닝(e-learning) 테크놀로지와 가상세계 테크놀로지들이 오늘날 이용 가능한 3차원 학습 세계로 융합되는 것에 익숙해지기를 바란다. 이 서문에서는 용어(terminology)와 가상세계가 학습기능(learning function)으로 사용되기 시작한 맥락을 이해하기 위한 기초를 다진다.

제1부: 가능성 탐색

제1부는 다음과 같은 세 가지 단어, 즉 진보, 문제점, 가능성에 초점을 둔다.

'제1장: 몰입적인 인터넷의 도래'는 다음과 같은 질문에 답한다. **몰입적인 인터넷이란 무엇이며, 그것은 학습기능(learning function)이 이바지하는 비즈니스에 어떠한 영향을 미치고 있는가?** 이 장은 몰입적인 인터넷 테크놀로지가 어떻게 사회와 산업 양자를 재정의하는 지점으로까지 **진보해 왔는가(progressed)**를 기술한다. 이 장은 또한 어떻게 통상의 비즈니스(business-as-usual)가 비즈니스 환경을 사회적 생산에 기초한 새로운 경제적인 플랫폼 창출의 방향으로 나아가는 네 가지 테크놀로지 벡터(vectors)의 융합의 결과로서 "독특한 비즈니스(business unusual)"가 되는지를 검토한다.

'제2장: 변화를 위한 학습'은 다음의 질문에 답한다. **독특한 비즈니스에 대응하는 학습기능의 현재의 접근방법은 무엇이 문제이며, 왜 그것을 바꾸어야 하는가?** 이 장은 오늘날의 조직들이 영향을 미치는 환경만큼이나 신속하게 적응하고 변화하지 못하는 것 때문에, 그 조직들이 직면하는 **문제들(problems)**을 기술한다. 이 장은 또한 오늘날의 기업체의 학습요구와 그러한 요구들을 해결하기 위한 전통적인 학습기능의 능력 간에 점증하는 단절

(disconnect)을 강조한다.

'제3장: 평지(flatland) 탈출' 은 다음과 같은 질문에 답한다. **3D 학습이란 무엇이며, 그것은 왜 독특한 비즈니스의 요구를 충족하는 데 더 적합한가?** 이 장은 비즈니스에 혁신을 일으키고 있는 동일한 몰입적인 인터넷 테크놀로지들에 의해 가능하게 된 새로운 학습 패러다임의 **가능성들(possibilities)**을 탐색한다. 이 장은 또한 "평지" 2D 학습경험을 몰입적 · 매력적인 3D 학습경험과 비교하는 두 개의 짤막한 일화들(vignette)을 소개한다.

집을 짓는 사례에서처럼, 일단 가능한 공간이 탐색되면, 다음 단계는 건축에 초점을 둔다.

제2부: 청사진 구축

제2부는 다음과 같은 세 가지 단어, 즉 원리, 원형, 사례에 초점을 둔다.

'제4장: 학습경험 설계' 는 다음과 같은 질문에 답한다. **3D 학습 설계원리들이란 무엇이며, 그러한 원리들은 3D 학습경험 청사진을 만드는 데 어떻게 활용되는가?** 이 장은 매력적인 3D 학습경험을 구축하기 위하여 요구되는 핵심적인 **설계원리들(principles)**에 관하여 기술한다. 이 장은 또한 흥미진진한 3D 학습경험 설계 시 정렬(alignment)과 균형이 있는 청사진을 만들기 위하여 활용될 수 있는 종합적인 3D 학습 아키텍처를 제시한다.

'제5장: 원형(archetype)별 설계' 는 다음과 같은 질문에 답한다. **학습원형이 어떻게 매력적인 3D 학습경험 설계 시 기본원칙(building blocks)으로 적용될 수 있는가?** 이 장은 3D 학습환경을 만들기 위한 기초적인 기본원칙을 형성하는 11가지의 **학습원형(learning archetypes)**에 관하여 기술한다. 이 장은 또한 각 원형에 관한 종합적인 정의들을 제시하고 기본원칙들이 흥미진진한 3D 학습경험을 만들기 위하여 어떻게 적용될 수 있는지에 관한 사례들을 제시한다.

'제6장: 경험을 통한 학습' 은 다음과 같은 질문에 답한다. **누가 성공적으로 설계된 3D 학습경험들을 가지고 있으며, 그들의 경험을 통해 무엇을 배울 수 있는가?** 이 장은 성공적인 3D **학습경험** 설계의 9가지 사례연구를 기술하고, 이러한 설계들을 그러한 설계들을 만들기 위하여 사용된 원형들과 대비하여 살펴본다.

집을 짓는 사례에서처럼, 일단 청사진이 만들어지면, 다음 단계는 실행에 초점을 둔다.

제3부: 새로운 기반 조성

제3부는 다음과 같은 세 가지 단어, 즉 과정, 채택, 규칙에 초점을 둔다.

'제7장: ADDIE에 의해 초래된 혼란 극복'은 다음과 같은 질문에 답한다. **전통적인 ADDIE 과정이 3D 학습경험을 만들기 위하여 적용될 때, 그 과정이 어떻게 변경되는가?** 이 장은 3D 학습경험을 분석 · 설계 · 개발 · 실행 · 평가와 관련된 뉘앙스를 다루기 위하여 기존의 ADDIE 과정(process)이 어떻게 향상되어야 하는지를 기술한다.

'제8장: 기업의 성공적인 채택을 위한 단계'는 다음과 같은 질문에 답한다. **3D 학습경험이 기업 내부에서 채택되도록 하기 위해서는 어떠한 핵심적인 단계들이 필요한가?** 이 장은 단계들을 혁신전파의 매력성 기준, 즉 상대적인 장점, 호환성, 복잡성, 시도가능성, 관찰가능성과 대비시킴으로써 3D 학습경험을 **채택(adoption)**하도록 하기 위하여 요구되는 단계들을 기술한다.

'제9장: 혁신론자들로부터 나온 규칙들'은 다음과 같은 질문에 답한다. **다른 누가 3D 학습채택을 성공적으로 촉발할 수 있으며, 그들의 경험으로부터 무엇을 배울 수 있는가?** 이 장은 최일선에 있는 혁신론자들이 3D 학습을 채택하기 위하여 어떻게 **규칙들(rules)**을 바꾸었고 자신들의 조직을 어떻게 확신시켰는지에 관한 그들의 통찰력을 공유하는 혁신론자들에 의해 쓰인 네 개의 에세이를 제시한다.

이 책의 마지막 부분에서는 3D 학습을 위하여 해결해야 할 과제들을 탐색한다.

제4부: 지평선을 넘어

이 책의 마지막 부분은 다음과 같은 한 가지 단어, 즉 미래에 초점을 둔다.

'제10장: 미래 전망'은 다음과 같은 질문에 답한다. **3D 학습 다음은 무엇이며, 2020년에는 어떠할까?** 이 장은 몰입적인 테크놀로지가 학습에서 궁극적으로 모든 업무활동을 포함하는 것으로 진화할 것이라고 주장하는 성숙모형과 여러분이 자신의 조직을 그러한 궁극적인 목표를 향해 나아가도록 할 수 있는 방법을 기술한다. 이 장은 또한 이 분야 산업체의 선두적인 비전가들(visionaries) 중 두 사람이 3D 학습의 **미래(future)**를 상상하는 두 개의 에세이를 제시한다.

요컨대, 이 책에 있는 열 개의 장들은 진보, 문제, 가능성, 원리, 원형, 사례, 과정, 채택, 규칙, 미래라는 열 개의 짤막한 단어들로 요약될 수 있다.

이 책을 읽는 최상의 방법

경험을 통한 학습처럼, 이 책은 기술(description)과 처방(prescription) 간에 균형을 이루도록 설계되었다. 이 책은 3D 학습에 관한 주제를 소개하기 위한 입문서(primer)나 개론서(introductory text)로 사용될 수 있지만, 또한 실제로 직장 내에서 3D 학습경험을 설계 중인 팀원들을 도와주기 위한 실제적인 현장용 노트로 설계되었다.

만약 여러분이 이 책을 입문서로 읽고 있다면, 각 장들을 순차적으로 읽는 것이 가장 이해하기 쉬울 것이다. 여러분이 각 장에 있는 핵심적인 주장들과 견지들을 명확하게 이해하기 위해서는 각 부(部)를 마친 뒤에 잠시 생각하고, 그 후에 다음 부(部)로 넘어가라.

고려할 수 있는 또 다른 접근방법은 책의 콘텐츠들을 팀이나 그룹별로 다루는 것이다. 여러분의 팀, 학과나 부서, 또는 교직원을 몇 개의 독서클럽으로 나누고, 매주 한 장씩을 읽는다. 그런 다음, 그 그룹들이 일주일에 한 번씩 함께 모여 눈에 띄고 사고를 자극하는 점들을 논의하라. 여러분은 조직이 3D 세계에서 유의미한 학습을 어떻게 설계할 수 있도록 도와줄 것인가? 여러분은 3D 가상세계에서 가르치고 있는 누군가를 위하여 어떤 지침들을 설정해야 하는가? 여러분은 여러분의 지도자들에게 3D 가상세계를 팔 수 있는가? 우리는 이러한 아이디어들을 어떻게 실행하는가?

이러한 그룹 접근방법은 논의를 촉진하고, 통찰력 있는 해결책들을 제공하며, 여러분으로 하여금 이 책에 있는 아이디어들과 개념들을 여러분 자신의 조직이나 교실에 적용하기 위한 독자적인 방법들을 개발할 수 있도록 유도할 것이다. 그것은 또한 그렇지 않으면 일어나지도 않을 수 있는 여러분의 조직 내에서 학습의 미래에 대한 논의를 시작하게 할 것이다. 심지어 약간 주제를 벗어날 때조차도 이러한 대화들은 가상의 몰입적인 환경의 사용을 최대화한다는 관점에서 볼 때, 여러분의 조직을 증진시킬 것이다.

만약 여러분이 3DLE를 설계하는 중이라면, 우리는 여러분이 이 책의 제2부에 상당히 친밀하게 되기를 바란다. 여러분 모두가 각 수준의 아키텍처를 이해하고 있음을 보장하고, 그 아키텍처를 교수설계 시 정렬과 균형을 보장하는 방식으로 명확히 적용해 왔음을 서로 검증하기 위하여 설계팀에 있는 여러분의 동료들과 함께 작업하라.

학부생들과 대학원생들은 특히 이 책이 흥미롭다는 것을 알게 될 것이다. 그 이유는 이러한 3D 환경을 만들고, 그 속에서 상호작용하며, 학습하고자 하는 요구가 비디오 게임과 함께 성장한 세대들이 기업과 교육환경에서 풍부하고 활기 넘치는 인터페이스를 요구하면서 계속적으로 증가할 것이기 때문이다. 이 책의 첫 부분은 특히 흥미로운데, 그 이유는 왜 3D 환경으로의 변화가 표면적인 것이 아닌 심층적이고 근본적인지를 기술하고 있기 때문이다.

우리는 여러분 모두가 여러분의 일터나 학술적인 환경 내에 학습에 대한 새로운 차원을 불러일으키고자 하는 여러분의 탐색에서 최고가 되기를 희망한다.

지속적인 논의

이와 같은 주제는 정적인 상태로 지속되지 않는다. 그것은 학습과 협력을 강화하기 위한 테크놀로지와 이러한 환경의 힘에 관한 우리의 이해가 계속 성장해 감에 따라 지속적으로 변화하고 있다. 대화를 계속하며 다른 사람들이 가상세계를 이해할 수 있도록 돕는 데 있어 실제적인 진전을 이루기 위한 노력의 일환으로, 우리는 웹사이트(www.learningin3d.info)를 구축했다. 그 사이트는 여러분이 해당 주제에 관한 blog(블로그)에 반응할 수 있는 공간, 여러분이 용어와 정의를 갱신할 수 있는 wiki(위키)를 포함하고 있다. 여러분은 또한 3D 학습사태들(learning events)을 실행하고 관리하는 것을 도와주기 위한 일련의 자원들과 백서들(white papers)에 관한 리스트들을 볼 수 있을 것이다. 아울러, 여러분은 가상의 몰입적인 환경(VIE)에 들어가서 그것을 혼자서 검토해 볼 수 있는 능력이 있음을 발견할 것이다. 여러분은 우리가 그 가상공간에서 책 출판과 교육적인 회합을 열 때, 저자들의 가상 렌더링들(renderrings)을 만나고, 그 공간에서 다른 사람들과 상호작용할 것이다. 이러한 웹 도구들과 더불어 가장 중요한 것은, 여러분은 이 주제에 관한 지식, 생각, 지혜를 공유할 수 있는 여지를 발견할 것이다. 사이트를 방문하여 3D 가상세계가 어떻게 여러분과 여러분의 조직에 영향을 미치고 있는지에 관한 여러분의 지혜와 경험을 공유해 주길 바란다.

이 책은 3D 가상학습세계에서 학습을 수행하기 위한 일련의 권고와 기법들을 제공한다. 이러한 새롭고 종종 급진적인 아이디어들은 지식과 혁신, 심지어 종종 개인적인 안락 수준도 확장한다. 학습을 위하여 3D 가상세계를 채택한 교육조직, 기업, 비영리조직들은 온라인 학습을 오늘날 그것이 위치하고 있는 곳보다 훨씬 더 먼 곳으로 이동시킬 새롭고 흥미로운 모험에 참여시킬 것이다.

Learning in 3D
*Adding a New Dimension to Enterprise
Learning and Collaboration*

감사의 글

우리는 종종 창의적인 노력을 혼자만의 노력으로 생각하는 경향이 있다. 우리가 가정하는 미래의 아인슈타인은 세계를 바꿀 유레카의 순간에 거의 다다른 어디쯤에서 어두운 사무실에 처박혀 있다.

나 자신의 경험은 다른 어떤 곳을 제안한다. 여러분이 손에 쥐고 있는 창의적인 노력은 많은 사람들의 연구결과물이다. 그들 각자의 기여를 함께 기록할 시간이 왔으며, 거의 환상적으로 우리가 서로 간에 그리고 다른 사람들과의 이야기 속에서 배우는 것이 많으면 많을수록 개요(outline)는 계속적으로 바뀌고 있음을 알았다. 사실, 이 책은 아마도 창의적인 노력과는 반대로, 집단경험(collective experience)이라고 하는 것이 더 적절하다.

그러나 마침내 한 가지 확실한 것은 이 책은 결코 다음과 같은 사람들이 없었다면 존재하지도 않았을 것이라는 것이다.

- 아이를 갖기로 결정했던, 나의 부모님. 어머니, 아버지, 감사합니다!
- 박사 학위를 마칠 때까지의 길고도 험난한 길을 인내심을 갖고 지도해 주신 무수한 교육자들
- 엄청나게 인내심이 많은 아내와 가족들. Theresa, Aidan, Liam, 고맙다.
- 내가 이러한 것을 할 수 있도록 지원해 준, 세계적인 대학교와 푸쿠아경영대학 (Fuqua School of Business)의 행정가들. Blair, Bill, Jennifer, Wendy, 고맙습니다.
- 내가 참고 견딜 수 있게 할 정도로 인내심이 많은 공동저자. Karl, 고맙습니다.
- 우리가 원했던 책을 쓸 수 있는 장소와 시간을 기꺼이 허락해 준 편집자. Matt, 감사합니다.

● 이 책을 가장 훌륭한 책으로 만들 수 있도록 자신들의 통찰력과 지혜를 기꺼이 공유한 일련의 이타적인 몰입적인 인터넷 선도자들. 여러분 모두에게 감사드립니다.

Tony O' Driscoll

노스캐롤라이나 주, 롤리

2009년 9월 1일

글을 쓰는 것은 롤러코스트를 경험하는 것과 같다. 집필 마감일, 빠진 참고문헌을 채워 넣기 위한 저자의 인재(印材)와 조사가 낮은 부분이라면, 협력적인 저술 과정을 통해 습득한 새로운 지식, 나의 가정을 탐구하는 과정에서 획득한 이해, 공유된 비전을 통해 개발된 새로운 통찰력은 높은 부분이다. 모든 훌륭한 공헌자들과 공동저자와 함께, 이 책을 쓰는 것은 즐거웠다. 이 책은 진실로 최종산출물에 공헌한 모든 경이적인 마음들의 "융합(mash up)"이다.

그래서 나는 다음과 같은 사람들에게 감사드린다.

● 이 전체 작업을 Tony와 내가 함께 할 수 있도록 해 준 eLearning Guild

● 여러 해 동안 나를 지속적이고 끊임없이 믿어 준 어머니

● 인내심, 배려, 유머를 보여 주신 돌아가신 아버지

● 아주 멋진 가족들. Nancy, Nate, Nick은 한마디로 최고들이다! 특히 Nancy에게 감사를 표한다.

● 내 생각을 계속적으로 새로운 방향으로 질문하고, 자극하고, 확장시켜 준 모든 훌륭한 학생들. 여러분은 나에게 그러한 에너지를 준다.

● 나에게 지속적으로 영감을 불러일으켜 준 선생님들, 교수들, 그리고 그 외 교육자들

● 블룸스버그대학교(Bloomsburg University) 교수공학과. 나는 어떤 대학교에서도 이보다 더 좋은 교수 및 직원들과 일할 수 없다. 다양한 마지막 순간의 조직적인 과제들을 도와준 Alexandra Varias와 항상 도움을 준 Karen Swartz에게 특별히 감사드린다.

● 나에게 조직적인 학습문제들을 해결하기 위한 이론, 설계, 개념들을 적용할 수 있는 기회를 지속적으로 제공해 준 두 고객들인 Kaplan-Eduneering과 Performance Development Group

● Tony, 이 책을 쓰는 것이 재미있었습니다. 아이디어, 늦은 밤, 그리고 사전 준비 없

이 행해진 Skype 전화를 공유하는 것은 정말로 즐거웠습니다. Tony, 감사합니다.

● 항상 올바르게 인식했던 Matthew Davis에게 감사드린다. 아울러, 그의 비전과 이 책에 생명력을 불어넣기 위하여 생각을 촉진시켜 준 것에 대해서도 감사드린다.

● 그리고 Tony의 감정을 반향하며, 이 책을 가장 훌륭한 책으로 만들 수 있도록 자신들의 통찰력과 지혜를 기꺼이 공유한 일련의 이타적인 몰입적인 인터넷 선도자들. 여러분 모두에게 감사드립니다.

Karl M. Kapp

필라델피아 주, 블룸스버그

2009년 9월 1일

Learning in 3D

*Adding a New Dimension to Enterprise
Learning and Collaboration*

차 례

제1부 가능성 탐색

3D에서의 학습

제3부 새로운 기반 조성　　　　3D에서의 학습

가능성 탐색

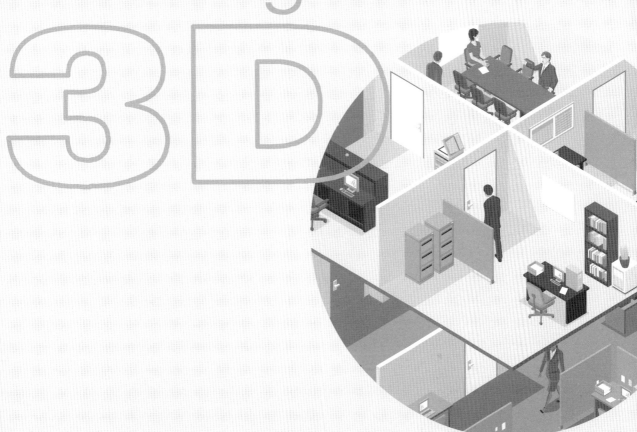

Learning in
3D

Learning in **3D**

Adding a New Dimension to Enterprise
Learning and Collaboration

몰입적인 인터넷의 도래

"아차! 들켜 버렸다! ⋯ Tyler가 우리 자동차의 트렁크에 넣어둔 보드카 병을 엄마가 발견하셨어. ⋯ 엄마는 아빠가 집에 도착할 때, 아빠에게 말씀드릴 생각이셔. ⋯ 도와줘! ⋯ 17살 내 인생이 벌써 끝나다니. ⋯ 전원 집합! ⋯ Facebook(페이스북)에 있는 모든 사람들은 지금 바로 연결! ⋯ 아빠는 45분 내에 집에 돌아오셔. ⋯ 나는 다음 주말에 외출 금지되면 안 돼. ⋯ 나는 Mark와 함께 춤추러 가는 것 때문에 매우 흥분되어 있단 말야."

즉시, Jessica의 네트워크가 연결되었다. Facebook에 연결되어 있지 않은 사람들에게는 문자 메시지를 통해 공지되었다. Jessica는 어느 누구도 놓치지 않도록 하기 위하여 트위트(tweet)를 보낸다: 지금 당장 도움이 필요해. ⋯ 엄마가 보드카를 발견했어. ⋯ 아빠는 45분 내에 집에 오실 거야. ⋯ Facebook에서 지금 당장 만나자!"

Jessica의 친구들이 일 분 내에 소집되었다. "내가 들켜 버렸을 때, 나는 아빠가 나를 너무 오랫동안 외출 금지하지 않으시도록 엄마에게 부탁했어." 하고 Ashley가 말한다. "그래, 그렇지만 Jessica의 엄마는 너희 엄마처럼 잘 속지 않으셔." 라고 Matt가 말한다. "내가 들켜 버렸을 때, 나는 아빠에게 실수를 한 것에 대하여 깨끗이 자백했는데, 그것이 더 나았어." "하지만 잠깐만, 우리가 여기에서 Tyler를 빼놓을 수 없지 않니?" 하고 Samantha가 말한다. "어떻든, 그는 Jessica의 오빠잖아." "나도 알아. Tyler가 다른 사람을 위하여 보드카를 구매했고, 그것을 실수로 자동차에 두었다고 말하라고 하자. … 그는 온라인에 있니? … 그에게 지금 이리로 들어오라고 해."라고 Brittany가 말한다.

그리고 그것은 다음과 같이 계속된다. Jessica의 친구들 각각은 그녀의 당면한 문제를 해결하기 위하여 각자의 경험과 통찰력을 제시한다. 그들은 20여 분의 짧은 시간 내에 Jessica가 Mark와의 중요한 데이트에 갈 수 있는 가능성을 극대화하기 위하여 하나의 이야기와 일련의 주장들에 집중한다!

한편, 아빠는 차도에 접어들고 있다. 긴 하루 일과로 지치고 집에 오는 도중에 도로가 꽉 막혀 풀이 죽은 그는 혼잣말을 한다. "문밖 테라스에 도착해서 저녁 식사 전에 30여 분 정도 한가하게 신문을 읽을 수 있는 어떤 방법이 없나?"

그는 집에서 무엇이 자신을 기다리고 있는지를 전혀 모르고 있다.

눈에 띄지 않으면서 널리 퍼져 있는 웹

1993년 4월 22일, 모자이크(Mosaic) 웹브라우저가 세상 사람들에게 처음 소개되었다. 그리고 지난 16년 동안 우리는 거의 어디에나 있어서 당연한 것으로 여길 정도로 웹의 디지털 영역을 집단으로 서핑(surfing)해 왔다.[1] 우리가 살기 위하여 숨을 들이키는 공기처럼, 우리는 웹이 우리의 삶에서 차지하는 실제적인 영향력을 그것이 없는 경우에만 알아차린다.

그렇지 않다? 여러분이 매일 얼마나 여러 번 웹에 접속하는지를 잠시 생각해 보자. 또는 여러분은 일주일에 얼마나 여러 번 e-Vites, LinkedIn, 또는 Facebook의 초대를 받는지에 대하여 생각해 보자. 거기에 여러분이 한 달에 쓰거나 받는 텍스트 메시지나 트위트의 수를 더하면, 웹이 여러분의 삶에 얼마나 많이 스며들어 있는가를 더 명확하게 알게 될 것이다.

---

1) 브라우저의 개발 결과 사회가 얼마나 심오하게 변화되었는지에 관한 개념은 TED에서 Kevin Kelly가 한 강연에서 언급되었다. 그것은 www.ted.com/index.phpltalks/kevin_kelly_on_the_next_5_000_days_of_the_web.html에서 볼 수 있다. 모자이크(Mosaic) 브라우저에 관하여 더 자세히 알고 싶으면, 다음 사이트를 참고하라. Browser: Mosaic (web browser). (2009, May 25). In Wikipedia, the free encyclopedia. Retrieved May 29, 2009, from http://en.wikipedia.org/wiki/Mosaic_(web_browser).

다음번에 여러분의 일터에서 웹이 "다운(down)"될 때, 동료들의 행동을 면밀하게 검토해 보라. 여러분은 대부분 여러 집단의 사람들이 조직에서의 역할과 그들이 어떻게 가치를 더하는가에 따라 약간 이상한 집단적인 기억상실로 고통을 받아 왔던 것처럼 행동하면서 목적 없이 통로를 배회하는 것을 관찰할 것이다. 연구 프로젝트를 끝마치기 위하여 노력하고 있는 오늘날의 대학생들을 관찰해 보라. 만약 웹이 다운된다면 이 디지털 네이티브(digital natives)들은 실제 도서관에서 실제 서고들을 내비게이션하는 방법에 관한 어떠한 단서도 가지고 있지 않을 것이다. 그들에게 있어 연구는 EBSCO[2]를 검색하고, 무선이 지원되는 카페에서 자신들의 랩톱 컴퓨터에 보고서의 PDF 파일을 다운로드하는 것을 의미한다.

오늘날 웹은 우리가 사회적으로, 전문적으로, 교육적으로 행하는 것을, 웹이 우리가 연결되고, 의사소통하며, 조정하고, 협력하며, 집단적인 행동을 취하는 방법에 가져온 심오한 변화들을 인식하지 못할 정도로 널리 퍼져있다. 브라우저 소프트웨어가 위의 짤막한 일화에 등장한 Jessica보다 더 오래되지 않았음을 안다면, 웹이 우리가 사회적으로 상호작용하고 전문적으로 협력하는 방법을 얼마나 빨리 변모시켰는지를 감히 생각할 수 없다.

인터넷이 사회에 계속적으로 널리 보급됨에 따라, 대부분의 현대경제이론을 뒷받침하고 있는 희소성 패러다임은 도전을 받고 있다. 정보는 화폐와는 달리 비전용물(non-appropriable)이다. 그것은 본질적으로 정보가 사라 없어지지 않고 공유될 수 있음을 의미한다. 오늘날 정보는 더 이상 기업체의 상부에서 하부로, 또는 교사에서 학생으로와 같이 한 방향으로 이동하지는 않는다. 대신에, 그것은 독특한 사회적인 생명을 지니고 있다.[3] 정보는 그것과 상호작용하기 위한 개인들의 욕구에 기초하여 이곳저곳을 이동하는데, 그 이유는 개인들이 보다 효과적인 결정을 하거나 특정 상황에 대한 보다 더 예리한 통찰력을 개발하기를 원하기 때문이거나 누군가가 어떤 주제나 특정 과제를 완수하는 방법에 대하여 배우고자 동기화되었기 때문이다.

우리는 사회와 테크놀로지가 공동으로 진화하고 있으며, 그러한 공동진화 또한 가속화되고 있음을 목격하고 있다. 우리가 살고 있는 사회-기술적 시스템과 같은 시스템에서 정보는 화폐이며, 개인들은 수송 메커니즘이고, 상호작용은 전이 메커니즘이며, 통찰력은 가치 부가된 산출물이다. 이러한 맥락에서 볼 때, 우리는 웹 자체의 진화를, 중핵적인 목적이

---

2) EBSCO는 도서관, 대학과 대학교, 다른 조직들에게 다양한 주제 영역에 대하여 검색할 수 있는 콘텐츠를 제공하는 연구 데이터베이스(DB)다.

3) Brown, J. S., & Duguid, P. (2000). *The Social Life of Information.* Cambridge, MA: Harvard Business School Press.

집단행동, 학습, 성장을 촉진하는 데 있는, 널리 퍼져있고 확장되는 생태계라고 이해할 수 있다. 이러한 진화 과정에서, 3차원적인 웹이 사회의 증가하고 있는 디지털 미래의 대부분을 차지하게 될 것이라는 사실은 당연하다 하겠다. 이러한 새롭게 도래하는 학습 생태계의 사회적, 전문적, 교육적 결과들은 대규모로 모습을 갖춰가기 시작하고 있다.

Facebook의 CEO인 Mark Zukerberg는 커뮤니케이션을 사람들이 정보를 얻기 위한 하나의 방법으로 보아서는 안 된다고 주장한다. 대신에, 그는 정보는 사람들 간에 보다 나은 커뮤니케이션을 촉진하기 위한 하나의 메커니즘이라고 말한다.[4] Google의 임무는 전 세계의 정보를 조직하는 것인 데 반해, Zukerberg는 사람들 간의 보다 더 나은 상호작용을 조직하기 위해서 정보를 사용하는 데 더 초점을 두고 있는 것으로 본다. Jessica가 친구들과 연락하고, 당면한 문제에 대하여 의사소통하며, 해결책을 마련하기 위하여 원격지에 있는 다른 사람들과 협력하고, 그녀가 여전히 Mark와의 데이트에 갈 수 있는 조치를 취하기 위하여 Facebook 플랫폼을 이용할 수 있도록 해준 것은 바로 이러한 정보, 커뮤니케이션, 인간 간의 관계의 미약하지만 중요한 재구성(reframing)이다. 불쌍한 나이 든 아빠만 결코 기회를 갖지 못했다!

커뮤니케이션, 협력, 3D 인터페이스를 향한 웹의 피할 수 없는 궤도의 융합을 이해하기 위해서는 웹의 변환을 이해하고, 그것이 커뮤니케이션, 학습, 협력 매체로 성장해 가는 것을 추적해 보는 것이 중요하다. 20여 년도 채 안 되어, 상업적인 웹은 두 가지의 완전히 혁신적인 변화(wave)를 경험했으며, 이제 웹을 3차원으로 데리고 갈 강력한 세 번째 변화의 시작점에 있다.

웹볼루션(Webvolution)으로의 입성

"이보다 더 완벽할 수는 없다." Jessica는 Mark와 자신이 좋아하는 노래에 맞추어 천천히 춤출 때 혼자 생각했다. 그녀는 Ashley와 Brittany쪽을 쳐다보았고, 둘 다 웃었으며, 그녀를 격려해 주었다. "나는 이 노래가 결코 끝나지 않기를 바란다." Jessica는 혼자 생각했다.

노래가 끝났을 때, Mark는 Jessica에게 잡담을 하기 위하여 안뜰로 나가고 싶은지를 물었다. 그들이 별빛 아래를 거닐 때, 그녀는 Matt, Ashley, Brittany가 서로 손가락으로 가리키며, 낄낄거리고 웃고, 손바닥을 마주치는 것을 곁눈질로 볼 수 있었다. 그들이 이것

---

4) 이러한 시각은 **Charlie Rose**와 **Esther Dyson** 간의 대담에서 제기되었다.

을 성공적으로 해낸 것이 분명하며, 그래서 그녀는 매우 감사해 했다. 그녀는 그들의 커다란 계획이 실현될 것인지가 확실하지는 않았지만, Mark를 다시 보고 싶어 안달이 났기 때문에 무엇이든 하려고 했었다. 이제 그녀는 그렇게 되어서 매우 기뻤다.

불행하게도, 댄스파티가 열리기 이틀 전 밤에, Jessica의 오빠인 Tyler는 그들이 싸운 후 그녀의 잘못을 밝혀 버렸다. 그래서 그녀와 그녀의 친구들은 부모님들에 의해 외출금지 되었으며, 댄스파티에 참가할 수 없었다. 운이 없게도, Mark도 그의 가족들이 갑작스럽게 엉덩이를 다친 할머니를 방문해야 해서 댄스파티에 갈 수 없었다.

다가오는 이벤트를 다루기 위한 다른 Facebook 즉흥 재즈 연주회 동안, Matt는 Second Life의 3D 가상공간에 가상 댄스파티를 설치하여 외출금지된 모든 애들도 가상으로 이벤트에 참석할 수 있도록 하자고 제안했다. 친구들은 모든 외출금지된 아이들(그리고 Mark)에게 초대장을 발송하고, 가상 댄스홀을 구축하며, 실제 댄스파티로부터 그들의 온라인 3D 댄스파티 홀로 DJ의 오디오를 전달하는 방법을 알아내기 위하여 온종일 함께 일했다.

모든 애들이 학교 체육관에 있는 "실제 생활공간(meatspace)"에서 배회하고 있지만, Mark와 Jessica는 서로 물리적으로는 떨어져 있으나 음성 인터넷 프로토콜(VoIP)을 통해 가상의 안뜰에서 잡담을 할 수 있어 더 이상의 냉랭함을 느낄 수 없었다. "내가 집에 도착할 때, 나는 정말로 너를 만나보고 싶어, Jessica. 다음 주에 나와 함께 영화 보러 가지 않을래?" Jessica는 웃었다. 그리고 너무 열망하는 것처럼 들리지 않도록 하면서, 쌀쌀하게 "정말, 그거 즐거울 것 같다." 라고 응답했다. 그런 다음, 그녀는 사운드를 들리지 않게 한 후, "야호~~~~" 라고 큰소리를 지르면서 동시에 침대 위에서 팔짝팔짝 뛰고, Mark와 영화 보기 데이트를 한다는 것을 트위터링(twittering)하였다.

여전히 한가하게 신문을 읽던 중이던 아빠는 종종걸음으로 급히 계단을 올라와 Jessica의 방문을 탕탕 치며 말했다. "너 거기에서 무엇하고 있니? 너, 외출금지된 것을 모르니? 조용히 하고 있어. 만약 계속 그렇게 한다면 너는 결코 다시는 댄스파티에 못 갈 줄 알아."

　　Mark, Jessica, 그리고 그들 친구들은 웹의 세 번째 변화에 참여하고 있다. 그들은 웹 내에서 상호작용하며, 의사소통하고, 협력하고 있다. 이러한 웹 내에서 상호작용할 수 있는 능력은 웹볼루션의 세 번째 변화의 특징이다. 지금까지 웹은 다음과 같은 세 가지의 혁신

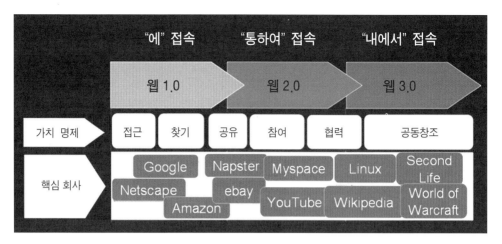

[그림 1-1] 웹볼루션의 세 가지 변화

적인 변화를 경험해 왔다.

- 웹 1.0은 웹 "에(TO)" 접속하는 데 초점을 두었다.
- 웹 2.0은 웹을 "통하여(THROUGH)" 접속하는 데 초점을 두었다.
- 현재 일어나고 있는 웹 3.0은 웹 "내에서(WITHIN)" 접속하는 데 초점을 두고 있다.

다음 절에서는 그러한 웹볼루션의 각 변화들을 탐색하며([그림 1-1] 참조), 우리가 어떻게 이러한 테크놀로지, 커뮤니케이션, 협력의 혁명적인 융합에 이르렀는지를 설명한다.

웹 1.0: 접근과 찾기

1993년에 브라우저가 나타난 이래, 웹 1.0은 사회에 이전보다 훨씬 더 많은 정보에 접근할 수 있는 기회를 제공했다. 초기 "읽기전용(read only)" 웹은 브라우저를 통해 웹에 접근할 수 있는 사람에게 기본적인 텍스트, 그래픽, 정보를 제공했다. 소파에 앉아 여가를 보내는 사람(couch potatoes)이 컴퓨터광(mouse potatoes)으로 바뀜에 따라, 금융서비스, 은행, 여행산업분야 회사들은 고객들에게 더 많은 거래를 할 수 있고 부가적인 수익을 창출하는 정보에 대한 웹기반 접근을 제공할 수 있는 기회를 잡았다. 정보 테크놀로지(IT) 인프라구조와 원격통신회사들은 점점 더 많은 고객들에게 웹 접근을 제공했던 기술적인 플랫폼을 구축함으로써 웹 1.0 변화에 탑승했다. AOL과 Prodigy와 같은 새로운 인터넷 서비스 제공업체들이 급격하게 신장하는 고객기반(customer base)을 위한 새로운 매체에 대한 진입로로서 지원과 서비스를 제공하기 위하여 새롭게 나타났다.

이용 가능한 콘텐츠의 양이 기하급수적으로 증가됨에 따라, 웹상에 있는 정보를 효과적이고 효율적으로 찾고자 하는 요구가 최고조에 이르게 되었다. 초창기에 Lycos와 WebCrawler와 같은 검색엔진들이 인기를 끌었다. 결국 Yahoo가 웹의 방대한 목록(repositories)에서 정보를 신속하게 찾고자 하는 요구를 만족시키는 데 상당한 견인차 역할을 했다. Yahoo는 웹 콘텐츠를 범주화하고 조직화함으로써 그 목적을 달성하였다. 1994년 말경, Yahoo는 백만 번 이상의 사이트 방문 수를 기록했다.[5]

웹이 빠르게 변화하는 세계에서 Yahoo는 결국 Google에 추월당했다. Google은 몇 년이 되지 않아 Sergey Brin과 Larry Page가 특허낸 PageRank 검색 알고리즘에 기초한 "찾기(Find)" 가치명제(value proposition)를 다루는 주요한 회사가 되었다.[6] 그때부터 인터넷에 대한 Google의 우세가 시작되었다. Google은 웹볼루션의 첫 번째 변화로부터 새롭게 도래한 충족되지 않은 요구, 즉 웹에서 정보를 "찾기(find)" 위한 요구를 확인하고 해결함으로써 비즈니스 역사에서 그 위치를 확고히 했다.

Amazon의 Jeff Bezos는 웹 1.0을 경제적인 수익을 위하여 이용하기 위한 또 다른 방법을 보았다. 그렇게 하는 데 있어, 그는 세계에서 가장 거대한 오프라인 서점을 성공적으로 모방했다. 그의 아이디어는 대부분의 거대 소매서점들은 200,000권 정도의 책을 제공할 수 있지만 온라인 서점은 궁극적으로 훨씬 더 많은 책들을 제공할 수 있다는 것이었다.[7] 오프라인 소매점을 유지할 필요가 없음으로 인한 보다 더 저렴한 가격구조는 공급망을 최적화하는 방향으로 활용될 수 있었다. 여러 가지 면에서 Wired의 Chris Anderson에 의해 대중화된 '롱테일 경제학(long-tail economics)' 이라는 오늘날 익숙한 개념이 Bezos의 비전의 핵심이었다.[8] 더 중요한 것은 가상적인 상점 정면에 고객들이 접근·결집할 수 있도록 했기 때문에, 종종 전통적인 소매 공급망에 대한 Amazon의 차별요소(differentiator)라고 인용되는 Amazon의 인기서적 순위와 추천시스템은 그 회사로 하여금 부가적인 이익을 창출하는 맞춤형 서적 추첨을 제공할 수 있도록 해 주었다.

---

5) Yahoo! (2009, May 24). In Wikipedia, the free encyclopedia. Retrieved May 29, 2009, from http://en.wiki pedia.org/wikilYahoo!

6) Google. (2009, May 26). In Wikipedia, the free encyclopedia. Retrieved May 29, 2009, from http://en.wiki pedia.org/wiki/Google.

7) Amazon. (2009, May 29). In Wikipedia, the free encyclopedia. Retrieved May 29, 2009, from http://en.wiki pedia.org/wiki/Amazon.com.

8) Long Tail에 관한 Chris Anderson의 원래 *Wired*에 실린 논문은 www.wired.com/wired/archive/12.10/tail.html에서 볼 수 있다.

우리가 초기의 웹 사용자 또는 "네티즌"에게 주목을 끈 Google과 Amazon의 가치명제를 만들었던 토대를 상세히 검토해 보면, 두 회사 모두 각각의 서비스 제공을 차별화하기 위하여 많은 사용자들의 집합된 행동을 이용하였음을 분명하게 알 수 있다. Google의 페이지 순위 시스템은 그것에 링크된 페이지의 수에 기초하여 웹 페이지에 대한 경중을 할당한다. 페이지에 링크된 것이 많을수록 그것의 상대적인 중요도도 높아진다. Google은 이러한 데이터를 검색회귀(search returns)의 우선순위를 매기기 위한 메커니즘으로 수합함으로써 고객들에게 더 효과적인 검색 결과를 제공한다. 마찬가지로, Amazon은 고객의 구매패턴을 수합함으로써 더 많은 책을 구매하도록 할 가능성이 있는 비슷한 구매패턴을 가진 고객에게 추천할 수 있다.

두 사례에서, Bezos, Brin, Page는 알았든지 몰랐든지, 다음 웹볼루션 변화: 웹 2.0 - 참여적인 "읽고 쓰기(read-write)" 웹을 예감했었던 것으로 보인다.

웹 2.0: 공유, 참여, 협력

웹 2.0의 변화 동안, 그 초점은 사람들을 웹 "에(to)" 접속하도록 하는 것으로부터 사람들을 공유하고, 참여하며, 협력하기 위하여 웹을 "통하여(through)" 접속할 수 있도록 하는 것으로 전환되었다. [그림 1-1]에서 개괄적으로 제시한 바와 같이, Napster와 같은 파일공유 소프트웨어가 웹 1.0과 웹 2.0 간에 교량역할을 하였다.

1999년에, Shawn Fanning은 온라인 음악파일 공유 서비스인 Napster를 시작했다.[9] 그렇게 하는 데 있어, 그는 그것의 핵심에 있는 음악산업의 기존 가치사슬을 파괴시켜 버렸다. 사람들은 물리적인 매체(CD나 카세트)를 구매하기 위하여 레코드가게에 가는 대신에 웹을 통해 MP3 음악파일을 즉시 다운로드했다. 여기에서 핵심 요점은 사람들이 웹상에서 음악파일에 접근할 수 있었던 것이 아니라 그러한 음악파일들이 어떻게 먼저 이용 가능하게 되었는가 하는 것이다. 본질적으로, 사람들은 음악파일들을 무료로 공유하기 위하여 Fanning의 P2P(peer-to-peer) 파일공유 테크놀로지의 모든 그러나 강제할 수 없는 불법행위의 혜택을 누렸다. 많은 사람들이 어떻게 Napster가 음악산업을 근본적으로 파괴해 버린 테크놀로지적 단절을 가져왔는지에 관하여 기술해 오고 있다. Napster 플랫폼을 사용한 사람들에 의해 이용된 웹 2.0의 "공유(share)" 가치명제가 결과적으로 이러한 파괴를

---

9) Napster. (2009, May 25). In Wikipedia, the free encyclopedia. Retrieved May 29, 2009, from
   http://en.wiki pedia.org/wiki/Napster.

가져왔던 것이다.

그 다음에는 음악을 공유하는 것으로부터 비디오를 공유하는 것으로 이동하는 것이 당연한 논리적 귀착이다. 음악과 영화산업은 매우 유사한 비즈니스 모델과 가치사슬의 역동성을 가지고 있다. 한 가지 분명한 차이점은 영화와 비디오 프로그래밍은 음악파일보다 더 긴 디지털 비용부담(payload)이 있다는 것이다. 웹 초창기에 음악과 방송매체분야에서 많은 회의론자들이 있었다. 그들 중 가장 주목할 만한 사람이 당시 ABC의 선임부회장이었던 Stephen Weiswasser였다. 그는 확신을 갖고 다음과 같이 선언했다. "여러분은 수동적인 고객에서 인터넷에 낚여버린 사람들(trollers)로 바뀌지는 않을 것이다."[10]

십대 아이를 둔 독자들은 모두 Weiswasser의 선언이 틀렸다는 것을 너무도 잘 알 것이다. 오늘날의 네트워크 세대들은 전혀 수동적이지 않다. 그들은 동료 네트워크 세대들과 지속적으로 상호작용하고 협력하기를 원한다. 그들은 단순히 소비자가 되기보다는 오히려 창조적인 과정에 참여하기를 원한다. 그들은 방송매체를 앉아서 수동적으로 받아들이는 것을 거부한다. 대신에, 앞의 짤막한 일화에서 본 Jessica와 그녀의 친구들처럼, 그들은 사실상 계속적으로 공유하고, 창조하며, 참여하고, 협력하는 Facebook과 MySpace와 같은 소셜 네트워킹 사이트에서 산다.

2008년 9월, Nielsen은 MySpace는 사용자가 5,900만 명이며, Facebook은 3,900만 명이라고 보고했다.[11] 일 년도 채 못 되어, MySpace는 3억 명으로 급격하게 증가했으며, Facebook은 2억 7,600만 명이나 되었다.[12] 이것을 실제 상황과 비교해 보면, MySpace와 Facebook을 네티즌들이 거주하는 가상국가들이라고 본다면, MySpace는 세계에서 다섯 번째로 큰 나라이며, Facebook은 여섯 번째가 될 것이다.[13]

이러한 네티즌들이 그들의 가상사회 거주지에서 하는 일들 중 하나는 미디어를 공유하는 것이다. 사진과 비디오는 핸드폰에서 Flickr의 온라인 사진 사이트로, 그리고 비디오 사

10) Kelly, K. (2005, August). We ate the web. Retrieved May 29,2009, from www.wired.com/wired/archive/13.08/tech.html.

11) Nielson Wire. (2008). Twitter Grows Fastest, MySpace Still the Social King. Retrieved May 29, 2009, from Nielson Wire: http://blog.nielsen.com/nielsenwire/online_mobile/leading-social-nerworkingsites-still-growing/

12) Rayport, J. (2009, May 18). OurSpace: The Shift to the Social Web. *BusinessWeek*, p. 67.

13) *Central Intelligence Agency: World Fact Book.* (2009). Country Populations. Retrieved May 29, 2009, from Central Intelligence Agency, www.cia.gov/library/publications/the-world-fact-book/rankorder/2119rank.html.

이트인 YouTube로 즉시 업로드된다. 그런 다음, 이러한 미디어들은 웹 2.0의 땅을 광속으로 가로질러 갈 때 다른 사람들에 의해 태그되고(tagged) 코멘트됨에 따라 독특한 사회적인 삶을 시작한다.

2005년에 설립된 YouTube는 사용자들이 비디오 클립을 업로드하고 공유할 수 있는 비디오 공유 웹사이트다.[14] 매일 약 9천 시간의 비디오 콘텐츠가 YouTube에 업로드된다. 이것을 실제 상황과 비교해 보면, 3개의 주요 네트워크(ABC, NBC, CBS)로부터 생산된 모든 프로그램들을 지난 6년 동안 합친 것은 전체 1,500만 시간의 비디오 프로그램이 될 것이다. 이 1,500만 시간이 YouTube에 제출된 여섯 달보다 적은 비디오 콘텐츠의 양과 비슷하다.[15]

YouTube는 미디어 접근과 배분을 위한 기업 스튜디오와 방송 접근방법에 대한 사용자 생성 대체수단을 제공해 온 플랫폼이다. 간단히 말해서, 네티즌들이 공유하고, 참여하며, 협력할 수 있도록 해 주는 웹 2.0 테크놀로지가 도래함으로써, 우리는 미디어와 엔터테인먼트 산업이 어떻게 콘텐츠를 개발하고 배포하는지에 관한 재정의(redefinition)를 목격하고 있다. 이러한 전환은 사용자 생성 콘텐츠의 위협에 맞서기 위한 산업체의 기업구조와 비즈니스 모델에서의 재정의의 필요성을 요구하고 있다.

지하실이나 다락방 공간을 차지하고 있는 오래된 미디어 수집품(비닐 앨범, 8트랙 테이프, 혹은 Betamax 영화)을 가지고 있을지 모르는 여러분들에게, 여전히 희망이 있다! 1995년, eBay 설립자 Pierre Omidyar의 비전은 사람들이 온라인 경매 사이트를 통해 상품을 사고 팔 수 있도록 해 주는 웹기반 플랫폼을 제공하는 것이었다. 10년 후, eBay는 대략 연간 100억의 웹 서비스 거래를 처리하고 있으며,[16] 700,000명 이상의 미국인들이 eBay가 자신들의 주요한 또는 이차적인 수입원이라고 보고했다.[17] 네티즌들은 eBay를 통해 이제 디지털 전 세계 중고품 염가판매(yard sale)에 참여할 수 있는 기회를 갖게 되었으며, 그것은 곧 잡동사니를 다른 누군가의 보물로 바꾸었다. eBay를 위하여 일하는 것 대신에, eBay

14) YouTube. (2009, May 29). In Wikipedia, the free encyclopedia. Retrieved May 29, 2009, from http://en.wiki pedia.org/wiki/YouTube.

15) 이 논쟁은 Library of Congress. (2008). Michael Wesch to Discuss "The Anthropology of You Tube" at Library of Congress on June 23. Retrieved May 29, 2009, from Library of Congress Press Release, www.loc.gov/roday/pr/2008/08-104.html에서 나왔다.

16) Hsiao, A. (n.d.). About eBay the Business: Holdings, Strategy and History. Retrieved May 29, 2009, from About.com http://ebay.abour.com/od/ebaylifestyle/a/eLbus09.htm.

17) Loechner, J. (2005, July 26). eBay Supplements Income for One and a Half U. S. Entrepreneurs. Retrieved May 29, 2009, from MediaPostsblogs www.mediapost.com/publicationsl?fa=Articles. showArticle&arcaid=32378.

가 그들을 위하여 일하고 있다.

웹볼루션의 다음 변화로 이동해 감에 따라, 우리는 참여하고자 하는 네티즌들을 위하여 다른 형태의 부를 창출할 수 있도록 해 주는 새로운 형태의 혁신적인 공동창조(co-creation)를 장려하는 경제적인 플랫폼의 개발이 계속되고 있음을 목격한다.

만약 Napster가 웹 1.0과 웹 2.0 간에 교량역할을 했다면, Wikipedia는 웹 2.0과 몰입적인 인터넷(Immersive Internet) 간에 교량역할을 한다. 2002년에 Wikipedia를 설립하는 데 있어 Jimmy Wales의 비전은 지구상에 있는 모든 개개인이 모든 인간 지식의 총합에 무료로 접근할 수 있어야 한다는 것이었다.[18] Wikipedia는 웹 2.0 도구들이 사람들에게 웹을 "통하여(through)" 접근할 수 있도록 해 주는 능력을 이용함으로써 그것의 가치를 "크라우드소싱(crowdsourcing)"을 통하여 집단 행동을 하는 것으로부터 도출한다.[19] 크라우드소싱은 "전통적으로 고용인이나 계약자에 의해 수행되던 과제를 빼앗아 그것을 불확정의, 일반적으로 더 큰 집단의 사람들에게 공개 모집의 형태로 아웃소싱(outsourcing)하는 행동"으로 정의된다.[20]

Wikipedia의 경우, 일반 네티즌들에게 아웃소싱된 과제는 세계에서 가장 거대한 백과사전을 만드는 것이었다. Wikipedia는 지난 7년 동안 전 세계의 자원자들에 의해 1,200만 개의 논문이 공동으로 쓰일 정도로 성장해 오고 있다.[21] 이러한 동일한 클라우드소싱 현상은 Linux 운영체제와 같은 오픈소스 소프트웨어 개발 시 성공적으로 이용되었다. Wikipedia와 Linux 모두 웹의 "협력(collaboration)"과 "공동창조(co-creation)" 가치명제를―한 경우에는 세계에서 가장 거대한 디지털 백과사전을 만들기 위하여, 다른 경우에는 Microsoft와 같은 전통적인 IT업체로부터 제공되는 것에 맞서 상당한 영향력을 얻고 있는 운영체제를 만들기 위하여―작동시킨다. 따라서 가상적인 공동창조의 활용은 세 번째 변화가 다가옴에 따라 웹 2.0의 끝부분에 있는 패턴으로 확고하게 자리매김하고 있다.

---

18) Jimmy Wales TED Keynote [Video]. (2005). Retrieved May 29, 2009, from www.ted.corn/index.php/talks/jimmy_wales_on_the_birth_of_wikipedia.html.

19) Howe, J. (2006). The Rise of Crowdsourcing. Retrieved May 29, 2009, from www.wired.com/wired/archive/14.06/crowds.html.

20) Crowdsoureing. (2009, May 19). In Wikipedia, the free encyclopedia. Retrieved May 29, 2009, from http://en.wikipedia.org/wiki/Crowdsourcing.

21) Jimmy Wales TED Keynote [Video]. (2005). Retrieved May 29, 2009, from www.ted.corn/index.php/talks/jimmy_wales_on_the_birth_of_wikipedia.html.

몰입적인 인터넷: 협력과 공동창조

오늘날 웹은 전통적인 2차원적 웹 브라우저 인터페이스에서 3차원적 웹 브라우저 인터페이스로 전환 중에 있다. 모자이크 브라우저의 소개가 사회와 비즈니스를 바꾼 것처럼, 정적이며 일방향적인 정보 노선(conduit)에서 사람들ー그리고 아바타들ー이 거주하고, 일하며, 즐기는 3차원적인 가상환경으로의 인터넷의 변환은 똑같이 중요한 변환적인 영향력을 가질 것이다.

한때 광적인 게이머들(hard-core gamers)의 영역이었던 3D 인터넷은 급격하게 주류화되고 있다. 우리는 몰입적인 인터넷이 어떻게 사회에 널리 퍼지고 경제에 영향을 미치기 시작했는지를 탐구하기 위해서 전 세계에서 가장 인기 있는 대규모 다중플레이어 온라인 롤플레잉 게임 또는 다중접속 역할수행 게임(massively multiplayer online role play games: MMORPG) 중 하나인 *World of Warcraft*를 탐구하기 시작한다.

1994년에 Blizzard Entertainment에 의해 처음 발표된 *World of Warcraft*(WoW)는 1,150만 명 이상의 가입자들이 등록할 정도로 급속도로 신장되었다.[22] 대부분의 MMORPG처럼, 플레이어들(players)은 난이도 수준이 점차 높아지는 일련의 도전들을 뚫고 지나가기 위하여 함께 노력하는 조합(guild)으로 알려진 팀을 형성한다. 게임 플레이어들이 게임에서 수준들을 뚫고 지나가기 위하여 함께 노력하면서, 그들은 자신들의 디지털 페르소나(persona) 또는 아바타들과 연결되어 있는 기술을 습득하고 화폐를 획득한다. 게임을 그만두기로 한 플레이어들은 자신들의 화폐를 현금 지불받고 심지어 자신들의 아바타를 온라인에서 팔 수 있는 자격을 가지고 있다. 이러한 현금 지불 과정은 시시한 것이 아니다. 현재까지 가장 높은 *World of Warcraft* 아바타 계정 매매가는 9,000달러이다.[23]

*World of Warcraft*는 본질적으로 실제 화폐로 교환할 수 있는 평판자본(reputational capital)을 개발하기 위하여 아바타들이 가상경제 내에서 게임 플레이 활동을 통해 일하는 경제 플랫폼이다. *World of Warcraft*와 *EverQuest*와 같은 MMORPG 플랫폼들은 중국에서 새로운 "황금 농업(gold farming)" 산업을 탄생시켰다. 2007년, 황금 농업인들(gold farmers)은 100,000명 이상의 노동자들을 고용했다. 노동자들은 12시간씩 교대로 게임을 한다. 매 100개의 동전이 모아질 경우, 노동자는 약 1.25달러를 번다. 사장은 이 가상의 돈(loot)

22) World of Warcraft. (2009, May 29). In Wikipedia, the free encyclopedia. Retrieved May 29, 2009, from http://en.wikipedia.org/wiki/World_of_Warcraft.

23) Cristina Jimenez, C. (2007). The High Cost of Playing Warcraft. Retrieved May 29, 2009, from *BBC News*, http://news.bbc.co.uk/2/hi/technology/7007026.stm.

을 온라인 브로커에게 약 3달러에 판다. 그 온라인 브로커는 최종적으로 그 가상 화폐 동전을 미국이나 유럽 고객에게 실제 화폐로 20달러 정도에 판다.[24]

마찬가지로, Lenden Lab에 의해 개발된 가상세계인 Second Life(SL)는 그곳의 거주자들에게 아바타를 통해 서로 상호작용할 수 있도록 해 준다. Second Life 거주자들은 서로 교제하고, 탐색하며, 집단활동에 참여하고, 아이템들(items)을 만들고, 가상의 재산과 서비스를 서로 교환할 수 있다. Second Life는 그 가상세계 내에서 가상 아이템들을 사고팔기 위하여 사용할 수 있는 Linden Dollar라는 자체 화폐를 가지고 있다. Linden Dollar는 IGE와 같은 화폐교환소에서 실제 달러로 교환할 수 있다.[25] Anshe Chung은 아마도 가장 유명한 Second Life 중개업자일 것이다. 그녀는 2006년 5월에 *BusinessWeek*의 커버에 특집 기사화되었으며, 최초의 실제 Second Life 백만장자로 널리 알려졌다.[26]

Anshe만이 가상의 자산(assets)을 파는 사업을 하지는 않는 것으로 밝혀졌다. 2007년, 사람들은 가상 아이템들에 1억 5,000만 달러 이상을 지출했다.[27] 많은 사람들은 사람들이 아바타나 본질적으로 비트(bits)와 바이트(bytes)의 디지털 버킷(bucket) 이상은 아무것도 아닌 가상의 부동산을 사기 위하여 실제 돈을 소비한다는 것은 믿기 어렵다고 생각한다. 그러나 만약 여러분이 매매를 물건을 위한 거래가 아닌 서비스를 위한 지불이라고 이해한다면, 그것을 이해하기가 그렇게 어렵지 않을 것이다. 실제로, *World of Warcraft* 아바타들이나 완전히 외양을 갖춘, 폭포와 돌고래들이 있는 Second Life 아일랜드(island)를 구매하는 사람들은 디지털 산출물(product)에 지불하는 것이 아니라 그것을 만들기 위하여 포기한 서비스들에 지불하는 것이다.

몰입적인 인터넷은 Facebook과 MySpace의 3D 버전에 거주하고 있는 아바타들이 지속적으로 가상 상품들과 서비스들을 위하여 시장에 참여할 수 있거나 심지어 댄스파티에 함께 참여할 수 있는 혁신적인 협력과 공동창조를 위한 기회를 제공한다.

법률과 가상세계 전문가인 펜실베이니아대학교 Wharton School 교수인 Dan Hunter

---

24) Dibbell, J. (2007, June 17). The Life of the Chinese Gold Farmer. Retrieved May 29, 2009, from *New York Times* Online Edition, www.nytimes.com/2007/06/17/magazine/17100tfarmerst.html.

25) IGE. (2009). Retrieved May 29, 2009, from www.ige.com/

26) Hof R. (2006, November, 6). Second Life's First Millionaire. Retrieved May 29, 2009, from The Tech Beat, www.businessweek.com/the_thread/techbeat/archives/2006/11/second_lifes_fi.html.

27) Wu, S. (2007, June 20). Virtual Goods: The Next Big Business Model. Retrieved May 29, 2009, from TechCrunch, www.techcrunch.com/2007/06/20/virtual-goods-the-next-big-business-model/

는 일련의 가상서비스들에 대한 이러한 일반화된 접근은 미래의 고용패턴에 상당한 영향을 줄 수 있다고 주장하며, 다음과 같이 말한다. "나는 우리 아이들(현재 여섯 살과 네 살)은 하나 이상의 이러한 세계들 속에서 일하게 될 것이라고 자신 있게 예측한다."[28] 그만이 이러한 예측을 한 것이 아니다. 독창적인 작품인 『인조의 세계(Synthetic Worlds)』의 저자인 Edward Castronova는 가상세계에서만 존재하는 경제시장의 출현과 가상의 황금들이 다이아몬드처럼 실제 상품으로 거래되는 날에 대한 글을 썼다.[29]

웹볼루션이 웹 1.0에서 웹 2.0을 거쳐 몰입적인 인터넷으로 이동함에 따라, 각각의 변화는 이전의 변화에 기초하는데, 그것은 우리로 하여금 가상경제가 궁극적으로 실현되는 지점에까지 이끌어 준다. 그 속에서 아바타가 상호작용하는 널리 퍼지고 지속적인 환경으로서의 몰입적인 인터넷의 도래는 의심할 여지 없이 심지어 오늘날에도 상상할 수 없는 부의 창조와 개발의 새로운 매개물을 창출하는 새로운 형태의 혁신적인 공동창조, 비즈니스, 학습기회를 예고할 것이다.

사회적 생산 시대의 도래

두 번째와 세 번째 웹볼루션 변화는 조직, 일, 학습의 미래에 결정적일 수 있는 무수한 새로운 가치교환 플랫폼들을 예고해 왔다. Wikipedia와 같은 플랫폼들은 중앙권위자에 의한 명령과 자원의 통제와는 대비되는, 구체적인 노력에 대하여 역량을 조정하고 통합을 할 수 있다. 수입이 종종 고용인의 수와 관련이 있는 대부분의 실제 세계 기업들과는 대조적으로, Amazon, Google, eBay, MySpace, Linden Lab과 같은 회사들은 자신들의 가치교환 플랫폼을 관리하고 시장가치를 창출하고 획득하기 위하여 플랫폼을 독특한 방식으로 이용하는 많은 구성원들이나 시민들을 끌어들이기 위하여 상대적으로 적은 수의 고용인들을 채용한다.

커뮤니케이션 비용이 줄어들고 웹기반 상호작용성의 질이 향상됨에 따라, 공동창조자 공동체는 더 이상 조직화된 공식적인 조직에 의존할 필요가 없다. 그들은 사전에 계획해야 할 기업 인프라 구조를 사용하기보다 오히려 자신들의 활동을 실시간으로 조정하기 위하

---

28) Craig, K. (2006, February 8). Making a Living in Second Life. Retrieved May 29, 2009, from www.wired.com/garning/virrualworlds/news/2006/02/70153?currentPage=all.

29) Castronova, E. (2005). Synthetic Worlds. Chicago: University of Chicago Press, p. 225.

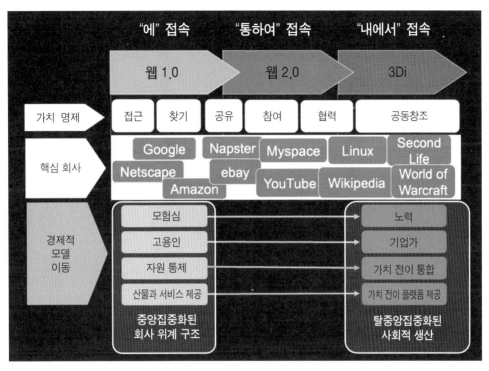

[그림 1-2] 웹볼루션은 사회적 생산을 촉진한다.

여 웹의 널리 퍼져있고 몰입적인 어포던스(affordance)[30]를 이용한다. 그렇게 하는 데 있어, 직감적인 네티즌들은 Yochai Benkler이 "사회적 생산(social production)" 이라 부르는 새로운 경제적 거래 준거틀(framework)을 만들고 있다([그림 1-2] 참조).[31]

사회적 생산은 소프트웨어 운영체제나 디지털 백과사전이 거대한 중앙집중화된 위계 구조를 위한 요구 없이 생성될 수 있는 수단(means)이다. 본질적으로, 웹 플랫폼 자체는 구성원들이 그들이 선택한 것이 많든 적든 주어진 노력에 참여할 수 있도록 해 준다. 과거에, 그러한 형태의 사회적 생산은 사실상 제한되어 있고 한정되어 있었다. 특정 도시에 있는 컴퓨터 취미 생활자들(hobbyists)은 새로운 운영체제의 잠재성을 논의하기 위하여 월별로 모일 수도 있다. 그들은 심지어 몇몇 코드를 개발하기 위하여 공동 작업을 할 수도 있다. 그러나 이러한 종류의 활동이 웹을 통해 모이고 조정될 수 있는 오늘날, 그것은 상당한

---

30) [역주] 객체와 주체 간의 상호작용에 의해 객체가 주체에게 행위를 유발하게 하는 속성을 지칭하며, '행동유도성' 이라고도 함

31) Yochai BenkierTED Presentation [Video]. (2005). Retrieved May 29, 2009, from www.red.corn/index.php/talks/yochai_benklecon_the_new_open_source_economics.html.

경제적인 영향력을 초래하기 시작하고 있다. 오늘날 이러한 플랫폼들은 유능하고 독립적인 기업가들을 특정 노력(endeavor) 주변으로 통합할 수 있도록 해 주는데, 그들은 그곳에서 해당 플랫폼에 참여하고 있는 다른 사람들로부터 가치를 창출하고 획득할 수 있다.

　　Second Life와 같은 가상세계들은 거주자들의 재능과 창의성을 독특한 방식으로 활용한다. Linden Lab의 Joe Miller는 자신의 회사가 그곳의 거주자들의 사회적 생산으로부터 얼마나 많은 가치들을 도출하는지에 관한 유용한 사례를 제공한다. Second Life가 거주자들에게 그들 자신만의 가상 자산을 창출할 수 있는 도구들을 제공한 이래, Linden Lab은 Second Life 환경의 계속적인 개발에 참여하는 구성원들에게 인센티브를 주고 있다. 2007년, Second Life는 하루에 약 350,000시간의 사용률을 기록했다. 이 시간의 약 25%가 해당 플랫폼 내에서 새로운 콘텐츠를 만드는 거주자들에 의해 소비되었다. 그것은 하루당 87,500시간을 개발하는 데 소비한 것을 의미한다. 다시 말해서, Second Life 거주자들은 Second Life 격자(grid)를 구축하는 데 연간 약 16억 달러 정도의 무임 노동을 기부하고 있다. 이것은 Linden Lab에 의해 고용되지 않은 16,000명의 콘텐츠개발팀과 맞먹는다.[32] 이것이 실행 중인 사회적 생산이다.

몰입적인 인터넷의 단일화

더욱더 디지털로 상호 연계되는 세계에서, 테크놀로지와 기업구조는 엄청난 속도로 함께 진보하고 있다. 만약 여러분이 엄격한 경계선을 지닌 중앙집중화된 관료주의적 위계구조에서 보다 미약한 경계선을 지닌 평평한 위상적인 구조로 이동하고 있는 지난 50여 년 동안의 조직구조를 추적해 본다면, 이러한 기업들을 지지하고 있는 IT 구조들 간에 다음과 같은 줄다리기가 있었음을 매우 분명하게 알게 될 것이다. 즉, 획일적이고 자유가 없는 중앙집중화된 메인프레임으로부터 클라이언트-서버 모델을 거쳐 오늘날 기업의 IT 인프라 구조를 구성하고 있는 P2P의 탈중앙집권화된 웹으로 변천하였다.

　　더 나아가, 테크놀로지는 간접성(indirection)과 순환(iteration)을 통해 작동하고 있다. 이것은 본질적으로 테크놀로지가 과거의 성공과 실패 위에서 구축되며, 계속해서 그것을

---

32) Massey, A.p. (2007). Industry Trends: Emerging 3D Internet (3Di) Multi-User Virtual Environments (MUVEs). Retrieved June 1, 2009, from TechQuarterly, www.c1ifroncpa.com/Content/ERRRMPHR8G.pdf?Name=TechQuarterly1207.pdf.

더 빨리 구축하기 위하여 그러한 성공과 실패로부터 학습함을 의미한다. 이 순환적이고 가
속적인 사이클로 인해 테크놀로지는 사회와 산업체를 통해 기하급수적으로 확장되고 확
산되고 있다. 종종 컴퓨터 속도가 매 18개월마다 두 배가 된다고 하는 관찰을 분명하게 표
현한 Moore의 법칙은 단지 간접성을 통한 테크놀로지의 기하급수적인 성장의 한 예에 불
과하다. 사실상 컴퓨터 속도가 배가되는 현상은 진공관(vacuum tubes)시대부터 지속되어
오고 있으며, 의심할 여지 없이 우리가 실리콘기반 트랜지스터로부터 분자컴퓨팅(molec-
ular computing)으로 이동할 때까지도 계속될 것이다.

현재 네 개의 개별적인 소프트웨어 분야들이 차세대 몰입적인 인터넷 인프라구조([그
림 1-3] 참조)를 가능하게 하거나 인터넷상에서 3D 환경의 몰입적인 특성을 전달하는 "임
머넷(immernet)"을 만들 수 있는 테크놀로지적 단일화(singularity)의 지점으로 융합되고
있다.

우리가 이 단일화를 향하여 이동함에 따라, "임머넷"은 사회적 생산지향 플랫폼으로
확산될 것이다. 그것은 가상세계의 거주자들이 그들이 활용하기 위한 상업과 구조의 새로

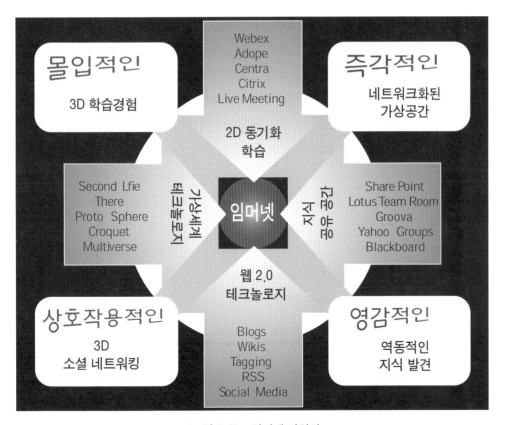

[그림 1-3] 임머넷 단일화

운 메커니즘을 창출할 수 있는 상상할 수 없는 기회를 제공할 것이다. 그것은 또한 그 네티즌들 간에 새로운 학습과 상호작용 방법을 요구할 것이다.

융합지점 1: 즉각적인 네트워크화된 가상공간

여기에서 WebEx와 Live Meeting과 같은 2D 동기적인 학습 플랫폼들이 SharePoint와 Ning과 같은 지식공유 저장소(repositories)와 통합될 것이다. 이는 결과적으로 네트워크화된 가상공간을 생성한다. 이 공간들은 동기화된 공유를 비동기화된 저장소와 통합할 것이며, 이는 콘텐츠의 저장과 공유를 위한 원스톱 쇼핑을 가능하게 할 것이다.

융합지점 2: 영감적인 역동적 지식 발견

여기에서 웹 2.0 테크놀로지들은 지식공유 공간과 통합된다. 사용자 생성 콘텐츠의 엔진들로서의 블로그, 위키, 소셜 미디어의 영향력이 잘 설정되었다. 그러나 웹 2.0 도구들 중에서 주요한 변환 수단(lever)인 소셜 태깅(social tagging)은 거의 논의되지 않았다. 웹 2.0 영역에서 개발되고 저장된 대부분의 콘텐츠는 개발자와 사용자 양자에 의해 키워드로 태그된다. 사용자 생성 태그들은 블로그, 위키, 소셜 미디어 사이트들에 저장된 일련의 콘텐츠들 간에 인적 연결성(human connectivity)의 흐름을 활성화한다. 태깅이 더 많다는 것은 사람과 사람 간, 사람과 정보 간에 더 많은 지식들이 교류하였음을 의미한다. 실시간 태깅과 네트워크화된 가상공간 간의 융합은 핵심적인 정보에 대한 접근과 특정 과제나 활동과 관련된 핵심적인 사람들과의 상호작용의 즉각성(immediacy)을 허용한다. 이러한 새롭게 도래하는 가상적으로 가능하고, 맥락적으로 적절한, 실제 세계와 쌍을 이루는 세계(matchmaking world)에서, 지식 발견(knowledge discovery)과 그 주제에 관하여 전문가들과 실시간 상호작용(real-time interaction)하는 것은 네트워크 자체가 보다 영감적인(intuitive) 플랫폼에서는 규준(norm)이 된다.

융합지점 3: 통합된 3D 소셜 네트워킹

3D 테크놀로지 플랫폼의 도입(infusion)으로, 3D 소셜 네트워킹이 시작되는 것은 단지 시간상의 문제에 불과하다. 이것이 일어났을 때, MySpace는 실제로 나의 공간(MySPACE)이 될 것이다. 이러한 3D 영역으로의 소셜 운동(social movement)은 기업정보책임자들(corporate information officers: CIOs)이 과거에 인스턴트 메시지(instant message)와 같은 애플리케이션을 위해 했던 것처럼 회사 구성원들을 위하여 엔터프라이즈급 3D 소셜 네트워킹 애플리케이션을 개발하도록 촉발할 것이다. 오늘날 Forterra(Olive 개발)와 Proton Media(ProtoSphere 개발)와 같은 대규모 회사들은 웹 2.0 도구들을 자신들의 3D 인터페이스에 통합하고 있다.

융합지점 4: 몰입적인 3D 학습경험

3D 소셜 네트워킹과 마찬가지로, 동기적인 2D 학습과 협력 플랫폼들도 3차원으로 들어갈 것이다. 현재의 학습과 협력 플랫폼들은 가상적인 상호작용성(interactivity)을 허용하지만, 지속적인 참여를 촉발하는 몰입적인 경험을 제공하지는 않는다. 그 결과, 대부분의 웹 컨퍼런스나 강의들은 지식을 매력적인 방식으로 전이하기 위한 능력 면에서 저최적화되어(sub-optimized) 있다. 공식에 몰입(immersion)을 더함으로써, 조직들은 원격지에서 일하고 있는 고용인들 간에 보다 양질의 학습 상호작용을 제공할 수 있다.

몰입적인 인터넷은 사람들이 그들에게 대부분 문제가 되는 노력과 관련한 자신들의 기술과 능력을 즉각적으로 연습해 볼 수 있도록 해 주는 전 세계적인 가상 플랫폼이 될 것이다. 이 차세대 인터넷은 부차적인 생산 대신에 작업활동을 매매하기 위하여 eBay처럼 기능할 것이다. 어느 누구도 임머넷을 위하여 일하지 않을 것이다. 대신에, 임머넷이 그들을 위하여 일할 것이다. 네티즌들에게 일과 함께 일할 사람을 찾을 수 있는 기회를 제공할 것이다. 몰입적인 인터넷은 최후의 네트워크(netWORK)가 될 것이다.

몰입적인 인터넷 테크놀로지는 공식적인 구조의 필요 없이 풍부한 개인적인 교환을 가능하게 만든다. 이러한 새로운 정보 생태계의 비선형적인 역동성은 전통적인 기업구조에 도전을 하고 있다. 실제로, IBM의 Global Innovation Outlook으로부터의 최근 연구는 다음과 같이 제시하였다: "미래는 수십억의 1인 기업들, 즉 자신들의 기술, 초점, 열정이 변화함에 따라 이 프로젝트에서 저 프로젝트로 자유롭게 그리고 빈번하게 이동하는 자유 에이전트(agent)처럼 행동하는 사람들로 구성될 것이다."[33] eBay는 사람들이 자신의 개인적인 아이템들을 전 세계의 중고품 염가판매에서 팔 수 있도록 해 주었다. 몰입적인 인터넷은 사람들이 자신의 기술과 능력을 매우 동일한 방식으로 팔 수 있도록 해 줄 것이다.

---

33) Global Innovation Outlook. (2005). Retrieved May 29, 2009, from IBM, http://domino.watson.ibm.com/comm/www_innovate.nsf/images/gio/$FILE/GIO_2005_for_printing.pdf.

웹볼루션이 계속해서 사회와 산업체로 널리 퍼져감에 따라, 우리는 통상의 비즈니스(business-as-usual)에서 "독특한 비즈니스(business unusual)"로 이동하고 있다. 이러한 매우 상호 연계되고 복잡한 경제적인 상황에서 중요하고 생존 가능한 채 유지되기를 원하는 기업체, 학술기관, 정부기관들은 사회적 생산의 힘을 자신들의 조직의 핵심구조 속에 통합하는 방법을 결정할 필요가 있을 것이다.

독특한 비즈니스

Newton의 머리에 떨어진 사과는 그 뒤에 Alfread Sloan의 현대 관료주의의 창조와 Henry Ford의 조립라인에서 최고조에 달한 자동차 산업의 성장을 이끈 내연기관을 발명하고, 물리학의 법칙을 창조할 수 있도록 해 주었다.

우리는 역사를 통해 시장경제는 일반적으로 현상(status-quo)을 영원히 바꿔 버리는, 매우 짧은 기간 동안의 높은 불안정에 의해 종종 중단되는 확장된 안정 시기에 의해 특징 지어짐을 배운다. 마찬가지로, 전체 역사 동안, 혁신의 확산은 일반적으로 예측할 수 있는 경로를 따라왔다. 즉, 과학적인 발견은 새로운 테크놀로지의 생성을 알려주는데, 그것은 산업체와 조직들의 구조를 재형성하는 새로운 비즈니스 기회들 속에서 예고된다.[34]

과거에, 인쇄술과 증기엔진과 같은 와해성 테크놀로지들(disruptive technologies)은 각 시대의 사회적·경제적 풍경에서의 단계적인 변화들(step-changes)을 창출하는 촉진제였다. 오늘날 비즈니스에서 인터넷의 변형적인 효과들은 손쉽게 식별된다. 우리는 현재 생산물과 서비스의 생명주기가 줄어들고 있으며, 노동환경이 복잡해지고 빨라지고 있는 서비스기반, 지식기반 경제에서 살고 있다. 오늘날의 점증되는 디지털 경제는 혁신, 맞춤화(customization), 새로운 비즈니스 모델, 효율성을 극대화하기 위하여 업무를 조직화하는 새로운 방법들에 프리미엄을 둔다.

넓게 말해서, 혁신(innovation)은 기업의 지식을 가치(value)로 변환하는 과정이다. Alfred Sloan과 Henry Ford는 새로운 기회들에 투자하였으며, 새롭게 도래하는 자동차산업을 위하여 산업구조와 인프라구조를 재정의했다. 성공적인 몰입적인 인터넷 기업들은

---

34) 이 개념은 원래 Stan Davis가 그의 책 *Future Perfect*에서 소개했다. Davis, S. (1997). *Future Perfect*. New York: Basic Books. 이 개념은 Stan이 Chris Meyer와 공저(共著)한 *It's Alive*라는 책의 분자경제(Molecular Economy) 맥락에서 보다 더 구체화되었다. Meyer, C. (2003). *The Coming Convergence of Information, Biology, and Business*. New York: Crown Business.

지속적으로 새로운 지식을 창출하며, 그것을 조직 전체에 걸쳐 널리 공유하고, 그것을 새로운 차별화된 시장 제공물 또는 보다 효과적인 작업흐름(workflow) 접근방법에 신속하게 구체화하는 기업들일 것이다. 몰입적인 인터넷 선도자들은 상업이 어떻게 사회적 생산이 기초한 새롭고 다른 방식으로 자본화될 수 있는지를 재정의하는 책임을 져왔다. 학습과 개발 조직들은 조직들이 비즈니스를 하는 새로운 사회적 생산방법들을 따라잡고 그것을 채택하도록 도와줄 필요가 있다.

이러한 불확실성이 만연한 경제에서, 자신들이 영향을 끼치는 환경만큼이나 빠르게 변화할 수 없는 조직들은 평범한 것으로 퇴보할 것이다. 비즈니스 환경을 압력실(pressure chamber)이라고 생각하고, 어떤 조직을 그 압력실 내에 있는 풍선이라고 생각해 보라. 만약 풍선 속에 있는 분자들이 압력실 속에 있는 분자들만큼이나 빠르게 움직이지 않는다면, 그 풍선은 쭈그러들 것이다. 웹 테크놀로지의 엄청난 속도(pace)와 가속도(acceleration)는 압력을 비즈니스 환경 속에 불어 넣고 있는데, 이는 기업들이 엄격한 위계구조보다는 오히려 적응적인 유기체의 특성을 지녀야 함을 요구한다. 이는 미래 노동자들이 이러한 새로운 패러다임들 내에서 생산적이 되도록 준비시켜야만 하는 학술기관들에게도 마찬가지다.

오늘날, 통찰력은 혁신을 촉진하고 혁신은 유익한 성장을 촉진한다. 이러한 통찰력은 우연히 발견되는 지식 사고(knowledge accidents), 즉 전문지식이 기회들과 충돌하고 완전히 새로운 산업이 탄생하는 환상적인 순간으로부터 발생한다. 혁신을 위한 역량의 핵심에는 학습하기 위한 능력이 있다. 조직은 단순히 새로운 어떤 것을 학습하지 않고서는 혁신을 할 수 없다. 항상 그러한 사례가 있는 것처럼, 어떤 기업의 밝은 미래는 영리한 사람들이 접근할 수 있는가에 달려 있다. 그 결과, 매우 예측할 수 없는 일련의 시장 기회들과 관련한 역량을 즉각적으로 합체할 수 있는 능력은 21세기의 조직이 해결해야 할 커다란 도전이다.

웹볼루션시대 이전에 성공을 만끽해 온 조직들은 모두 여러 가지 측면에서 거대한 도전에 직면하고 있다. 이러한 비즈니스와 학술기관들은 위계적인 명령과 통제기반 경제 모델에 최적화된, 구조적이며 인프라구조적인 엄격한 핵심(core) 위에 구축되었다. 웹기반 사회적 생산이 널리 퍼지고 몰입적인 인터넷이 자리를 잡아감에 따라, 조직들은 자신들의 비즈니스와 학술적인 모델들을 바탕에서부터 재고해야 하는 도전에 직면할 것이며, 이는 조직 전체에 중요하고 전면적인 변화를 요구할 것이다.

변화가 일어나기 위해서는 학습이 일어나야 하는 것이 전제조건이다. 나이 든 조직은 새로운 트릭을 배우지 않는 한 더 오래된 조직이 될 것이다. 중앙집중화된 위계구조의 경우, 오래된 조직은 웹볼루션시대 이전에 성공을 가져온 모든 것을 학습하지 말아야 하며,

웹이 휩쓸고 간 세계에서 지속적인 경쟁적 우위를 점하기 위해서는 조직의 자원과 역량을 재조정하기 위하여 몰입적인 인터넷을 사용하는 방법을 신속하게 학습해야 한다.

웹볼루션에서 뇌(brains)는 기업의 엔진으로서 근육을 능가해 왔다. 기업 내 학습기능(learning function)의 연속적인 도전은 인간자본 투자가 그 조직이 최소한의 와해로 변화를 수용하도록 해 주는 경쟁과 업무과정보다 더 신속하게 혁신할 수 있는 노동력을 산출할 수 있도록 보장하는 것이다. 이것은 학습기능이 기업에서 매우 전략적이 되어야 함을 시사한다.

이 책의 나머지 부분에서는 기업의 학습기능이 몰입적인 인터넷 시대에 조직들을 변환하고, 생존하며, 번영할 수 있도록 하기 위하여 그 기능 자체를 어떻게 재고안해야 하는지를 탐색한다.

_earning in **3D**

Adding a New Dimension to Enterprise
Learning and Collaboration

변화를 위한 학습

Smith씨 가족은 North Carolina 주, Manteo에 있는 Lost Colony를 방문하는 것 때문에 매우 흥분되어 있다. 막 일곱 살이 된 Megan은 1578년에 어떻게 120명의 용감한 남자, 여자, 아이들이 Roanoke Island에 최초의 영국 정착지를 구축했는지에 대한 모든 것을 배웠다. 3년 후, 주지사 John White가 돌아왔을 때, 정착민들은 자신들이 어디에 있는지에 관한 단 하나의 단서만을 남긴 채 사라져 버렸다. 즉, "Croatoan"이라는 단어만이 우체통에 새겨져 있었다.

가족들이 Lost Colony에 도착했을 때, Megan은 그들이 어떻게 사라져 버렸는지에 관한 신비를 해결하기 위하여 매우 열성적이었다. 첫 번째 건물을 방문했을 때, 호기심으로 넘쳐나는 Megan은 "엄마, 엄마, 그들이 여기에서 무엇을 했어요?" 라고 물었다. 그녀의 어머니는 "이것은 대장간의 가게란다." 라고 답했다. "이것은 대장장이가 연장과 말발굽을 만들었던 곳이지. 그것은 모루(anvil)라고 불리며, 대장장이는 그것을 거기 위의 화로에서 빼낸 뜨거운 금속을 모양 짓기 위하여 사용했단다."

"엄마, 왜 말이 신발이 필요했어요?" 라고 Megan이 물었다. "그 당시에는 사람들이 주변을 돌아다니기 위해서 말을 이용했단다. … 그들은 그 당시에는 차를 가지고 있지 않았지." 라고 그녀의 어머니가 답했다. "그러나 엄마, 말들은 똥을 싸고 매우 느리게 가서 그 당시에 주변을 돌아다니는 것이 힘들었을 텐데요. … 저는 DVD 플레이어가 달려 있는 미니밴이 있어 우리가 여행할 때 영화를 볼 수 있어서 좋아요."

그들은 다음 건물로 어슬렁어슬렁 걸어 들어갔다. 엄마는 다음의 질문공세에 대비해 긴장했다. "엄마, 엄마, 그들은 여기에서 무엇을 했어요?" 라고 Megan이 물었다. "응! 이곳은 그들이 옷을 만들었던 곳이란다. Megan, 아빠가 너에게 그것을 설명해 주실 거야. 나는 Connor의 기저귀를 갈아 주어야 해."

"응, Megan. 이 건너편이 그들이 옷을 만들 양털을 얻기 위하여 양털을 깎았던 곳이야." 라고 아빠가 말했다. "아이쿠. 그것이 양을 다치게 했나요, 아빠?" 라고 상당히 걱정하면서 Megan이 물었다. "전혀" 라고 아빠가 답했다. "그런 다음, 그들은 그 양털을 가지고 와서 방적사(yarn)를 만들기 위하여 그것을 이 방적기에 놓았단다. 그런 다음, 그들은 그 방적사를 가지고 와서 옷을 만들기 위하여 배틀(loom)이라 불리는 이 기계 위에 놓았는데, 그것은 이 건너편에 있는 이 재봉틀(sewing machine)을 사용해 옷을 만들기 위해 사용했단다." "와우~, 단지 몇 가지 옷을 얻기 위하여 많은 일들을 한 것 같군요. 저는 제가 새로운 Dora 티셔츠가 필요할 때 우리는 미니밴에 깡충 뛰어 들어가서 WalMart로 가면 된다는 것이 기뻐요." 라고 Megan이 말했다.

그들이 다음 건물로 들어갔을 때, 아빠는 질문에 답할 준비를 했다. 심지어 Megan이 묻기도 전에, 그는 "자, Megan. 제과점이야. 이곳이 그들이 반죽 덩어리를 빵 한 덩어리씩 잘 펴지게 한 다음 굽기 위하여 이 오븐에 놓았던 곳이야." 하고 말하기 시작했다. Megan은 매우 근심스럽게 보면서 "잠깐만요, 아빠. 그 당시에 그들이 Wonder 빵을 가지고 있지 않았다고 말하지 마세요. … Wonder 빵이 Lost Colony에 있었다는 것을 의심하지 않아요. … 누구든 어떻게 Wonder 빵 없이 하루를 지낼 수 있어요? 잠깐만요! 제가 그 미스터리를 알아냈어요, 아빠! 아마도 Croatoan은 "우리는 Wonder 빵이 필요하다!" 라는 옛날 영어일 거예요." 라고 말했다.

Megan과 아빠가 화장실에서 돌아오실 엄마와 Connor를 기다리면서, 그들은 사물들이 어떻게 지난 4세기 동안 실제로 더 좋게 바뀌었는지에 대하여 이야기했다. 그런 다음, 그들 모두는 예배당 옆에 있는 더 큰 건물을 향해 갔다. 이번에 Megan은 질문을 하나도 할 필요가 없었다. "엄마, 아빠! 말하지 마세요, 말하지 마세요. … 이것이 무엇인지 알아요! 이것은 교실이예요!"

도전받고 있는 교실의 매력

인쇄기와 증기엔진은 (제1장에서 언급한 바와 같이) 종종 전 세계의 사회적, 경제적 풍경을 영원히 바꾸어 버린 와해성 테크놀로지(disruptive technologies)라고 인용된다. 그러나 종종 언급되지 않는 것은 이 테크놀로지들 둘 다 적어도 그것들이 발명된 후 반세기까지는 와해적인 영향력을 완전히 미치지는 못했다는 것이다.

인쇄기는 초반 50여 년 동안 라틴어 성경을 필사하던 수사들의 수동적인 과정을 자동화하기 위하여 사용되었다. Luther가 이 발명품을 그 성경을 지방 방언으로 인쇄하기 위하여 적용할 때까지 인쇄기의 실질적인 와해적인 영향력은 완전히 실현되지 못했다. 독일어로 된 Luther의 성경에 대한 접근은 14세기 유럽에서 정치와 경제를 혁신한 새로운 형태의 기독교인 신교도를 예고했다.

마찬가지로, 17세기에 James Watt의 증기엔진은 원래 목화를 방적하는 것과 같은 기존의 제조과정들을 자동화하기 위하여 사용되었다. 증기엔진이 최초의 철도 증기엔진 또는 기관차를 만들기 위하여 활용되기까지는 50여 년 이상 걸렸다. 최근까지 많은 경제학자들과 역사가들은 증기엔진을 우리의 사회, 경제, 정치체제에 가장 커다란 변화를 초래한 테크놀로지로 인정한다.

이 두 가지 경우에서, 우리는 Peter Drucker가 "일상화(routinization)"라고 부른, 기존의 산업들이 오래된 과정과 방법들을 자동화하고 가속화하기 위하여 급진적인 새로운 테크놀로지를 처음으로 적용하는 현상과 비슷한 패턴을 관찰한다.[1] 이러한 현상은 초기의 영화 제작자들이 영화 카메라를 설치하고 극장의 연극을 단지 영화화했을 때 일어났다.

오늘날, 인터넷은 우리 시대의 탁월한 와해성 테크놀로지로서 보도되고 있다. Microsoft의 설립자인 Bill Gates는 정보혁명이 지니고 있는 위험은 우리가 단기적인 시사점을 과대평가하고 장기적인 영향력은 과소평가할 것이라는 점을 지적했다.[2] 제1장에서 지적한 바와 같이, 웹볼루션이 사회와 비즈니스 양자에 계속적으로 널리 퍼짐에 따라, 우리는 산업체와 기업이 웹이 휩쓸고 간 세계에서 새로운 규정을 채택함으로써 얼마나 중요하고 광범위한 변형(transformation)을 겪고 있는지를 직접 목격하고 있다.

더 나아가, 과거의 와해성 사태(events)와는 달리, 웹 테크놀로지를 비즈니스 노력

1) Drucker, P. F. (1999, October). Beyond the Information Revolution. *Atlantic Monthly, 284*(4), 47-57.
2) Cutler, T. (2001, September). I never thought I would quote Bill Gates. Retrieved May 29, 2009, from Cutler and Company at www.cutlerco.com.au/activities/columns/20010920.html.

(endeavors)에 적용하는 것은 그러한 노력들의 아날로그 형태의 디지털 복사본이 되도록 기존의 과정들을 단순히 일상화하는 것은 아니다. 대신에, 소매업, 음악, 정보 테크놀로지, 소프트웨어 개발, 오락과 같은 산업체들은 20년도 채 못 되어 웹에 의해 근본적으로 재정의되었다. 간단히 말해, 웹볼루션이 그것의 범위와 폭을 확장해감에 따라 테크놀로지의 발명과 산업 변형 간의 지연 시간은 과거의 와해성 시대들 동안보다는 더 짧아졌다.

이 장의 서두에 제시한 짤막한 장면에서 개괄적으로 묘사한 바와 같이, 이러한 세계의 Megans들은 높은 기대를 가지고 있다. 급격하게 변화하고 매우 도전적인 고객의 기대들을 느낄 수 없고 지속적으로 수용할 수 없는 회사들은 Lost Colony의 비극적인 운명을 경험하게 될 것이다.

오늘날, 비즈니스는 전통 산업적인 접근법의 일상화를 훨씬 넘어 매우 상호 연계되고, 거칠며, 복잡한 비즈니스 환경에서 경쟁력을 유지하기 위하여 산업체와 기업체의 구조와 하부구조에 근본적인 변화를 가져오고자 노력하고 있다.

Gutenberg의 와해성 발명은 사회와 비즈니스를 변형하는 데 매우 중추적인 역할을 수행했을 뿐만 아니라 학습을 변형하는 데 있어서도 중요한 역할을 수행했다. 인쇄술이 유럽에 널리 퍼짐에 따라, 탁월한 "장인-도제(master-apprentice)" 현장학습(on-the-job learning) 모델은 "교사-학생(teacher-student)" 교실중심적(classroom-centric) 모델로 대치되었다. 지식을 이동 가능한 형태(책)로 널리 전파할 수 있는 능력은 교사들의 도달 범위를 확장시켜 주었다. 책은 또한 학생들에게 이전에는 직접 교수를 통해서만 얻을 수 있었던 장인의 통찰력에 접근할 수 있도록 해 주었다.

Lost Colony에 대한 Smith씨 가족의 방문은 오늘날의 기업체 교사(schoolhouse)가 여전히 교실중심적 모델에 사로잡혀 있다는 사실에 대한 증거다. 수공업, 수송, 직물, 의복, 음식물 가공에서의 전통적인 산업화 과정들은 Megan이 그러한 것들의 아날로그 형태들을 인식할 수 없는 테크놀로지적 와해에 의해 매우 급진적으로 변형되어 온 반면, Megan은 교실을 즉각적으로 인식할 수 있었다. 마찬가지로, 만약 우리가 어떤 고대 그리스인을 현대로 이동시킬 수 있는 능력이 있다면, 그에게 교실을 보여 주는 것은 불일치(dissonance)를 거의 초래하지 못할 것이다. 그러나 만약 여러분이 이 동일한 헬레니즘시대의 여행자에게 Wal-Mart 상점, 주간(州間) 고속도로, 혹은 보잉 747 제트기를 보여 준다면, 그는 자신이 본 것을 이해하지 못할 것이다.

학습전문가들은 현재까지 수도사, 제조업자, 혹은 웹볼루션가들로부터 배웠던 교훈에 세심한 주의를 기울이기 위하여 잠깐 동안의 여유도 제대로 가져보지 못하여 왔다. 그 결과, 학습전문가들은 일상화의 덫에 사로잡혀 버렸다. 훈련자들은 교실 패러다임에 대한 자신들의 완강한 집착이 웹볼루션이 비즈니스와 교육기관들을 위하여 학습을 혁신하고 있는 엄청난 잠재력을 인지하지 못하도록 해 온 약간 이상한 무의식적인 공모(collusion)의 형태에 휩싸여 있는 것처럼 보인다.

　기업체 학습기능(enterprise learning function)은 그 회사를 위하여 지속 가능한 경쟁적인 이점을 제공하는 재능 있는 사람을 개발할 책무성이 있다. 학습기능은 주요한 학습양식(learning modality)으로서의 형식적인 교실의 범위를 유지하는 데 있어 전략적인 가치를 전달할 수 있는 능력을 영속적으로 학습하고 적응하기 위한 능력이 모든 회사들에 의해 요구되는 핵심 역량이 되는 바로 그 시점에 있는 기업체로 상당히 제한하고 있다. 사업체들이 매우 역동적인 시장 환경에서 경쟁력을 유지하기 위하여 자신들의 전략, 구조, 인프라구조를 변경해야만 했던 것처럼, 학습기능도 또한 그것이 서비스하는 기업체의 역동적인 요구를 충족시키기 위하여 변경해야만 한다. 아이러니컬하게도, 비즈니스는 분명히 변화하기 위하여 학습해 왔지만, 학습기능 자체는 그렇지 못하여 왔다. 이 문제를 해결하기 위하여, 학습지도자들(learning leaders)은 "우리는 새로운 테크놀로지가 필요한 것이 아니라 단지 새로운 사고(thinking)가 필요하다."는 Gloria Gery의 주장에 세심한 주의를 기울여야 한다.[3]

　몰입적인 인터넷은 사회와 비즈니스에 적어도 상당한 그리고 아마도 훨씬 더 심오한 영향을 미칠 것이다. 학습전문가들은 이미 웹볼루션의 처음 두 번의 변화 동안 그 자체를 변형할 수 있는 기회를 놓쳐 버렸다. 따라서 만약 그것이 기업체에게 적절한 것이 되기를 원한다면, 세 번째 변화를 놓쳐서는 안 된다. 야구에서처럼, 비즈니스에서 그것은 학습기능에 대한 "삼진아웃"의 문제가 될 수 있다.

　학습지도자들은 몰입적인 인터넷을 교실기반 학습이 "어떻게(how)" 전달될 것인가에서 다음 단계로 자리매김하는 대신에, 이 새로운 기술이 "어떠한(what)" 종류의 학습을 가능하게 할 수 있는지를 물어야 한다. 그러나 교실 패러다임을 자동화하고 가속화하는 데 있어 훨씬 더 엄격한 또 다른 일상화를 피하기 위하여, 학습지도자들은 참여적인 웹이 기존의 기업체 구조 내에 잠자고 있는 잠재적인 혁신적 에너지를 분출할 수 있도록 하기 위하여 어떻게 영향을 미칠 것인가에 초점을 두기 시작해야 한다.

　와해적인 변화의 시기에 백미러(rear-view mirror)를 보면서 앞으로 전진하는 것은 절벽에서 떨어지는 결과를 초래할 수 있다. 이러한 원하지 않는 결과를 피하기 위하여, 비즈

---

3) Gery, G. (2005, September 8). In Her Own Words: Gloria Gery on Performance. *Performance Improvement Journal, 44*(8).

니스를 하는 사람들은 종종 고정관념을 벗어나 창의적인 사고를 하고자 도전한다. 오늘날, 학습기능을 위한 주요한 도전은 "교실 밖을 생각하는(think outside of the classroom)" 것이다. 그렇게 하지 않으면, 학습기능은 그 자체의 제한적인 패러다임에 사로잡혀 버리고, 기업체에 대한 그것의 가치가 소멸해 버리는 지점까지 줄어드는 결과를 초래할 수 있다.

다음 절에서는 생산성(productivity)에 집착하는 현재의 상태에 대한 고수가 기업체에 대한 학습기능의 가치를 얼마나 크게 감소시키는지를 탐색한다.

생산성에 집착

인쇄기가 발명된 이래, 테크놀로지에 있어서의 단계적인 변화들은 형식적인 학습이 전달되고 소비되는 방법을 최적화하거나 가속화하는 것을 제한해 왔다. 400여 년 동안 훈련이 개발되고 전달되는 방법에 관한 지배적인 설계 패러다임은 거의 변화가 없었다. 학습전문가들은 웹볼루션의 다음 변화 동안 자신들이 항상 행해 왔던 것을 하기 위하여 테크놀로지를 활용하는 것에 대한 집착을 피하고, 대신에 테크놀로지를 디지털 기업체의 역동적인 요구를 충족하는 새로운 학습형태로 만드는 데 초점을 둘 것이다.

더 나아가, 훈련자들은 전략적인(strategic) 수준에서 자신들이 제공해야 하는 학습의 종류에 대한 자신들의 사고에서 비슷한 발전이 필요하다. 학습은 가장 일반적인 수준에서 다음과 같은 두 가지의 주요한 형태요소들(form-factors)로 나눌 수 있다. 사람들에게 우리가 이미 어떻게 하는지를 알고 있는 것을 행하는 방법을 가르치는 것과 사람들이 예기치 않은 기회나 도전들에 대처할 수 있도록 하기 위하여 새로운 아이디어와 개념을 개발할 수 있도록 해 주는 협력적인 환경을 조성하는 것이 바로 그것이다.

첫 번째 형태요소는 생산성(productivity)에 초점을 둔다. 그것은 효과성을 추구하며, 현재 상태를 유지하고자 한다. 생산적 학습(productive learning)의 목적은 조직 내에 있는 모든 사람들이 업무활동을 수행하는 데 있어 최적의 생산성의 평균으로 수렴하도록 하는 것이다.

두 번째 형태요소는 성장(growth)에 초점을 둔다. 성장은 경쟁자들이 아직 보지 못한 시장 속으로 혁신과 협력적인 통찰력을 가져오는 것으로부터 발생한다. 이러한 통찰력은 개개인의 네트워크를 연계하고, 그들 중 어느 누구도 개인적으로는 달성할 수 없는 미래에 관한 협력적인 시각을 개발하도록 돕는 것으로부터 나온다. 그것은 사회적이며, 긴급하고, 민감하다. 가장 중요한 것은, 그것은 매우 어렵다는 것이다. 혁신에 중점을 두고 있는 생성적 학습(generative learning)은 생산적 학습과는 매우 다른 형태이며, 매우 다른 이론적인 토대를 가지고 있다.

생산적 학습은 주로 개인들과 그 개인이 생산성을 향상시키는 행동의 패턴에 적응할 수 있도록 돕는 데 초점을 둔다. 이에 반하여, 생성적 학습은 협력적인 노력이다. 공유된 의미와 통찰력은 집단수준에서 개발되며, 이러한 통찰력은 성장과 지속 가능성을 보장할 수 있도록 기업체를 변형한다. 오늘날, 학습기능은 주로 생산적 학습에 초점을 두고 있다. 그 결과, 훈련자들은 현재 상태에 도전하기보다는 그 상태를 유지하기를 더 원하는 것 같다.

현재 상태에 대한 집착은 해결되지 않는다면 학습기능에 대한 상당한 한계화(marginalization)를 초래할 수 있는 일곱 가지의 두려운 문제들을 야기시킨다. 이 문제들은 만약 훈련기능이 미래를 향해 이동하고 몰입적인 인터넷의 힘을 온전히 이용하는 것이라면 이해되고 해결될 필요가 있다.

현재 상태가 가지고 있는 일곱 가지의 두려운 문제들

훈련자들은 100여 년 동안 교실이 학습을 전달하기 위한 최적의 설계라고 가정하는 공유된 관점에 사로잡혀 왔다. 오늘날 웹볼루션은 이렇게 오랫동안 유지되어 온 가정을 여러 가지 측면에서 도전하고 있다([그림 2-1] 참조). 이러한 도전들은 훈련업체들이 만약 견고하고 적절하게 지속적으로 유지되기를 원한다면 해결해야 할 일곱 가지의 두려운 문제들

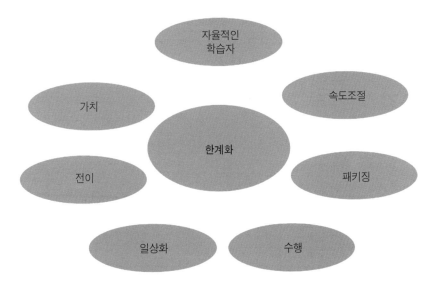

[그림 2-1] 현재 상태의 훈련이 가지고 있는 일곱 가지의 두려운 문제들

로 요약될 수 있다.

자율적인 학습자 문제

자율적인 학습자(autonomous learner) 문제는 두 가지의 핵심적인 이슈들, 즉 (1) 학습에 대한 요구가 일반적으로 어디에서 발생되는가와 (2) 웹 테크놀로지가 사람들을 매우 쉽게 주문형(on-demand) 학습자로 만드는 방법에 관한 이슈를 가지고 있다.[4]

어떤 사람이 업무(job)를 행하기 위하여 알 필요가 있는 것의 대부분은 실제로 업무 중에 학습한다. 이것은 업무활동 자체가 고용인들이 일을 하기 위해서 새로운 어떤 것을 학습할 필요가 있다고 인식할 수 있도록 해 주기 때문이다. 본질적으로 학습하고자 하는 동기 혹은 가르칠 수 있는 순간(teachable moment)은 일 자체를 행하는 과정에서 나온다. 그 결과, 많은 조직들이 어떤 사람의 업무지식의 85~95%가 업무 중에 학습한 것이라고 보고한 것은 놀라운 것이 아니다.[5]

이러한 배경에서 볼 때, 기업체 학습(enterprise learning)은 단순히 교실 맥락에만 제한될 수 없다는 것이 매우 분명해진다. 그럼에도 불구하고, 학습전문가들은 일상적으로 그것을 형식적 혹은 교실기반이 아닌 학습과 간격을 두었다. 대신에, 그들은 고용인들이 일상적인 업무활동을 수행하는 맥락에서 야기되는 중요하고 긴급한 학습요구들을 해소해야 할 때, 고용인들 혼자 힘으로 고군분투하도록 내버려 둔다.

다행스럽게도, 웹볼루션은 고용인들이 스스로의 해답을 찾을 수 있도록 해 주는 수많은 도구들을 가지고 왔다. 웹은 어제보다 더 혼란스러운 오늘의 업무 맥락에서 일하고 있는 고용인들에게 자신들의 예기치 않은 학습요구를 실시간으로 해소할 수 있는 자율성(autonomy)을 제공한다. 고용인들의 즉각적이고 비형식적인 요구를 해소하는 것을 거부하는 학습기능과는 달리, 이 자유로운 학습자들은 더 이상 교실에 사로잡혀 있지 않다.

전술적인 관점(tactical perspective)에서 볼 때, 학습기능은 노력의 대부분을 영향력이 거의 미치지 않는 영역으로 할당하는 것 같다. 전략적인 관점(strategic perspective)에서 볼 때, 그것은 만약 학습요구의 대부분이 비형식적인 맥락에서 야기된다면, 비형식학습(informal learning)을 우연으로 맡기는 것과 연계된 비즈니스 위기는 무엇인가라는 질문

---

4) Cross, J. (2007). *Informal Learning: Rediscovering the Natural Pathways That Inspire Innovation and Performance.* Hoboken, NJ: John Wiley & Sons.

5) Raybould, B. (2000). *Performance Support Engineering Part One: Key Concepts.* Ariel PSE Technology.

에 답하지 못한다.

속도조절 문제

속도조절(timing) 문제는 업무 및 학습과 연계된 두 가지의 핵심적인 이슈들을 가지고 있다. 디지털 기업체에서 요구되는 학습에 관한 시간적인 민감성(time sensitivity)은 형식학습(formal learning) 프로그램을 분석 · 설계 · 개발 · 전달하기 위하여 요구되는 시간과 마찰을 빚는다.

　오늘날 비즈니스는 엄청나게 빠른 속도로 수행되며, 생각지도 않은 학습요구들이 눈 깜빡할 사이에 생겨난다. 시장의 요구가 하룻밤 사이에 바뀌어 버리는 세계에서, 변화를 기업체의 가장자리(edge)에서 감지하고 그것에 실시간으로 반응하기 위한 요구는 지속 가능한 경쟁적인 이점의 원천이 되었다.

　급속한 비즈니스 속도는 대부분의 형식학습 프로그램들이 시작한 후 얼마 되지도 않아 낡은 것이 되어 버릴 것이라는 점을 거의 확신시켜 준다. 현행 교수체제 설계 모델은 변형 없이는 너무 느려서 디지털 기업 내의 많은 새롭게 도래하는 학습요구들을 거의 수용할 수 없다. 지식을 회사의 가장자리로 가져오고, 학습목표를 중심으로 하여 설계하며, 학습모듈 속에 패키지화하고, 그것을 중심에서 가장자리에까지 뒷걸음질쳐 나오도록 압박하는 것은 너무나 많은 시간이 걸린다. 오늘날 고용인들은 예견되지 않은 요구에 대한 즉각적인 통찰력이 필요하다. 그들은 미래의 언젠가 제공될 강좌를 기다리는 것 대신에, 오히려 실시간으로 학습하기 위하여 웹 테크놀로지를 현명하게 이용한다.

　전술적인 관점에서 보면, 학습기능은 기업 내의 대부분의 학습요구에 관한 시간적인 민감성을 해결할 수 없는 형식학습 과정에 집착하는 것처럼 보인다. 전략적인 관점에서 보면, 학습기능은 만약 학습요구의 대부분이 웹기반 도구들을 이용하는 자율적인 학습자들에 의해 실시간으로 기업체의 가장자리에서 확인되고 해결된다면, 어떠한 전략적인 가치가 중심적인 학습기능을 제공하는가라는 질문에 답하지 못한다.

패키징 문제

패키징(packaging) 문제 또한 두 가지의 핵심적인 이슈들을 가지고 있다. 즉, "강좌"의 형태가 오늘날 시간이 부족한 노동자들의 요구와 일치하지 않으며, 강좌들은 과제(task)와 대비되는 주제들로 조직화되는 경향이 있다.

사람들 대부분은 시간이 주어진다면 한가롭게 다섯 가지 코스의 식사를 즐길 기회를 가질 것이다. 그러나 현실은 대부분의 사람들이 패스트푸드 드라이브스루 창(drive-thru window: 차를 타고 지나가면서 주문하고 받아 가는 창)을 통과해 갈 시간밖에 없다는 것이다. 형식학습의 전통적인 패키징은 오늘날의 고용인들의 시간에 민감한(time-sensitive) 요구와 일치하지 않는다.

더 나아가, 강좌들은 과제와 상충하는 주제들로 조직화되어 있다. 사람들의 요구와 학습하고자 하는 동기는 주로 업무 맥락 속에 있는 과제를 완수하지 못한 것 때문에 발생한다. 학습요구가 발생하는 맥락에 맞게 조직화되지 못한 학습콘텐츠는 학습자에게 불필요한 제경비(overhead)를 초래한다. 종종 긴급한 요구가 있는 고용인들은 교수(instruction)보다 사용설명서(instructions)를 더 선호하곤 한다. 웹볼루션시대에, 맥락 속에 있는 정보[협상(negotiation)]에 관한 Google 검색는 종종 교수를 맥락에 관계없이["예스(Yes)" 강좌를 얻기 위한 등록] 내놓는다.

전술적인 관점에서 보면, 학습기능은 고용인들과 기업체들이 서비스하는 자신들의 요구에 반대되는 공식적인 강좌개발 과정에 관한 일련의 엄격한 절차들을 구축해 왔던 것 같다. 전략적인 관점에서 보면, 이것은 미래학자 Alvin Toffler가 주장한 바와 같이, 우리가 장소기반 공장노동(place-based factory work)에서 언제 어느 곳에서나 가능한 지식노동(knowledge work)으로 이동하고 있는 현재, 우리는 또한 언제, 어느 곳에서나 가능한 교육적인 유사물이 필요하지 않는가라는 질문에 답하지 못한다.[6]

수행 문제

수행(performance) 문제는 단 하나의 핵심적인 이슈를 가지고 있지만, 그것은 중요하다. 왜냐하면 대부분의 기업체의 수행 문제들은 다중인과관계(multi-causal)가 있기 때문이다. 그러한 문제들은 하나 이상의 기반이 되는 근본원인을 가지고 있다.

여론과는 달리, 지식이나 기술의 결여는 단지 조직들이 원하는 대로 수행하지 못하는 이유 중 일부에 불과하다. 수행 결여는 잘못된 일련의 입력자료, 빈약한 도구와 과정들, 차선으로 최적화된(sub-optimized) 내재적 동기(업무적합도)나 외재적 동기(보상)로부터, 혹

6) Hamilton, D. P. (2001, March 12). No Substitute: The Internet Does NOT Change Everything. *The Wall Street Journal.* Retrieved May 29, 2009, from http://people.kmi. open.ac.uk/marc/wsj/index.html.

은 단순히 자신들이 할 수 있는 것보다 더 많은 것을 행하기 위하여 최선을 다하여 일하고 있는 사람들이 요구하는 것으로부터 도출되어 나온다.[7] 이러한 배경에서 볼 때, 훈련만으로는 기업체 내에서의 빈약한 수행에 관한 여러 가지 근본원인들을 해결할 수는 없다는 것이 명백하게 된다.

선행연구들은 기술이나 지식의 결여는 일반적으로 기업체의 수행 문제들 중 단지 10% 밖에 설명하지 못한다고 주장한다.[8] 전술적인 관점에서 보면, 학습기능은 그것이 관할하는 것보다 수행 문제들에 더 중점을 두어 해결하기 위하여 기업체에 의해 요구되는 것 같다. 전략적인 관점에서 보면, 이것은 교실이나 이러닝 작업처리량(throughput)을 극대화하기 위한 것과 상충되는 조직수행을 극대화하기 위하여 학습기능의 부가가치를 전환하는 데 있어 보다 전략적인 이용이 있을 수 있는지에 관한 질문에 답하지 못한다.

일상화 문제

우리는 이미 일상화(routinization) 문제가 오늘날의 디지털 조직에게 학습기능의 매우 한계화된 가치(marginalized value)의 핵심에 있다는 것을 밝혀왔다.

현재까지, 학습기능은 주로 e-훈련(e-training) 콘텐츠를 만들고 형식학습을 위한 기존의 훈련과 개발을 자동화하기 위하여 테크놀로지를 활용해 왔다. 위에서 개관한 두려운 문제들을 고려해 보면, 형식학습 전달을 위한 과정을 가속화하는 것은 단지 디지털 기업의 역동적이고 시간에 민감한 학습요구를 충족하는 데 있어 그것의 내재적인 결함들을 보다 신속하게 나타낼 것이라는 것이 매우 분명해진다.

전이 문제

전이(transfer) 문제는 하나의 핵심적인 이슈가 있지만, 그것은 천지개벽 이래부터 있어 왔던 이슈다. 여러분이 단지 어떤 것을 안다고 해서 그 지식대로 행동하는 것은 아니다. 한 저자의 어머니는 흡연이 좋지 않다는 것을 알고 있음을 담배에 불을 붙일 때마다 그에게

---

7) Stolovirch, H. D., & Keeps, E. J. (1999). Six Box Model from HPT. In *Handbook of Human Performance Technology: Improving Individual and Organizational Performance Worldwide.* San Francisco: Pfeiffer.

8) Dean, P. J., & Ripley, D. E. (1997). *Performance Improvement Pathfinders: Models for Organizational Learning Systems.* Washington, DC: International Society for Performance Improvement.

이야기한다.

심지어 가장 훌륭한 강좌들도 전이의 문제를 가지고 있다. 그것은 학습이 필연적인 결과로서 언제까지나 남아 있지 않기 때문이 아니라, 그 결과로 초래되는 바람직한 행동이 직장에서 나타나지 않기 때문이다. 선행연구들은 훈련 프로그램에서 투자의 80~90% 정도가 업무에서의 행동변화를 가져오지 못했음을 보여 준다.[9]

전술적인 관점에서 보면, 그것은 학습기능이 모든 기업들이 요구하는 것이 행동변화일 때 학습전이에 한계를 긋기 위하여 그 자체에 자기 부과된(self-imposed) 한계를 두는 것 같다. 전략적인 관점에서 보면, 이것은 학습기능이 전이를 향상시키고, 행동을 변화시키며, 수행에 영향을 미치는 해결책(intervention)을 개발할 수 있는지의 여부에 관한 질문에 답하지 못한다.

가치 문제

가치(value) 문제는 두 가지의 핵심적인 이슈들을 가지고 있다. 학습기능은 경영자들이 학습기능으로부터 기대하는 것으로는 거의 이해되지 않고 있다. 그 결과, 그것은 종종 수행 결과에 대립하는 것으로서의 학습 작업처리량(throughput)에 기초하여 그것의 존재를 제대로 정당화하지 못하고 있다.

최근의 ASTD 연구[10]는 이해당사자들이 왜 학습에 투자하기로 하였는지에 관한 많은 다른 이유들이 있다고 주장한다. 즉, 개인 수준에서 리더십 역량과 고용인의 기술을 개발하는 것으로부터, 비즈니스 단위 수준에서 비즈니스 수행을 촉진하거나 재능 관리 과정을 감독하는 것까지, 그리고 기업체 수준에서 전략을 실행하고, 변형(transformation)을 촉진하며, 세계화를 확장하고, 혁신을 불러일으키는 것까지, 기업체 내에서 학습이 가치를 더하는 것으로 인식되는 수많은 다른 이유들이 있다.

불행하게도, 그 연구는 경영자들이 학습으로부터 기대하는 것과 학습지도자들이 학습이 전달되어야 한다고 믿는 것 간에 상당한 불일치가 있음을 보여 준다. 학습활동과 투자

---

9) Ford, J. K., & Weissbein, D. A. (1997). Transfer of Training: An Updated Review and Analysis. *Performance Improvement Quarterly, 10*(2), 22-41.

10) Sugrue, B., O' Driscoll, T., & Vona, M. K. (2006, January). C-Level Perceptions of the Strategic Value of Learning Research Report [PowerPoint slides]. Retrieved from www.astd.org/ NR/rdonlyres/DB146C77-3205?4396-9211-5E29AEBE80DF/0/ASTD_IBM_StrategicValue _Reporc2006.pdf.

의 대부분은 개인 수준에서의 역량 구축에 초점을 두고 있는 데 반해, 산업체 경영자들은 학습이 기업체에서 전략적인 변형, 세계화, 혁신을 촉진하는 역할을 수행하기를 원한다.

이해관계자들이 기업체 내에서 학습의 전략적인 가치를 어떻게 인식하는지를 이해하는 데 더 많은 시간을 소비하는 것 대신에, 학습지도자들은 형식학습을 전달하여 얼마나 효율성을 증진하고 있는지를 보여줌으로써 자신들의 존재를 적절하게 정당화하지 못하고 있다. 불행하게도, 몇몇 신속한 분석(quick analysis)은 이러한 가치를 보여 주는 접근방법이 궁극적으로 기업체 교사(schoolhouse)의 소멸을 초래함을 시사해 준다.

수치들을 한번 살펴보자. ASTD의 *State of the Industry Report*에 따르면, 훈련 예산은 임금 총액의 약 2% 혹은 평균 세입의 .44%를 차지한다.[11] 만약 우리가 일상화(routinization)의 결과로서 훈련 작업처리량 생산성에서 100%의 향상이 있었다고 가정해 보면, 우리는 훈련 작업처리량을 두 배로 늘리거나 비용을 반으로 줄일 수 있다. 만약 우리가 비용을 반으로 줄인다면, 형식학습을 위한 설계, 개발, 전달 과정을 능률적으로 하기 위한 테크놀로지와 도구를 완벽하게 실행함으로써 세입의 .22%나 되는 엄청난 돈을 그 회사에 되돌려줄 수 있을 것이다. 이것은 CEO가 경영방침을 180도 전환하도록 할 정도의 이익은 아니다. 다시 한 번, 자기 부가된(self-imposed) 생산성에의 집착은 학습기능이 기업체에게 전략적인 가치를 전달하는 것을 방해하고 있다.

전술적인 관점에서 보면, 비즈니스 산출물(business outcome)과 대립하는 것으로서의 훈련 작업처리량의 측면에서 학습기능이 가치를 측정하는 데 사로잡힌 것은 비즈니스에 대한 그것의 인식 가치를 훨씬 더 저하시키는 것 같다. 결국, 경영자들은 생산적인 학습과정들을 원하지 않는다. 그들은 생산적인 고용인들을 원한다. 전략적인 관점에서 보면, 이것은 학습기능이 초점을 훈련 작업처리량을 위한 학습훈련 투자 대비 회수율로부터 옮겨 이해관계자들로부터 기대되는 가치 대비 회수율에 두는 것이 더 나은지의 여부에 관한 질문에 답하지 못한다.

다음 절에서, 우리는 일곱 가지의 두려운 문제들이 비즈니스의 역동적인 학습요구와 훈련기능의 엄격한 학습 실제 간에 더 커다란 격차를 초래하는 데 얼마나 복합적인 영향을 미치는지를 검토한다.

---

11) *2004 State of the Industry Report.* Alexandria, VA: ASTD.

복합화된 한계화

위에서 확인된 이슈들 각각, 즉 교실의 매력, 생산성에 집착, 그리고 일곱 가지의 두려운 문제들은 서로 층층이 쌓아 올렸을 때, 디지털 조직에 대한 학습기능의 가치부가를 그것이 거의 소멸되어 버릴 수 있는 지점까지 한계화하고 있는 복합적인 영향력을 가지고 있다 ([그림 2-2] 참조).

우리는 기업체 내에서 학습기능을 위한 기회공간(opportunity space)을 확인하는 것으로부터 시작한다. 이 공간은 두 개의 핵심 축인 수행(performance)과 학습(learning)으로 나뉘어 있다.

기업체 내에서, 학습은 가장 형식적인 교육과정으로부터 가장 비형식적인 교육과정으로, 즉 교실 강의로부터 지원을 위한 인스턴트 메시지에 이르기까지 확장된다. 그것은 콘텐츠와 교육과정에 초점을 둘 뿐만 아니라 학습자들이 필요할 때 서로 간에 학습하기 위하여 웹 테크놀로지를 이용하는 곳에 학습을 위한 롱테일(long tail)을 포함하고 있다.

마찬가지로, 수행 측면에서 보면, 기업체 자체는 상위조직뿐만 아니라 하위조직을 관리할 필요가 있다. 비용 절감은 확실히 중요하지만, 성공적인 회사들은 단순히 거대화 (greatness)에 대한 자신들의 방침을 축소할 수는 없다. 조직들은 오늘날과 같은 급변하고

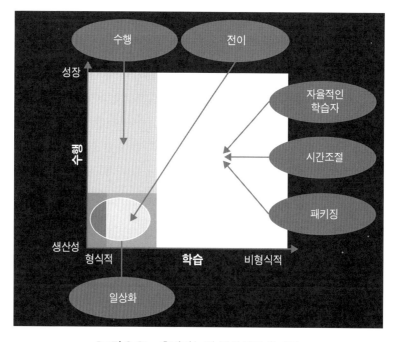

[그림 2-2] 훈련기능의 복합화된 한계화

경쟁적인 사회에서 살아남고 번영하기 위해서 두 가지의 마음을 품어야 한다. 그들은 항상 최대한의 효율성을 증진하기 위하여 기업의 비용구조를 최적화하는 한편, 동시에 성장기회를 미리 알아서 이용할 수 있어야 한다.

이러한 배경에서 볼 때, 전략적인 가치를 기업체에게 전달하기 위한 학습기능을 위한 기회공간은 수행 관점에서는 생산성에서 성장으로 확장되며, 학습 관점에서는 형식적에서 비형식적으로 확장된다. 교육적인 현재 상태를 유지하는 것은 더 이상 계속 유지할 수 있는 전략적인 대안이 되지 못한다는 것이 매우 분명하다.

비형식성 거부

학습기능을 위한 기회에서 가장 커다란 손실은 의식적이든 아니든 비형식적 학습을 거부해 왔다는 사실에 있다. 간단히 말해서, 만약 학습의 대부분이 일(work)의 맥락 내에서 비형식적으로 일어나고 강좌 패러다임이 오늘날의 디지털 기업 고용인의 시간민감성(time-sensitivity)이나 과제지향성(task orientation)에 적합하지 않다면, 학습기능이 계속해서 형식학습에 거의 배타적으로 초점을 두어야 한다는 이유를 견지할 필요는 없다.

요컨대, 학습기능에 의해 해결되지 않는 자율적인 학습자, 시간조절, 패키징 문제들은 해결할 수 있는 학습을 위한 기회공간 중 최소한 80%를 선택하지 않은 이유를 설명해 준다.

수행이 처하고 있는 곤란한 상황

기회공간에서의 손실의 두 번째 부분은 두 가지의 다른 수행이 처하고 있는 곤란한 상황 때문이다. 첫째, 수행 문제가 강조됨에 따라 개인적인 수준에서 학습 자체만으로도 근본원인이 지식이나 기술의 결여 때문인 기업체 수행 문제들의 약 10%을 차지한다. 둘째, 생산성에의 집착으로부터 우리가 배운 것처럼, 학습기능은 생성적 학습보다 생산적 학습에 초점을 둠으로써 기술 자체를 위하여 그리고 그 기술이 사용되는 기업체를 위하여 현재 상태를 유지하는 데 주로 초점을 두고 있다.

종합해 보면, 수행축 측면에서 생산성에의 집착은 훈련기능 내 대부분의 활동을 없애버림으로써 수행을 위한 해결 가능한 기회공간 중 적어도 90%를 선택하지 않는 결과를 초래한다.

한쪽 구석에 표현하기

비형식학습을 거부하고 생산성에의 집착이 빚은 복합적인 결과는 학습기능을 한쪽 구석에 표현해 왔다. 아이러니컬하게, 훈련은 기회공간에 있는 틈새를 열기 위한 혁신적인 방법을 모색하는 대신에 시간과 에너지의 대부분을 형식학습 과정을 자동화하는 데 할당함으로써 일상화의 마법에 사로잡혀 있다. [그림 2-2]에서 명확하게 보여 주는 바와 같이, 이 접근방법은 단지 훈련기능이 기업체의 생산성을 촉진하는 데 초점을 둔 형식학습을 전달하는 속도만을 높여 준다.

가치문제는 이미 학습 작업처리량에서의 증가가 회사 총수입의 1%도 채 산출하지 못함을 강조해 왔다. 전이문제는 훈련에 투자하는 비용의 단 10%가 변화된 작업장 행동을 초래함을 강조해 왔다. 이러한 것들을 종합하고 테크놀로지의 활용을 통해 자동화한다면 단지 빈약하게 다루어진 효율성만을 증가시킬 것이다.

현재의 상황과 연계된 문제 공간을 종합하는 데 있어, 학습기능이 디지털 기업체를 위하여 전략적인 가치를 더하도록 어떻게 재창조해야 하는지에 관하여 반문해 볼 필요가 있다.

네트워크화된 학습

웹볼루션시대에 네트워크화된 생태계는 학습에 대한 새로운 비전을 제시한다. 즉, 그것은 개인과 조직들이 알고 있는 것과 적응하고 생존하며 번창하기 위하여 알아야 할 필요가 있는 것에 대하여 논의·탐구·행동하는 방식을 근본적으로 바꾸는 것이다. Jay Cross는 그것을 다음과 같이 잘 표현하고 있다. "학교교육(schooling)은 학습을 사람들의 머릿속에 콘텐츠를 퍼붓는 것과 동일하다고 생각하도록 혼란하게 만들어 왔다. 학습을 우리의 네트워크들을 최적화하는 것으로 생각하는 것이 더 실질적이다."[12]

인간의 네트워크는 새로운 가치를 만들기 위하여 콘텐츠가 소비되고 잘 이해될 수 있는 유의미한 맥락을 생성한다. 네트워크의 다른 부분에 있는 표면에 드러난 요구를 처리하기 위하여 네트워크하고 자원 노드(resource nodes)에 연결할 수 있는 기업은 학습과 성장을 최적화하는 방향으로 나아가고 있는 디지털 생태계에서 비즈니스를 성공적으로 수행

---

12) Cross, J. (2007). *Informal Learning: Rediscovering the Natural Pathways That Inspire Innovation and Performance*. Hoboken, NJ: John Wiley & Sons.

할 수 있을 것이다.

만약 학습전문가들이 자신들을 생성적 학습의 촉진자로 보기 시작한다면, 조직에서의 학습에 관한 우리의 개념은 어떻게 바뀔까? 만약 그들이 인터넷의 완전한 협력적인 힘이 기업 내와 기업 간에 사람들 사이의 관계를 구축하고 혁신을 촉진하기 위하여 사용되는 과정을 목격한다면?

이러한 비전을 달성하기 위하여, 학습기능의 초점과 가치명제는 생산적 학습(즉, 비용을 절감하는 방법을 알고 있는 것들을 행하는 방법을 사람들에게 가르치는 것)에의 집착으로부터 생성적 학습(즉, 수입을 증진하는 아이디어와 개념들을 개발하기 위하여 인간자본을 활용하는 것)을 육성하는 방향으로 나아가야 한다. 생성적 학습은 사회적으로 구안된다. 그것은 인간의 직관을 특정 기회나 이슈에 대하여 신속한 집합적인 의미창출을 할 수 있는 방향으로 나아가도록 맥락과 사회적인 상호작용을 함양시킨다.

미래 기업에 있어, 일과 학습은 동일한 의미를 나타낸다. 기업이 지속적으로 혁신하고 적응할 수 있는 능력이 없으면 평범하게 되어버릴 것이다. 따라서 다음 몇 년 동안 학습지도자들이 겪게 될 주요한 도전은 일상화의 덫에 빠지지 않고 기업과 기술을 위한 혁신적인 계획(agenda)을 추진할 수 있는 기능을 근본적으로 재창출하는 것이다. 보다 효율적인, 생산성에 초점을 둔 전략과 테크놀로지로 혁신계획을 해결하고자 시도하는 것은 골프채로 테니스를 치려고 하는 것과 비슷하다. 그 도구는 당면한 도전의 실제(reality)에 적합하지 않으므로 어떠한 희생을 치르더라도 사용해서는 안 된다.

21세기에 학습기능을 위한 두드러진 도전은 기업이 예상할 수 없는 시장 기회에 자신의 역량을 연합할 수 있도록 하는 능력이다. 종종, 과거의 성공은 미래의 변형과 성장을 저해하는 엄격한 과정을 제도화한다. 학습기능의 경우, 지난 4세기 동안은 괜찮았다. 그러나 오늘날은 이러한 전략들을 학습하지 않는 것이 조직의 학습기능이 이러한 도전을 성공적으로 해소할 수 있도록 보장해 주는 유일한 방법일지 모른다.

변화를 위한 학습

테크놀로지는 비즈니스를 혁신해 왔다. 이제 그것은 학습을 위해서도 동일한 것, 즉 혁신을 해야 한다. 웹볼루션시대의 성공적인 학습기능은 집단적인 통찰력과 직감을 촉진하기 위하여 인간, 과정, 테크놀로지를 혼합하는 방법을 학습하는 기술들이어야 한다. 혁신을 유발하고 적응적인(adaptive) 기업을 만들기 위해서, 노동구조(work structure)는 재검토되어야 하며, 노동과정들(work processes)은 학습을 연마하기 위하여 재설계되어야 한다. 마찬가지로, 노동 실제와 정책들도 조직과 그 조직 내에 있는 지식노동자들의 변화하고 있는 요구를 반영해야 한다.

학습은 교실 맥락에 제한할 수 있는 것보다 훨씬 더 복잡한 현상이다. 만약 이미 행하는 방법을 알고 있는 과제들에 대한 지식을 전달한다면, 우리는 그것을 **생산적 학습**(productive learning)이라 일컬을 수 있다. 만약 새롭게 다른 과제들에 대한 지식을 공유한다면, 우리는 그것을 **생성적 학습**(generative learning)이라 일컬을 수 있다. 생산적 학습은 주로 이미 알려진 것을 전달함으로써 기업체 내의 현재 상태를 유지하는 데 기여하는 반면, 생성적 학습은 기존의 정보를 흡수할 뿐만 아니라 기대하지 않았던 문제들에 대한 새로운 해결책을 창출한다. 정보화시대에 학습은 개인과 조직들이 혁신하고, 변화하며, 성공하기 위하여 알고 있는 것과 알 필요가 있는 것에 대하여 생각하고 행동하는 방식을 바꿀 것을 요구한다.

요컨대, 비즈니스가 역동적인 시장경제의 결과로서 엄청나게 변화해 왔던 것처럼, 학습기능 또한 그러해야 한다. 이러한 변화를 성공적으로 극복하는 데 있어 중요한 것은 회사 내의 전략적인 영향력에 대한 통로가 생성적 학습문화를 조성하는 데 있음을 인식하는 것이다. 진정한 학습조직을 창출하기 위해서는 학습기능 실제에 대한 현저하고 체제적인 변화, 즉 단순히 훈련과정과 훈련 콘텐츠의 디지털화가 아닌 학습이 조직에 가치를 더하는 방식에 대한 전면적인 재정의(redefinition)를 요구할 것이다.

제 3 장

평지[1] 탈출

"가자!" 도전 지도자(Challenge Master)가 소리를 질렀다. Brovo 팀은 네 경쟁 팀과 함께 해안으로 뛰쳐나갔다. David는 물 건너 조그마한 섬을 보았다. 그것은 그리 멀리 떨어져 있는 것처럼 보이지 않았다. 그러나 얕은 물 주변에 여기저기 삼각핀 수영용품(triangle fins swimming)이 제공된다면, 이 팀의 도전은 가장 커다란 도전이 될 것이다. 팀은 땅에 널려 있는 아이템들을 모았다.

"잘 들어봐. 섬에 첫 번째로 도착하는 팀이 이겨. 나는 가능한 한 빨리 다리를 설계하고 구축하기를 원해."라고 Michael이 말했다. "잠깐만, 우리가 몇 분 정도 옵션들을 탐색할 수 있는 시간을 가질 수 있어? 시간이 별로 없지만, 이 도전을 극복할 수 있는 특별한 방법이 있을지 몰라."라고 Brett가 응답했다. "안 돼. 우리는 내가 이 도전을 이끌고 시간이 매우 중요하다는 데 동의했어. 우리 팀은 즉시 다리를 구축하기 시작해야 해."라고 Michael이 말했다.

---

1) [역주] 이 장에서 평지(Flatland)는 3D 학습환경과는 대비되는 것으로서의 2차원의 학습공간이나 학습환경, 또는 2차원의 물리적인 세계를 의미함. 이 장에서는 문맥에 따라 이러한 용어들이 혼용되어 사용되고 있으나 모두 동일한 의미를 지녔음

팀은 어떤 종류의 구조를 만드는 것이 현재 가지고 있는 재료들을 가장 잘 사용하는 것인지를 결정하기 위한 행동조치에 들어갔다. Michael의 확고한 지도하에, 설계가 재빨리 승인되었으며, 하위팀들은 다리의 하위부분들을 구축하기 시작했다. Brett는 다른 팀들이 어떻게 하고 있는지를 알아보기 위하여 해안선을 재빨리 훑어보았다. 대부분의 팀들은 구조물을 조립하면서 바쁘게 움직이고 있었다. 그러나 Alpha 팀은 훨씬 더 여유를 가지고 심층적인 대화를 하고 있었다. "그들은 무엇을 할까?" Brett는 궁금했다.

몇 분이 흘렀다. "거의 다 되었어. 두 부분만 더 하면 우리는 끝나. 우리의 설계는 재료들을 가장 잘 사용했어. 이제 시간만이 우리의 유일한 적이야." 라고 Michael이 말했다. Brett는 또다시 여기저기 훑어본 후 Gamma와 Delta 팀은 재료들이 떨어져 버렸음을 알게 되었다. Epsilon 팀은 충분한 재료들을 가지고 있지만 그들은 끝마치려면 아직 멀었다. Alpha 팀의 경우, 그들은 이 도전을 포기해 버린 것처럼 보였다. 그는 그들을 어디에서도 볼 수 없었다. "됐어. Alpha 팀이 이 도전을 포기해 버렸다면, 선두 가까이까지 갈 수 있을 거야." 라고 Brett는 생각했다.

바로 그 때, 2분이 남았다는 경고음이 울렸다. Michael은 팀원들에게 마지막 부분을 전력을 다해 더 빨리 놓으라고 말했다. 승리가 가까워 오자, Brett는 섬을 힐끗 쳐다보았다. 놀랍게도, 그는 Alpha 팀이 환호하면서 섬 중앙에 서 있는 것을 보았다.

"잠깐만, 너희들 거기에 어떻게 갔니?" 라고 Brett가 물었다. Alpha 팀의 리더가 "우리는 날아왔다." 라고 뽐내며 말했다. 그는 "이 가상 환경에서는 중력이 없어. 우리는 이 도전을 해결하기 위하여 비전통적인 방법을 취하기로 했어. 우리는 승리할 수 있는 보다 효과적인 방법을 찾기 위하여 환경적인 요인들의 이점을 취했어." 라고 말했다.

"그것은 정당치 않아." 하고 Michael이 반박했다. "그것은 훨씬 더 공평하다. 이 훈련의 전체 요지는 각 팀이 익숙한 조치들을 취하기 전에 익숙하지 않은 환경에 있는 모든 옵션들을 탐색하는 것이었다. … Alpha 팀은 그러한 전통적인 관례를 깨고 생각해 낸 유일한 팀이야. 나머지 팀들은 다리를 구축하는 데 곧장 뛰어들었어. 여기에서의 교훈은 비전통적인 환경은 비전통적인 반응을 요구한다는 거야. 이제 로그오프하고, 헤드폰을 벗어 놓고, 5분 내에 회의실에서 만나자." 라고 도전 지도자가 말했다.

팀들은 도전 지도자와 논쟁하는 것보다 더 많은 것을 알았다. "내가 이 도전의 시작부분에 Michael에게 더 강력하게 요구했었어야 했는데. 다음번이 내가 팀을 이끌어 갈 차례여서 기뻐. 다시는 그 덫에 빠지지 않아야지." 라고 Brett는 혼자 속으로 생각했다.

놀랍고 새로운 학습세계

가상적으로 중재된(mediated) 팀 상호작용, 학생들이 중력에 맞서 날아다니는 아바타. 그것은 학습전문가적 경험을 혼란스럽게 만들기에 충분하다. 불행하게도, 게임기반(game-based) 테크놀로지의 최첨단에 서 있지 않은 사람들에게 있어 아바타(avatars), 가상사회세계(virtual social worlds: VSWs), 대규모 다중플레이어 온라인 롤플레잉 게임(massively multiplayer online role play game: MMORPGs), 메타버스(metaverses)에 관한 이야기들은 공상과학소설에서나 나올 법한 것으로 여겨질 것이다(그리고, 몇몇 경우에는 실제로 공상과학소설에 나온다).[2]

[그림 3-1]에서 개관한 바와 같이, 우리는 "가상의 몰입적인 환경(virtual immersive

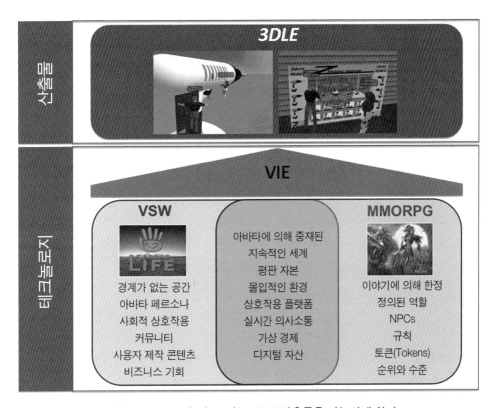

[그림 3-1] VIE 테크놀로지는 3DLE 산출물을 가능하게 한다.

---

2) "메타버스(metaverse)"라는 용어는 공상과학소설 작가인 닐 스테픈슨(Neal Stephenson)의 1992년 소설 『스노우 크래시(Snow Crash)』에서 나온 신조어다. Stephenson, N. (1992). *Snow Crash*. New York: Bantam Dell.

environments: VIEs)"이라는 용어를 vees라고 발음하도록 만들었다. 이 용어는 이러한 환경의 몰입적 특성을 강조하고 비슷한 공간의 사회적 활용(VSW)과 게임에의 활용(MMORPG)을 이러한 유형의 몰입적 환경에 관한 기업 및 학술적인 사용과 명확하게 구별하기 위하여 선택되었다. 이 세 가지 환경들 모두는 비슷한 특성들을 가지고 있지만, 각각의 초점은 매우 다르다.

가상세계에 대해 잘 알려진 두 개 이상의 형태들을 살펴보자. VSWs와 MMORPGs는 아바타에 의해 중재된(avatar-medicated) 상호작용, 영속적인 가상세계, 평판 있는 자본, 몰입적·상호작용적인 사회적 맥락, 공중파 방송과 유선방송 커뮤니케이션 채널, 가상적인 디지털 자산이 사고 팔리는 가상경제와 같은 공통된 속성들을 가지고 있지만, 많은 차이점들도 가지고 있다.

*BusinessWeek*는 Second Life의 가상사회세계(VSW)를 Matrix, eBay, MySpace의 몇몇 신성하지 않은 소산들이라고 기술해 왔다.[3] 사실, 이러한 기술(description)은 상당히 정확하다. Second Life와 다른 사회적 가상공간은 eBay와 같이 거래를 하고, MySpace와 같이 풍부한 사회적 상호작용을 증진하며, Matrix와 같이 이상한 환상적이고 매혹적인 감수성을 갖도록 하는 능력을 통합한다. Second Life에서 VSW 구성원들은 거주자(residents)라고 불리기를 선호하며, 자신이 선택한 대로 자유롭게 행할 수 있다. VSWs는 실천, 상업, 사회화 공동체의 조성과 개발을 촉진한다. 이에 반하여, MMORPG 플레이어들은 게임의 목적을 달성하는 데 더 많은 초점을 둔다. 플레이어들은 정의된 역할을 가지고 있고, 조합이나 일당(clan)과 연계하며, 엄격하게 제한되어 있는 게임기반 이야기(narrative) 속에서 보다 높은 수준의 성취도로 나아가도록 하는 일련의 질문이나 도전들을 의도적으로 수행해 왔다.

VSWs와 MMORPGs는 많은 속성들을 공유하며, 유사한 것으로 간주될 수 있지만, 확실히 동일한 것은 아니다. 이러한 두 가지 테크놀로지로부터의 어포던스(affordances)는 몰입적·참여적인 3D 학습경험(3D learning experience: 3DLE) 산출물(outcomes)을 생산하기 위하여 두 가지 테크놀로지 요소들이 이용될 수 있는 VIE를 조성하기 위하여 통합될 수 있다. VIE는 테크놀로지이며, 3DLE는 학습을 촉진하기 위하여 VIE 내에 설계된 경험이다.

애매하고, 복잡하며, 혀가 꼬이는 두문자어(acronyms)에도 불구하고, 몰입적인 인터넷은 현재 우리 앞에 있다. 웹은 의심할 여지 없이 정적이고 일방향적인 정보 경로에서, 아바타로서의 인간이 가상적으로 상호작용하고 일하며 협력하는 3차원 세계로 변환되었다. 학습경험을 변형하기 위하여 몰입적인 인터넷을 채택한 사람들은 생존하고 번영하겠지만,

---

3) Hof, R. D. (2006, March). Virtual Worlds, Real Money. *BusinessWeek*, pp. 78-64.

그것을 무시한 사람들은 자신들이 서비스하는 비즈니스나 학생들로부터 점점 배제되어 버릴 것이다.

웹 2.0과 몰입적인 인터넷 테크놀로지는 맥락 속에 있는 정보가 맥락 밖의 교수(instruction)를 능가하는 곳에 있는 동료들 간의 주문형 네트워크화된 학습을 가능하게 해 준다. 기업과 대학 내외에서 교실 환경과 강좌를 구안(construct)하는 데 있어 엄격성이 제거된 학습이 자유롭게 행해질 수 있게 되었다. 학습자들은 더 이상 훈련기능이나 교수들의 노예들이 아니다. 그들은 비형식적 학습요구를 실시간으로 해결하기 위하여 마음대로 할 수 있는 테크놀로지적 어포던스를 가지고 있다.

이러한 테크놀로지적 어포던스와 3DLE에서의 학습의 이점들을 이해하기 위한 가장 좋은 방법들 중 한 가지는 가상세계에 들어가서 경험이 있는 가이드와 함께 그것을 탐색해 보는 것이다. 이 가이드는 3DLE 설계의 미묘한 차이를 기술하며, 3DLE 내에서의 활동의 이점들을 보여 주고, VIE 테크놀로지를 학습에 적용하는 데 있어 여전히 극복해야 할 장애와 한계점들을 지적해 줄 수 있다.

3D 가상세계에서 안내된 여행(tour)은 이 책의 2D 그리고 선형적인 형태로는 불가능하기 때문에, 다음으로 택할 수 있는 가장 좋은 옵션은 여러분에게 전형적인 2D 온라인 학습환경 내에서의 학습과 3DLE를 비교할 수 있는 시나리오를 제공하는 것이다. 이러한 목적을 달성하기 위하여, 우리는 Jane과 Jack이라는 두 학습자의 이야기를 담고 있는 3DLE에 관한 논의를 소개한다. 이 두 이야기는 원래 "360 Synchronous Learning Report"라는 eLearning Guild 출판물에 제시되었다.[4] 우리는 그 이야기들을 재출판할 수 있도록 허락해 준 eLearning Guild에게 감사드린다.

평지에서의 학습: Jane의 2D 동시학습 경험

오전 9시 50분이다. Jane은 2D의 동시적인(synchronous) 학습시간을 준비하기 위하여 책상 앞에 앉는다. 그녀는 웹사이트에 로그인한다. 잠깐 로딩을 한 후, 환영 슬라이드(welcome slide)가 그녀의 화면(screen)에서 수업에 참여하고 있는 다른 학생들의 리스트 옆에 나타난다. 이름들 중 일부는 익숙하고, 일부는 알기는 하지만 확실하지 않으며, 일부는 전혀 익숙하지 않다([그림 3-2] 참조).

---

4) Kapp, K. M., & O' Driscoll, T. (2007). Escaping Flatland: The Emergence of 3D Synchronous Learning. *Guild Research 360 Report on Synchronous Learning Systems*, pp. 111-153.

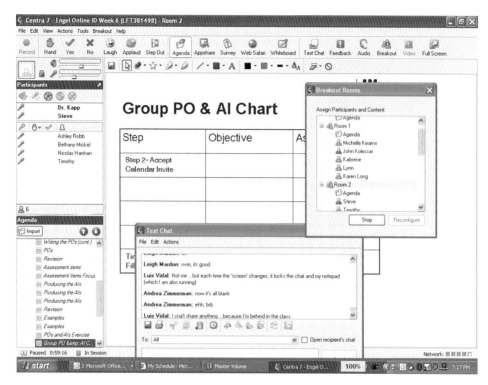

[그림 3-2] 전형적인 2D 동시적인 학습환경

환영 슬라이드는 학생들이 세계지도에 자신들의 위치를 표시하기 위하여 화이트보드 도구를 사용하도록 요구한다. Jane은 참가자들 중 절반이 이미 체크표시나 웃는 얼굴 그림 (smiley-face) 중 하나로 자신들의 위치를 태그(tag)했음을 알았다. 또한 수업 전에 텍스트 채팅이 있었지만, 그녀는 해야 할 실제 일들이 있었기 때문에 토론에 참석하지 않기로 결정했으며, 그 채팅은 단지 교수자가 공식적으로 수업을 시작하기 전까지 시간을 때우는 것이다.

Jane은 다른 창에 이메일을 열고 몇 개의 메시지들을 확인한다. 몇 분 후, 실체가 없는 (disembodied) 목소리가 수업을 시작한다. "오늘은 새로운 모델 Z 전동 드릴의 특성과 배치에 관하여 논의하겠습니다. 이 수업이 끝난 후에 여러분은 … 할 수 있을 것입니다."

Jane은 절반은 흘려들으면서 계속해서 이메일을 검토하고 교수자가 수업의 서두부분을 이야기할 때 직장 동료들에게 몇 개의 인스턴트 메시지를 보낸다. 그런 다음, 그녀는 수업시간 동안 얼마나 많은 주의집중을 할 필요가 있는지를 결정하기 위하여 40페이지의 강좌 프레젠테이션을 재빠르게 미리보기(preview)한다. 그녀는 이 동시적인 수업에 참여하는 동안 편안하게 여러 가지 과제를 할 수 있기 때문에 주말까지 마쳐야 할 중요한 판매제안서에 관한 업무를 마무리하기 위하여 워드프로세서 문서를 연다.

10분 후, Jane의 초점은 교수자가 모델 Z의 속성을 논의하기 시작할 때 동시적인 학습시간으로 되돌아온다. 화면에는 새로운 모델 Z의 2D 이미지가 있다. 그 드릴의 이미지는 모델 Z의 새로운 특성들과 그것이 경쟁 드릴들보다 우수한 장점들을 강조하는 많은 화살표들을 포함하고 있다. 이 시점에서, 교수자는 학생들에게 질문들을 던진다. 학습자들 중한 사람인 Sam Jones가 모델 Z를 상점 선반과 전시회(trade shows)에 놓는 방법에 대한 질문을 하기 위하여 가상의 손(virtual hand)을 든다. 교수자는 드릴을 선반 위에 놓고, 그것을 다른 제품들과 상품별로 그룹 짓는 방법과 진열대에 고정하는 방법을 설명한다.

Jane은 교수자의 설명을 잘 이해하지 못해서 몇 가지를 좀 더 상세하게 질문한다. 교수자는 자신이 말하는 것을 좀 더 명확하게 하기 위하여 인기 있는 철물점으로부터 샘플 전시에 관한 사진을 가져온다. 그런 다음, 교수자는 모든 학습자들에게 새로운 모델 Z의 배치와 홍보에 관한 학습자들의 이해 수준을 평가하도록 요구하는 여론조사(poll)를 보낸다. Jane은 교수자가 말한 것의 요점을 파악했다고 느끼며, 보다 세부적인 답변을 요청해서 다른 사람들의 시간을 낭비하는 것을 원치 않았기 때문에, 다른 사람들의 반응에 밀려 수업시간에 제시된 그것의 특성과 강점, 배치, 홍보물을 "완전히" 이해한다는 데 투표한 후 다시 보고서 작업을 한다.

교수자는 여론조사한 질문에 대하여 긍정적인 반응을 얻었기 때문에, 학생들에게 이제 분반수업(breakout lesson) 시간이라고 말한다. 학급은 그룹별로 나누어지고, 그들은 어떻게 드릴을 전문상점에 배치할 수 있는지에 관한 슬라이드 한 장의 발표문을 만들도록 요구되었다.

교수자는 30분 후 각 집단에게 배치에 관한 슬라이드들을 보여 주도록 요구한 후, 그들의 발표에 관하여 비평한다. 한 학생이 "슬라이드에 실제로 표현할 수는 없지만, 이 드릴은 다른 드릴보다 선반 위에 있는 고객에게 실제로 훨씬 더 가깝습니다."라고 말한다.

분반수업은 팀 발표에 관해 교수자가 긍정적이고 건설적인 피드백을 제공한 후 끝난다. 교수자는 제안된 배치에서의 몇 가지 오류들을 지적하기 위하여 그리기 도구들을 사용하며, 각 팀에 대한 피드백을 문서화하기 위하여 채팅을 한다. 그런 다음, 그는 참가자들이 다음 사분기에 모델 Z 전동드릴에서의 수입을 증가하기를 바라면서 수업을 종료하고, 참가자들에게 유용할 수 있는 수업시간에 사용한 모든 자료와 추가 자원들(resources)을 포함하고 있는 웹사이트에 대한 링크를 제공한다.

이제 오전 11시다. Jane은 로그오프하고 자신의 판매 제안서를 업데이트한 것을 저장한다. 그녀는 모델 Z 자원 사이트의 URL을 북마크하고 다음 방문요청을 준비한다.

평지 탈출: Jack의 3D 학습경험

오전 9시 50분이다. Jack은 책상에 앉아서 가상의 몰입적인 환경(VIE)에 로그인한다. VIE 가 로딩될 때, Jack은 몇몇 학습 동료들로부터 응급한 내부 인스턴트 메시지를 받는다. "Jack, 로그인하자마자 공간 이동(teleport)하여 우리를 좀 도와줘. 여기에 팀이 가질 수 있 는 학습자산(learning bucks)이 있어." Jack이 즉시 공간 이동 버튼을 누르자 3D 학습시설 외부에 있는 로비(lobby) 영역으로 들어간다.

그것은 익숙한 장면이었다. 촉진자(facilitator)는 조기 학습자산 도전, 즉 "모델 Z의 10 가지 새로운 특징들을 올바르게 찾아낸 첫 번째 팀은 20,000 학습자산을 획득한다."라는 도전을 설정했다. 네 팀이 네 개의 가상 모델 Z 드릴 포디움(podium) 주변을 배회하고 있 다. 각 팀은 자신들의 가상점수판에 점수를 획득하기 위하여 어떤 특징들을 올릴 것인지를 결정하기 위하여 신속하고 협력적으로 일했다. Jack의 오른쪽에 있는 팀은 여섯 가지의 새 로운 특징들을 올바르게 찾아내 선두를 달리고 있는 것처럼 보였다. Jack의 팀은 다섯 개 의 특징을 찾아내 그렇게 많이 뒤처져 있지 않았다.

Jack의 팀 동료인 Abbott와 Heather는 이미 한창 특징들을 찾고 있는 중이었다. Abbott 는 새로운 모델 Z의 특징들을 강조하고 있는 해당 제품의 웹페이지를 헤집고 다니고 있다. Heather는 한 손에는 모델 Y, 다른 한 손에는 모델 Z의 3D 버전을 쥐고 있었다. 그녀는 그 것들이 어떻게 차이가 나는지를 알아보기 위하여 비교하고 있었다([그림 3-3] 참조).

"Jack, 네가 여기에 올 수 있어서 기쁘다. Abbott가 말하는 특징들을 점수판에 입력해 줘."라고 Heather가 말했다. Jack이 점수판의 키보드로 달려갈 때 그는 평지(flatland)로부 터 호출하는, 즉 2D 세계로부터 온 익숙한 이메일 삑 하는 소리(beep)를 들었지만 너무 바 빠서 그것을 처리할 수 없다. 어쨌든, 이용할 수 있는 학습자산이 있고, 그의 팀은 전체에 서 2위다. "Abbott, 어서 말해."라고 점수판 콘솔(console)로부터, 현재 일곱 개까지 올바 른 특징들을 찾아낸 오른쪽에 있는 팀을 초조하게 응시하면서, Jack이 말한다.

어떠한 응답도 없었다. Jack은 Abbott를 힐끗 쳐다보고는 그가 빈둥거리고 있다는 것 을 알았다. Jack은 "Abbott, 너 뭐하고 있니? 여기로 빨리 와서 집중해. 다른 팀이 우리를 거의 앞지르려고 해."라고 Abbott에게 재빨리 인스턴트 메시지를 보낸다. 평지로부터, Abbott가 "미안해. 사장님으로부터 급한 텍스트 메시지가 왔어."라고 답한다.

VIE 뒤에서, Jack은 Heather를 호출한다. "너, 아무것도 찾지 못했니?" 그녀는 "그래. 그런데 '진동저항 열가소성 손잡이'는 어때? 내가 보기에 모델 Z가 그 측면에서는 모델 Y 보다 더 우수한 것 같아."라고 답한다. Jack은 재빨리 점수판에 그 특징을 입력하였고 그

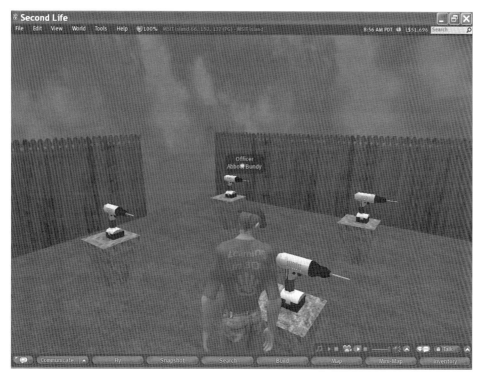

[그림 3-3] Abbott는 수업 전 연습에서 모델 Z 드릴에 관한 특징들을 찾고 있다.

특징은 올바른 것으로 받아들여졌다. 그들은 사냥으로 곧장 돌아온다! Heather의 입력 바로 뒤에, 2D에서 커뮤니케이션하는 것으로부터 되돌아온 Jack은 모델 Z 드릴 포디움의 탐색을 통해 찾아낸 네 개의 추가적인 특징들을 말한다. Jack은 그것들을 재빨리 입력한다.

그들의 점수판 위에 있는 알람 벨이 꺼지고 전체 로비가 색종이 조각들과 날아다니는 물고기로 가득 찬다. 서로 축하를 하고 밉살스러운 승리의 춤을 추기 위한 자세를 취하면서 "우리가 해냈어!"라고 Abbott가 말했다. "딴청을 부려서 미안해. 네가 신속하게 Jack에게 전화를 해서 기쁘다. 그렇지 않았으며 우리는 승리하지 못했을 거야. 그 전화가 우리 팀이 학습자산 도전에서 1위를 차지하는 데 한 단계 더 가까이 갈 수 있도록 해 주었어. 하와이 여행은 우리 차지야."라고 Abbott가 말한다.

촉진자가 Jack의 팀에 와서 그들을 축하해 준다. 그런 다음, 그는 모든 사람들이 공식적인 수업을 시작할 수 있도록 따라 오라고 요청한다. Jack의 아바타는 무리들을 따라간다. 그들이 걷고 있을 때, 그와 동료 학습자들이 마치 개미 크기만큼 줄어들고 있는 것처럼 보인다. 갑자기, 전체 반이 새로운 모델 Z의 핸들의 누름단추 위에 편안하게 앉아 있음을 알았다.

촉진자는 학생들과 함께 각 특징과 특징을 공간 이동(teleporting)하면서 20개의 주요한 특징들을 간략하게 검토한다. 그런 다음, 그는 각 팀에게 드릴 주변으로 달려가서 공식적인 수업 전에 각 팀들이 학습자산 도전에서 찾지 못했던 특징들이 위치해 있는 깃발(flags)을 뽑아 오도록 과제를 준다. "모든 남아 있는 깃발들을 가지고 되돌아오는 첫 번째 팀이 승리한다. 여러분이 서있는 곳에서, 준비! 출발!" Jack, Abbott, Heather는 드릴의 앞부분 쪽에 있는 핸들로 허둥지둥 내려간다. 그들만이 열 개의 깃발을 뽑을 수 있다([그림 3-4] 참조).

그들은 파워 스위치로 흩어져 가고, Jack은 드릴의 앞부분 쪽에 있는 세 개의 깃발을 뽑는다. 불행하게도, 그들 팀의 계획은 다른 팀과 동일하지 않아서 그들이 모두 열 개의 깃발을 가지고 있는 모델 Z의 누름단추로 되돌아왔을 때, 그들은 승자보다 5초나 뒤처졌다.

도입부(orienteering)에서의 도전 다음에, 촉진자는 학생들을 표준 제품 전시실로 안내하고, 모델 Z를 위한 핵심적인 배치 시 고려사항에 대하여 검토한다. 셔츠를 입고 뉴욕 메츠(Metz)의 야구모자가 그려진 넥타이를 맨 동료 학습자인 Sam Jones는 (Jack은 그의 가상 옷장에 다른 옷들이 있는지가 궁금했다.) 상점 선반 위와 상품전시회에서 해당 제품을 어디에 놓을 것인지에 관한 질문을 하기 위하여 손을 든다. 촉진자는 "좋은 질문이에요. 몇

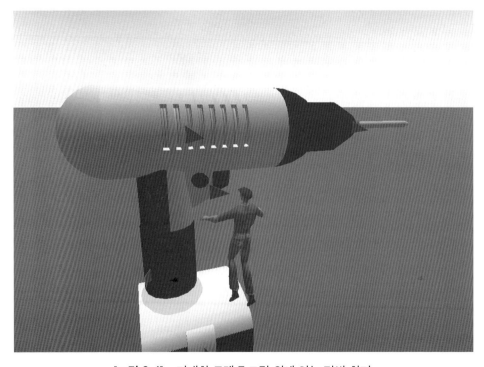

[그림 3-4] 거대한 모델 Z 드릴 위에 있는 깃발 찾기

가지 예들을 보러 가봅시다."라고 말한 후 사라진다.

　Jack은 촉진자가 있는 위치로 공간 이동하기를 요청하는 메시지를 받는다. 그가 클릭하자 조그마한 기계설비 상점으로 공간 이동된다. 그는 다른 드릴들 사이에 전시되고 있는 모델 Z가 있는 선반 앞에 곧바로 서 있다. 촉진자는 이러한 맥락, 즉 조그마한 기계설비 상점에서 드릴을 배치하는 것에 관한 핵심적인 요점들을 강조하며, 학생들에게 질문이 있는지를 묻는다. 학생들 모두 질문이 없다고 고개를 끄덕이자 촉진자는 다시 사라지고, Jack은 또 다른 공간 이동 메시지를 받는다. 이번에 그와 학습 동료들은 상품전시회장으로 공간 이동된다. 촉진자는 전시회장에서 모델 Z를 전시하는 다양한 방법들을 검토하고, Jack은 그 제품이 다른 제품들과 함께 그룹 지어지는 방법을 알게 된다. Jack은 진열되어 있는 것들을 둘러보고, 드릴들이 진열대에 어떻게 고정되는지를 알아낸다. 그는 그 지점을 진열대 구축에 대해 더 학습하기 위하여 나중에 되돌아오기를 원하는 장소로 표시한다([그림 3-5] 참조).

　촉진자는 학생들에게 다시 한 번 질문이 있는지를 묻는다. 일제히 고개를 끄덕이는 것으로 보아 학생들은 전시회장에서 본 모델 Z을 진열하는 방법에 대해 아주 명확하게 알게 된 것으로 보인다. 촉진자는 그 학습경험에 관한 두 가지의 적용 수업들 중 하나로 이동하

[그림 3-5]　모델 Z 드릴을 위한 전시회장 제품 배치

기로 결정한다.

교수자가 한 명의 지원자를 요청하여 Jack이 재빨리 손을 든다. 교수자는 Jack에게 모델 Z 드릴을 건축감독자에게 판매하는 과정을 역할놀이(role play)할 계획이라고 알려준다. 그는 Jack에게 회사 로고가 있는 밝은 노란색 셔츠와 카키색 바지의 판매원 유니폼을 입으라고 요청한다. 실제로, Jack은 약간 따뜻함을 느끼고, 진짜 판매를 하는 것처럼 땀을 흘리며 일하기 시작한다. 교수자는 안전모, 밝은 노란색 벨트, 먼지투성이의 청바지(jeans)를 입는다. 그 두 사람은 건축 장소로 공간 이동한다. 그곳은 Jack이 물리적인 세계에서 방문한 적이 있는 수십 곳의 장소들처럼 시끄럽고 바쁘다.

Jack은 원고를 가지고 있지 않으며, 교수자도 원고를 가지고 있지 않지만, Jack은 당황하지 않는다. 그는 판매할 수 있으며, 더 많은 학습자산을 확보할 수 있다는 것을 알고 있다. Jack은 먼저 고객을 끌어들이고, 제품을 그들의 요구와 연계시키며, 끝으로 판매를 완료함으로써 세 부분으로 된 판매 메시지를 시작한다. 대화들이 여러 번 꼬이고 왔다갔다 할 때, Jack은 작은 실수를 여러 번 한다. 그러나 그는 마침내 판매를 하고, 약간 더 많은 학습자산을 얻는다. 동료들은 그를 축하해 주고, 그에게 가상적인 하이파이브(high-fives)를 한다.

그 다음, Jack과 동료들은 또 다른 공간 이동 메시지를 받아서 학습적용 영역에서의 학습을 종료한다. Jack은 조만간 더 많은 학습자산이 생길 것을 알고서 웃는다. 촉진자는 팀들에게 적용 도전과제(application challenge)를 개괄적으로 이야기한다. 각 팀은 동일한 신호, 선반, 제품이 뒤섞여 있는 14피트×14피트의 영역을 갖는다. 그들의 과제는 모델 Z의 가장 중요한 장점들을 강조하는 가장 매력적인 진열대를 만드는 것이다. 그들이 그 과제를 마치는 데 20분이 주어진다([그림 3-6] 참조).

20분 후, 몇 명의 제품관리자들이 학습적용 공간으로 공간 이동하여 들어온다. 전체 학생들은 각 팀의 진열대를 둘러보며, 제품관리자들로부터 피드백을 듣는다. 촉진자는 채팅 기능 속에 피드백을 기록하며, 피드백에 기초하여 전반적인 점수를 부여한다. Jack의 팀은 도입부의 도전에서의 손실을 만회하여 다시 한 번 승리를 거둔다.

Jack은 자신의 팀이 학습자산 도전에서 승리하게 된 구체적인 행동들을 자세하게 검토할 수 있도록 이 전체 수업에 관한 기록들을 저장한다.

이제 다음 주가 기한인 중요한 제안서를 마칠 시간인 오전 11시다.

[그림 3-6] Abbott가 수업의 실습으로 모델 Z 드릴을 위한 진열대를 만들기 위하여 일한다.

상호작용성에서 참여로

Jack과 Jack의 다른 학습경험은 몰입적인 인터넷이 온라인 학습환경에 어떠한 영향을 미치며, 다음 5년 내에 훨씬 더 큰 영향을 미칠 것임을 분명하게 보여 준다. 실제로 Gartner의 Steve Prentice는 가까운 미래에 적극적인 인터넷 사용자들(그리고 포춘 500 기업들) 중 80%가 3D 가상세계에 모습을 드러낼 것이라 예측해 왔다.[5] Prentice만이 그러한 것은 아니다. techcast.org의 설립자이며 『테크놀로지의 약속(Technology's promise)』의 저자인 미래학자 William Halal은 가상세계는 매년 33%씩 증가하고 있다고 기술한다. 그는 2015년쯤에는 가상세계가 인터넷을 지배할 것으로 예측한다.[6]

5) Gartner는 적극적인 인터넷 사용자 중 80%가 2011년 말까지 가상세계인 "Second Life"를 가질 것이라고 말한다. (2007, April 24). Retrieved May 30, 2009, from Gartner at www.gartner.com/itl-page.jsp?id=503861.

6) Halal, W E. (2008). *Technology's Promise*(p. 56). New York: Palgrave Macmillan.

몰입적인 인터넷과 그것이 사회, 비즈니스, 학습에 주는 시사점을 이해하는 것은 쉽지 않을 것이다. 기업, 학술기관, 정부기관들은 몰입적인 인터넷의 결과(ramifications)와 그것이 지식 전이, 업무 처리, 기존의 학습 패러다임에 대해 무엇을 할 것인지를 고려할 필요가 있다.

가상세계는 학습자들에게 동일한 장소에서 동일한 시간에 서로 보고 상호작용할 수 있는 온라인에 있을 수 있는 기회를 제공한다. 이것은 단순히 동일한 슬라이드를 보고 동일한 화면에 로그인하는 것과는 아주 다르다. 3DLE는 VIE에서보다 효과적으로 일어나는 학습의 회상과 적용을 가능하게 해 주는 시각적이고 정신적인 단서들을 묶어주는 "현재 그곳에 존재하고 있다" 는 느낌(a sense of "being there")을 제공한다.

3DLE는 학습자들이 도전이나 과제를 달성하기 위하여 서로 간에 그리고 교수자와 실시간으로 행동하고 상호작용하는 매우 몰입적인 가상환경이다. 3DLE는 효과적으로 설계되었을 때, 동료와 동료 간에 또는 집단학습이 가능하며, 학습자들이 몰입적이고 상호작용적인 활동을 통해 개념적인 학습을 통합하기 위하여 설계된 일련의 활동들을 할 때, 적절한 지도가 제공되는 과제와 관련하여 풍부한 인간 상호작용을 위한 적절한 조건들을 생성한다.

2D 학습환경(또는 평지)에서 많은 상호작용 도구들이 사용된다. 현장관리(이모티콘, 손들기 등), 화이트보드 도구, 브레이크 아웃룸(breakout room)[7], 채팅, 애플리케이션 공유, 투표, Q&A 모두 상호작용성을 촉진하기 위하여 설계되었다. 불행하게도, Jack의 경험에서 분명하게 보여 준 바와 같이, 2D 동시학습(synchronous learning)에 참여하는 것은 상호작용적인 도구가 없기 때문이 아니라 활동 자체에 대한 몰입감(a sense of immersion)이 결여되어 있기 때문에 고통스럽다. 이와는 달리, Jack의 에피소드에서도 나타난 바와 같이, 1인칭 인터페이스(first-person interface), 즉 3D 아바타에 의해 중재된 상호작용은 실제로 학습자를 위한 참여적인 경험을 촉진하는 몰입적인 특성을 추가하는 한편, 2D 애플리케이션으로부터의 상호작용의 모든 요소들을 활용할 수 있다.

3DLE는 그 핵심에 활동에 참여하는 부산물로서 학습동기를 형성하는 참여수준(a level of engagement)(E)을 달성하기 위하여 상호작용성(interactivity)(I)과 몰입(immersion)(I) 모두에 영향을 준다는 개념을 가지고 있다.

3DLE의 구성요소를 나눈 "등식" 이 있다.

$$I \times I = E$$

---

7) [역주] 컨벤션 등 회의 중간의 휴식시간에 이용하는 방

3DLE에서, 학습자는 테크놀로지가 학습자 참여에 상승효과(multiplier effect)를 촉진하는 몰입과 상호작용 양자를 위한 공간적, 시간적, 물질적 조건들을 형성하는 가상세계에서 행위자(actor)가 된다. 학습자들은 자신들을 당면한 도전과의 관계성 속에서 보며, 주어진 활동이나 도전의 달성과 관련된 자신들의 활동의 결과를 경험한다. 3DLE에서는 실제적인 몰입적 특성들 때문에, 상호작용은 실체가 없을(disembodied) 수 없고 거래될 수도 없다. 그것은 실체가 있으며(embodied) 경험적(experiential)이다.

이러한 배경하에서 볼 때, 3DLE는 "학습자가 명시적인 학습목적을 달성하기 위하여 다른 아바타들과 참여하기 위하여 아바타를 통해 행동하는 3D 가상환경 속으로 몰입되는 한편, 공식적인 학습목표뿐만 아니라 가능한 비공식적인 동료 대 동료 학습(peer-to-peer learning)의 이해와 적용을 촉진하는 일련의 경험들을 통해 유도되는 과정"이라고 정의될 수 있다.

교수설계의 관점에서 볼 때, 몰입적인 요소를 추가하는 것은 학습자들이 콘텐츠와 상호작용하는 것을 넘어설 수 있는 기회를 가져다준다. 그것은 또한 학습자들이 학습콘텐츠를 개인적으로 흥미롭고 경험적인 방식으로 통합하도록 해 주는 맥락 속에 몰입할 수 있는 기회를 제공한다. 3DLE 내에서 일어나는 학습은 지식이나 역량의 결여가 당면한 도전을 실행하기 위하여 그러한 지식이나 역량을 갖기 위한 요구와 서로 엇갈리는 순간에 표면으로 드러난다. 마치 실제적인 업무 맥락 내에서의 경우처럼, 3DLE 내에서 어떤 과제를 완수하는 데 있어 무능력으로 인해 촉발된 학습동기는 그 경험 자체의 일부분이다.

3DLE는 학습자들에게 적절한 콘텐츠를 제공할 뿐만 아니라, 이러한 콘텐츠가 사려 깊게 설계된 활동들을 통해 열중하게 만들고 통합될 수 있는 적절한 맥락을 만드는 것을 요구한다. 이러한 활동기반(activity-based) 학습맥락들은 가르칠 수 있는 순간들(teachable moments)이 매번 표출될 수 있도록 설계되어야 한다. 모든 학습자들은 이러한 가르칠 수 있는 순간들을 동일한 방식으로 접하지는 않는다. 대신에, 학습맥락 내에서 다루어지는 영역들은 교수자의 명령이 아닌 학습자의 경험에 기초하여 접하게 되고, 열중하게 만들며, 적용된다.

3DLE는 교수설계자들이 이러한 새로운 테크놀로지를 콘텐츠와 맥락이 더 이상 분리되어서는 안 되는 학습모델로 되돌아가도록 적용함으로써 학습 접근방법에서 완전한 순환이 되도록 해 준다. 효과적인 3DLE를 설계하기 위하여 사용된 교수방법들은 작업활동에 집단적으로 참여하지만 다른 사람들과의 상호작용 속에서 그리고 상호작용을 통한 학습이 핵심적인 설계원리들이 되는 도제(apprenticeship)와 매우 유사하다.

3DLE는 적절하게 행했을 때, 교수설계자들이 교실의 매력을 극복하고, 매우 디지털화

되고 가상화된 기업체의 요구들에 보다 부합하는 방향으로 나아갈 수 있는 기회를 제공한다. 학습을 기업의 역동적인 요구들과 전략적으로 일치하도록 되돌리기 위하여 요구되는 신속하고 전면적인 변화를 하기 위하여서는 이러한 테크놀로지가 현대의 학습기능의 구조와 인프라구조를 근본적으로 재정의하기 위한 기회를 어떻게 제공하는지에 관한 근본적인 이해가 요구될 것이다.

VIE의 일곱 가지 감수성

일상화(routinization)의 덫을 피하기 위한 첫 번째 단계는 자기 자신을 기존의 과정과 실제와 거리를 두며, 새롭게 도래하고 있는 테크놀로지의 장점들을 검토해 보는 것이다.

VIE 내에서 설계된 3DLE의 초기 분석은 함께 묶었을 때 1인칭 인터페이스를 2D 인터페이스와 실질적으로 차별화하는 강력한 맥락적인 학습경험을 만들 수 있는 일곱 가지의 감수성(sensibilities)을 표출시킨다([그림 3-7] 참조).

자아감: 이모티콘에서 아바타까지

산스크리트어인 아바타(avatar)는 흔히 영어로 "화신(incarnation)"이라고 번역된다. 실제로, 그것은 문자 그대로 **강림**(descent)을 의미하며, 신이 물리적 세계로 체현(體現)하는 것처럼, 일반적으로 보다 높은 영적 존재의 영역에서 보다 낮은 존재의 영역으로 의도적으로 강림하는 것을 의미한다.[8] 오늘날의 가상세계 환경에서, 여러분의 가상 캐릭터는 3DLE 맥락 내에서 구체화되고 몰입된 아바타가 된다.

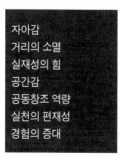

자아감
거리의 소멸
실재성의 힘
공간감
공동창조 역량
실천의 편재성
경험의 증대

[그림 3-7] VIE의 일곱 가지 감수성

---

8) Avatar. (2009, May 26). In Wikipedia, the free encyclopedia. Retrieved May 30, 2009, from http://en.wikipedia.org/wiki/Avatar.

아바타를 자아(self)의 확장으로 인식하는 것은 VIE의 차별화된 감수성(sensibilities)이다. 마치 실제 세계에서의 경우처럼, 우리는 사람들이 자신들을 가상세계 내에 있는 아바타로 나타내기 위하여 어떻게 선택하는지를 통해 많은 것을 추론할 수 있다. 많은 가상세계 플랫폼들은 사용자들이 자신의 아바타를 자신이 원하는 어떠한 방식으로든지 만들 수 있도록 해 준다. 학습자들은 물리적 자아의 가상적인 확장과 흡사하게 보이도록 만들기 위하여 아바타의 머리스타일, 신체 형태, 피부색깔, 그리고 다른 요소들을 바꿀 수 있다. 몇몇 가상세계 거주자들(residents)은 실제 세계의 페르소나들(personas)과 동일하게 하기 위하여 디지털 속퍼핏(sock puppets)[9]을 만드는 데 시간을 보내는 것을 즐긴다.

연구결과에 의하면, 사람들은 가상세계에서 마치 물리적인 세계에서 하는 것과 유사한 방식으로 행동하는 것으로 나타났다. 로스앤젤레스에 있는 캘리포니아주립대학교의 연구자들은 "사람들은 자신들의 몸을 남겨 놓고 새로운 자아를 찾기 위하여 온라인에 가지 않는다. 오히려, 그들은 생물학적인 자아를 포함하여 오프라인 자아와 함께 온라인으로 가는 것 같다."는 것을 발견했다. *Journal of Applied Development Psychology*에 실린 이 연구에서 남자아이들 사이에서는 거칠고 요동치는 게임과 여자아이들 사이에서는 친밀한 대화로 특징지어지는 5학년 학생들의 놀이 선호도에서 전통적인 성적 차이들(sex differences)이 심지어 그들이 가상적인 만남을 위한 페르소나를 채용한 후에도 존재했다.[10] 실제로, 참가자들 중 단지 13%만이 성(gender)을 바꾸기로 결정했다. 대부분은 심지어 그들이 아바타의 성을 바꿀 때조차도 물리적인 세계의 행위를 그대로 유지했다.

또 다른 연구에서, 노스웨스턴대학교의 연구자 Paul W. Eastwich는 심지어 인종적인 편견에 있어서 "가상세계 내에서 낯선 사람들 간의 상호작용은 실제 세계에서 낯선 사람들 간의 상호작용과 매우 비슷"함을 발견했다. Eastwich는 계속해서 "여러분이 이 환상적인 땅을 배회하고 있을 때 … 여러분은 다르게 행동할 것이라고 생각하지만, 사람들은 실제 세계에서 항상 보여 주는 동일한 유형의 행동들과 동일한 유형의 인종적 편견을 보여 주었다."라고 말했다.[11] 그/그녀가 누구이며 무엇을 표상하는가에 관한 감각(sense)은 그/

---

9) [역주] 토론방 등의 멤버가 자신의 평소 온라인 명으로 제시된 의견에 동의하게 하려고 온라인상에 만든 가상 인물

10) Bower, B. (2009, March 28). Playing for Real in a Virtual World. Retrieved May 30, 2009, from *Science News* at www.sciencenews.org/view/generic/id/41304/title/Playing_for_real_in_a_virtual_world. Vol. 175 #7 (p. 15).

11) In Virtual World Real-World Behavior and Biases Show Up. (2008, September, 11). Retrieved May 30, 2009, from *Medical News Today* at www.medicalnewstoday.com/articles/121006.php.

[그림 3-8] 이모티콘에서 아바타로의 진화

그녀의 아바타의 온라인 행동에 분명하게 반영된다. 자아감(sense of self)은 가상공간 속으로도 그대로 확장된다.

아바타에 의해 중재된 상호작용이 학습등식에 미친 중요한 차별화 감수성은 구체화된 상호작용을 이끌어 내고 있다. 앞에서 제시한 학습 에피소드에서, Jack의 현실에서 분리된 가상적인 표상(representation)은 찬성하고, 박수를 치며, 애니메이션화된 웃음을 짓고, 혹은 웃는 얼굴을 나타내는 데 한정된, 주로 감성이 없는 이모티콘(emoticon)이다. 그러나 3DLE 맥락에서, Jack의 아바타는 분명히 학습맥락이든 업무맥락이든 동료 아바타들이 인식하고 계속해서 상호작용하는 물리적 자아(physical self)의 디지털 확장판이다([그림 3-8] 참조).

거리의 소멸: 지리가 역사가 되는 곳

시간대가 다른 세계 도처에 있는 사람들을 연결하는 데 문제가 되지만, 가상세계에서 지리(geography)의 장애들은 본질적으로 역사(history)가 된다. 가성세계는 아바타들이 실제적인 물리적 위치에 상관없이 접속하고, 협력하며, 공동으로 창조적인 일을 할 수 있는 제3의 장소를 제공한다.

가상세계 맥락에서는 집도 없고 떨어져 있지도 않다. 가상세계 맥락의 중립성(neutrality)은 먼 지리(remote geographies)는 종종 기업이나 개인의 모국(home country)에 비례하여 느낀다는 거리나 고립감을 해소시켜 준다. 영국에서 온 사람은 공간 이동 버튼을 터치함으로써 아시아에서 제공하는 수업에 참여할 수 있다. 어떠한 여행도 요구되지 않으며, 어떠한 서류작업도, 어떠한 사전공지도 필요하지 않다. 이러한 점에서, 가상세계는 아마도 실제세계보다 훨씬 더 평평할지 모른다.[12]

앞에서 제시한 에피소드에서, Jack이 동료들과 합류할 때 그들이 물리적으로 어디에 있는지는 문제가 되지 않는다. 문제가 되는 것은 그들이 가상적으로 동일한 장소에 함께 있는 것이다. 아바타들은 도전에 참여하는 동일한 3D 가상공간에서 만난다. 그들은 가상 환경에서 단서들(cues)을 받고, 이것이 그들의 가상세계 내에서의 행동을 촉발한다. 한편, Jane의 경험은 정반대다. 모든 사람들이 동일한 시간에 웹사이트에 연결되어 있지만, 주로 화이트보드를 사용하는 활동은 단지 그 수업에 있는 각 참가자들이 다른 사람들로부터 물리적으로 얼마나 떨어져 있는지를 강조하기 위하여 사용된다.

실재성의 힘: 가상적으로 그곳에 존재하는 것

어떤 사람은 실시간의 인간 대 인간 상호작용을 대체할 만한 것은 아무것도 없다고 주장할 수 있다. 이것이 도제(apprenticeship)와 멘토링(mentorship)을 매우 강력하게 만드는 것이다. 인생처럼, 비즈니스와 대학 교실에서 단지 얼굴만 보이는 것만으로도 전쟁의 반은 승리한다. 간단히 말해, 실재성(presence)이 문제가 된다. 가상세계 맥락은 가상적으로 그곳에 있는 것을 거의 물리적으로 그곳에 있는 것만큼이나 좋게 만드는 풍부한 실재성과 명성관리 어포던스(affordance)를 제공한다. 상호작용 양식(mode)은 실제 생활양식을 흉내내며, 자아감과 거리의 소멸은 아바타의 실재성이 서로 상호작용하는 사람들에게 진짜처럼 느껴지도록 하는 강력한 가상적인 맥락을 만들 수 있도록 해 준다.

앞의 에피소드에서, Jack이 수업에서 했던 것은 Jane이 수업에서 했던 것보다 더 "실재적"임이 분명하다. Jane은 감수성이 없는 이모티콘 뒤에 숨어 리포트를 할 수 있다. 그러나 만약 Abbott가 인스턴트 메시지를 처리하기 위하여 평지(Flatland)로 빠져 나가려고 시도하면, Jack이 즉시 그를 호되게 꾸짖는다.

---

12) Friedman, T. (2005). *The World Is Flat.* New York: Farrar, Straus and Giroux.

공간감과 규모감: 관점의 문제

지리가 가상세계에서는 역사이지만, 공간(space)과 규모(scale)는 거의 무제한이다. 대부분의 아바타들은 몇 가지 방법, 모양, 또는 형태로 의인화되어(anthropomorphized) 있지만, 마치 몸속을 흐르는 백혈구로 매우 쉽게 변화될 수 있는 것처럼, 3DLE에서는 행성 주변 궤도에 있는 달이 될 수도 있다는 것을 인식하는 것이 중요하다. 복잡한 데이터 세트를 렌더링하기 위한 새로운 3D 시각화 메커니즘과 통합된 무제한의 공간과 규모는 협력적인 생성적 학습을 위한 중요한 기회를 제공한다.

모델 Z의 특징과 장점을 다루는 데 있어, Jane은 자신이 "파워포인트에 의해 압사" 되지 않도록 선택했다. 대신에, 그녀는 나중에 필요할 때 해당 콘텐츠로 되돌아갈 수 있도록 URL을 북마크했으며, 항상 현실과 분리된 로그인 이름 뒤에 숨어 판매제안서를 작성했다. 이와는 달리, Jack의 팀은 10개의 깃발을 획득하기 위하여 모델 Z의 핸들로 잽싸게 곤두박질치며 내려가는 것을 제외하고는 어떠한 것도 할 시간이 없었다. 그들은 사실상 3DLE 도전을 끝마쳤을 때 온몸으로 가상 드릴의 모든 것을 체득했다.

공동창조 역량: 함께 의미 만들기

거리에 상관없이 전 세계에 기반을 두고 공동창조할(co-create) 수 있는 능력은 일반적으로 생성적 학습과 업무를 위한 중요한 새로운 기회다. 평지의 스크린을 공유한다는 개념을 훨씬 뛰어넘어, 실질적인 공동창조는 사람들을 공통적으로 원하는 산출물을 성취하는 데 적극적으로 참여할 수 있는 공유된 가상 맥락으로 이끌어 준다.

Jane의 시나리오에서, 팀은 모델 Z의 최적의 배치를 위한 자신들의 계획을 강조했던 파워포인트 프레젠테이션 활동에 참여하는 것이었다. 이 경우, 그 수업의 학습 목표들은 분명히 제대로 달성되지 못했다. 3DLE 내에서 Jack의 팀이 직면했던 도전은 훨씬 더 목표 지향적이었다. 팀은 실제로 제품관리자들이 분석했던, 3차원에서 볼 수 있는 진열대를 공동으로 만들었다.

실천의 편재성: 행하는 동안 학습하기

가상세계는 학습자가 실제 세계 활동 전에 원하는 만큼 실천해 볼 수 있도록 해 주는 실제 세계 상황을 시뮬레이션하기 위하여 설계될 수 있다. 대부분의 성공적인 3DLE는 학습자들에게 행하기 전에 알 필요가 있는 것에 관해 교수하기보다는 그들이 행하는 동안 학습할 수 있도록 해 주는 일련의 과제나 도전들로 구성되어 있다. 시행착오를 통한 실천, 시뮬레이션, 학습의 개념(notion)은 참여적인 3DLE 설계의 핵심이 된다.

Jack은 수업(session)에 들어온 순간부터 모델 Z의 특성들과 배치에 관한 자신의 지식과 기술들을 연마할 수 있도록 설계된 다양한 참여적인 활동들을 통해 학습에 완전히 참여했다. 이에 반해, Jane은 단지 한 가지 활동에만 참여해야 했다.

경험 증대: 보고, 생각하고, 느끼고, 행하기

3DLE는 적절하게 행하면 흥미진진하고, 마음속에서 느끼고(visceral), 기억할 만한 경험을 만든다. David Kolb는 『경험학습(Experiential Learning)』에서, 학습을 (1) 보기(watching), (2) 생각하기(thinking)(지성: mind), (3) 느끼기(feeling)(감성: emotion), (4) 행하기(doing)(근육: muscle)의 4단계 과정으로 기술한다. 3DLE는 차별화된 감성으로 인해 이러한 과정을 활성화하는 흥미진진한 학습경험을 창출하는 데 매우 효과적이다.[13]

3DLE는 보상 메커니즘의 시기(timing)와 층위(layering)가 몰입(flow) 상태(스트레스와 지루함 사이에 있는 언제나 정의하기 어려운 높은 수행지대)를 유지할 수 있도록 주의 깊게 조정된 정교한 맥락적 설계 요소들을 사용한다. 학습자산의 토큰강화시스템(tokening system)과 결합된 세 가지 도전들은 Jack과 팀이 직접 얻은 모델 Z의 20가지 특성들과 그것을 다른 맥락들에서 가장 잘 제시하는 방법을 학습했던 3DLE에서 일어났다. 한편, Jane은 나중에 모델 Z의 특성들과 그것을 배치하는 방법을 알 필요가 있을 때 되돌아오기 위하여 참고할 수 있는 URL을 가지고 자리를 떴다.

감성 통합

VIE 감성들은 함께 조합했을 때 학습자 참여를 평지에서는 이전에 성취하기 어려울 수 있는 수준까지 촉진하는 몰입적 · 상호작용적인 3DLE를 창출한다. 〈표 3-1〉은 전통적인 2D 학습과 3DLE 간의 차이점을 요약한다.

---

13) Kolb, D. (1983). *Experiential Learning: Experience as a Source of Learning and Development.* Englewood Cliffs, NJ: Prentice Hall.

〈표 3-1〉 전통적인 2D 학습과 3DLE의 차이점들

감성	2D 동시학습	3D 동시학습
자아감	이모티콘	아바타
거리의 소멸	동일한 시간, 동일한 웹사이트	동일한 시간, 동일한 가상공간
실재성의 힘	실체가 없는	실체가 있는
공간감	웹사이트와 슬라이드	가상공간
공동창조의 힘	문서 제시	진열대 구축
실천의 힘	연습	연습과 활동
경험 증대	상호작용	상호작용 몰입

아울러, 3D 또는 1인칭 인터페이스는 우리의 시각적인 지성(minds)이 작동될 수 있도록 연결시켜 주는 맥락을 반영한다. 우리는 물리적인 3D 맥락에서 자연스럽게 만나고, 우리를 둘러싸고 있는 것을 느낀다. 이러한 특별한 3D 상호작용이 디지털 형태라는 사실은 두뇌에서 활성화되는 시냅스(synapses)에게는 거의 차이가 없는 것 같다. 우리가 포식자들을 따돌리기 위하여서 단련해 왔던 동일한 시각적·공간적 단서, 의미 형성, 의사결정 과정들 중 많은 것은 디지털기반 3D 인터페이스에서도 상당한 영향을 미친다.

3DLE는 또한 두뇌와 연결시켜 줄 뿐만 아니라, 그것이 이로울 수 있는 몇 가지 매우 실제적인 이유들이 있다.

보다 초점을 둔 실재성

3DLE에서 여러 가지 과제를 하기는 훨씬 더 힘들다. 여러 가지 일을 하는 것은 많은 업무 상황에서는 좋은 아이디어일지 모르지만, 학습맥락에서 볼 때 그것은 개인의 주의집중력을 저하시키고, 배우고 있는 정보를 완전히 이해하는 것을 막아버릴 뿐만 아니라 파지와 나중에는 회상을 방해한다.

이것은 2D 동시학습과 비교할 때, 주요한 논쟁점이다. 학습자들은 항상 완전히 "실재", 즉 학습에 몰입하지는 않는다. 한편, Jack은 아주 익숙한 이메일 알림을 무시하기로 할 정도로 자신의 팀을 도와주는 데 열중이다. Abbott는 도전하는 동안, 사장으로부터의 인스턴트 메시지를 받기 위하여 평지(Flatland)로 되돌아가는 것을 "들켜(busted)" 버린다.

3DLE가 제공하는 몰입적인 맥락은 매우 흥미로워 눈을 떼지 못하며, 평지보다 더 많은 주의집중을 요구한다.

보다 실재적인(authentic) 학습맥락

3DLE는 교실이나 온라인 화이트보드 또는 슬라이드 쇼보다 실제 세계의 업무상황을 렌더링하는 데 훨씬 더 효과적이다. 3DLE는 학습자들이 실제 그곳에 있지 않고서는 얻을 수 없을 정도로 실제 수행환경에 근접한 학습맥락에 몰입할 수 있도록 한다. 이 세계는 모델 Z 드릴을 위한 제품 진열대를 구축하는 것과 같이, 매우 실제적(realistic)일 수 있다. 더 나아가, 모델 Z 진열대를 평가하는 제품관리자 아바타들은, 그들이 하고자 했던 것에 관한 2D 표상을 보지 않고, 학습팀들에 의해 공동창조된 진열대들을 "둘러보았다".

일치하는(congruent) 맥락적 단서들은 회상을 촉진한다

사람들은 3D 환경에 몰입되어 있을 때 그 환경의 소리, 시각, 공간적인 관계들을 인지적으로 부호화하고 행동적으로 참여한다. 그 사람들은 정서적으로 연계되며, 자신들이 실제 상황에 있는 것처럼 행동한다. 이러한 것이 일어날 때, 3DLE는 학습자들이 미래 회상을 위하여 학습을 보다 효과적으로 부호화할 수 있도록 해 주며, 3D 세계로부터의 경험을 실제적인 현장(on-the-job) 수행에 적용하기 위하여 필요한 단서들을 제공한다. 요컨대, 3DLE는 궁극적인 "행함으로써 학습(learning by doing)"을 위한 플랫폼이다.

　3DLE는 함께 일할 수 있는 "즐거운(fun)" 환경뿐만 아니라 스트레스와 놀라움으로 가득한 환경을 제공할 수 있다. 3DLE는 실제적인 업무상황을 흉내낼 수 있으며, 참가자들로부터 심장박동과 웃음을 증가시키고, 땀을 더 흘리게 하는 것과 같은 실제적인 신체적 반응을 야기할 수 있다.

내재된 동료 대 동료 학습

협력과 동료 대 동료(peer-to-peer) 학습은 3DLE 맥락에서는 자연스럽게 나타나지만, 2D 맥락에서는 특별하게 설계되어야 한다. 3D 환경의 몰입적인 특성 때문에, Jack의 에피소드에 개괄적으로 제시된 도전들 중 많은 것들이 일단 도전이 시작되면 동료 대 동료 협력의 힘을 활용할 수 있도록 해 준다.

3DLE는 자발적이고 우연히 발견되는(serendipitous) 아바타에 의해 중재된 네트워크화된 학습이 가능하고 촉진하는 인프라구조에 포함된 상호작용적이고 몰입적인 어포던스의 이점을 취한다.

요컨대, 3DLE는 맥락적으로 적절하고 실제적인 일련의 활동들에 몰입하고 상호작용할 수 있도록 함으로써 학습자들과 촉진자들이 평지를 빠져나와 참여적이며 1인칭 인터페이스가 가능한 학습활동을 즐길 수 있도록 해 준다.

훈련가와 교육자들을 위한 시사점

현재의 훈련자중심적인 교실기반 학습모델은 최첨단의 테크놀로지에 의해 도전을 받고 있다. 3DLE는 기업체들이 웹볼루션의 속도를 따라잡기 위하여 구조들(structures)과 인프라구조들(infra-structures)을 개조하기 시작함에 따라, 그 과정을 훨씬 더 가속화하고 있다. 점점 더 많은 비즈니스들이 가상적인 몰입환경을 배치·활용함에 따라, 고용인들은 이러한 맥락 내에서 업무를 행하고 거래를 완료하는 방법을 알 필요가 있게 되었다. 많은 활동들은 비즈니스의 관점에서 볼 때 물리적인 세계에 있는 것과 동일하지만, 다른 활동들은 가상세계가 제공하는 융통성 때문에 가상세계에서는 엄청나게 다를 것이다. 고용인들은 다양한 유형의 가상세계 거래들을 행하고 평지와 3DLE 간을 고르게 왔다갔다 이동하는 방법을 알 필요가 있을 것이다.

VIE와 같은 3차원 생성적 학습환경에서, 전통적인 훈련기능의 역할은 매우 축소되고(marginalized), 그것을 테크놀로지로 가속화하는 것은 단순히 생성적 학습과 기업의 이윤을 촉구하기 위하여 그것의 단점을 더욱 눈에 띄게 한다. 조직들이 성공하기 위하여서는 새로운 방법, 훈련기법, 학습환경이 창출되어야 한다.

그런 다음, 그것들은 학습기능이 새로운 학습 패러다임들을 차용할 것을 요구할 것이다. 그런데 이러한 새로운 학습 패러다임은 그것이 활용되는 기업의 역동적인 요구들을 충족할 수 있도록 해 준다. 더욱 중요한 것은 좀 더 소외되는 것을 피하기 위하여, 학습전문가들은 기업체와 고용인들이 웹이 휩쓸고 간 세계에서 효과적으로 기능할 수 있게 준비시키기 위하여 몰입적인 인터넷 실험을 주도해야 한다.

학교들은 성공을 보장하기 위하여서 자신들의 원격교육 프로그램, 선발 절차, VIE 내에 공간들(spaces)을 확보하기 위한 교육적 노력들을 혁신해야 한다. 이러한 공간들은 졸업생, 재학생, 입학할 가능성이 높은 학생들이 방문할 것이다. 이 공간들은 재학생과 졸업생들이 물리적 세계와 가상세계 내에서 상호작용하고, 학습하며, 심지어 잠재적인 직업에 관하여 서로 인터뷰할 수 있는 아주 훌륭한 기회를 제공할 수 있다. 3D 세계의 역동성은 이전에는 탐험할 수 없었던 세계와 장소를 보다 더 자유롭게 접근·탐험할 수 있도록 해 줌으로써 학생·교직원·졸업생의 관계를 바꿀 것이다.

제 2 부

청사진 구축

Learning in
3D

Learning in **3D**

*Adding a New Dimension to Enterprise
Learning and Collaboration*

학습경험 설계

구시대적인 경험 회피

가상의 몰입적인 환경(VIEs)은 교수설계자들에게 매력적인 3D 학습경험(3DLEs)을 만들 수 있는 새로운 테크놀로지 플랫폼을 제공한다.

VIE 테크놀로지가 도래함으로써, 학습전문가는 내연기관 테크놀로지가 처음으로 나왔던 1800년대 중반의 구시대적인 제조산업과 비슷한 위치로 자리매김했다. 그 당시, 구시대적인 제조업자들의 운송 패러다임(말 또는 마차)은 이러한 테크놀로지가 운송산업(자동차)을 어떻게 혁신시킬 것인지를 인식할 수 있는 능력을 흐리게 했다. 1890년대 중반경, 소비자들이 말과 마차를 보다 효율적인 운송수단으로 대체함에 따라 구시대적인 시장은 점점 사라지게 되었다.

구시대적인 제조업자들의 운명을 피하고, 동시에 VIE 테크놀로지가 학습을 전환하기 위해 제공하는 잠재력을 최고조에 이르도록 하기 위하여, 교수설계자들은 제2장에서 소개한 일상화의 틀에 갇히지 않도록 해야 한다. 이는 학습전문가들이 학습을 인식하는 방법과 그들이 VIE 내의 3DLE 설계에 접근하는 방법에 있어서의 근본적이고 항구적인 전환을 요구한다. 사실 3DLE는 교실 전달 패러다임으로부터 벗어나고 VIE 테크놀로지가 학습경험을 인도할 수 있는 어포던스(affordance)에 근거한 완전히 새로운 설계원리들을 요구한다.

3DLE 설계원리

3DLE는 매력적인 에피소드적 상호작용이 새로운 학습에 쉽게, 그러나 종종 무의식적으로, 동화됨에 따라 학습자를 도전과 보상의 최적의 몰입 상태로 이끄는 그러한 상호작용을 만들 수 있도록 설계되어야 한다.

3DLE 내에서 일어나는 학습은 참가자의 지식이나 능력의 부족이 도전을 극복하거나 구체적인 과제를 완수하기 위하여 그 지식이나 능력을 갖기 위한 요구와 교차하는 순간에 표면화된다. 그러한 학습경험은 교묘하게 처리되어 가르칠 수 있는 순간들이 매번 표면화된다. 그러한 가르칠 수 있는 순간들은 각 참가자마다 동일하지는 않다. 대신에, 다루어지는 콘텐츠는 교사의 위임에 기초하기보다는 학습자의 경험에 기초하여 제시되고, 적용되며, 성찰된다.

3DLE를 설계하는 데 있어, 콘텐츠는 왕이고, 맥락은 왕국이다. 맥락은 정의, 개념, 주제, 절차, 원리를 3DLE 내에 있는 참가자가 실행할 수 있도록 렌더링함으로써 그러한 것들에 생명을 불어넣어 준다. 3DLE의 진정한 가치는 교실맥락을 모방하는 것으로는 절대 달성될 수 없다. 그 대신에, 3DLE의 진정한 잠재력은 참가자들이 얼마나 의도적으로 공동의 목표를 향해 행동하고, 상호작용하며, 실패하고, 다른 방식으로 다시 시도하며, 궁극적으로 (그러나 실생활에서보다는 훨씬 더 빠르고 안전하게) 원하는 학습목표를 달성할 수 있도록 해 주는지를 보여 줌으로써 실현될 것이다.

본질적으로, 3DLE의 최상의 목적은 구분할 수 없는 학습(learning)과 행함(doing) 간의 경계를 흐릿하게 함으로써 그 둘 간의 특징을 알아차릴 수 없도록 하는 것이다. 도제시대의 경우에서처럼, 학습과 행함은 행동(action)과 실행(execution)이 개념과 콘텐츠를 통합하는 맥락 속에서 동시에 융합되고 상황화(situated)된다.

이러한 원하는 설계 산출물을 얻기 위해서, 우리가 제안하는 모델은 교수설계자들에게 몰입적이고 매력적인 3DLE를 만들 수 있도록 유도해 주는 여덟 가지 설계원리를 제공한다. 이 모델은 저자들과 이 분야에서 가장 존경받고 저명한 3DLE 설계자들, 즉 Chuck Hamilton, Christopher Keesey, Randy Hinrichs, Ken Hudson, Steve Mahaley, Sarah Robbins의 협력적인 노력의 결과다.[1] 그들의 조언과 통찰력 덕분에, 우리는 최근에 도출되고 있는 핵심적인 설계원리들을 종합할 수 있었다([그림 4-1] 참고).

---

1) 이 뛰어난 공헌자들에게 다시 한 번 우리는 그 모델에 대한 공헌에 감사드린다.

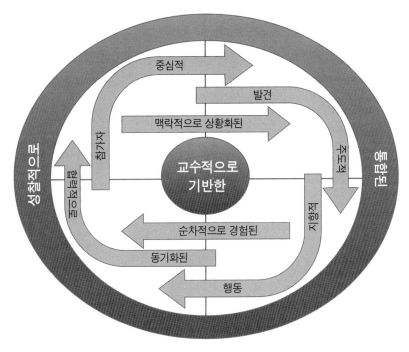

[그림 4-1] 3DLE 설계원리들

3DLE 설계원리 모델은 기저원리(grounding principles)와 경험적 원리(experiential principles)의 두 가지의 중요한 요소로 나뉜다.

기저원리들

모든 3DLE는 확고한 교수설계 접근법에 기초해야 하며, 개인과 팀 수준의 성찰적인 통합을 요구한다. 이러한 두 가지 원리들은 다른 원리들이 몰입적이고 매력적인 3DLE를 개발하기 위해 적용되는 핵심과 파라미터를 형성한다.

교수적으로 기반한(Instructionally Grounded). 3DLE가 더 커다란 혼합적인 해결방안의 일부이든, 독립된 전체이든 상관없이, 학습중재(learning intervention)는 면밀히 검토된 비즈니스 요구를 해결하고, 그 중재 내에 있는 학습목표들이 그 비즈니스 요구를 해결할 수 있게 최적화될 수 있도록 보장하는 것이 매우 중요하다. 더 나아가, 3DLE 접근법이 학습목표들을 현직 수행으로 전환시킬 수 있는 가장 효율적이고 효과적인 메커니즘(mechanism)임을 보장하는 것이 매우 중요하다.

본질적으로, 이러한 원리를 엄수하기 위해서는 전통적 학습 프로그램을 개발하기 위해 요구되는 모든 형성평가에 관한 연구가 여전히 수행되어야 함을 요구한다. 더 나아가, 이 전단분석(front-end analysis)에 대한 덮개(overlay)로서, 명확하고 매력적인 사례는 전통적인 접근방법과 비교했을 때 3DLE 중재를 개발함으로써 파생되는 중요하고도 차별화된 비즈니스 가치가 있도록 만들어져야 한다.

성찰적으로 통합된. 3DLE의 경험적이고 협력적인 특성 때문에, 경험의 자기 성찰과 그룹기반(group-based) 통합에 대한 요구는 설계에서 하나의 통합적인 요소가 되어야 한다. 3DLEs 설계 시, 학습한 기술의 적용에 관한 교수자의 검토와 취해진 행동과 달성된 결과에 관한 동료 대 동료(peer-to-peer)의 검토를 위한 시간을 할당해야 한다.

3DLE 설계에서, 개인과 그룹수준에서의 구조화된 성찰은 옵션이 아니다. 성찰적으로 통합된(reflectively synthesized) 원리를 모델의 주위에 배치한 것은 참가자들이 성찰의 문을 통과하지 않고는 떠날 수 없음을 의미한다.

경험적 원리. 일단 비즈니스 또는 학술적인 요구를 해결하는 명확한 학습목표들이 있고 요구되는 학습이 3DLE 중재를 통해 가장 잘 전이된다는 것이 입증되면, 다음의 도전은 참가자들이 학습목표들을 본능적으로 경험하고 내면화할 수 있도록 해 주는 가장 적합한 맥락을 설계하는 것이다.

나머지 여섯 가지 설계원리들은 특히 3DLE 설계과정 자체를 알려주고 안내해 준다.

참가자 중심적. 첫 번째 설계원리는 참가자(교사는 제외)를 학습경험의 중심에 위치시켜야 함을 제안한다. 교사가 수동적인 학습소비자에게 지식을 나누어 주는 교실기반 '무대 위의 현자' 모델과는 달리, 3DLE에서 참가자들은 대리권(agency)을 가진다. 그들의 행동과 상호작용은 학습경험 자체 내에서 일관성 있는 산출물을 가지고 있다.

3DLE의 경우, 통제권(locus of control)은 교사에서 학습자로 옮겨가고, 맥락설계는 참가자들이 몰입적인 환경 내에서 가지고 있는 행동과 상호작용을 수용해야 한다. 학습목표는 대화적으로 다루는 것이 아니라 본능적으로 경험된다. 3DLEs에서, 참가자들은 학습경험 설계 자체에서 하나의 요소가 된다.

전형적인 교실환경의 경우, 학습목표가 소개되고, 삽화나 예를 통해 설명되며, 대화를 통해 처리된다. 3DLE의 경우, 상황은 우연히 마주치게 되고, 경험되며, 학습은 경험의 일부로서 통합된다. 콘텐츠와 과정은 학습과 행동 간의 차이를 거의 인식할 수 없게 되는 지점에서 융합된다.

학습자를 3DLE 설계의 중심에 놓고 학습목표가 참가자 대리권을 통해 생성되는 방법을 탐색하는 과정에서, 교수설계자들은 참가자들의 학습경험을 향상시키고 풍부하게 하는 새로운 가능성과 접근법을 발견할 수 있다.

참가자 중심적(participant centered) 설계원리는 Jack의 3DLE의 경우 자신의 아바타가 도착하자마자 새로운 모델 Z의 특성을 확인하기 위하여 조기에 학습자산을 얻기 위한 도전과제를 수행 중인 가상의 동료들과 즉각적으로 연계되었을 때 볼 수 있었다 (제3장 참고).

맥락적으로 상황화된. 전통적인 교실환경에서, 학습맥락은 미리 설정되었다. 참가자들은 교수자, 프로젝터, 칠판과 마주본다. 교실 간에는 맥락적인 변화가 거의 없다. 콘텐츠 자체는 변할 수 있지만, 교실맥락과 그것과 연계된 테크놀로지적 어포던스는 상대적으로 고정적이다.

두 번째 설계원리는 교수설계자들이 교실에서 콘텐츠를 전달하는 것에서 상황화된 맥락으로 이동할 것을 요구한다. 모든 3DLEs는 학습이 일어나는 구체적인 맥락을 만들 것을 요구한다. 도전, 이슈, 또는 과제맥락이 보다 실제적이고 매력적일수록, 참가자들에게 학습경험은 더 강력해진다. 이러한 3DEL 상황맥락은 참가자들이 촉진자로부터, 서로로부터, 환경 자체로부터 학습하는 방법을 제공해야 한다.

이러한 원리들을 고수하는 데 있어 교수설계자들이 접하게 되는 주요한 도전은 학습경험을 제공할 수 있는 최적의 상황적 맥락을 만드는 것과 관련되어 있다. 맥락은 실제적이고 행동지향적이어야 하지만, 그것은 또한 참가자가 접하게 되는 모든 학습목표들이 너무 명백하거나 부담스럽지 않게 제공되어야 한다. 맥락적 실제성과 학습목표 범위 간에 적절한 균형을 이루는 것이 학습경험을 상황화하기 위한 적절한 맥락을 설정하는 데 있어 매우 중요하다.

맥락적으로 상황화된(contextually situated) 설계원리는 Jack의 3DLE 도처에서 볼 수 있다. 3DLE 과정에서, Jack과 동료들은 다양한 상황화된 맥락에 노출되었다. 학습자들이 처음에 도착했을 때, 그들은 모델 Z 특성을 찾는 경쟁적인 맥락에 직면했다. 다음으로, 그들은 새로운 특징을 나타내는 깃발을 찾기 위해 거대한 드릴 주위를 날아다니는 도전에 직면했다. 그런 다음, 그들은 상점 진열대들을 공간 이동했고, 역할놀이에 참여했으며, 마지막으로 자신들의 진열대를 만들기 위한 작업장에 배치되었다(제3장 참고).

발견주도적. 일단 적절한 상황적 맥락과 참가자의 역할, 대리권이 정의되고 나면, 다음의 교수적 도전은 3DLE 내에 지속적이고 참여적인 상호작용을 위한 동기를 형성하는 것이다.

전통적인 교실환경에서, 동기를 형성하는 것은 흔히 교사가 담당하는 것이었다. 3DLE에서 설계의 중심은 교사가 아니기 때문에, 동기는 3DLE 내에서의 참가자가 행동과 상호작용에 몰입할 수 있도록 구축되어야 한다.

참가자들이 참여감(sense of engagement)과 몰입감(sense of flow)을 형성할 수 있도록 도와주기 위하여, 교수설계자들은 정보와 인센티브를 조금씩 선택적으로 드러내주는 3DLEs를 만들어야 한다. 상황적 맥락 내에 적절한 수준의 전략적인 애매성(strategic ambiguity) 또는 비구조화된 문제들(ill-structured problems)을 제공하면, 참가자들은 3DLE에 더욱더 몰입한다. 교수설계자들은 최소한의 가이드라인을 설정하고, 참가자들이 적극적으로 참여하며, 신호와 단서를 계속적으로 발견할 수 있도록 함으로써 3DLE에서 학습자 동기를 지속적으로 유지시킬 수 있다.

사실상 세 번째 설계원리는, 우리가 교실맥락 내에서 교수자들이 학생들에게 콘텐츠를 설명하는 교육 패러다임에서 학습자들이 학습콘텐츠를 주도적으로 발견하는 맥락을 탐색하는 교육 패러다임으로 이동함에 따라, 교수설계자들은 참가자들을 발견과정 내내 동기화시키고 참여시키는 방법을 염두에 두어야 함을 인정한다.

이러한 발견주도적(discovery driven) 설계원리는 팀원들이 1) 경쟁적인 게임의 맥락에서, 2) 거대한 드릴 주변의 가상 보물찾기 활동에서 새로운 모델 Z의 특성들을 발견하도록 독려된(제3장 참조) Jack의 3DLE의 처음 두 가지 활동들 도처에서 볼 수 있다.

행동지향적. 핵심적으로, 경험은 행동에 기초한다. Randy Hinrichs는 이 장에 있는 그의 에세이에서 "존재하는 것이 아니라, 행하는 것이다."라고 통찰력 있게 지적한다.

3DLE의 성공이나 실패는 참가자들이 중재와 연계된 학습목표들을 통합한 가르칠 수 있는 순간을 표면화하기 위하여 설계된 일련의 에피소드적 활동들에 참여할 때 참가자들의 행동과 상호작용에 의해 결정된다.

3DLEs는 상황적이고 문제중심적인데, 이는 목표중심적인(objective-centered) 것과는 반대된다. 3DLEs는 주제(topics)가 아닌 과제(tasks)를 중심으로 학습한다. 3DLEs는 학습목표가 경험적인 활동 내에서 구체화될 수 있도록 설계된다. 3DLEs에서, 학습은 행함(doing)과 분리되지 않는다. 3DLEs에서, 학습은 어떤 활동에 참여함으로써 얻어지는 자연적인 산출물이다. 이것은 통상적으로 행함에 대한 전제조건으로서의 위치를 점하고 있는 전통적인 교실 훈련과 극명하게 대립된다.

행동지향적(action oriented) 설계원리는 Jack의 3DLE 도처에서 볼 수 있다. Jack이

3DLE로 로그인하여 들어가는 순간부터, 그는 온전한 주의집중을 요구하는 일련의 활동들에 완전히 참여했다. 사실상 Abbott가 실제 세계 비즈니스 문제를 처리하기 위하여 3DLE에서 보이지 않을 때, Jack은 그에게 활동으로 되돌아오도록 하기 위해 그에게 간다(제3장 참조).

결과적으로 경험된. 학습은 순환적인 과정이다. 시행착오는 전문적인 역량을 개발하는 데 있어 핵심이다. "한 번에 성공하지 못하면, 계속해서 시도하라."라는 옛날 속담은 교수설계, 학문적인 성장, 전문성 개발에서는 토대를 이룬다. 어떤 직업이나 교과목을 통달하기 위해서, 초보자들은 무의식적인 무능에서 의식적으로 무능으로, 의식적인 능력으로, 그리고 궁극적으로 전문가 수준의 무의식적인 능력을 달성하는 방향으로 발전해 갈 때 행동과 성찰 사이를 왔다 갔다 한다.

다섯 번째 설계원리는 시행착오가 3DLE 속에 구체화되어 있을 것을 요구한다. 사실상 이것은 참가자들이 주어진 과제나 도전을 수행할 수 있는 능력을 보여 주어야 하며, 그 과제를 수행하는 과정에서 자신들의 행동의 결과를 경험하고, 자신들의 수행을 계속적으로 향상시킬 수 있도록 해 주는 과제와 관련된 피드백을 제공받아야 함을 의미한다.

더욱 중요한 것은, 참가자들은 3DLE에서 행동의 결과를 적나라하게 경험함으로써 기본적인 학습목표에 더 내면화하기 쉽다는 것이다. 학습자들이 시험에서 지식을 습득했음을 보여 주는 것에서 지식을 실제적인 맥락에 적용하는 활동의 결과를 실제로 경험하는 방향으로 나아가도록 요구됨에 따라, 학습에 대한 욕구와 의지도 증가된다. 실패한 바로 뒤에 즉각적인 건설적 피드백을 제공하는 것은 가장 심오하고 강력하게 가르칠 수 있는 순간들 중 하나다. 그것은 또한 3DLE 맥락에서 쉽게 적용할 수 있는 어포던스다.

결과적으로 경험된(consequentially experienced) 설계원리는 Jack의 3DLE에서 Jack의 팀이 자신들에 의해 구축된 모델 Z 제품 진열대의 효과성에 관해 경험 있는 생산관리자들로부터 실시간 피드백을 받았을 때 볼 수 있다(제3장 참조).

협력적으로 동기화된. 학습은 종종 팀 스포츠다. 3DLEs는 참가자들이 목적 달성을 위해 자연스럽게 함께 일하고 협력을 통해 서로 자연스럽게 배울 수 있도록 해 준다. 여섯 번째 설계원리는 교수설계 접근법이 개인적인 정보습득을 가능하게 하는 것에서 집단적인 경험적 의미형성을 가능하게 하는 방향으로 나아갈 것을 제안한다.

3DLEs에서, 학습은 구조화된 수업(structured teaching)에서 사회적·상황적인 동료 대 동료 학습(social and situated peer-to-peer learning)으로 전환된다. 참가자들은

학습경험의 소비자들이자 동시에 공헌자들이다. 참가자들의 집단적인 행동과 협력적인 공동창조는 집단의 한 구성원에 의해서는 개별적으로 도출될 수 없는 생성적인 통찰력을 촉진한다. 3DLEs 설계 시 협력은 독려되어야 하며 가능한 한 빈번하게 촉구되어야 한다.

협력적으로 동기화된(collaboratively motivated) 설계원리는 Jack의 3DLE 도처에서 볼 수 있다. 팀이 "학습자산"을 많이 따면 승리할 수 있다는 가능성의 제공은 각 팀으로 하여금 팀기반 참여를 통해 구체적인 도전과 발견기반 활동들에 적극적으로 참여토록 촉진했다(제3장 참조).

원리 종합

〈표 4-1〉은 교수설계자들이 3DLE 설계원리들을 준수하고자 할 때 물어야 할 핵심적인 질문들을 종합한 것이다.

〈표 4-1〉 교수설계자들이 가져야 하는 핵심적인 질문들

설계원리	고려해야 할 핵심적 질문들
교수적으로 기반한	■ 학습중재는 상세하게 조사된 비즈니스 또는 교육적 요구를 해결해 주는가? ■ 학습목표는 비즈니스 또는 교육적 요구를 해결하는 데 매우 효과적인가? ■ 3DLE는 학습전이를 위한 가장 효율적 · 효과적인 메커니즘인가?
참가자 중심적	■ 학습자가 경험의 중심에 있도록 설계되어 있는가? ■ 참가자는 경험에서 어떤 역할을 하는가? ■ 경험 내에서 가르칠 수 있는 순간을 접하기 위해 참가자들은 어떤 행동과 상호작용을 할 수 있는가?
맥락적으로 상황화된	■ 어떤 상황적 맥락이 중재의 학습목표들을 가장 잘 수용하는가? ■ 학습을 위한 실제적인 상황적 맥락을 조성하는 데 있어 촉진자, 다른 참가자들, 환경 자체는 어떤 역할을 하는가?
발견주도적	■ 학습경험 내에서 행동을 촉진시키기 위해 설정될 필요가 있는 최소한의 가이드라인은 무엇인가? ■ 학습경험 내에서 참여와 협력적인 행동을 자극하기 위하여 학습경험 내에서 어떤 정보나 인센티브를 선택적으로 드러낼 수 있는가?
행동지향적	■ 참가자들을 학습경험에 몰입시킬 수 있는 에피소드적 활동은 무엇인가? ■ 참가자들에게 가르칠 수 있는 순간을 촉발하는 이러한 에피소드들 내의 핵심적인 행동과 상호작용은 무엇인가?

〈표 4-1〉 교수설계자들이 가져야 하는 핵심적인 질문들 (계속)

설계원리	고려해야 할 핵심적 질문들
결과적으로 경험된	■ 참가자들은 수행할 수 있는 능력을 어떻게 보여 줄 수 있는가? ■ 순환적인 시행착오 피드백은 어떻게 학습경험 속에 포함되었는가? ■ 참가자가 실패한 결과는 무엇인가?
협력적으로 동기화된	■ 팀 안에서 협력적이고 공동창조적 활동은 어떻게 촉진되고 보상되는가? 　그 보상은 내재적인가? 외재적인가? ■ 협력은 설계에 의해서 어떻게 독려되는가?
성찰적으로 통합된	■ 개인적인 성찰은 설계에서 어떻게 반영되었는가? ■ 팀 활동 후의 검토는 설계에서 어떻게 반영되었는가?

원리에서 매크로구조로

원리들을 매력적인 3DLE를 만들기 위해 적용할 수 있는 가장 좋은 방법을 결정하기 위해서는 건축학적 청사진이 필요하다. 교수설계자가 3DLE를 설계하기 시작할 때, 구체적인 건축학적 접근법을 따르면 그 과정을 보다 효과적으로 만들 수 있다.

교수설계자들이 활용할 수 있는 VIE 테크놀로지와 3DLEs는 학계나 기업 환경에 새롭게 도입된 교수방법들이기 때문에, 몰입적이고 매력적인 3DLEs를 만드는 과정에서 개인들을 가이드할 통합적인 학습 아키텍처(learning architecture)가 필요하다.

이전에 정의된 3DLE의 원리들은, [그림 4-2]에서 볼 수 있는 바와 같이, 네 개의 커다란 매크로구조(macrostructure), 즉 대리권(agency), 탐색(exploration), 경험(experience), 연계성(connectedness)에 논리적으로 들어맞는다.[2]

이러한 매크로구조는 3DLE의 설계에서 포괄모형(coverage model)으로 활용될 수 있다. 교수설계자들은 포괄모형이 되도록 하기 위해서 각 매크로구조를 3DLE 설계에서 명확하게 활성화시켜야(activated) 한다. 특정의 원하는 학습결과에 기초하고 있는 각각의 3DLE는 매크로구조들 중 한두 개에 훨씬 더 심하게 편중하지만, 네 가지 모두 어느 정도 연계되어야 한다.

아래에서 개괄하고 있는 각 매크로구조에 관한 서술(description)은 매크로구조가 설계

---

2) 이 매크로구조들(macrostructures)은 Lesley Scopes의 연구에 기초했으며, 제5장에서 보다 더 상세하게 설명된다.

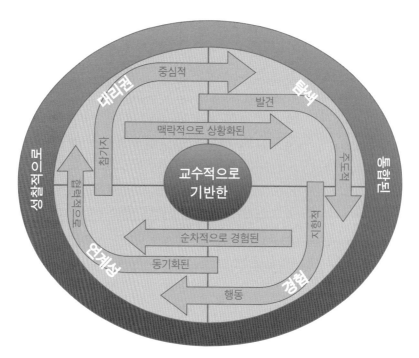

[그림 4-2] 3DLE의 매크로구조: 대리권, 탐색, 경험, 연계성

에서 활성화되었음을 보장하는 방법에 관한 정의와 명확한 표현을 제공한다.

대리권

대리권(agency)은 3DLE 내에 있는 아바타가 행동을 하도록 조작하는 사람의 능력이다. 참가자를 경험의 중심에 놓고, 그로 하여금 3DLE 내에서 독립적인 행동을 취할 수 있도록 허용하면, 대리권 매크로구조가 활성화되었음을 보장한다.

탐색

탐색(exploration)은 환경을 내비게이션하고, 지식을 습득하기 위하여 그것을 검토할 수 있는 능력이다. 아바타를 실제적인 맥락에 상황화하고(situating), 그들이 3DLE를 내비게이션하는 동안 가르칠 수 있는 순간을 발견하도록 허용하면, 탐색 매크로구조가 활성화되었음을 보장한다.

경험

경험(experience)은 활동들에 참여하고, 의미 있는 상호작용을 하며, 환경 내에서 그러한 행동과 상호작용의 결과들과 직면할 수 있는 능력이다. 아바타가 3DLE 내에서 행동과 상호작용의 결과들에 직면하도록 해 주면, 경험 매크로구조가 활성화되었음을 보장한다.

연계성

연계성(connectedness)은 지식과 이해를 만들고 구축하기 위해 서로 상호작용하는 능력이다. 특정 노력에 관해 협력적인 행동을 동기화시키고, 그 협력의 결과로 인센티브를 제공하면, 연계성 매크로구조가 활성화되었음을 보장한다.

다음 절에서는 이러한 매크로구조들이 어떻게 3D 학습 아키텍처와 VIE의 일곱 가지 감수성(sensibilities)이 조직화될 수 있는 준거틀(framework)을 제공하는지를 논의할 것이다.

매크로구조에서 원형과 감수성으로

네 개의 매크로구조, 즉 대리권, 탐색, 경험, 연계성은 구체적인 3DLE 원형을 위한 조직 준거틀(organizing framework)로 사용된다. [그림 4-3]에서 볼 수 있는 바와 같이, 각 매크로구조는 구체적인 일련의 3DLE 원형을 포함하고 있다.

원형(archetypes)은 3DLE의 기본적인 구성요소다. 각 원형은 구체적인 일련의 학습결과를 달성하고, 구체적인 매크로구조를 활성화한다. 현재 11개의 3DLE 원형들이 밝혀졌다. 이 원형들과 3DLE에서의 적용 예들은 제5장에서 상세하게 기술될 것이다.

3DLE를 만들기 위하여 VIEs를 활용해 본 경험이 많아질수록, 더 많은 원형들이 밝혀질 것으로 기대된다. 개방적인 매크로구조의 특성은 추가적인 원형들이 발견되면 그러한 원형들을 수용할 수 있도록 의도적으로 설계되었다.

일단 원형들이 매크로구조들에 적용되면, 각 원형이 특정 매크로구조에 얼마나 적합한지를 쉽게 관찰할 수 있다. 3DLE 설계 결정 시 겹침과 교차가 일어날 것이며, 일어나야 하지만, 네 개의 매크로구조는 원하는 학습결과를 효과적으로 충족시키기 위한 3DLEs 창출에 대해 논의하고 생각할 수 있는 유용한 방법을 제공한다. 매크로구조/원형모형은 교수설계자들과 다른 사람들이 이해당사자들이 3DLE 설계와 관련된 기회와 도전들을 이해할

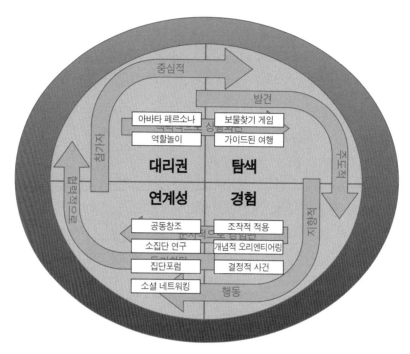

[그림 4-3]   11가지의 3DLE가 3DLE 매크로구조 속에 자리 잡은 구조

수 있도록 도와주기 위하여 그들과 의견을 공유할 수 있는 준거틀을 제공한다.

마지막으로, 통합적인 3D 학습 아키텍처의 개발을 드러내기 위하여, 동일한 네 개의 메크로구조 내에 제3장에서 밝혀진 일곱 개의 감수성들을 내포시킬 수 있다([그림 4-4] 참고).

다음 절에서는 원리, 매크로구조, 원형, 감수성들이 어떻게 통합적인 3D 학습 아키텍처 속에 조직화될 수 있는지를 개괄한다.

건축학적인 정렬 달성

Jack과 동료들은 앞에서 개괄한 일곱 개의 VIE 감수성과 여덟 개의 설계원리를 준수한 활동을 매우 효과적으로 활용했기 때문에, 3DLE에 몰입하고 참여하게 되었다. 3DLE 설계는 감수성들을 원리들에 성공적으로 정렬(alignment)했으며, 설계자들이 3DLE의 창출을 위한 명확한 방향을 제공했던 통합적인 학습 아키텍처를 사용했기 때문에, 원하는 학습결과를 달성했다.

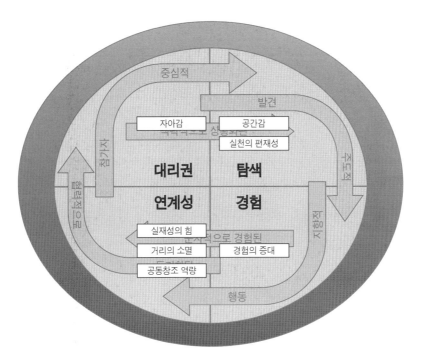

[그림 4-4] 일곱 개의 가상의 몰입적인 환경 감수성이 네 개의 3DLE 매크로구조 속에
자리 잡은 구조

3DLE 아키텍처를 사용하면, 교수설계자들은 설계의 모든 구조적인 수준들을 정렬하고, 적절하게 균형을 맞출 수 있다([그림 4-5] 참고).

3DLE 아키텍처의 핵심 요소는 3DLE 아키텍처가 모든 수준에서 정렬되는 것이다. 이러한 정렬은 3DLE의 개발을 고려해 볼 때, 아키텍처를 매우 가치 있게 만드는 것이다.

〈표 4-2〉는 교수설계자들이 3DLE를 개발하기 위한 아키텍처의 각 층위를 통과하며 작업을 할 때, 그들이 물어보아야 할 핵심적인 질문들을 종합한 것이다.

학습전문가들을 위한 시사점

3DLE 아키텍처의 가치는 3DLE를 만드는 교수설계자들이 현재 어떤 설계원리, 매크로구조, 원형, 감수성들이 원하는 학습결과를 정렬되고 균형 있는 방법으로 달성하는 데 가장 적절한지에 대한 정보에 근거한 판단을 할 수 있는 기초를 제공해 준다는 것이다.

이 분야에 새로 들어온 학습전문가들은 3DLE를 개발하기 위하여 일할 때, 이 아키텍처를 "곁에 있는 가이드"로 활용해야 한다.

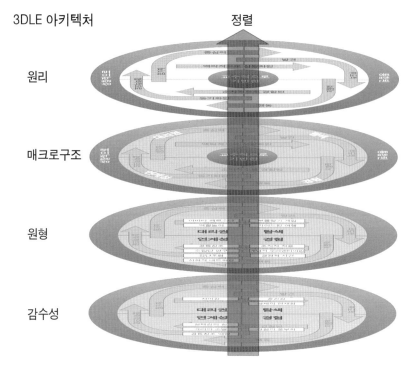

[그림 4-5] 모델 구성요소들의 정렬

〈표 4-2〉 아키텍처의 각 수준에서 물어보아야 할 핵심적인 질문들

아키텍처 수준	고려해야 할 핵심적 질문들
원리(Principles)	■ 원하는 학습결과는 3DLE를 적용하는 것이 절대적으로 필요한가? ■ 설계에는 교수적으로 기반하고 있으며, 몰입적인 활동들 다음에 성찰적인 통합이 포함되어 있는가? ■ 8가지의 경험적 설계원리들이 3DLE을 설계하는 데 준수되어 왔음을 보장하기 위한 모든 노력이 행해져 왔는가?
매크로구조 (Macrostructures)	■ 원하는 학습결과에 의해 활성화되는 주요한 매크로구조는 무엇인가? ■ 어떠한 설계원리들이 이러한 매크로구조들과 잘 정렬되며, 그것들은 3DLE 설계에서 적절하게 강조되었는가? ■ 3DLE 설계는 균형 있게 짜였나? 모든 매크로구조들이 어느 정도 활성화되었는가? ■ 학습목적들은 정렬되어 있는가?
원형(Archetypes)	■ 어떤 원형들이 주요한 매크로구조와 강조된 설계원리들을 잘 정렬하는가? ■ 3DLE 설계는 간결한가? ■ 원형은 학습자를 참여시키는 이야기나 활동들에 완벽하게 융합되는가?
감수성(Sensibilities)	■ 어느 감수성이 주요한 매크로구조, 강조된 설계원리, 원형들과 잘 정렬되는가? ■ 이러한 감수성들은 보다 몰입적ㆍ참여적인 3DLE를 만들기 위하여 어떻게 활용될 수 있는가?

혁신자들로부터의 통찰
Randy Hinrichs (2b3d의 CEO)

아래의 개요는 Randy Hinrichs가 제시한 10가지의 중요한 3DLE의 설계원리다. Randy는 워싱턴 D.C.에서 열린 3DTLC 컨퍼런스에서 이 원리들을 처음 발표했다.

1. 3DLE 설계원리는 나에 대한 것이 아니라, 우리에 대한 것이다.

사람들은 학습하기 위해 자연스럽게 함께 모인다. 우리는 우리의 전제를 타당화하고, 우리가 알고 있는 것은 우리 환경에 있는 대부분에게 유용함을 보장하기 위하여 외적으로 공유하기 시작한 내적 지식으로 시작한다. 블로그, 트위터, 가상세계 상호작용은 모두 우리의 집합적인 통찰력과 의식을 증진해야 하는 내재적인 요구의 파생물이다.

3DLE 설계 시, '나'에 대하여 생각하는 만큼 '우리'를 생각하라.

2. 3DLE 설계원리는 테크놀로지에 관한 것이 아니라, 신경학(neurology)에 관한 것이다.

가상적인 몰입은 2D 텍스트와 이미지(imagery)에 대한 의존을 줄인다. 시각적인 적극적이고 맥락적인 환경은 분명하지 않지만 어떤 것이 옳고 그른지에 대한 우리의 시각적 감각에 호소하는 구체화된 규칙을 포함할 수 있다. 이러한 환경 내에서, 개인은 기존의 지식 스키마를 사용하고, 정보를 재빠르게 찾고, 관련이 없는 정보를 배제하며, 나중에 유용할 수 있는 다른 정보를 범주화하는 환경에 적응해야 한다. 이러한 환경 적응의 과정은 뇌에서 신경학적 변화를 초래한다. 그것은 개인이 환경 속에서 자원을 찾을 수 있게 하고, 살아남기 위해 경쟁하도록 한다.

3DLE 설계 시, 참여자들의 신경계를 바꾸는 방법에 대하여 생각하라.

3. 3DLE 설계원리는 혁신이 아니라, 진화다.

어떤 환경으로 급작스럽게 변화하면 불편하고 비생산적일 수 있다. 사람들은 학습과정이 한 세대에서 다음 세대로 넘어가는 환경에서의 조그마한 변화들은 받아들인다. 이야기하기(storytelling), 내레이션(narration), 행함으로써 학습(learning by doing), 안내, 집단에서 공유, 프레젠테이션과 시험은 모두 학습과정의 일부분이다.

새로운 어포던스와 결합된 교수설계에서 유사점은 학습양식에서의 자연적이고 점진적인 확산을 가능하게 한다. 시뮬레이션, 역할놀이, 몰입적인 3D 시각화의 새로운 인터페이스는 학습스타일을 위태롭게 하거나 학습자를 불편하게 만드는 것이 아니라 그것을 강화해야 한다. 연속성의 기초는 유전적 성질을 창출하고, 각 세대를 저항 없이 다음 세대로 나아가도록 발전시킬 수 있다. 우리가 건실한 교수설계에 대해 알고 있는 것은 변화하지 않아야 한다. 우리는 어떻게 3D가 학습경험을 보다 가능하게 하거나 활성화시키는지에 대하여 관심을 기울여야 한다.

3DLE 설계 시, 3DLE를 폭발적인 혁신이 아닌 자연스러운 진화로서 도입하는 것에 대해 생각하라.

4. 3DLE 설계원리는 존재하는 것에 대한(about being there) 것이 아니라, 행함에 대한 (about doing there) 것이다.

천천히 환경에 적응하는 것, 축적된 경험과 관계성을 통해 환경에 접근하는 것, 자원들을 확인하는 것, 사태에 우선순위를 매기는 것과 행동을 실행하는 것은 행함의 문화(culture of doing)를 창출한다. 가상세계 속에서 창조와 재창조를 위해 설계하라. 결정이 행해지고, 결과들이 경험될 수 있는 상호작용을 찾아라. 학습자들은 참여나 피드백이 없으면 자신들의 경험을 줄이고, 에너지나 동기도 줄이는 경향이 있다. 학습자들이 계속적으로 의사결정하고 환경에 반응하도록 해야 한다.

3DLE 설계 시, 사람들이 그곳에서 무엇을 행할 것인지에 대해 생각하라.

5. 3DLE 설계원리는 전자(electrons)에 대한 것이 아니라, 물리학(physics)에 대한 것이다.

가상세계를 실행하는 데 장애가 되는 것들로서, 가상세계와 관련된 대역폭, 그래픽 카드의 호환성, 네트워크와 보안에 더 많은 초점을 둔다. 이러한 모든 쟁점들이 적절한 과정을 통해 다루어질 것이다. 다른 사람들은 자신들이 인식하는 세계와 흡사한 물리적인 구조를 볼 수 있는 공간을 만드는 것이 가상세계에 영향을 미치는지를 알아보기 위하여 교육적인 장애물을 만든다.

적응적 학습은 환경을 경험하도록 요구한다. 환경, 중력과 고체, 액체, 기체 형태의 사물의 다양한 속성에서 물리학에 대해 생각하라. 빛과 그것의 강도, 주파수, 편광에 대해 생각하라. 어떤 것이든 가상세계에서 물리적인 상호작용을 시뮬레이션할 수 있도록 프로그램화될 수 있다. 가상세계에서 복잡한 개념을 가르치는 데 영향을 미칠 수 있는 것은 바로 이러한 물리적인 속성의 탐색과 제한이다.

3DLE 설계 시, 교실, 무대, 교탁을 만드는 것 대신에 실제 세계의 물리학을 사용하라. 원자를 나누고, 납의 무게를 알아보기 위해 그것을 기름과 물속에 가라앉혀 보라. 가설에 대해 알려 주기 위한 프레젠테이션 스크린보다 가설을 검증하기 위해서 실제 세계의 물리학을 사용하라.

6. 3DLE 설계원리는 이론에 대한 것이 아니라, 빠른 피드백에 대한 것이다.

시나리오 설계는 학습자들이 정보를 찾고, 그것을 계획성 있게 종합하며, 그것을 행동으로 옮긴 후, 사용자들이 그들의 계획을 테스트할 수 있는 환경에서 행동으로 옮기고, 환경으로부터 즉각 피드백을 받을 수 있도록 하라.

구매목록에 포함시켜야만 하는 물리적인 내용물이 있는지의 여부를 확인하기 위해 선반 위로 올라가 박스를 내려야 할 필요가 있을까? 가장 높은 선반에서 그것을 어떻게 끌어내릴 수 있을까? 공장장을 부를 것인가? 또는 스스로 할 것인가? 이러한 것은 자체 평가와 전문지식의 축적을 위한 규칙기반 시스템을 활용한 시나리오기반의 반영이라 할 수 있다. 또한 다음 단계의 어려움으로 도약하는 것에 대한 보상도 주어진다. 상자를 내릴 때, 내용물이 얼마나 들어있는지를 세고, 그것을 자리 배치했을 때의 결과와 다른 활동을 할 때의 사용을 확인해야 한다. 학습자는 자신의 가설을 세우고, 그것을 테스트하고, 자신들의 행동으로부터 결론을 내릴 수 있어야 한다.

3DLE 설계 시, 모든 활동 속에 피드백과 성찰을 구축하라.

7. 3DLE 설계원리는 응용이 아니라, 통합이다.

3DLE 설계원리는 가상세계에서 3차원 어포던스를 사용하는 것보다 2D에서 가상세계로 들어가는 것에 대해서 훨씬 적게 다룬다. 우리가 가상세계에 있는 학습자들을 위해 설계하는 경험들은 사람들이 작업과정을 모두 함께 통합하도록 도와주기 위해서 필요하다. 그들은 참가자들이 협력하는 방법을 학습할 수 있도록 도와주는 경험을 해야 한다.

가상세계에서 학습을 위한 어포던스는 정보를 관리하기 위한 효과적인 도구들, 즉 쓰기 도구, 통합 도구, 처리 도구들이다. 자신의 아이디어를 처리 가능한 단계로 통합시키기 위해 공동체로 가져오는 힘, 의견일치, 다수의 기업에 적용되는 집합적인 처리, 많은 대상과 플랫폼들은 최상의 설계 선택권을 제공한다. 환경과 의사결정을 위한 도구의 통합을 가상공간에 융합하라.

3DLE 설계 시, 기억 가능한 경험을 만들기 위해 2D 도구들을 3D 어포던스와 통합하는 방법에 대해 생각하라.

8. 3DLE 설계원리는 데이터베이스에 대한 것이 아니라, 인류에 관한 것이다.

인공지능은 약간 전망이 있지만, 실제 인간을 역동적인 네트워크상에 연결시키는 것은 가상세계와 소셜 네트워킹 기술의 비밀스런 소스(sauce)가 된다. 자발성 촉진, 집단 통찰력, 도전을 정복하기 위한 팀의 욕구는 네트워크상에서 사람들이 의사소통하는 것을 매우 강제화하도록 만든다. 인간은 믿을 수 없을 만큼 쉽게 영향을 받고, 눈 깜짝할 사이에 행동에 대한 자료를 줄일 수 있다.

3DLE 설계 시, 증가된 인간 상호작용을 촉진하는 것에 대해 생각하라.

9. 3DLE 설계원리는 교수설계에 대한 것이 아니라, 경험설계에 관한 것이다.

우리는 학습자의 주의를 끌어야 하고, 그들에게 학습목표를 알려 주며, 회상을 자극하고, 새로운 자료를 제공하며, 학습안내를 제공하고, 수행을 유도하며, 피드백과 교정을 제공하고, 수행을 평가하며, 파지와 회상을 신장해야 한다. 그러나 오늘날의 콘텐츠, 혼합매체, 새로운 정보에 대한 무제한적인 접근의 홍수 속에서, 우리는 또한 학습자가 메인 캐릭터인 학습자를 위한 이야기를 만들어야 한다.

가상세계는 무대, 캐릭터 개발, 다른 캐릭터들과의 관계, 줄거리(plot), 갈등, 대단원, 카타르시스, 결말에 대한 것이다. 우리는 사용자들이 환경에 적응하고, 그 환경 속에서 생존하며, 그들이 충분히 학습하지 못한다면 실패해야 하는 완전히 몰입적인 경험을 설계할 필요가 있다. 성인은 목적지향적이고, 정보와 관련 있으며, 가고자 하는 방향으로 경험하기를 원한다. 그들이 실험, 탐색, 자기성찰을 할 수 있다면, 그들은 빠르게 성장할 수 있을 것이다.

3DLE 설계 시, 학습목표보다도 학습경험에 관하여 생각하라.

10. 3DLE 설계원리는 세계화에 대한 것이 아니라, 지역화에 관한 것이다.

공동체 의식은 가상세계 속 환경에서 적절한 행동, 기대와 문화를 흡수하면서 발전된다. 병원, 21세기 의료센터의 비전, 금융거래장, 레스토랑의 주방을 생각해보자. 사람들은 어떻게 보이는 것이 바르고, 어떻게 느끼는 것이 옳은지를 확인하기 위해, 이러한 장소에 온다. 세계화는 우리의 시장을 전 세계에 개방하려는 현상이다. 가상세계에서의 지역사회는 우리가 동료들과 노력과 과정, 가치와 목적에 집중하기 위해 나누어진 공간 안에서 함께 뭉치고, 고객을 위한 중재를 마련하도록 제안하는 현상이다. 지역사회는 삶의 경험의 집합체이자, 지식이 세상으로부터 주목을 받고, 사람들을 연결하고 수행이 학습환경으로 들어가는 장소다.

3DLE 설계 시, 유대와 공동체 의식의 구축에 대해 생각하라.

Learning in **3D**

Adding a New Dimension to Enterprise
Learning and Collaboration

원형별 설계

서론

앞 장에서 기술한 3D 학습 아키텍처는 가상의 몰입적인 환경(VIE) 테크놀로지의 민감성을 효과적인 3DLE를 위해 요구되는 원리들에 정렬하는 것이 중요하며, 그러한 구조에서 중요한 요소들은 학습원형이다. 학습원형은 효과적인 3DLE를 만들 수 있도록 해 주는 실제적이고 실행 가능한 학습설계를 제공한다. 이 장에서는 제4장에서 소개한 학습 아키텍처를 탐색하며, 그것들을 좀 더 상세하게 기술한다.

원형에 관한 논의를 시작할 때, 몇몇 잘 알려진 학습설계는 원형에 따라 구분됨을 주목할 필요가 있다. 예를 들어, 원형들 중 거의 어떤 것이든지 타이머와 경쟁 같은 요소들을 추가할 수 있다. 또한 보물찾기 게임이나 어떤 학습자 또는 학습자 집단이 우발적 학습사태에서 문제를 해결하는 데 걸리는 시간의 길이를 조정할 수 있다. 따라서 '게임'의 어떠한 특정 원형도 확인할 수 없다. 아울러 원형 중 어떤 것을 사정(assessment)으로 사용할 수 있다. 학습자에게 자신이 학습해 온 어떤 지역의 가이드된 여행(guided tour)을 사정으로 부여하거나 그 사람을 지식을 결정하거나 역할놀이에서 자신의 능력을 평가하도록 보물찾기 게임에 배치할 수도 있다. 따라서 우리는 특정 '사정' 원형을 갖지 않기로 선택했다.[1]

---

1) 저자들에 의해 개발된 원형 정보(Scopes, L. J. M. (2009). Learning Archetypes as Tool of Cyber-

또한 마이크로와 매크로 환경 개념을 거의 어떠한 원형에나 추가할 수 있다. 예를 들어, 보통 크기의 아바타나 겉보기에 개미 또는 분자 크기로 축소된 형태로 여행을 할 수 있다. 동일한 생각을 중요한 사건 또는 심지어 소셜 네트워크(어떻게 벌집기반(hive-based) 공동체에서 상호작용하는지를 학습하는 벌과 같은 네트워크)에 적용할 수 있다. 또한 다양한 구조물들이 대학캠퍼스에 또는 새롭게 지어진 마을이나 지역공동체에 어떻게 배치되어야 하는지를 알아보기 위하여, 거인이 되어 아주 작은 빌딩 사이를 걸을 수도 있다.

교수를 위해 VIE를 사용하는 것은 여전히 상대적으로 새롭지만, 저자들은 성공적인 3DLE를 만드는 데 있어 기초적인 토대로 사용될 수 있는 11가지 원형을 밝혀냈다. 저자들은 테크놀로지가 성숙해 가고 점점 더 많은 사람들이 VIE를 사용해 감에 따라 더 많은 원형들이 개발될 것이라고 믿는다. 11가지 원형들은 다음과 같다.

- 아바타 페르소나(Avatar Persona)
- 역할놀이(Role Play)
- 보물찾기 게임(Scavenger Hunt)
- 가이드된 여행(Guided Tour)
- 조작적 적용(Operational Application)
- 개념적 오리엔티어링(Conceptual Orienteering)
- 결정적 사건(Critical Incident)
- 공동창조(Co-Creation)
- 소집단 작업(Small Group Work)
- 집단포럼(Group Forum)
- 소셜 네트워킹(Social Networking)

---

gogy for a 3D Educational Landscape: A Structure for eTeaching in Second Life. University of Southampton, School of Education, master's thesis, http://eprints.soton.ac.uk/66169/참조)를 사용하여 몇 가지 도전적인 연구를 행해 온 Lesley Scopes는 "사정 원형(assessment archetype)"을 제안한다. 저자들은 사정이 모든 원형들을 방해한다고 믿기 때문에 그것을 여기에 포함시키지 않았지만, 최종 결정을 하기 전에 보다 더 심층적인 논의가 필요할 것이다. 그러나 원형을 이렇게 다루는 경우, 사정은 다른 원형들 모두에 통합될 수 있는 하나의 요소로 간주된다.

원형 생성

원형(archetypes)의 개념은 원래 저자들이 "2D 공간 탈출: 3D 동시학습의 출현"이라는 제목의 동시학습시스템(Synchronous Learning Systems)에 관한 『이러닝 길드 360도(The eLearning Guild 360-degree)』보고서를 위해 썼던 에세이에서 만들어졌다.[2] 이 에세이는 일곱 개의 감수성과 원형들을 개괄하고, 원형들이 VIE에서 학습창출을 위해 어떻게 사용될 수 있는지를 기술했다. 그 후, 영국 사우스햄프턴대학교(University of Southhampton)의 유능한 석사과정생이었던 Lesley Scopes가 원형의 개념을 확장했으며, 공식적인 정의를 했다. 그녀는 또한 저자들이 매크로구조라고 정의해 온 것을 소개했다. 그녀의 매크로구조는 학습영역별로 나뉘어 있다. 그녀는 그것들을 인지 영역(Cognitive Domain), 혼합영역(Dextrous Domain), 사회적 영역(Social Domain), 정서적 영역(Emotional Domain)이라 불렀다. 그런 다음, 그녀는 자신이 역할놀이(Role Play), 여행(Peregrination), 시뮬레이션(Simulation), 메쉬드(Meshed), 사정(Assessment)과 평가(Evaluation)라고 불렀던 프레임과 하위 프레임을 만들었다. 저자들은 그녀에 의해 만들어진 상세화된 연구결과물을 단순화하기 위해서 각 영역에 관한 용어를 수정하고, 그것들을 대리권(Agency), 탐색(Exploration), 경험(Experience), 연계성(Connectedness)이라고 재명명했다. 이는 그녀의 광범위하고 상세한 연구결과물을 확장하고 단순화하기 위한 노력이었다.

아래 목록은 저자들의 후속 경험들에 기초한 수정뿐만 아니라 그 정의들을 형식화한 Scopes에 의해 통찰력 있게 추가된, 첫 번째 에세이에서 원래 정의된 학습원형들이다. 원형과 사이버고지(cybergogy)의 개념(교육학에 관한 디지털기반의 고찰)을 보다 상세하게 탐구하고자 하는 사람은 그녀의 논문 "3D 교육풍경을 위한 사이버고지 도구로서의 학습원형: Second Life에서 eTeaching을 위한 구조(Learning Archetypes as Tools of Cybergogy for 3D Educational Landscape: A Structure for eTeaching in Second Life)"를 읽어보기 바란다.[3]

이 장에서는 원형들과 그것들이 제3장에서 기술한 시나리오에서 모델 Z에 대해 학습

---

2) 원형에 대해 기술한 최초의 연구는 Kapp, K. M., & O' Driscoll, T. (2007). Escaping Flatland: The Emergence of 3D Synchronous Learning. *Guild Research 360 Report on Synchronous Learning Systems*, pp. 111-153에 제시되었다.

3) Scopes, L. J. M. (2009). Learning Archetypes as Tool of Cybergogy for a 3D Educational Landscape: A Structure for eTeaching in Second Life. University of Southampton, School of Education, master' s thesis, http://eprints.soton.ac.uk/66169/.

했을 때 Jack, Abbott와 Heather의 학습경험에 대한 사례들과 구체적인 자료들을 통해 어떻게 적용될 수 있는지에 한정하여 논의한다.

원형 정의

다음은 3D 학습 아키텍처에 처음 소개된 11가지 원형에 관한 기술이다. 일반적으로, 3DLE는 교수설계에서 그러한 원형들 중 하나 이상을 포함한다.[4]

아바타 페르소나

> **공식적인 정의:** 사람과 같이 행동하고 아바타 환경에서 스스로 활동할 수 있는 능력. 아바타와 같이 가상세계 속에서 행동하고 탐색하는 것([그림 5-1] 참조)

이것은 교수설계를 위한 구체적인 방법은 아니지만, 아바타가 되는 영향력을 이해하는 것은 개인에게 달려 있으며, 그것이 학습에 어떻게 영향을 주는지가 중요하다. 경험상, 새로운 참가자들이 VIE에 아바타로 들어올 때, 그들은 아바타가 자신들이 원하는 대로 작동하고 원하는 대로 보이도록 하기 위해 그것을 시험운전해 볼 수 있는 시간이 필요함을 알 수 있었다.

이것은 사람들이 자신들의 아바타에서 행하는 정서적이고 지적인 투자 때문이다. 아바타는 환경과 학습을 경험하고, 참가자는 그 과정에서 완전히는 아니지만 어느 정도 선에서 다른 사람의 삶을 엿본다. 이는 관찰학습이 3DLE 내에서 참가자의 경험 중 상당 부분이 됨을 의미한다. 더 나아가, 그것은 VIE에서 가장 일반적인 관점인 3인칭 관점(third-person perspective)이 교실 또는 온라인 가상수업에서 전형적으로 경험되는 1인칭 관점(first-person perspective)보다 더 많은 몇 가지 교육적 이점을 지님을 의미한다.

*New York Times*는 "이것이 여러분의 삶이다(그리고 여러분은 그것을 어떻게 말하는가)"라는 제목으로, 연구자들이 고등학교 시절에 자신들을 "사회적 이상자"라고 기술했던

---

4) 원형에 관하여 기술하고 있는 연구 중 몇 가지가 Kapp, K. M. (2009). Real-World Instructional Design for Virtual World Learning. In *Michael Allen's 2009 e-Learning Annual* (pp. 137-148). San Francisco: Pfeiffer에 제시되었다.

[그림 5-1] 아바타를 커스터마이징하는 것은 아바타 페르소나 아키텍처에서 중요한 요소다.

대학생들에게 가장 당혹스러운 순간들 중 하나를 회상하도록 한 오하이오대학교(Ohio University)의 실험을 보고했다.[5] 연구자들은 실험에 참가한 학생들 중 절반에게 1인칭 관점에서 그 당혹스러움을 다시 이미지화하도록 요구하고, 나머지 절반은 3인칭 관점에서 그 당혹스러움을 다시 이미지화하도록 했다.

제3자로 행동하도록 이미지화된 학생들은 자신들이 사건이 처음 일어난 이후 상당히 바뀐 것으로 응답한 반면, 그 사건을 1인칭 관점에서 다시 이미지화한 학생들은 자신들이 상당히 바뀌어 왔음을 보여 주지 못했다. 이 결과는 3인칭 관점은 학생들로 하여금 자신들의 사회적인 실수에 대한 의미를 성찰해 볼 수 있도록 했고, 그런 다음 실제로 심리적으로 성장하고 바뀐 반면, 1인칭 관점은 그러한 변화를 일으키지 못했음을 보여 준다.

자신들의 평가도 바뀌었을 뿐만 아니라 학생의 행동도 바뀌었다. 기사에 따르면, "후속 실험은 3인칭 관점 집단의 구성원들이 1인칭 관점을 가졌던 학생들보다 훨씬 더 사교적임

5) Carey, B. (2007, May 22). This Is Your Life (and How You Tell It). Retrieved May 30, 2009, from *New York Times* Online, www.nytimes.com/2007/05/22/health/psychology/ 22narr.html.

을 보여 주었다. '그들은 자신들이 더 많이 변했다고 인식한 후, 더 쉽게 대화를 시작했다.' 라고 [해당 연구의] 주저자이며 오하이오대학교의 심리학자인 Lisa Libby가 말했다." 아울러, Libby 박사와 동료 연구자들은 미래의 행동을 3인칭 관점에서 상상해 보는 것은 사람들이 미래에 어떻게 행동할지에 영향을 미칠 것이라고 가정한다. 또 다른 연구에서, 3인칭 관점에서 2004년 대통령 선거에 투표하는 것을 상상해 본 학생들이 1인칭 관점에서 투표하는 것을 상상해 본 학생들보다 실제로 더 많이 투표하는 것을 볼 수 있었다.[6]

이러한 것을 고려해 볼 때, 어떤 사람이 가장 자주 사용되는 "형식들(modes)" 중 하나가 3인칭 관점인 3D VIE에서 어떤 행동을 수행하기를 요구받았을 때, 그 사람의 행동은 자신이 그 행동을 제3자의 관점에서 행하고 있음을 본 결과로서의 변화라고 보는 것이 더 타당할 것이다. 이러한 연관성을 확증하기 위해서는 확실히 더 많은 연구들이 필요하지만, Libby 박사의 연구는 실제적이고 지속적인 행동의 변화는 학습자들이 3인칭 관점을 사용

[그림 5-2] 항상 뉴욕 메츠 모자를 쓰고 있는 Sam Jones의 아바타

---

6) Carey, B. (2007, May 22). This Is Your Life (and How You Tell It). Retrieved May 30, 2009, from *New York Times* Online, www.nytimes.com/2007/05/22/health/psychology/22narr.html.

하는 가상공간에서 요구되는 행동과 활동을 수행한 결과로서 일어남을 암시한다.

따라서 아바타 페르소나는 학습경험과 학습과정의 대부분을 차지하며, 3DLE에서 학습을 촉진할 수 있도록 도와주는 한 가지 방법으로 이해될 필요가 있다. 아바타 페르소나는 Jack이 VIE에서 어떻게 상호작용했는지를 통해 잘 증명되며, 항상 뉴욕 메츠 모자를 쓰고 있는 Sam Jones의 아바타에서 가장 잘 보인다. Jones는 자신의 아바타를 확인하고, 그 아바타가 자신이 묘사하기를 원하는 페르소나를 표현하기 위해 적절하게 치장하고 있음을 명확히 했다.

역할놀이

> **공식적인 정의:** 역할수행방법을 학습하거나 그 역할을 전형적으로 수행하는 사람을 더 잘 이해하기 위하여 행동과 상호작용의 여러 가지 측면들을 이해할 목적으로 어떤 역할을 다른 형태(살아있거나 죽은)로 가장해 보는 것[7]([그림 5-3] 참고)

현실에서의 역할놀이 원형은 두 명 이상의 사람들이 시나리오를 연출하는 실제적인 환경을 제공한다. 예를 들어, 숙련된 복사기 판매관리자는 가상제품들이 있는 가상소매점에서 잠재적인 소비자의 역할을 수행할 수 있다. 새로운 훈련생은 판매 대리권의 역할을 수행할 수 있고, 잠재적인 고객을 자신이 복사기를 팔기 위해 시도하고 있는 토론에 참여시킬 수 있다.

어떤 사람이 큰 소매점에서 판매원으로서의 역할을 수행하고 있는 모습을 보여 주는 [그림 5-3]에서 볼 수 있는 바와 같이, 역할놀이는 훈련받는 사람이 자신이 실제로 수행할 수 있는 업무에 몰입하도록 하는 데 매우 유용하다. 이러한 유형의 환경은 융통성이 있다. 학습자가 어떤 방향을 선택하든지에 상관없이, 다른 역할을 수행하고 있는 숙련된 사람은 올바른 피드백을 제공할 수 있으며, 그 역할을 적절하게 수행할 수 있다.

VIE에서 역할놀이 원형은 면대면 역할놀이를 수행할 때 겪는 몇 가지 전통적인 장애물을 없애 준다. 어떤 사람에게 온라인 역할놀이는 학습자가 역할에 조금 더 가까이 다가갈 수 있도록 해 주기 때문에 사용하기가 더 쉽다. 그녀는 아바타에게 적절한 옷을 입힐 수 있

---

7) Scopes, L. J. M. (2009). Learning Archetypes as Tool of Cybergogy for a 3D Educational Landscape: A Structure for eTeaching in Second Life. University of Southampton, School of Education, master's thesis, http://eprints.soton.ac.uk/66169/. (p. 35)

[그림 5-3] 가상소매점에서 판매원과 고객으로 역할놀이하기

고, 아바타를 적절한 환경에 둘 수도 있으며, 직업장에서처럼 올바른 도구를 얻을 수도 있다. 그 환경은 실제적이고, 몰입되며, 문자 그대로 학습자로 하여금 자신이 가장한 역할을 수행하도록 배정할 수도 있다.

가상세계 역할놀이에 참여하는 것은 학습자로 하여금 자신의 모든 기술과 능력을 해당 역할을 수행하는 데 적용할 수 있도록 해 주기 때문에, 해당 학생의 지식을 견고히 하는 데 도움을 준다. 이것은 Jack이 모델 Z를 공사감독관에게 팔려고 시도했을 때 참여한 역할놀이에 의해 증명되었다. Jack이 "판매원 유니폼"(카키색 바지와 노란색 로고가 있는 셔츠)을 입었을 때, 그는 주어진 과제에 몰두했고 가짜 판매 요구에 관여하기 시작했을 때, 심지어 긴장하고 걱정도 했다. 그 결과, Jack은 역할놀이 후 그 업무의 장단점과 압박을 훨씬 더 잘 이해할 수 있게 되었다.

이러한 유형의 역할놀이 사태(event)를 잘 설계한 것은 최소한의 스크립트에 몇 가지의 가이드라인과 상세한 교수목표를 제공해 주며, 그런 다음 학습자로 하여금 더 많은 숙련된 동료나 촉진자와 함께 역할놀이를 할 수 있도록 해 준다. 일단 그 사태가 끝나면, 참가자들과 역할놀이를 관찰한 학습자 모두를 보다 심화교육하기 위해 보고회(debriefing)를 개최하라.

역할놀이는 또한 예상되는 역할을 취할 수 있도록 해 줄 뿐만 아니라, 어떤 사람으로 하여금 다른 성이나 다른 인종을 경험할 수 있도록 해 주는 것과 같이, 학습자로 하여금 일반적으로는 행할 수 없는 역할을 경험할 수 있도록 해 준다. 이것은 해당 학습자에게 새로운 관점을 제공한다. 역할놀이는 또한 의사로 하여금 완전히 다른 관점에서 시력이나 소리를 관찰할 수 있도록 하기 위하여 환자의 역할을 수행해 보도록 하거나 판매원으로 하여금 소비자의 역할을 수행해 보도록 할 수도 있다. 이러한 교수법은 학습자를 동일한 활동 내에서 다른 역할들에 참여할 수 있는 많은 다른 상황에 배치시킬 수 있다.

역할놀이가 미리 프로그램화된 시뮬레이션이나 분지형 스토리(branching story)보다 더 나은 한 가지 장점은 학습자의 관점에 대해 개방적이라는 것이다. 미리 프로그램화된 시뮬레이션의 경우, 해당 교수설계자는 다양한 특성을 지닌 학습자들과 그들의 가능한 반응들을 포함하기 위하여 시뮬레이션 분지(branching)를 가능한 한 많이 고려할 필요가 있다. 그러나 교수설계자는 제한된 자원 때문에 학습자가 가장 빈번히 접하고 만들 가능성이 있는 시나리오 분지들만을 선택해야 한다. 교수설계자는 분지가 단지 몇 가지 선택만을 추가함에도 불구하고 매우 커져 버릴 수 있기 때문에, 예외 또는 변이들(variations)을 최소한으로 유지해야 한다.

예를 들어, 만약 숙련된 판매훈련자(sales trainer)가 앞의 시나리오의 Jack과 같이 잠재적인 소비자의 역할을 수행하고, 고용인이 판매원의 역할을 수행하도록 한다면, 그 판매훈련자는 고용인이 취하기로 결정한 거의 어떤 접근법에 대해서도 역할놀이를 할 수 있다. 숙련된 훈련자는 판매훈련을 받는 사람(trainee)의 질문이나 문의에 대해 즉각적으로 응답할 수도 있으며, 훈련받는 사람에 의해 사용된 정확한 기법과 접근법에 따라 자신의 응답을 수정할 수도 있다. 학습자는 자신의 접근법에 기초하여 커스터마이즈된 피드백을 받을 수 있고, 심지어 그것을 계속해서 시도해 볼 수 있다.

역할놀이의 한 가지 단점은 학습자와 교수자 모두가 동일한 시간에 가상세계에 있어야 한다는 것이다. 아울러, 현재의 아바타의 상태를 고려해 볼 때, 얼굴 표현과 미묘한 신체언어(body language) 단서들을 읽어 낼 수 있는 능력은 없다. 현 시점에서, 가상세계는 아직도 그러한 미묘한 차이 등을 전달할 수 있을 정도로 충분히 발전하지는 못했다. 그러나 이것은 개발자에 의해 연구되고 있는 가상세계의 여러 가지 측면들 중 하나이며, 궁극적으로는 극복될 것이다.[8]

---

8) The Next Best Thing to You. (2009, May 15). Retrieved May 30, 2009, from National Science Foundation www.nsf.gov/news/news_summ.jsp?cntn_id=114828&govDel=USNSF_51.

보물찾기 게임

> **공식적인 정의:** 밋밋하거나 미리 프로그램화된 환경과의 상호작용에 기반하여 지식을 개발할 의도
> 를 지닌, 자유롭거나 미리 기술된 환경 속에서의 개인이나 집단의 상호작용[9]([그림 5-4] 참조)

이 원형은 기본적인 사실과 선언적 지식을 가르치는 데 효과적이다. 보물찾기 게임 원형에
서, 학습자나 학습자들은 구체적인 정보를 찾기 위해 어떤 환경을 여기저기 이동한다. 이
것의 한 형태가 새로운 속성을 밝혀내고자 Jack과 팀원들이 네 개의 가상적인 모델 Z 드릴
을 찾아 여기저기를 살펴보았을 때다. 다른 변이는 그 팀이 더 큰 모델 Z 드릴에 배치되고

[그림 5-4] 녹색빌딩의 속성을 찾기 위한 보물찾기 게임. 화분식물을 클릭하면 보물찾기 게임
동안 찾아야 하는 아이템들 중 하나가 드러난다.

---

9) Scopes, L. J. M. (2009). Learning Archetypes as Tool of Cybergogy for a 3D Educational Land-
scape: A Structure for eTeaching in Second Life. University of Southampton, School of Educa-
tion, master's thesis, http://eprints.soton.ac.uk/66169/. (p. 36).

해당 드릴의 속성들에 위치한 빨간 깃발을 수합하라고 요구되었을 때 일어났다. 여전히 다른 변이는 정보나 단서들을 찾기 위하여 가상공간을 여기저기 이동하는 것과 관련된다. 학습자들은 또한 그들이 실제로 그 장소를 찾아냈음을 보여 주기 위해 특정 장소에 대한 "스냅샷(snapshot)"을 찍어 오라는 요구를 받을 수도 있다.

이러한 보물찾기 게임은 또한 새로운 고용인들에게 조직을 소개하기에 좋은 방법이다. 여러분은 세계 도처에 있는 신임직원들과 가상 보물찾기 게임을 할 수 있는데, 그것은 회사에 대한 사실과 정보를 학습할 수 있는 흥미로운 메커니즘을 제공함과 동시에 신임직원들이 동료직원들에 대해 더 많은 것을 알 수 있도록 해 준다.

학습자들에게 그들이 조작하게 될 새로운 환경이나 공간에 대한 오리엔테이션을 하고자 할 때, 보물찾기 게임을 사용하라. 예를 들어, 학습자들에게 특정 기계나 대피소의 위치를 배울 수 있는 기회를 제공하기 위해 가상공장에 보물찾기 게임을 구축할 수 있다. 또한 고용인들이 새로운 도시, 마을, 건물과 같은 물리적인 장소에 실제로 도착하기 전에 해당 장소 등에 대한 오리엔테이션을 위해 보물찾기 게임을 사용할 수도 있다.

보물찾기 게임은 경쟁을 촉진하거나 즐거움을 증진하기 위하여 시간을 제한하거나 보상을 추가할 수 있으며, 팀 내 의사소통과 협동기술을 연마시키고자 할 때에도 유용하게 사용될 수 있다.[10] 그것은 교육세션을 여는 좋은 방법이자 학습자들을 자신들이 조작하고 있는 VIE에 참여시키는 좋은 방법이다. 교수설계가 잘된 것은 학습자들로 하여금 보물찾기 게임 이전에 만나고, 그들에게 사냥할 시간을 할당해 주며, 사냥하도록 내버려둔 후, 일반적인 장소에서 만날 수 있도록 하고, 그룹에 보고하도록 설계되어 있다.

보물찾기 게임의 장점은 교수자나 촉진자가 나타나지 않아도 된다는 것이다. 보물찾기 게임은 요구되는 아이템들을 학습자들이 찾을 수 있도록 미리 VIE 속에 적절하게 배치해 놓을 수 있다. 학습자는 보물찾기 게임을 시작했을 때, 단지 무엇을 찾아야 하는지에 대한 지시문을 받을 뿐이다.

보물찾기 게임의 단점은 일반적으로 계획하거나 구성하는 데 시간이 상당히 걸린다는 것과 때때로 학습자들이 찾을 필요가 있는 모든 아이템들을 찾지 못할 수도 있다는 것이다. 만약 학습자들이 그것이 너무 어렵다고 느끼게 되면, 그들은 좌절하게 될 것이다.

---

10) Scopes, L. J. M. (2009). Learning Archetypes as Tool of Cybergogy for a 3D Educational Landscape: A Structure for eTeaching in Second Life. University of Southampton, School of Education, master's thesis, http://eprints.soton.ac.uk/66169/. (p. 36).

가이드된 여행

> **공식적인 정의:** 가이드된 여행은 다양한 환경에서 개인 또는 집단의 상호작용을 촉진하기 위하여 설계된 구인들에 기반한, 공식화되고 지원된 상황이다. 이러한 여행은 여행 가이드나 장치가 다루어지고 있는 주제에 관해 권위 있게 말할 때 적절하거나 일반적인 관심사 분야로 이끌어 준다.[11]([그림 5-5] 참조)

학습자에게 아이템들의 위치를 보여 주기 위하여 또는 그들에게 어떤 지역 또는 생산물에 있는 위치와 속성들과의 관계를 이해할 수 있도록 도와주기 위해 가이드된 여행을 사용할 수 있다. 여행을 하는 동안, 촉진자들은 학습자들에게 다양한 아이템들을 지적해 준다. 이것은 아이템의 이름 및 그 아이템과 관련된 용어와 같은 기본적인 사실과 선언적인 지식을 지도하는 데 효과적이다. 예를 들어, 심혈관 전문의는 학생들이 환자의 막힌 대동맥을 따라 내려가고, 심장의 특정 위치의 이름을 강조하며, 혈액이 신체로 흘러가는 경로를 보여 주기 위해, 전염병이 발병한 곳을 헤집고 나아가기를 원할 수 있다. 마찬가지로, NASA 과학자는 인턴들이 태양계를 여행하기를 원할 수도 있으며, 화학자는 복잡한 화학 혼합물에 관한 가이드된 여행을 하기를 원할 수도 있다.

가이드된 여행에 대한 대안적인 방법은 셀프 가이드된 여행(self-guided tour)이다. 셀프 가이드된 여행은 미리 프로그램화된 정보 디스플레이 또는 아바타에 의해 수행되는 몇 가지 가상장치 혹은 심지어 참가자를 올바른 장소로 안내하는 지도의 도움으로 가능해진다. 이러한 유형의 여행에서, 참가자는 학습자가 특정 장소에 도착했을 때 정보를 오디오나 시각적인 단서의 형태로 제공하는 미리 프로그램화된 아이템을 휴대하고 있다.

Second Life의 가상세계에서, 가상의 모로코 방문객은 "Info Fez"를 얻을 수 있다. 방문객이 Fez에 접속하여 가상의 모로코를 거닐 때, 그는 Fez가 VIE 안에서 특정 정보에 가까이 갈 때마다 스크린의 하단에 그 나라의 역사와 문화에 대한 정보를 제공받는다. 학습자는 MP3 플레이어를 통해 안내를 받으면서 물리적인 세계에서 역사적인 장소를 여행하는 사람이 캘리포니아 샌프란시스코에 있는 앨커트레즈(Alcatraz)와 같은 관광명소를 방문할 때 하는 것과 매우 동일한 방식으로 Info Fez에 의해 제공되는 정보를 통해 가상의 모로코

---

11) Scopes, L. J. M. (2009). Learning Archetypes as Tool of Cybergogy for a 3D Educational Landscape: A Structure for eTeaching in Second Life. University of Southampton, School of Education, master's thesis, http://eprints.soton.ac.uk/66169/. (p. 37)

[그림 5-5] 가상 모로코에서 Info Fez를 사용한 셀프 가이드된 여행

여행을 하게 된다.

모델 Z 시나리오에서, 교수자는 가이드된 여행 접근법을 여러 번 사용했는데, 한 번은 그가 학습자들에게 속성들을 보여 주는 드릴 주변으로 안내했을 때이고, 또 다른 한 번은 그가 아바타들을 한 디스플레이된 장소에서 다른 곳으로 공간 이동시킬 때였다. Jack과 동료들은 모델 Z의 다른 디스플레이로 안내를 받았기 때문에, 그 드릴을 비슷한 제품들과 그룹 짓는 방법과 배치가 해당 드릴의 판매 잠재성을 얼마나 극대화할 수 있는지를 볼 수 있었다. 가이드된 여행 접근법은 계획되거나 자연발생적일 수 있는데, 그것은 모두 학습자의 질문들에 기초한다.

가상세계 여행은 건물설계 연구에 유용할 수 있으며, 많은 건축프로그램은 학생들에게 가상여행을 제공한다. 가상여행은 공공건물, 개인공간, 역사적 건축물 또는 건축설계 샘플을 제공하기 위해 사용될 수 있는 다른 유형의 장소들을 포함할 수 있다. 가상여행은 또한 버스나 전철역 안에 수상하거나 이상한 아이템이 어디에 있는지를 찾아야 하는 보안요원을 훈련시키기 위해 사용될 수도 있다.

가이드된 여행은 심지어 엄청나게 거대한 라우터(router)나 인간의 신경조직 또는 도시의 하수처리시스템과 같은 비현실적인 장소에서 일어날 수도 있다. 학습자들은 그렇게 하지 않으면 여행할 수 없는 지역들을 경험할 만큼 크기가 충분히 줄어든 환경 속에 있을 수도 있다. 다른 상황들에서, 학습자는 여행 중에 종종 날 수도 있는데, 이렇게 함으로써 특정 지역들을 조망해 볼 수 있다.

이러한 유형의 설계가 가지고 있는 장점은 일반적으로 서로 근접해 있지 않은 아이템들이나 건물들을 짧은 시간 내에 여행할 수 있는 작은 공간으로 위치시킬 수 있거나 학습자를 한 장소에서 다른 장소로 쉽게 공간 이동시킬 수도 있다는 것이다. 촉진자에 의해 유도된 여행을 하면 부가적인 질문들에 대한 답변을 얻을 수 있는 기회가 제공된다. 그것은 또한 학습자들로 하여금 물리적인 세계에서는 안전이나 공간제한 때문에 한계를 벗어날 수 없는 지역을 탐험할 수 있도록 해 준다.

촉진자가 안내해 주는 여행의 단점은 모든 학습자들이 같은 시간에 학습에 참여해야 한다는 것이다. 미리 프로그램화된 여행은 그러한 단점을 지니고 있지는 않지만 개발하고 프로그램화하는 데 상당한 시간이 걸린다. 일반적으로, 적절한 환경을 조성하고 정확성을 보장하기 위해서는 개발할 수 있는 적정한 시간이 주어져야 한다.

조작적 적용

> **공식적인 정의:** 기술성과 수행에 능통하게 할 목적으로 물체들과 상호작용하고 그것들을 조작하는 것[12]

이 원형에서 핵심은 학습자들로 하여금 물리적인 세계의 규칙들을 VIE에 있는 물체들에게 적용해 보도록 하는 것이다. 이것은 비행시뮬레이션과 유사하다. 이 원형에서, 여러분은 학습자들에게 규칙에 기반하고 절차적인 지식을 어떤 상황에 적용해 보도록 요구할 수 있다. 학습자들은 기술들을 적용하기 위하여 한 장소에서 다른 장소로 이동하거나 그 기술들을 하나의 가상 위치에 적용할 수도 있다.

조작적 적용에서, 학습자들은 자신들의 지식을 적용하기 위해 도전한다. 이것은 VIE에

---

12) Scopes, L. J. M. (2009). Learning Archetypes as Tool of Cybergogy for a 3D Educational Landscape: A Structure for eTeaching in Second Life. University of Southampton, School of Education, master's thesis, http://eprints.soton.ac.uk/66169/. (p. 38).

서 "행함으로써 학습(learning by doing)"하는 것이다. 학습자나 학습구성원들은 목적을 달성하기 위하여 물리적인 세계의 규칙과 한계들을 따라야 한다. 촉진자는 학습자들을 관찰한 다음, 코멘트나 권고를 한다. 학습산출물로는 트럭을 운전하거나 특정 장치를 작동하기 위한 학습을 포함할 수 있다. 이러한 설계는 그 직업에서 실제로 일어나고 있는 것에 대한 연습을 제공한다.

모델 Z 시나리오에서, Jack과 팀원들은 신호계, 선반, 제품믹스가 있는 14 × 14 피트의 공간이 주어졌을 때 흥미진진한 진열대를 개발해야 했다. 또 다른 가능성은 학습자들에게 비행기에 화물을 적절히 실은 다음, 가상적으로 비행을 해 보며, 비행기에 화물을 실었을 때 자신들이 취한 행동의 결과를 관찰해 보도록 요구하는 것이다. (비행기가 높이 날거나 부적절하게 짐을 실었기 때문에 추락하는가?) 다른 예들로는 장비를 고치고, 컴퓨터 네트워크의 문제를 해결하거나, 가상실험을 하거나, 자동차를 수리하는 것 등을 들 수 있다.

대부분의 가상세계를 그래픽으로 표현할 수 있기 때문에, 물리적 세계에 있는 거의 모든 아이템들을 가상세계에서도 재현해 낼 수 있다. 즉, 자동차나 헬리콥터부터 지게차나 불도저에 이르기까지 거의 모든 장비와 기계류가 모조될 수 있다. [그림 5-6]은 VIE에서 헬리콥터의 조정장치를 보여 준다.

[그림 5-6] VIE는 복잡한 장치를 조작하는 훈련에도 사용될 수 있다.

이러한 설계의 장점은 학습자들이 장비를 조작하기 위한 적절한 단계들과 절차들을 훈련할 수 있다는 것이다. 또한 VIE를 그래픽으로 표현할 수 있는 능력은 도구와 조정판을 매우 사실적으로 복제할 수 있도록 해 준다.

단점은 학습자들이 어떠한 전략적인 피드백도 받지 못한다는 것이다. (비록 몇몇 그룹들은 가상세계에 있는 가상장치들을 닌텐도 Wii와 같은 물리적인 장치들과 연결하기도 했지만). 또 다른 단점은 설계자가 그래픽을 조작하고 그것들을 가상의 운송체나 기계 내의 적절한 위치에 배치할 수 있을 만큼의 충분한 기술을 지니고 있어야 한다는 것이다.

개념적 오리엔티어링

> **공식적인 정의:** 핵심 개념들을 변별해 내고 이해력을 증진할 목적으로 학습자들에게 환경적이거나 상황적 조건들의 예(examples)와 비예(non-examples)를 제공하는 활동 또는 상황[13]([그림 5-7] 참조)

개념을 가르치기 위해서는 학습자에게 해당 개념의 예와 비예를 제공한 다음, 학습자로 하여금 그 개념을 설명해 주는 속성들을 결정할 수 있도록 해 줄 필요가 있다. 이것은 학습자가 다양한 다른 환경에서 해당 개념을 인식하고 활용할 수 있도록 해 준다. 개념적 오리엔티어링의 원형에서, 학습자들에게 그들이 심상적으로 비교할 수 있는 다양한 다른 아이템들, 예들, 혹은 상황들이 제시된다. 그런 다음, 촉진자는 해당 학습자들에게 유사성과 차이점을 확인해 보도록 요구한다.

병행비교(side-by-side comparison) 과정은 학습자들로 하여금 다양한 다른 환경에서 개념들을 인식하고 활용할 수 있도록 해 준다. 정부의학조사관이 되기 위하여 공부하는 학습자들은 의료 장비를 만드는 공장과 먹는 약을 만드는 공장을 조사하여 차이점을 알아보기 위하여 한 공정라인에서 다른 공정라인으로 공간 이동할 수 있다.

목적은 학습자에게 차이점을 시각화하여 제공하는 것이다. 그런 다음, 학습자들은 어떠한 속성들이 해당 개념에 활용되고 어떠한 속성들이 그렇지 않은지를 결정할 수 있다. 학습자들은 속성들을 시각적으로 볼 수 있고 한 장소에서 다른 장소로 즉시 이동할 수 있

---

13) Scopes, L. J. M. (2009). Learning Archetypes as Tool of Cybergogy for a 3D Educational Landscape: A Structure for eTeaching in Second Life. University of Southampton, School of Education, master' s thesis, http://eprints.soton.ac.uk/66169/. (p. 38).

는 능력을 통해 심상적인 비교를 할 수 있다. 이러한 것들은 항상 물리적인 속성들에 한정될 필요가 없다. 예를 들어, 여러분은 법률적으로 만취한 사람의 모습과 닮은 3D 환경을 만들고, 어떤 사람이 술을 너무 많이 마셨을 때 일어나는 장애를 이해하고자 하는 사람에게 준거의 틀을 제공할 수 있다. 그런 다음, 학습자는 가상 자동차의 운전대를 잡고 "만취" 상태에서 운전하려고 하는 결과를 보고 느낄 수 있다.

모델 Z의 시나리오에서, Jack의 촉진자는 학습자들을 작은 철물점에서 전시회장 (tradeshow)으로 데리고 갈 때 이러한 훈련을 사용했다. 학습자들은 크고 작은 전시회의 속성들을 가상적으로 볼 수 있고, 한 장소에서 다른 장소로 공간 이동할 수 있는 능력을 통해 심상적인 비교를 할 수 있었다.

또 다른 예는 보험대리점들에게 자동차가 측면 충돌한 경우와 정면 충돌한 경우를 비교하는 것과 같이, 상이한 자동차 충돌이 어떠한 종류의 손상을 입힐 수 있는지를 가르치기 위해 프로톤 미디어(Proton Media)의 프로토스피어(ProtoSphere)를 사용한 경우다. 가상의 대리자는 자동차 또는 트럭의 주위를 빙빙 둘러볼 수도 있고, 자동차를 공중으로 들어 올릴 수도 있으며, 회전시키고, 손상된 부분을 점검하며, 촉진자 옆에서 질문을 하고 응답함으로써 해당 개념을 이해할 수도 있다.

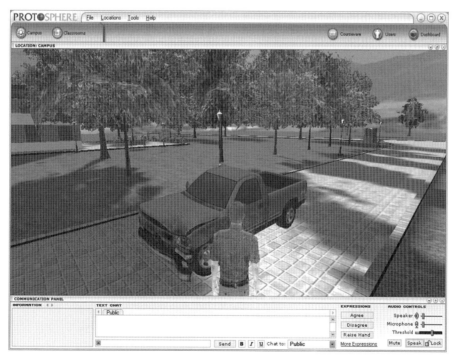

[그림 5-7] 프로토스피어(ProtoSphere) 환경에서 가상 트럭의 손상을 점검하고 있는 아바타

여러분은 이러한 개념을 물리적인 아이템들뿐만 아니라 정신적인 영역에까지 적용할수 있다. 예를 들어, Second Life에서 정신분열 환자의 관점에서 세상이 어떻게 보이는지를 보여 주는 장소가 있다. 아이디어는 학습자에게 그러한 조건에서는 어떠한지에 관한 개념적인 오리엔테이션을 제공하는 것이다. 그러면 학습자는 그 사태 또는 조건이 시사하는바를 좀 더 잘 이해할 수 있다. 여러분은 어두운 광산, 좁은 공간 또는 다른 익숙하지 않은환경에서 일하는 것이 어떠한지를 보여 주기 위하여 동일한 개념을 사용할 수 있다.

아울러, 개념적 오리엔티어링은 데이터 시각화를 수반할 수 있다. 이것은 실제적, 실시간 데이터 또는 심지어 보다 더 정적인 데이터를 그래픽 이미지로 전환시키고 참가자는 아바타를 통해 이 이미지들과 상호작용하는 VIE다. 이것은 빨간색은 손실을, 초록색은 이익을 나타내는 것과 같이 주식이 다른 색깔들로 표시되거나 가상 증권거래소일 수도 있고, 날씨정보가 VIE로 옮겨져 아바타가 지구 반대편의 날씨가 어떤지를 경험할 수 있는 VIE일수도 있다. 아바타는 또한 스프레드시트 데이터를 보고, 3차원 데이터의 관점에서 경향 (trends)을 관찰할 수도 있다. 데이터의 시각화에 기초한 어떤 개념에 학습자를 오리엔테이션시킬 수 있는 가능성은, 넓게 볼 때, 이제 막 탐색되기 시작했다.

다른 유형의 개념적 오리엔티어링에서, 참가자는 매크로와 마이크로 단계 모두에 참여할 수 있다. 여러분은 약과 바이러스의 상호작용을 관찰할 수 있도록 하기 위하여 학습자들을 혈액세포 크기만큼 줄여 혈류를 통과할 수 있도록 할 수도 있다. 또는 어떤 사람은 도로와 보도의 배치와 교차지점을 관찰하기 위하여 제안된 미분양지를 날아다닐 수도 있다. 또는 인간의 관습을 관찰하기 위하여 다른 시간대와 장소로 전송될 수도 있다. 또는 개미만한 크기로 작아져 모델 Z 드릴의 손잡이 부분에 놓일 수도 있다.

이 원형의 장점은 학습자들이 시간과 공간의 제약 때문에 또는 잠재적인 위험 때문에그렇게 하지 않으면 불가능한 개념을 경험할 수 있다는 것이다. 학습자들은 쓰나미의 중심부에 서 있거나 분자 주위를 날아다닐 수도 있다. VIE는 또한 학습자들이 그 경험을 계속해서 다시 경험할 수 있도록 해 줌으로써 해당 개념을 확실히 이해할 수 있도록 해 줄 수있다.

단점은 개념을 전달하기 위해 필요한 환경을 조성하는 데 시간이 많이 걸린다는 것이다. 그것은 또한 종종 학습자가 개념에 효과적으로 몰입할 수 있도록 만드는 최상의 환경을 결정하기가 어렵다는 것이다. 만약 설계가 적절하게 되지 않는다면, 학습자가 환경으로부터 개념을 학습하지 못할 가능성이 있다(그림 5-8 참조).

[그림 5-8] 분자 위에 앉아 있는 작가 Tony O' Driscoll/Wada Tripp

결정적 사건

> **공식적인 정의:** 예상치 못하고 빈번하지 않거나 실제 세계에서 실행할 때 위험하다고 생각되는 활동들을 계획하고, 반응하거나 수행하는 것[14]

결정적 사건 원형은 학습자가 문제를 해결하기 위해 사전지식을 사용해야 하는 실제 사태와 유사한 환경 또는 상황에 놓였을 때를 말한다. 이는 학습자를 화학물질을 쏟거나 허리케인의 여파와 같은 재난의 중심부에, 또는 가게 물건을 훔치는 사건이 일어나고 있는 소매점이나 마약을 구매하는 동안의 거리의 한 모퉁이와 같은 보다 양호한 환경에 놓을 수도

---

14) Scopes, L. J. M. (2009). Learning Archetypes as Tool of Cybergogy for a 3D Educational Landscape: A Structure for e Teaching in Second Life. University of Southampton, School of Education, master' s thesis, http://eprints.soton.ac.uk/66169/. (p. 39).

있다. 그것은 심지어 위기(crisis)를 수술 중 환자가 심장마비를 일으킨다면 무엇을 해야 하는지와 같은 일반적인 직업의 일부분으로 다룰 수도 있다.

Jack과 동료들은 결정적 사건이 훈련의 일부분으로 요구되지 않았기 때문에 결정적 사건과 연계되지 않았다. 그러나 결정적 사건은 만약 그들이 방문했던 건축 장소에서 갑작스런 사고에 대응할 필요가 있었다면 일어날 수도 있었다. 교수자가 심각한 문제를 유발할 수 있는, 안전 위반이 발생하는 사태를 만들 가능성이 있었다면 Jack과 동료 팀원들은 생명을 구하기 위해 응급조치를 실행하도록 요청받았을 것이다.

3DLE가 결정적 사건에 반응하는 방법을 가르치는 데 얼마나 효과적인지에 관한 한 가지 예로서, Paxton Gavlvanek라는 남자의 목숨을 건 영웅적인 행동을 설파하라. 그 당시 단지 28세였던 Gavlvanek는 대규모 다중사용자 온라인 롤플레잉 게임(MMORPG)인 *America' s army* 게임을 하는 동안 "의학 훈련"을 받았다. 3D 학습공간에서, 그는 사상자들을 평가하고, 우선순위를 매기며, 지혈하고, 쇼크를 알아차려 처리하며, 피해자가 숨을 쉬지 않을 때 지원하는 것을 배웠다([그림 5-9] 참조).

Gavlvanek는 노스캐롤라이나 주간(州間) 고속도로의 갓길에서 전복된 SUV 차량으로부터 두 명의 피해자들의 구조를 도왔다. 그는 최초의 현장목격자였으며, 연기가 나는 차

[그림 5-9] VIE는 학습자들이 수술 중 결정적 사건을 다루는 것을 연습할 수 있도록 해 준다.

량에서 두 사람을 안전하게 꺼낼 수 있었다. 그런 다음, 그는 타박상, 찰과상, 뇌진탕과 두 개의 손가락이 잘린 부상을 적절하게 판단하고 치료했다.

"그가 *America's Army*의 가상교실에서 받은 훈련 때문에, Gavlvanek는 응급조치의 기초를 마스터했으며, 다른 사람들은 아무것도 할 수 없을 때 적절한 조치들을 취할 수 있는 자신감을 가지고 있었다. 그는 상황을 평가하고, 우선조치들을 취하며, 정확한 절차들을 적용할 수 있는 결단력이 있었다."라고 *America's Army* 프로젝트 국장인 대령 Casey Wardyski가 말했다.[15]

결정적 사건 원형에서, 학습자는 이전에 배웠던 것들을 적용함으로써 상황에 적절하게 대응해야만 한다. 촉진자는 사건의 일부분으로서 또는 학습자들의 행동을 모니터하고 기록하는 외부 관찰자로서의 역할을 수행할 수 있다.

이러한 학습의 3차원적 측면은 사태에 사실성을 더한다. 만약 다수의 사람들이 연관된다면, 교수자는 팀워크, 협동, 공동창조의 측면들을 결정적 사건의 학습산출물에 통합시킬 수 있다.

예를 들어, 하나의 결정적 사건은 바이러스나 질병이 가상세계에 들어온 것일 수도 있다. 그러면 의료진들은 실제 사람들이 어떻게 반응하는지를 관찰하기 위하여 결과들을 추적하고 아바타들의 행동을 살펴볼 수 있다. 그런 다음, 학습자는 의사결정을 해야 할 것이다. 다른 아바타들로부터 떨어져 있어야 할까? 의료진들은 어떻게 반응할까? 이러한 유형의 질병이 발생할 때 어떻게 하는 것이 적절하게 분류하는 것인가?

이러한 유형의 결정적 사건들은 이미 가상세계에서, 여러 수준에서 일어나고 있다. Whyville이라는 가상세계에서, 아이들에게 전염병에 대하여 가르치는 데 목적을 둔 한 수준에서 매년 Whypox 전염병이 발생한다. Whyville은 8~16세 사이의 아동들에게 적합화된 VIE다. Whypox는 감기와 천연두의 중간에 있는 바이러스다. 이것은 아바타에게 붉은 뾰루지가 나게 하고, 때때로 사용자가 입력한 텍스트를 단어 "achoo"로 대치하는 등 재채기로 인해 온라인 채팅에 지장을 초래한다.[16]

---

15) Phoenix. (2008, January, 18). America's Army medic training helps save a life. Retrieved May 30, 2009, from America's Army http://americasarmy.com/imellarticle.php?t=271086.

16) Kafai, Y. B., Feldon, D., Fields, D., Giang, M., & Quintero, M. (2007). Life in the Times of Whypox: A Virtual Epidemic as a Community Event. In C. Steinfeld, B. Pentland, M. Ackermann, & N. Contractor (Eds.), *Proceedings of the Third International Conference on Communities and Technology*. New York: Springer. Retrieved May 31, 2009, from www.gseis.ucla.edu/faculty/kafai/paper/whyville_pdfs/Whypox _CandT_2007.

현장응급처치자에게 전염병의 결정적 사건을 다루는 방법을 가르치기 위해 설계된 연습에서, 캘리포니아주 공공의료서비스부(California Department of Health Service) 직원들은 VIE에서 탄저병 발발 사태 시 국가전략 비축물자의 항생제 관리방법에 대해 집중적인 훈련을 받았다. 설정, 환자, 건물들은 모두 가상적이었다. 현장응급처치자가 결정적 사건 훈련 동안 기술을 연습할 수 있도록 캘리포니아주 전시박람회장(California Exposition and State Fair) 모형이 설치되었다. 이것은 비용 효과적인데, 그 이유는 종합훈련의 경우 장비 이동, 인원수, 그리고 모든 활동들을 조정하는 데 어려움이 있기 때문에 비싸고, 시간이 많이 걸리며, 많은 사전 준비를 필요로 하고, 가짜 환자들과 건강관리 종사자들에게 잠재적으로 위험하기 때문이다.[17]

결정적 사건 원형은 학습자들을 문제를 해결하기 위해 자신들의 사전지식을 사용해야 하는 실제 사태와 유사한 환경이나 상황에 놓는다. 이러한 가상세계를 사용함으로써 팀 구성원들에게 쟁점, 사건, 또는 문제를 해결하기 위해 함께 대응하도록 요구한다. 개개인들은 자신들이 실제 사건 동안 하는 것처럼 행동하고 반응해야 한다. 가상세계에 몰입과 예상치 못한 문제를 해결하도록 강요하는 것은 정서적 영역과 인지적 영역 모두에서의 학습을 제공한다. [그림 5-10]은 VIE에서 갑작스런 자동차 사고로 인해 발생한 가상적인 불을 끄기 위해 준비를 한, 소방관처럼 옷을 입은, 작가들 중 한 명을 보여 준다.

이러한 설계의 장점은 학습자들이 위험한 상황에 처하지만 실제로는 위험하지 않다는 것이다. 이러한 설계는 학습자들의 주의를 끌고, 그들에게 쟁점을 해결하기 위해 함께 노력하도록 하며, 그들이 실제 상황에 있는 것처럼 신속하게 생각하도록 하는 실제적인 환경을 제공한다. 그것은 또한 VIE가 다양한 참가자들을 참여시킨다는 점에서 위험한 상황에 관한 시뮬레이션보다 더 많은 이점을 제공해 주고, 참가자들은 사건에 반응하는 방법을 학습할 뿐만 아니라 실제 사건의 사태에서 하는 것처럼 함께 일하는 것을 배워야 한다.

한 가지 단점은 폭발, 유출, 그리고 비슷한 재앙을 프로그램화하고 개발하는 데 상당한 시간이 걸린다는 것이다. 그것은 또한 소방 호스나 재난을 다루는 기구와 같은 다양한 기계들을 프로그램화하는 데에도 시간이 걸리며, 많은 다른 활동들이 한꺼번에 일어날 때 촉진자가 참가자의 모든 행동을 보기가 어려울 수도 있다.

---

17) Raths, D. (2008, April, 2). Virtual Worlds Help Public Safety Officials Practice for Real-Life Threats. Retrieved May 31, 2009, from *Emergency Management News* at www.govtech.com/em/261426.

[그림 5-10]　VIE는 현장응급처치자들에게 예상치 못한 상황에 대처하는 방법을 가르칠 수 있다.

공동창조

> **공식적인 정의:** 새로운 무언가를 형성하는 데 기여할 목적으로 두 명 이상의 개인들이 함께 일하도록 하는 사회적 촉진[18]([그림 5-11] 참조)

이 원형은, [그림 5-11]에서 볼 수 있는 바와 같이, 3D 공간 내에서 새로운 아이템이나 아이템들을 만들기 위하여 두 명 이상의 학습자들이 함께 작업하는 것을 뜻한다. 그 아이디어는 학습자들에게 자신들의 창조물을 개발하기 위하여 광범위한 지침들을 따르고, 목적을 달성하기 위하여 함께 일하도록 하는 것이다. 결과물은 새로운 물체, 아이디어, 또는 설계의 창조가 될 것이다. 공동창조팀 내에 있는 학습자들의 역할은 촉진자에 의해 할당되거나

---

18) Scopes, L. J. M. (2009). Learning Archetypes as Tool of Cybergogy for a 3D Educational Landscape: A Structure for eTeaching in Second Life. University of Southampton, School of Education, master's thesis, http://eprints.soton.ac.uk/66169/. (p. 40).

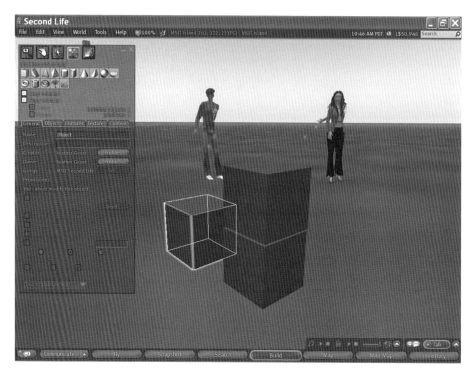

[그림 5-11] 건물의 초석을 위한 블록을 만들기 위해 함께 일하고 있는 아바타들

개인의 성격 특성, 장점, 기술들에 기초하여 조직적으로 서서히 발전되도록 할 수 있다.[19]

학습자들은 조경수업을 위해 아름답게 꾸며진 정원을 만들기 위해 함께 작업하거나 자동차, 건물, 혹은 심지어 사무실 배치를 위한 프로토타입을 개발하도록 요구받을 수 있다. 핵심은 학습자들이 창의적인 과정에서 함께 작업한다는 것이다. 각자는 최종산출물을 완성하는 데 기여하고 가치를 창출한다.

이 원형은 Jack과 그의 팀이 생산라인 관리자들이 나중에 평가한 14×14피트의 모델 Z 진열대를 개발하는 과제를 할 때 보였다. 팀원들은 함께 그 진열대를 만들어야 했다.

공동창조의 장점들 중 하나는 시간을 줄이고 전문화된 기술을 거의 요구하지 않는다는 점이다. 만약 학습자가 가상세계에서 디지털 도구를 사용할 수 있다면, 그는 건물을 짓기 위해 벽돌이나 전선을 배치하는 방법을 알 필요가 없다. 따라서 개발은 실제 건물이나 실제 나무의 3D 모형을 만드는 것보다 더 빠르다. 학습자들에게 실제 세계 건물 도구들을 가

---

19) Scopes, L. J. M. (2009). Learning Archetypes as Tool of Cybergogy for a 3D Educational Landscape: A Structure for eTeaching in Second Life. University of Southampton, School of Education, master's thesis, http://eprints.soton.ac.uk/66169/. (p. 40).

르치는 것은 그들이 기계류, 자동차, 또는 건물을 만들 수 있도록 하는 것으로도 충분하다. 또한 실제 세계의 모델이나 물건을 만드는 것과는 대조적으로, 건물과 자동차는 빨리 만들 수 있기 때문에 시간은 최소화된다.

공동창조의 단점들 중 하나는 한 명의 학습자가 이 창조과정을 주도하거나 공동창조에 진정으로 참여하지 않을 수도 있다는 점이다. 또 다른 단점은 어떤 사람은 실제 세계에서 건물을 지을 수 있는 능력을 가지고 있고, 다른 사람은 그렇지 않을 때 발생한다. 교수자는 학습자들이 그 과정 동안 공동창조하고 있으며 일이 공평하게 분배되고 있는지를 세심하게 고려할 필요가 있다.

소집단 작업

> **공식적인 정의:** 지식을 공유하고 그것을 형성하는 데 기여하며, 정보를 제시하거나 요청할 목적으로 소수의 참가자들을 하나의 결속력 있는 집단으로 (설계에 의해) 모으는 것[20]([그림 5-12] 참조)

이것은 소집단 회의다. 이것은 의자나 심지어 공중에서 빙빙 돌고 있는 정육면체를 그룹으로 묶은 것일 수도 있다. 학습자들은 함께 모인 후, 아이디어들을 교환하고, 음성 또는 텍스트기반 채널들을 통해 채팅을 한다. 토론을 모니터하고 모든 학습자들이 참여하도록 명확히 하며 집단에 기여하고 있는 촉진자는 그룹별 회의(breakout session)를 이끈다. 여러분은 그룹별 회의를 촉진하기 위하여 텍스트 채팅만 또는 텍스트 채팅과 음성을 합한 것과 같은 다른 방법들(modalities)을 사용할 수 있다. 그룹별 회의의 특징과 청중의 구성에 따라 다르지만, 텍스트 채팅만 사용하는 것은 해야 할 작업을 브레인스토밍할 때 또는 제1언어를 구두로 유창하게 하지 못하는 문화에서 온 참가자들이 있을 때 몇 가지 이점을 제공할 수도 있다.

소집단 작업은 Jack, Abbott, Heather에게 모델 Z를 적절하게 진열하도록 하는 과제가 부여되었을 때 분명하게 드러났다. 각 수업 구성원들은 한 팀에 배정되었고, 해당 팀 구성원들은 소집단 내에서 함께 연구해야 했다. 교수자들과 다른 사람들이 각 집단이 만든 진

---

20) Scopes, L. J. M. (2009). Learning Archetypes as Tool of Cybergogy for a 3D Educational Landscape: A Structure for eTeaching in Second Life. University of Southampton, School of Education, master's thesis, http://eprints.soton.ac.uk/66169/. (p. 40).

[그림 5-12] 프로토스피어(ProtoSphere)에서의 소집단 모임

열대의 효과성을 평가하기 위해 한 집단에서 다른 집단으로 이동하는 동안 소규모 모델 Z 집단들은 서로 독자적으로 연구했다.

집단포럼

공식적인 정의: 지식을 공유하고, 그것을 형성하는 데 기여하며, 정보를 제시하거나 요청할 목적으로 다수의 참가자들을 하나의 결속력 있는 집단으로 (설계에 의해) 모으는 것[21]([그림 5-13] 참조)

이 원형은 많은 수의 학습자들이 학습메시지(learning message)를 받기 위해 함께 모이는 대집단 모임이다. 일반적으로, 메시지는 훈련을 제공하고 있는 한두 명의 개인들에 의해

---

21) Scopes, L. J. M. (2009). Learning Archetypes as Tool of Cybergogy for a 3D Educational Landscape: A Structure for eTeaching in Second Life. University of Southampton, School of Education, master's thesis, http://eprints.soton.ac.uk/66169/. (p. 40).

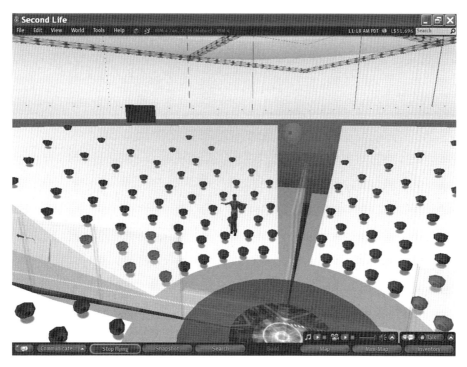

[그림 5-13]   대집단포럼의 모임 공간

전달된다. 이는 짧은 시간 동안 일반적인 학습을 하는 데 효과적이며, 거리의 소멸과 아바타들이 대집단포럼 진행자와 실제로 상호작용한다고 느끼는 실재성의 힘에 영향을 미친다. 몇몇 가상세계 내에서, 집단의 크기는 수백 가지로 다양할 수 있다. 또 다른 경우, 집단포럼은 12~20명 정도로 상당히 작다.

모델 Z 시나리오에서, 그것이 교수이든 훈련을 위한 세부계획이든, 교수자가 전체 학생들에게 답변하고 그 집단에게 정보를 제공할 때, 그것은 집단포럼의 예다.

소셜 네트워킹

공식적인 정의: 지식과 정보를 공유하고 새로운 지식과 정보를 창출할 목적으로 어떤 환경에 있는 참가자들이 서로 비공식적으로 연계할 수 있도록 허용된 시간과 공간의 생성([그림 5-14] 참조)

3DLE를 수행할 때 이해해야 할 한 가지 중요한 원형은 소셜 네트워킹이다. 이 원형은 학습 사태 설계자가 학습자들이 정보와 아이디어를 교환할 수 있도록 해당 사태 속에 시간을 특

[그림 5-14]   교육시간 전 프로토스피어(ProtoSphere)의 VIE에서의 사교(socializing)

별하게 배정하고, 학습자들이 공부하고 광범위하거나 일반적인 질문을 의도적으로 물을 수 있는 환경에 배치하거나, 단순히 학습자들이 특정 환경에서 배회할 수 있도록 허용할 것을 요구한다.

작업환경에 대한 접근과 학습자들이 구체적인 목적들을 가지고 있다는 사실은 그들이 정보를 자연스럽게 공유할 수 있는 환경을 조성해 준다. 실제로, 이것은 집단에 전문가들과 초보학습자들이 혼합되어 있을 때 특히 잘 일어난다. 교수자들은 지식을 공유하고자 하는 자연적인 성향을 촉진하기 위해 여러 팀을 만들고, 협동을 촉진하기 위하여 그들에게 질문을 한다.

소셜 네트워크 원형은 Jack과 동료학습자의 상호작용에 포함되어 있었다. 그들은 공식적인 교수 전에 학습자들이 논의하고 상호작용할 수 있는 시간을 허용하기 위하여 특별히 조성된 연습에서 수업 전에 서로 네트워킹했다. 아울러, 거대한 모델 Z 주위를 날아다니는 연습은 학습자들에게 서로 이야기할 수 있고 서로 발견한 것으로부터 학습할 수 있는 기회들을 제공했다. 마지막으로, 진열대를 만드는 프로젝트에서 검토를 위해 함께 일할 수 있는 기회는 팀 구성원들 간에 네트워킹과 논의를 할 수 있는 시간을 제공해 주었다.

교수목적

학습원형은 특정 유형의 지식들을 가르치는 데 기초를 둔 견고한 교수적인 원리들에 기반하고 있다. 각 원형들은 VIE에서 한 가지 유형 이상의 지식들을 가르치기 위해 사용될 수 있다. 교수를 구축할 때, 〈표 5-1〉에서 볼 수 있는 바와 같이, 가르칠 지식의 유형과 적절한 원형을 일치시키는 것이 도움이 된다.

〈표 5-1〉 상이한 유형의 지식과 대응되는 학습원형

학습 유형	설명	원형
사실, 용어, 명칭	둘 이상의 아이템 또는 대상들 간의 연계	가이드된 여행, 보물찾기 게임, 대집단 포럼, 아바타 페르소나
개념	유사하거나 관계된 아이디어, 사태, 또는 대상들을 묶기 위해 사용되는 범주	개념적 오리엔티어링, 역할놀이, 소집단 토론, 소셜 네트워킹, 아바타 페르소나
규칙/절차	학습자가 과제를 수행하기 위해 완료해야 하는 규칙이나 단계의 순서화된 계열	역할놀이, 조작적 적용, 소셜 네트워킹, 아바타 페르소나
원리	계열적이지 않은 행동이나 행위를 위한 지침	역할놀이, 소셜 네트워킹, 아바타 페르소나
문제 해결	학습자는 생소한 상황에 직면하며, 그 문제를 해결하기 위해 사전 지식을 사용해야 한다.	결정적 사건, 역할놀이, 공동창조, 소셜 네트워킹, 아바타 페르소나
정의적 영역	자질, 안전, 또는 다양성과 같은 어떤 것에 대한 어떤 사람의 태도에 영향을 미치는 것과 같이, 학습자의 정서에 영향을 미치는 것	개념적 오리엔티어링, 역할놀이, 소집단 토론, 공동창조, 소셜 네트워킹, 아바타 페르소나
심리운동 연습	실제 작업환경 내에서 일어날 수 있는 신체적인 행동과 반응을 흉내 내는 것	조작적 적용, 아바타 페르소나

학습전문가들을 위한 시사점

학습원형들과 그것들을 매크로구조, 원리, 학습 아키텍처의 감수성과 일치하도록 정렬시킬 수 있는 방법을 이해하면 3DLE를 효과적으로 개발할 수 있으며, 참가자들을 위한 최상의 가능한 학습산출물들을 제공하기 위한 VIE의 어포던스에 영향을 미칠 것이다.

기업과 학교기관 등에 종사하는 학습전문가들은 학습자들에게 가치 있고 원했던 산출물을 성취할 수 있도록 하기 위하여 학습 아키텍처를 중심으로 만들어진 참가자들을 위한 3DLE를 구축하는 데 초점을 둘 필요가 있다. 최상의 접근법은 모형과 그것을 교수설계의 여러 측면들과 일치하도록 정렬시키는 방법을 이해하고 그 아키텍처를 원형들을 적절한 학습방법에 적용하기 위한 지침으로 사용하는 것이다.

Learning in **3D**

*Adding a New Dimension to Enterprise
Learning and Collaboration*

경험을 통한 학습

선도자들 따라 가기

새롭게 도래하는 어떤 분야이든, 항상 처음으로 받아들이고 다른 사람을 위해 예를 설정 · 제시해 주는 개척자들이 있다. 이 장은 3D에서 학습할 수 있는 새로운 강좌를 개설 · 운영하고 있는 사람들의 사례연구의 예들을 공유하기 위해 할애되었다. [그림 6-1]은 이 장의 사례연구를 요약한 것이다.

[그림 6-1]은 또한 각 사례연구마다 사용된 매크로구조들과 3DLE 원형들을 요약한 것이다. 이 그림은 독자들이 자신의 최근 프로젝트와 가장 일치하는 사례연구를 확인해 볼 수 있도록 안내하는 데 도움을 줄 것이다. 이 장의 사례연구는 이 그림의 개요순서를 따른다.

사례연구의 형식과 질문들

인터뷰를 하는 동안 질문한 사례연구 형식과 질문들은 아래 개요를 참고하라. 이 장의 나머지 부분들에서는 각각의 사례연구를 상세하게 다룬다. 교수설계자, 교직원, 관리자, 경

사례 제목	적용 모형
가상세계통합회의 (Microsoft/Sodexo)	
가상세계에서의 다양성과 통합 (Cisco)	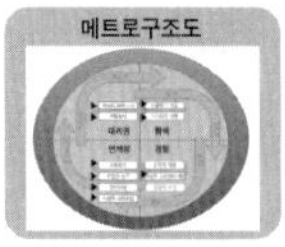
재고조사 입회관찰 경험하기 (Ernst & Young)	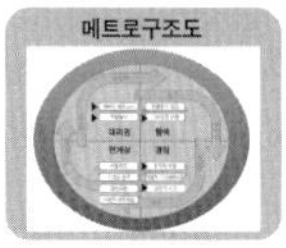
가상세계에서 역사 증언: 크리스탈나흐트 (U.S. Holocaust Museum)	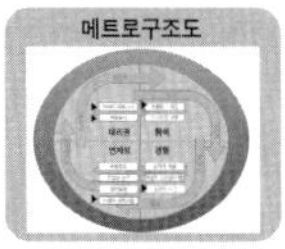
가상 응급구조대원 학습 경험하기 (Catt Laboratory)	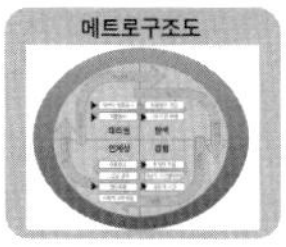
가상 국경수비대원 훈련 (Loyalist College)	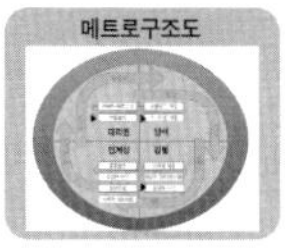
가상환경에서 수사학 교수 (Ball State University)	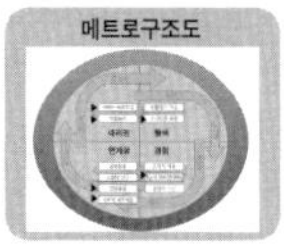
가상 그린홈에서 환경과학 (Penn State University)	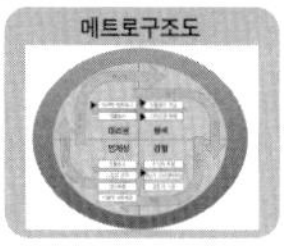
글로벌 대학원생을 위한 가상 도전과제 만들기 (BD)	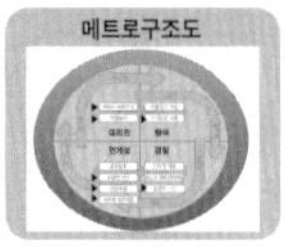
테크놀로지 행사에 관한 가상학회 주최 (IBM)	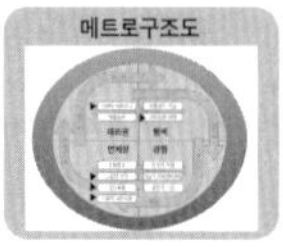

[그림 6-1] 사례연구 요약

영자들은 특정 프로젝트에서 다루어질 필요가 있는 핵심적인 질문들을 다듬기 위해 또는
일반적인 정보를 위해 이 지침(guide)을 사용할 수 있다.

사례연구의 형식과 인터뷰 질문들

기관에 관한 배경정보

- 기관에 관한 몇 가지 간략한 배경정보를 제공해 주십시오.

도전과제

- 이 프로젝트에서 다룬 주요한 비즈니스적 도전과제는 무엇이었는가?
- 이 프로젝트를 실행함으로써 달성되길 기대하는 핵심적인 학습목표들은 무엇이었
  는가?

3D를 활용한 이유

- 사업과 학습 도전과제를 해결하기 위해 무엇이 3D를 적용해 보도록 유도했는가?

사례 개발

- 3D 방법을 채택하도록 하기 위해 기관을 어떻게 설득했는가?
- 프로젝트를 위한 재정지원을 확보하기 위한 가장 중요한 요소는 무엇이었는가?

해결방안

- 해결방안은 어떠한 것이었는가?
- 해결방안은 어떻게 설계되고 전개되었는가?
- 해결방안은 참가자들에 의해 어떻게 경험되었는가?

이점

- 도전과제를 해결하기 위해 3D를 적용함으로써 어떠한 이점들을 얻었는가?

결과

- 3D 해결방안이 성공적이었다고 주장할 만한 어떤 증거를 가지고 있는가?

교훈

- 조직 내에서 3D 학습 해결방안을 실행하고자 하는 다른 사람들에게 해 줄 만한 2~3
  개의 조언은 무엇인가?

사례 1: 가상세계에서의 다양성과 통합

기관에 관한 배경정보

FutureWork Institute, Inc.®(FWI)는 타 기관들의 변혁을 돕기 위해 미래 작업장의 경향을 해석 및 분석해 주는 세계적인 다양성 컨설팅 회사다. FWI는 자신들의 연구와 컨설팅 전문역량을 사용하여 고객들이 자신들의 기관에서 보다 통합적인 환경을 구축할 수 있도록 도와주기 위하여 함께 일하고 있다. 이 기관에서 활용하고 있는 혁신적인 방법은 최근에 *BusinessWeek*에 대서특필되었으며, 또한 최근에 미국다양성경영협회(The American Institute for Managing Diversity)로부터 다양성혁신서약상(Promise of Diversity Innovation Award)을 수상했다. 이 사례연구는 구체적인 다양성과 통합에 대한 고객의 요구조건들을 해결하기 위하여 FWI가 어떻게 두 개의 별도의 3DLE 해결방안을 개발했는지를 시간 순으로 서술하고 있다.

도전과제 1: 가상세계통합회의

미국, 캐나다, 멕시코에서 통합적인 식품과 시설관리 분야의 선도적인 제공업체인 Microsoft와 Sodexo에게 있어, 침체하고 있는 경제는 두 기관들로 하여금 출장과 숙박비 지출을 줄이거나 없앰으로써 회사의 지속가능성 임무와 재정상의 책무가 균형을 이룰 수 있도록 하는 새로운 방법들을 고려해 보도록 했다. 두 기관들은 물리적인 세계통합회의를 개최하는 것 대신에, 다른 대안적인 방법이 없는지를 모색해 보기로 결정했다.

Sodexo와 Microsoft에게 주어진 주요 도전과제는 다음과 같은 3DLE 해결방안을 개발하는 것이었다.

- 회사의 다양성 및 통합전략에 관한 행정적인 이해 개발
- 참가자들에게 근무지에서의 사소한 차별(micro-inequities)이 개인의 경력에 얼마나 부정적으로 영향을 미칠 수 있으며, 사람들에게 부정적 영향을 미쳐 적극적으로 참여하지 못하도록 하는지를 교육
- 다양성에 관한 구체적 측면들(예: 성, 인종/민족성, 세대 간 다양성, 장애, 성적 편향성)에 관한 참가자의 지식과 의사소통 역량 증진
- 세계 도처에 있는 우수한 다양성과 통합 실제들에 대한 네트워킹 독려

3D를 활용한 이유

다양성과 통합을 둘러싼 이슈에 관한 교육은 어느 다른 주제보다도 개인이 그동안 어떠한 경험을 해 왔는가에 따라 매우 달라진다. 물리적인 세계에서, 특정한 반응을 도출하기 위해 계획된 이야기에서 고용인들이 특정한 역할을 수행하는 동안, 주의 깊게 개발된 활동들을 사용하는 것은 전문촉진자들에 의해서 연출된다. 이러한 학습경험은 노동집약적이며, 전 세계로 전파하기 위해서는 상당한 도전들이 필요하다.

VIE에서, 개인들은 다른 활동들을 수행하는 데 있어 다른 아바타기반 페르소나(avata-based persona)를 취할 수 있다. 그들은 또한 다르게 인식되는 것이 어떠한지를 경험할 수도 있다. 예를 들어, 중년 백인 남성은 특정 통합활동에서 십대 히스패닉 여성의 역할을 수행해 봄으로써 완전히 다른 경험을 할 수도 있다. 이러한 가상세계 어포던스는 물리적인 세계에서는 불가능했던 학습기회를 제공한다.

사례 개발

FWI는 물리적인 세계통합회의를 위해 천 명의 관리자들을 함께 규합하는 것과 대비하여, 그들을 위한 가상회의 주최와 관련된 긍정적인 ROI를 보여 주기 위하여 비용분석을 했다.

FWI는 이 분석과 가상회의 진행과 관련한 주요 요구사항들을 토대로 다음과 같은 이유들 때문에 회의를 주최하기 위해 Unisfair 플랫폼을 선택했다.

- Unisfair 플랫폼은 가상세계통합회의에 매료된 1,500명 이상의 참가자들을 동시에 수용할 수 있었다.
- Unisfair 플랫폼은 기술 요건과 사용의 용이성 측면에서 진입 장벽이 가장 낮았다.
- Unisfair 팀은 500번 이상의 행사를 주최해 왔기 때문에, 이러한 유형의 대규모 가상 행사들을 운영하는 데 상당한 경험을 가지고 있었다.
- Unisfair 플랫폼은 하루에 1,500명의 사람들이 경험한 것과 동일한 가상세계통합회의를 3달간 고객이 요구할 경우 볼 수 있도록 지원해 주었다.

해결방안

참가자들은 회의장에 도착하자마자 형체가 나타났다가 사라지기도 하는 투사체인 Margaret Regan(FWI의 회장)의 "아바타"로부터 환영을 받는다. Regan은 참가자들에게 가상

[그림 6-2]   FWI 회장 Margaret Regan의 아바타가 참가자들을 환영하고 있다.

회의 장소를 알려주고 프로그램 식순을 소개했다([그림 6-2] 참조).

소개가 끝난 후, 참가자들은 주 회의장으로 공간 이동되었는데, 그곳에서 그들은 자신들의 세계 다양성과 통합 전략들을 개괄적으로 소개한 Sodexo와 Microsoft 경영자들의 비디오 환영사를 보았다. 그 다음에, 참가자들의 실시간 Q&A와 함께 다양성과 통합에 관한 국제토론이 행해졌다.

토론 이후, 참가자들은 사소한 차별에 관한 주제를 경험할 수 있는 상호작용 강당으로 공간 이동되었다. 참가자들은 강당에 도착하자마자 사소한 불평등에 대한 소개와 회의 전에 설문조사를 통해 밝혀진 대표적인 사소한 불평등을 묘사하고 있는 몇 개의 짤막한 비디오 영상들을 보았다([그림 6-3] 참조).

참가자들은 각 영상을 본 후 연출된 다양한 사소한 불평등에 대해 어떻게 느끼는지를 알아보기 위하여 해당 역할을 맡은 배우들에게 질문을 할 수 있는 기회가 주어졌다.

참가자들은 공식적인 회의가 끝난 후 잘 준비된 20개의 토론 주제별 회의들 중 하나에 참여하거나 비공식적으로 다른 사람들과 어울릴 수 있는 박람회 부스와 네트워킹 라운지를 방문해 줄 것이 권장되었다.

마지막으로, 참가자들은 회의와 관련된 자료들을 검토하거나 자신의 개인용 서류가방에 다운로드할 수 있는 자료실(resource center)로 갈 수 있었다.

[그림 6-3]　업무 중 사소한 불평등에 대하여 탐구하고 있는 회의 참가자들

이점

Microsoft와 Sodexo에 가져다준 핵심적인 이점은 그들이 가상세계통합회의를 성공적으로 개최할 수 있었으며, 동시에 비용 절감과 업무를 더 지속적으로 유지하고자 하는 해당 기관들의 요구에 부응할 수 있었다는 점이다.

Sodexo는 가상회의를 주체함으로써 얻은 ROI를 다음과 같이 계산할 수 있었다.

- 출장/숙박비용 절감: 1,617,000달러
- 환경 파괴 예방: 450,000파운드 상당의 이산화탄소 배출 감소
- 생산성 감소 방지: 출장으로 인해 줄어든 900일의 근무일수; 출장으로 인해 줄어든 7,200시간의 근무시간

또 다른 이점은 플랫폼이 회사의 다양성과 통합전략을 전 세계에 보다 효과적·효율적으로 전파하고, 논의하며, 활용될 수 있도록 허용해 주는 규모(scale)와 범위(reach)였다. 매일 그러한 활동에 1,500명의 참가자들이 참여할 수 있는 역량을 지녔기 때문에 그 전략과 학습을 매우 신속하게 전파할 수 있었다.

매크로구조도

아래에 개괄적으로 제시한 매크로구조도(macrostructure map)는 가상세계통합회의를 위한 3DLE 설계의 원형 적용범위를 시각적으로 쉽게 볼 수 있도록 요약·제시해 준다([그림 6-4] 참조).

도전과제 2: 세계여성행동네트워크

Cisco는 훈련, 학습, 협동을 위해 세계여성행동네트워크(Global Women's Action Networks: WAN)를 가상으로 운영하고, 그 과정에서 고용인들과 고객들이 VIE 기술의 잠재역량을 경험할 수 있기를 원했다.

　　Cisco의 주요한 도전과제는 다음과 같은 3DLE를 개발하는 것이었다.

● 세계 도처의 여성들이 가상환경에서 서로 배우고 서로―그리고 궁극적으로는 고객까지―네트워킹

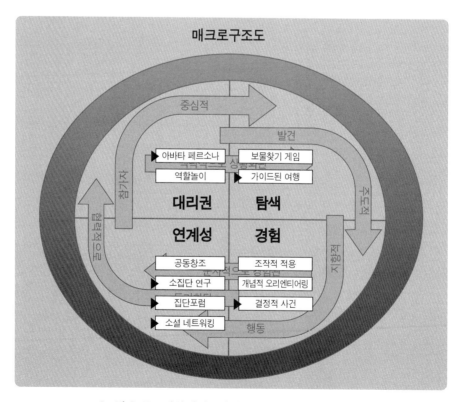

[그림 6-4] 가상세계통합회의를 위한 매크로구조도

● 자신들의 네 가지 핵심영역, 즉 일·생활의 융통성, 전문성 개발, IT 개발, 지속가능성을 중심으로, Second Life의 특별한 속성들을 소개하는 환경 조성

3D를 활용한 이유

VIE의 차별화된 주요한 특징들 중 하나는 그것이 아바타에 의해 매개된다는 것이다. 참가자들은 가상환경에서 행동할 수 있는 능력을 가지고 있는 아바타를 구체화(embody)한다. 물리적인 세계에서 효과적이라고 알려진 교육적 활동들을 재창조하기 위한 이러한 차별화된 어포던스를 증진할 수 있는 잠재성은 매우 흥미진진했다.

사례 개발

Cisco는 VIE 테크놀로지가 여성에 관한 다양성과 통합 이슈들을 다루는 것과 관련이 있기 때문에 해당 테크놀로지의 한계를 테스트하는 데 열중해 왔다. Cisco는 이미 Second Life에서 실험을 시작했으며, 가상세계여성행동네크워크 회의를 개최할 날짜를 밝혀왔다. 시간이 매우 중요하고, FWI는 이미 Second Life의 FutureWork 아일랜드(Island)[1]에 다양성과 통합 활동들에 관한 통합적인 세트를 개발해 왔기 때문에, Cisco는 FWI를 파트너로 선택하였고, 이러한 활동들 중 상당수를 Cisco Women's Network Second Life 개최예정지로 옮겼다.

해결방안

고객들이 VIE 테크놀로지는 다양성과 통합교육을 전달해 줄 것이라는 가능성을 이해할 수 있도록 도와주기 위해, FWI는 Second Life에 FurtureWork 아일랜드를 만들었다. Furture-Work 아일랜드는 다양성에 관한 시뮬레이션과 교육 경험을 제공하는 많은 혁신적인 방법들을 위한 전시장(showcase)이다. 그곳에 도착하자마자, 방문객에게 상호작용적인 지도(interactive map)가 제시된다([그림 6-5] 참조). 상호작용적인 지도에는 아바타들을 학습이 일어나는 다른 사이트들로 안내하는 아홉 개의 표시가 있다. 각 학습공간은 저마다의 독특

---

1) [역주] Second Life 사용자들은 Second Life 상에 땅을 구입하여 각종 사업을 할 수 있는데, 보다 큰 규모의 활동을 위해 'Island'라는 자신만의 땅을 구매·활용할 수 있음. 본서에서는 이를 '아일랜드'라 칭함

[그림 6-5]　FutureWork 아일랜드의 상호작용적인 지도를 탐색하고 있는 참가자들

한 활동과 디자인을 가지고 있다.

　FutureWork 아일랜드에 있는 다양성과 통합 시뮬레이션은 매우 다양한 전 세계의 노동 인구를 경험해 볼 수 있는 상호작용적인 방법들을 제공하는데, 참가자들은 이것을 통해 성, 인종, 문화, 민족성, 종교, 성적 취향, 그리고 일하고 있는 네 가지 세대, 즉 베테랑 세대, 베이비붐 세대, X 세대, 밀레니엄 세대들을 탐색해 볼 수 있다.

　세계 도처에서 온 참가자들은 다른 세대에 대한 태도를 테스트하고, 세계 다양성퀴즈 게임에서 경쟁해 보며, 자신들의 개인적이고 전문적인 균형척도(balance scale)를 만들 때 일·생활의 균형에 관하여 논의하거나([그림 6-6] 참조), 응답에 기초하여 지위를 상승시키거나 하락시키는 칩을 모으면서 성(gender) 차이에 대해 이야기할 수도 있다([그림 6-7] 참조).

　제너레이셔널 빙고(Generational Bingo)는 참가자들이 역사적 이정표들을 선택하고 자신들의 빙고 보드를 채우기 위하여 동료들과 경쟁하며 자신들의 세대적인 경험을 사용할 때 얼마나 재미있을 수 있는지를 보여 주는 또 다른 예다. 또 다른 활동인 제너레이셔널 룸(Generational Room)은 팀원들이 작업장에 있는 네 가지 세대들 각각과 연계된 핵심 가치, 태도, 직업선호도를 확인할 수 있도록 해 준다. 참가자들이 세대들 각각을 대표하는 중요한 이정표와 아이콘 아이템들을 선택하면, 그 아이템들은 제너레이셔널 룸에 나타난다

[그림 6-6] 개인적/직업적인 균형척도를 만들고 있는 참가자들

[그림 6-7] 참가자들이 성 관련 진술문에 대한 반응에 따라 지위가 올라가는 칩을 모으고 있다.

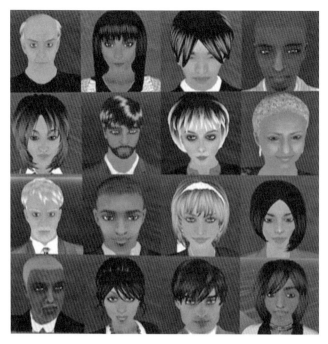

[그림 6-8] 참가자들이 가장할 수 있는 다양한 아바타 페르소나들

("잡아둔다"). 활동들을 똑같이 마치면, 참가자들은 각 세대들과 일하는 것과 관련한 팁을 다운로드할 수 있다.

참가자들은 활동들 자체와 더불어 전 세계의 작업장에서 다양성이 상당히 교차함을 나타내는 20개의 아바타들 중 하나를 선택할 수 있는 능력을 가지고 있다. 방문객들은 자신들과는 매우 다른 정체성을 가장함으로써 다른 사람들의 상황을 경험할 수 있다([그림 6-8] 참조).

이러한 옵션들을 검토하는 과정에서, Cisco는 일·생활 균형척도를 공동으로 행하고 자신들의 개인적이며 전문적인 시간 균형을 논의하도록 하기 위하여 참가자들을 설문조사결과에 기초하여 짝을 짓고, 대집단을 성과 일·생활 국제퀴즈 경쟁이 벌어질 퀴즈홀로 이동시키며, 댄스홀에서 다양한 문화의 춤을 배우면서 사회화할 수 있는 경험들을 재빨리 포함시켰다([그림 6-9] 참조).

매크로구조도

아래에 제시한 매크로구조도는 세계여성행동네트워크를 위한 3DLE 설계의 원형 적용범위를 시각적으로 쉽게 볼 수 있도록 요약·제시해 준다([그림 6-10] 참조).

[그림 6-9]   소셜 네트워크 활동의 일환으로 다양한 문화의 춤 학습

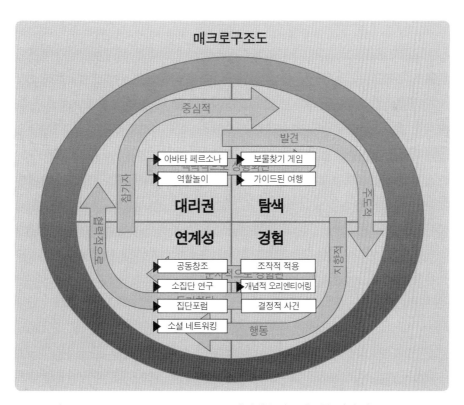

[그림 6-10]   FutureWork Island/Cisco 여성행동네트워크를 위한 매크로구조도

이점

Cisco에 가져다준 핵심적인 이점은 다양성과 통합문제들을 다루는 Cisco 여성행동네트워크에 대해 교육하며, 동시에 그들에게 차세대의 협력적인 테크놀로지들을 접할 수 있는 흥미진진한 일련의 활동들을 신속하게 제공할 수 있는 역량을 배양시켜 주었다는 것이다.

두 사례를 통해 학습한 교훈

두 프로젝트를 통해 학습한 교훈들을 통합해 보면, 위에서 개괄한 두 가지와 같은 3D 학습경험 프로젝트들에 투자해 보고자 하는 사람들에게 줄 만한 세 가지의 핵심적인 조언들이 있다.

교훈 1. 고객의 학습 요구, 참가자 수에 대한 요구사항, 테크놀로지에 대한 접근과 보안 요구사항, 새로운 테크놀로지를 사용하여 작업하고자 하는 참가자의 욕구를 이해하라. 고객의 요구를 적시적소에 충족시켜 줄 수 있는 적합한 플랫폼을 선택하기 위해 이러한 모든 정보들을 사용하라. 고객들이 VIE를 사용하고 그러한 경험들이 성숙해 가면, 그들을 덜 정교한 플랫폼에서 보다 더 정교한 플랫폼으로 이동시킬 수 있다.

교훈 2. 어떤 플랫폼을 선택하든, 고객들이 VIE 테크놀로지를 편안하게 느낄 수 있도록 그들에게 진입로를 제공하는 것이 매우 중요하다. VIE 내비게이션에 관한 기본적인 교수를 제공하기 위한 교수 프로그램 시간이 사전에 할당되어야 하며, 멘토링도 이용가능해야 한다.

VIE 플랫폼의 최근 상황에 관련한 학습과 교수 프로그램에서 전달될 학습을 분리하는 것이 중요하다. 만약 참가자들이 양자를 동시에 학습해야 한다면, 일반적으로 좌절감을 느끼게 될 것이다.

교훈 3. 교실에서나 전통적인 사태에서 잘 작동되는 것이 가상환경에서도 잘 작동될 것이라고 가정해서는 안 된다. 가상세계에서의 학습은 보다 경험적이고, 행동지향적(action-oriented)이며, 사회적이다. 3DLE 설계 시 기능과 상호작용에 초점을 두어야 한다. 또한 체계적으로 조직되어 있지 않은(unstructured) 상호작용에 많은 시간을 할당해야 한다. Microsoft와 Sodexo의 경우, 미리 계획된 촉진 주제들에 관해서는 공식적인 상호작용이 거의 없었던 데 비해, 비공식적인 상호작용은 매우 많았다. 설계 시 비공식적·우발적인 상호작용을 위한 공간과 시간을 의도적으로 만들라.

사례 2: 재고조사 입회관찰 경험하기

기관에 관한 배경정보

전 세계적으로 잘 알려진 바와 같이, Ernst & Young(EY)은 "4대(big four)" 회계회사들 중하나다. 서비스기관으로서, EY는 회사의 가치가 직원들의 준비도와 전문성을 통해 고객들에게 매우 효과적으로 전달됨을 알고 있다. 그 결과, EY는 훈련과 개발을 매우 진지하게받아들인다.

이 사례연구는 EY의 Americas Learning and Development 조직이 신입사원들에게 재고조사 입회관찰(inventory observation)을 효과적으로 수행할 수 있도록 가르치기 위한3DLE를 개발하기 위해 보장국(Assurance Division)과 어떻게 파트너 관계를 유지하는지를 시간 순으로 기록한 것이다.

도전과제

대부분의 회계사들은 첫 재고조사 입회관찰(IO), 즉 몇 달간의 훈련 동안 다루었던 모든용어와 프로토콜들(protocols)이 마침내 고객에게 실행되는, 경력이 시작되는 실제적인 순간을 기억한다.

어떤 회계사들은 자신들에게 요령을 인내심 있게 보여 주었던 친절한 멘토를 기억하고 있기 때문에 그 경험에 관해 정겨운 기억들을 가지고 있다. 다른 회계사들은 모든 시험을 잘 수행해 냈음에도 불구하고 첫 번째 IO를 수행할 때 어떻게 행동해야 할지에 대하여자신이 느꼈던 불안을 기억한다. 어떤 경우든, IO는 대부분의 회계사들에게는 통과의례이며, 이 직업에서의 성공이나 실패는 젊은 회계사들이 얼마나 빨리 이론을 고객에게 가치를 부가하는 한 가지 방식으로 실제로 전환할 수 있는지의 여하에 따라 결정될 수 있다는 것이다.

4대 회계회사로서, EY는 매년 많은 신입사원들을 채용한다. 신입사원은 첫 해에 평균130시간 이상의 공식적인 학습을 받으며, 이러한 공식적인 학습의 상당부분이 교실에서행해진다.

그 결과, EY의 미주지역 학습개발국장인 Mike Hamilton은 3DLE 솔루션이 IO 지식요건들을 전달하는 데 보다 효과적이며 참가자들이 IO를 성공적으로 실행하도록 준비시키는 데 보다 효과적인지를 알고 싶어했다.

3D를 활용한 이유

IO는 그 특성상 매우 상황적이다. 전문용어와 프로토콜은 주로 표준화되어 있는 반면, 이러한 방법들을 적용하는 것은 문제가 되는 상황에 따라 상당히 다르다. IO를 수행하는 과정에서, 종종 관찰이 가능한 한 정확하고 적절하게 완수되었는지를 재빨리 결정할 필요가 있는 예상치 못한 상황들이 발생한다.

Hamilton은 IO 작업 활동의 상황적·경험적 특성 때문에 3D 학습경험은 전통적인 교수자주도, 사례기반 방법보다 더 많은 장점들을 가지고 있을 것이라고 가정했다.

사례 개발

Hamilton은 자신의 가정을 검증하기 위하여 컨퍼런스를 개최했는데, 컨퍼런스 동안 그는 팀과 함께 3DLE 설계와 전달분야를 탐색해 보기 위하여 교과전문가들을 초청했다. Hamilton과 그의 팀은 예시들을 탐색하고 자신들의 가정이 장점을 가지고 있는지를 결정하기 위하여 그것을 전문가들과 검증하는 데 이틀을 소비했다.

최종적으로, 전통적인 접근을 몰입적인 학습경험(immersive learning environment: ILE) 방법과 비교할 수 있는 파일럿평가(pilot evaluation)를 수행하기로 결정했다.

파일럿평가에서 해결되어야 할 두 가지의 주요한 질문들은 다음과 같다.

1. 참가자들은 전통적인 교수자주도 훈련(instructor-led training: ILT) 방법보다 개별적인 ILE 방법을 통해 훨씬 더 많은 지식을 학습하고 파지할 수 있는가?
2. ILE를 완수하면, 참가자들은 전통적인 ILT 방법보다 실제 IO을 수행하는 데 보다 효과적으로 준비되는가?

해결방안

이미 IO ILT 과정이 있었기 때문에, 첫 번째 과제는 이러한 취지에 기초한 ILE 대안을 만드는 것이었다. 기존의 ILT 과정은 전통적인 강의로 구성되었는데, 즉 전문용어와 절차들을 다룬 다음, 사례연구 연습과 디브리핑(debriefing) 활동이 뒤따른다. 평가 목적상, ILE는 또한 지식이 이론에 효율성을 제공하고 실제에 관한 인식된 준비도가 독자적으로 평가될 수 있도록 이론과 실제 부분들을 분리하기로 결정했다.

EY의 보장국/학습팀은 Second Life에 IO 3DLE를 구축하기 위하여 외부 설계회사인

[그림 6-11] 참가자들이 3D 감사 재고조사 견학에 대한 오리엔테이션을 듣고 있다.

2b3d와 함께 작업했다. 참가자들은 해당 사이트에 도착하자마자 먼저 플랫폼에 익숙해지도록 마련된 오리엔테이션으로 이동되었다.

오리엔테이션을 끝마치면, 참가자들은 "할머니의 맛있는 쿠키(Grandma's Gourmet Cookies)" 생산시설 앞에 있는 공간인 이론광장(Theory Plaza)으로 공간 이동되었다([그림 6-11] 참조). 참가자들은 이론광장에서 비디오 단편(snippets), 정보 키오스크, 상호작용 게임들을 통해 ILT 강의자료에 있는 모든 콘텐츠에 접근했다.

여기에서 참가자들은 교수(instruction)를 받기 위해 안내데스크([그림 6-12] 참조)에서 체크인하고, 개별화된 견학봇(Tour Bot)([그림 6-13] 참조)을 소개시켜 주는 공장관리자 Parx를 찾기 위한 안내를 받았다.

견학봇은 학습자들이 창고의 다양한 부분에 익숙해지도록 그들을 공장의 여기저기로 안내했다. 이것은 학생들이 주변을 둘러보고 감사관찰(audit observation)을 준비할 수 있도록 해 주었다. 참가자들은 견학하는 동안 최종제품 구역에서 일을 시작하라고 요구하는 공장관리자를 다시 만나게 된다.

참가자들이 태그가 붙은 상자들을 구별하기 위한 일을 시작하면, 지게차를 이용하여

[그림 6-12] 참가자들은 IO 과제 시작 방법에 관한 교수를 받았다.

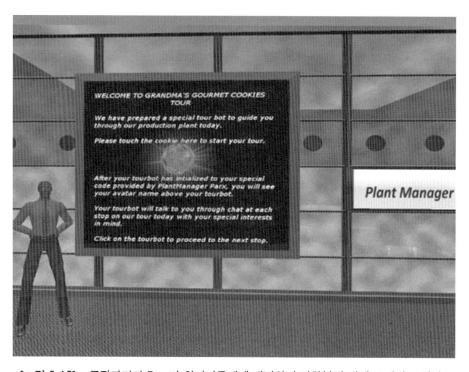

[그림 6-13] 공장관리자 Parx가 참가자들에게 개별화된 견학봇에 대해 소개하고 있다.

[그림 6-14] 지게차 조작자에게 맨 위 선반에 있는 재고품에 도달하는 방법을 묻고 있는 참가자들

상자들에 도달하고([그림 6-14] 참조), 측정단위를 변경하며, 폐기를 결정하고, 지불은 되었으나 아직 선적되지는 않은 수해를 입은 상자들과 재료들을 목록에 기입하는 방법을 결정할 책임과 같은 실제적인 도전과제들이 주어진다.

참가자들은 접수 장소에서 들어오는 재료들을 계수(count)했을 때 목록과 일치하지 않는 경우를 다루어야 한다. 어떤 재료들은 태그가 있었지만, 다른 것들은 회계장부를 사용했다. 참가자들이 IO 활동을 점점 더 진행해 나갈수록, 그들은 도처에서 검사받을 필요가 있는 것을 결정하고, 측정단위 변경을 위한 가장 적절한 방법을 결정하며, 어떤 재료에 폐기 태그를 붙여야 하는지를 결정하는 실제적인 상황적 도전과제들을 접했다([그림 6-15] 참조).

마지막으로, 참가자들은 재고조사 입회관찰의 끝부분에 IO의 편집을 조정했다([그림 6-16] 참조). 창고를 두루 다니며 모든 일을 성공적으로 끝마친 사람에게 그 경험은 실로 교훈적이었다.

[그림 6-15] 검사받을 필요가 있는 것을 결정하는 참가자들

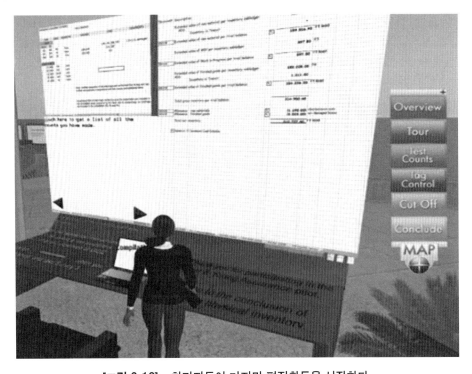

[그림 6-16] 참가자들이 마지막 편집활동을 시작한다.

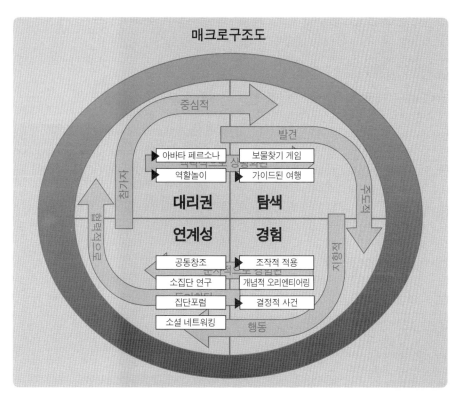

[그림 6-17] EY의 가상 IO 매크로구조도

매크로구조도

[그림 6-17]의 매크로구조도는 3DLE 설계의 원형 적용범위를 시각적으로 쉽게 볼 수 있도록 요약·제시해 준다.

결과

교수자주도 훈련(ILT)과 몰입적인 학습경험(ILE)을 비교 평가한 결과 다음과 같은 세 가지의 핵심적인 연구결과들이 도출되었다.

1. ILE 참가자들은 ILT 참가자들만큼이나 많이 학습하고 파지했다. 더 나아가, 그들은 ILT 이론 모듈보다 완수하는 데 시간이 더 적게 든, 이론광장에서 보다 더 비용-효과적인 자기주도적 발견학습방법을 통해 그렇게 했다.

2. 창고활동을 완수한 ILE 참가자들은 ILT 참가자들보다 IO를 수행하기 위한 자신들의

능력에 대해 자신감을 덜 느꼈다. 이것은 ILE 참가자들이 ILT에서 사례연구를 논의했던 사람들보다 IO를 성공적으로 완수하기 위해서 무엇이 요구되는지를 더 실제적으로 이해했음을 시사한다.

3. 테크놀로지, 플랫폼, 세부계획과 관련한 예상치 못한 문제들은 중재(intervention)의 효과성과 경험에 관한 ILE 참가자들의 인식에 부정적인 영향을 미쳤다. ILT와 비교했을 때, 하드웨어와 네트워크 접속과 관련한 기술 문제, 내비게이션할 수 있는 능력과 관련한 플랫폼 문제, 시범운영 시기와 관련한 세부계획상의 문제, 그리고 중재를 완수하기 위한 시간요건은 ILE의 만족도 점수를 낮추는 원인이 되었다.

학습한 교훈

EY 팀은 시범 운영을 통해 학습한 교훈들을 다음과 같이 두 개의 범주, 즉 설계 교훈과 실행 교훈으로 나누었다.

설계 교훈

교훈 1. 기존 강좌에 기초하여 설계하는 것은 실제로 효과가 없는 것으로 판명되었다. 설계 활동에 충분한 시간이 주어지지 않는다. 이 프로젝트는 "백지(clear sheet)" 상태에서 접근하는 것이 더 효과적일 수 있었으며, 팀이 Second Life 플랫폼이 제공했던 잠재역량을 더 잘 적용할 수 있었을 것이다. 그러나 기존의 2D 콘텐츠를 이론광장에서 사용할 수 있도록 용도 변경하는 것을 너무 지나치게 강조했다.

팀은 또한 ILE의 이론과 실제의 구성요소와 ILE를 독립적으로 비교 평가하는 것이 시범운영에서 중요했다고 인정하고 동의했지만, 이 평가 목적은 설계 과정 자체의 창의성에 상당한 제약이 되었음이 곧바로 드러났다.

교훈 2. 선입견을 가지고 설계에 임하지 마라. 효과적인 3DLE 개발은 단순히 기존의 2D 콘텐츠를 VIE로 이식하는(porting) 문제만은 아니다. 바람직한 학습목표를 달성하기 위하여 VIE에 영향을 줄 수 있는 새롭고 다른 방법들에 대해 개방적이 되어라. 설계 개념들 중 하나는 생산공장에서 활용할 수 있는 완전한 학습모듈을 구축하고, 해당 콘텐츠를 학생들이 IO에서 장애물들을 만났을 때 적시에 이용 가능하도록 만드는 것이었다. 결국, 이론광장 방법은 사정결과들이 학생들에게 검증되고 예측 가능한 일련의 결과들을 제공해 준다는 것을 명확하게 해 주었다. 요컨대, 사정요건들은 평가목적들을 위한 학습에 대한 관례화된, 전통적인 방법을 정의했다.

교훈 3. 마지막으로, 모든 학습설계가 그러하듯, 테크놀로지가 설계를 이끌어 가서는 안 되고, 학습목적이 설계를 이끌어 가야 한다. 이 사례에서, 가상세계 테크놀로지들과 연계된 감수성들은 IO를 수행하는 것과 연계된 학습목표들과 매우 적합하다고 가정되었다. 시범평가 결과들은 이 주장이 옳을 것이라는 점을 시사한다. 그러나 팀원들은 VIE가 경험적인 학습을 가능하게 하는 많은 기회들을 제공하지만, 그것이 사용될 수 있도록 지원되고, 그것을 도구모음에 있는 한 가지 도구에 불과하다고 보아야 하며, 그 것을 사용하도록 강요되어서는 안 된다는 점에 주의를 기울였다.

실행 교훈

교훈 1. 참가자들의 컴퓨터에서 작동할 수 있는 소프트웨어를 확보하고 그들이 해당 소프트웨어를 작동시킬 네트워크에 접근할 수 있도록 하는 것과 관련된 기술적 도전과 제들을 과소평가하지 마라. 하드웨어와 방화벽 문제는 배치(deployment) 과정에서 가능한 한 일찍 다루어져야 한다.

교훈 2. 어린 세대는 가상세계 환경을 어렵지 않게 사용할 수 있다고 가정하지 마라. 그들에게 플랫폼에 익숙해질 수 있도록 충분한 시간을 주고, 어떤 프로그램화된 활동들을 소개하기 전에 그들이 해당 환경을 충분히 내비게이션할 수 있도록 하라.

교훈 3. 3DLE 프로그램 시간계획은 지나치게 의사소통(over-communication)하는 경향을 막고, 학습곡선을 따라 배열되어 있는 참가자들을 적절한 규모의 활동들에 참여시키기 위해 요구되는 단계들을 분석하는 데 필요한 시간을 매우 엄격하게 관리해야 한다. 하드웨어 설치와 네트워크 접근성 시험, 플랫폼 훈련, 아바타 개별화(customization)와 환경 내비게이션은 모두 참가자들이 3DLE 경험 자체에 참여하기 전에 달성될 필요가 있는 핵심적인 사항들이다.

사례 3: 가상세계에서 역사 증언: 크리스탈나흐트[2] – 1983년 11월의 학살

기관에 관한 배경정보

홀로코스트(Holocaust)에 대해 생생하게 경험할 수 있는 기념관인 미국홀로코스트기념박물관(The United States Holocaust Memorial Museum)은 지도자들과 시민들에게 증오에 맞서게 하고, 집단학살을 예방하며, 인간의 존엄성을 증진하고, 민주주의를 강화할 수 있도록 자극한다. 공공-개인 파트너십과 연방지원은 박물관을 지속적으로 유지할 수 있도록 하였으며, 전국적인 기부자들은 그것의 교육적인 활동과 전 세계로의 전파를 가능하게 한다.[3]

박물관은 1993년에 개관한 이래 88명의 주(州) 수장들과 132개국 이상으로부터 3,500명 이상의 외국 공직자를 포함하여 2,900만 명 이상의 방문자들이 방문했다. 홀로코스트 박물관 웹사이트는 2008년에 2,500만 명의 방문자들이 방문했다. 100개 이상의 국가에서 박물관 웹사이트를 매일 방문하며, 전체적으로 방문자들 중 35%가 외국인이다.[4]

이 사례연구는 홀로코스트에서 최고조에 이르렀던 나찌의 반유대정책의 격화(intensification)를 나타내는 전환점인 크리스탈나흐트 – "깨진 유리의 밤" – 의 70주년 기념일을 기억하기 위하여 Second Life에 전시실을 설치한 것을 시간 순으로 기록한 것이다.

도전과제

원래의 동인(driver)은 가상세계 테크놀로지의 적용가능성을 탐색해 보는 것 외에 해당 기관의 정보관리책임자(Chief Information Officer: CIO)로부터 나왔다. 구체적으로, 정보책임자는 가상전시실을 설치하고 방문자들의 요구를 전시실 개발과정에 통합하기 위한 새로운 방법을 모색하기 위해 이러한 첨단 테크놀로지의 적용가능성을 탐색해 보기를 원했다.

---

2) [역주] 크리스탈나흐트(Kristallnacht)는 1938년 11월 9~10일 동안 무장한 나치대원과 나치에 동조하는 사람들이 독일 전역에서 유대인들에게 폭력을 가하거나 유대인 소유의 상점들을 부순 사건이 발생했던 밤을 지칭함. 독일어로 '크리스탈나흐트'는 '수정의 밤'이란 뜻이며, 이는 사건 이후 나치대원과 동조자들이 부순 유대인 상점의 깨진 유리가 온 거리를 뒤덮었다고 해서 붙여진 이름으로서, '깨진 유리의 밤'이라고도 일컬어짐
3) 박물관에 대하여 보다 자세한 정보를 얻고 싶으면, http://www.ushmm.org/museum/about/을 방문하라.
4) 추가적인 사실과 정보를 얻고 싶으면, http://www.ushmm.org/museum/press/kits/details.php?comem=99-general&page=01-facts#facts를 보라.

고려된 초기의 도전과제는 3D 가상전시실을 물리적인 모형을 만들지 않고도 실제적이고 의미 있는 방법으로 설계할 수 있는지를 실험하고, 만일 그렇다면, 박물관 밖에 있는 사람들이 가상전시실을 공동창조적인 설계과정에 보다 완전히 참여할 수 있게 탐색해 볼 수 있도록 초대할 수 있는지를 탐색해 보는 것이 가능한지를 결정하는 것이었다.

초기의 도전과제는 Second Life의 메인전시관에 박물관의 크리스탈나흐트 전시실(Kristallnacht Installation)을 만들 생각을 하도록 하는 것이었다.

3D를 활용한 이유

홀로코스트박물관의 설립이사는 박물관의 스토리 전시가 방문자들에게 지적으로뿐만 아니라 감정적으로도 영향을 미쳐야만 한다고 느꼈다. 마찬가지로, 박물관 건축가도 방문자들이 건물을 "직관적으로(viscerally)" 경험하고 그 매력에 빠지길 원했다. 박물관을 탐방한 사람들은 배우고 이해할 뿐만 아니라 느껴야 한다.

박물관 학습경험은 여러 가지 측면에서 내용에 관한 것만큼이나 환경에 관한 것이기도 하다. 전시실 설계는 단지 한 구절을 읽거나, 어떤 사진을 보거나, 어떤 대상을 관찰하는 것만은 아니다. 그것은 이 조형물들을 그들이 감정적인 반응을 이끌어 내는 방식으로 특정 공간 속에 맥락화하는 것이다. 사람들은 박물관에서 콘텐츠를 활동적(kinetic)이고 감정적인 방법으로 흡수할 수 있도록 해 주는 방식으로 전시실을 탐방함으로써 학습한다.

박물관은 또한 사회적인 공간이다. 방문자들은 종종 짝을 짓거나 집단으로 전시회에 들어온다. 그들은 자신들이 접한 콘텐츠에 대한 자신들의 생각을 공유한다. 그리고 그들은 종종 동시에 동일한 전시 콘텐츠에 대해 반응하는 다른 낯선 방문자들과 대리적인 또는 우연한 상호작용을 경험한다. 가상세계는 물리적인 세계와 매우 동일한 방식으로 기능할 수 있기 때문에, 홀로코스트박물관은 방문자들이 실제 세계 전시실에서의 경험을 모방하거나 다른(더 좋든 나쁘든) 경험을 할 수 있는 방법들에 대해 더 많이 배울 수 있는 가상전시실을 구축할 수 있는지에 대한 가능성을 탐색하고자 했다.

사례 개발

가상세계 테크놀로지들은 여러 가지 측면에서 박물관이 직면하고 있는 여러 문제들을 해결하는 데 활용될 수 있기 때문에, 주요한 도전과제는 프로젝트에 관여된 사람들로 하여금 자신들의 회의주의를 극복하도록 하는 것이었다.

초창기에, Second Life 환경 자체에 대한 진입 장벽이 매우 높고, Second Life 거주자가 방문자들에서 직관적인 경험을 할 수 있도록 해 주는 매력적인 가상전시실을 만들기 위해서 요구되는 투자를 보장할 만큼 충분하지 않다는 우려가 있었다.

아이러니컬하게도, 가상세계가 아직 주류가 아니라는 사실이 이 노력에 도움이 되었다. 프로젝트가 승인된 이유 하나는 홀로코스트박물관 웹사이트에 2,500만 명이나 방문한다고 하는 것은 Second Life에서도 흔치 않은 것이었기 때문이다. 만약 가상세계가 웹만큼이나 널리 퍼졌었다면, 관련된 위험에 관한 인식은 해당 프로젝트를 상당히 약화시켰을 것이다. 그러나 이 프로젝트는 세간의 이목을 끄는 프로젝트가 아니었으며, 전시실 설계, 방문자 참여, 직관적인 학습경험을 증진시키기 위한 테크놀로지의 잠재력을 실험해 보는 데 목적을 두었기 때문에, 절차가 번잡한 장애들이 거의 없이 매우 신속하게 실행되었다.

해결방안

2008년 여름 동안, 홀로코스트박물관은 박물관에 있는 십대 인턴들에게 동료들이 크리스탈나흐트에 대해 배울 수 있도록 Second Life 십대 그리드(grid)에 공간을 설계하는 훈련을 시킬 수 있도록 하기 위하여 뉴욕에 있는 청소년시민리더십 비영리단체인 Global Kids와 제휴를 맺었다. 이것은 십대들이 (그들 중 대부분이 Second Life의 가상세계에 발조차 디뎌 본 적 없는) Second Life 환경에서 쉽게 편안함을 느끼게 됨에 따라 참여한 모든 집단들에게 훌륭한 학습경험이었던 것으로 밝혀졌으며, 박물관 프로젝트 구성원들은 십대들이 순환적인 과정을 통해 가상전시실 설계의 미묘한 본질을 이해할 수 있도록 도와줄 수 있었다. 10주 뒤에, "역사 증언: 크리스탈나흐트—1938년 11월의 학살((Witnessing History: Kristallnacht—the November 1938 Pogroms)"이라 명명된 완성된 전시실이 십대 그리드에 개설되었다.

활동적인 경험을 가능하게 하는 가상세계의 능력이 이 작업의 결과로서 더욱더 분명해짐에 따라, 홀로코스트박물관은 원래 박물관의 십대 인턴들에 의해 만들어진 설계 문서에 기초한 메인 Second Life 그리드에 보다 정교하고 미묘한 차이가 있는 전시실을 구축하기로 결정했다. 박물관은 메인 그리드 전시실을 만들기 위하여 Involve라는 디자인 회사와 제휴를 맺었다. 역사 증언에 관한 원래 생각에 기초하여 구축하였기 때문에, 참가자들은 1938년 11월에 일어난 크리스탈나흐트의 사건들에 관해 조사하고 보고하는 책임을 맡은 저널리스트의 역할을 수행한다. 방문자들은 가상전시실 입구에서 시대 간행물실(period press room)에 입장한다([그림 6-18], [그림 6-19] 참조).

[그림 6-18] 방문자들이 크리스탈나흐트 전시실의 시대 간행물실에 들어오면 그들은 저널리스트들의 역할을 수행한다.

[그림 6-19] 증언한 홀로코스트 생존자들의 당시 사진들은 방문자들의 경험을 이야기한다.

[그림 6-20]   불타고 있는 유대교회 목격

저널리스트들이 노트, 이미지, 목격자 진술들을 자세히 조사해 갈수록, 간행물실의 벽은 디졸브(dissolve)되며, 마치 영화에서의 꿈 장면처럼, 그들은 크리스탈나흐트 사건이 일어났던 시기로 공간 이동된다. 디졸브된 벽을 걸어가면, 방문자들은 독일 거리 장면에 들어가며, 불에 타버린 유대교회, 약탈된 집과 학교, 마을 광장에 있는 유언비어 선전, 벽의 낙서들을 직접 목격한다([그림 6-20]과 [그림 6-21] 참조).

전시실 도처의 일정한 지점에 이르면, 방문자들은 생존 목격자들이 묘사된 사건들 동안 경험했던 것을 설명하는 목격담을 오디오로 청취하게 된다. 이 모든 것은 참가자들이 경험적인 학습과 역사 증언에 보다 더 깊게 몰두할 수 있도록 하기 위한 노력의 일환이다.

전시실 방문은 크리스탈나흐트를 경험했던 생존자들이 비디오로 증언한 일련의 미니 다큐멘터리들로 절정에 이르며, 참가자들은 자신들의 생각과 경험들을 공개게시판에 입력하도록 독려되었다.

매크로구조도

[그림 6-22]의 매크로구조도는 3DLE 설계의 원형 적용범위를 시각적으로 쉽게 볼 수 있도

[그림 6-21]　거리 장면이 나찌의 선전을 묘사하고 있다.

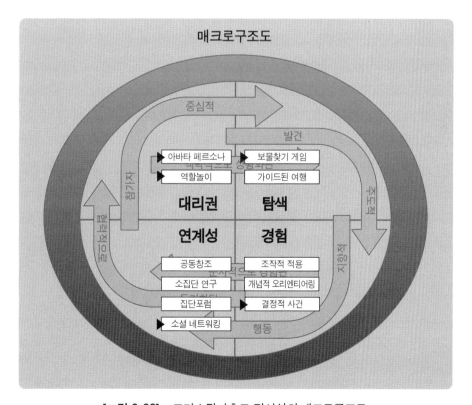

[그림 6-22]　크리스탈나흐트 전시실의 매크로구조도

록 요약·제시해 준다([그림 6-22] 참조).

이점

교육적인 전파의 관점에서 볼 때, 공공게시판을 피상적으로 읽는 것만으로도 누구든지 홀로코스트박물관이 참가자들에게 활동적, 인지적, 직관적인 학습경험을 전달하는 데 성공했음을 충분히 확신시켜 준다.

전시실에서 사용한 동일한 인공물들이 박물관 웹사이트에서 이용 가능했겠지만(실제로 많은 것들이 그렇고), 가상전시실의 상황화된 맥락(situated context)은 이러한 인공물들을 참가자들이 역사, 개인적인 행동, 장소 간의 연계를 직관적으로 느낄 수 있도록 해 준 몰입적인 경험 속에 엮이도록 했다는 것은 자명하다. 따라서 방문자들이 실제로 크리스탈나흐트의 비극적인 사건들을 경험했던 사람들이 어떠했을지에 관해 보다 더 잘 이해하기를 희망한다.

결과

전파의 관점에서 볼 때, 기관과 일반인들 간에 보다 친밀한 관계를 형성하는 것이 홀로코스트박물관의 핵심 목표다. 박물관에게 있어, 사람들을 반유대주의와 증오에 직면하도록 하며, 대량학살을 막기 위해 노력하는 것이 자신들의 임무에서 핵심이 된다. Second Life 환경은 가상세계만큼이나 사회적인 매체라는 것이 곧바로 분명해졌다. 대리권 (agency)은 박물관과 Second Life 구성원들 양자에게 중요하다. Second Life에서, 거주자들은 자신들이 가치 있다고 본 노력들에 입각하여 행동을 취할 수 있는 능력을 가지고 있다.

크리스탈나흐트 가상전시실이 개설된 지 일주일 만에 방문자들 중 한 사람이 실제 박물관 직원에게 "안녕하세요, 저는 […] 우리가 기부하고 싶은 박물관을 만든 사람을 알고 싶어요. 감사합니다."라는 인스턴트 메시지를 보내왔다. 다른 사람들은 가상전시실 자체 내에 있는 오탈자나 작동되지 않는 명령어들을 지적했는데, 왜냐하면 그들은 그 환경이 가장 실제적이고 직관적인 경험을 가능하게 할 수 있어야 함을 보장하는 데 대리권이 있기를 원했기 때문이다. 여전히 다른 사람들은 홀로코스트박물관이 Second Life "회원"들이 보다 더 잘 의사소통할 수 있는 그룹을 만들도록 촉구하면서, 박물관이 전시실과 연계된 Second Life 그룹을 가지고 있는지를 물었다. CIO가 원했던 것처럼, 참가자들은 자발적으로 가상 크리스탈나흐트 전시실의 공동 큐레이터가 되었으며, 박물관을 가상세계에 전파하는 것까지를 통합함으로써 박물관이 어떻게 실제 세계의 프로그램을 확장할 수 있는지에 대한 아이디어들을 제공해 주었다.

Second Life는 사회적인 매체이기 때문에, 방문자들은 박물관뿐만 아니라 상호 간에, 때로는 박물관 직원들에게 인스턴트 메시지(IM)를 통해, 그러나 보다 흔하게는 전시실의 공개게시판에 코멘트를 게시함으로써, 의사소통을 하기 위해 Second Life를 사용한다. 가상전시실이 방문자들에게 끼쳤던 영향을 명확하게 보여 주는 대표적인 몇 가지 코멘트를 제시하면 다음과 같다.

- "제가 그렇게 오랫동안 펑펑 울어본 적이 없어요; 저는 그렇게 끔찍한 일을 저지른 부류들하고는 관계가 없다고 생각하곤 했어요. 저는 저의 증언과 경계로 인해 고통받았던 모든 것을 존경할 수 있을 뿐이에요."
- "여러분이 한 명인지 그룹인지 알 수 없지만, 여러분들에게 감사드립니다. 저는 작년에 D.C.에 있는 홀로코스트박물관에 있었는데, 이런 말 하기는 정말 싫지만 소음과 사람들 때문에 강력한 효과가 다소 감소되었습니다. 그러나 이건 제가 원하는 속도로, 제 자리에서 탐색할 수 있어 정말 대단합니다. 아마도 제가 Second Life에서 본 정서적으로 가장 강력한 장소일 것입니다. 멋진 작업에 정말 감사드립니다."
- "이 장소가 정말 중요하고 감동적으로 느껴지는군요. 저는 Second Life를 쓸 수 없고 실제로도 박물관에 갈 기회가 없는 제 친구들에게 보여 주기 위하여 사진들을 모았습니다."
- "'게임'이 그렇게 강력할 것이라고 결코 기대하지 못했다. 굉장히 감동적인 경험이다."
- "호기심으로 들렀습니다. 저는 이 전시실은 이 끔찍한 시대에 대해 제가 이미 알고 있는 것에 많은 것을 추가시켜 주지 못할 것이라고 생각하며 회의적인 생각을 가지고 들어왔습니다. 그런데 방문 이후, 저는 접속을 끊고 조용히 앉아 있어야 했습니다. 그리고 이 메시지를 남기러 돌아왔습니다."

학습한 교훈

위에 개관한 것과 같은 3D 학습경험 프로젝트를 시작하고자 하는 사람들에게 줄 수 있는 세 가지 핵심적인 조언은 다음과 같다.

교훈 1. 가상세계의 맥락은 2D 인공물들을 활동적인 학습경험을 창출할 수 있는 상황적인 맥락에 통합할 수 있는 많은 가치들을 가져다주지만, 이러한 환경의 실질적인 힘은 동시적이거나 비동시적으로 아이디어나 주장에 참여하고 서로 연계를 맺으며 공유하는 인간의 능력에 달려 있음을 인식하는 것이 중요하다. 이러한 공간들이 제공하는 대리적인 사회적 상호작용은 가상공간에 운집한 사람들 간에 풍부하고 의미 있는 교류를 가능하게 한다.

교훈 2. 가상세계의 어포던스는 보다 강력한 실재성과 연계성을 생성하기 위하여 사용될 수 있다. 공간과 공동존재감(co-presence)은 공유된 경험의 맥락을 생성한다. 역사 증언 전시실의 방문자들이 크리스탈나흐트 사건 동안 숨어야만 했던 유대인들의 경험에 대해 학습할 수 있는 작은 은신처가 있다. 그 공간은 만일 거기에 다른 두세 명의 방문자/저널리스트들이 숨어 있다면 훨씬 더 좁게 느껴졌을 것이다. 또한 다른 사람들도 그 공간을 당신과 함께 공유하고 있다는 것을 알게 될 때, 그 경험은 훨씬 더 직관적이다. 사람들은 그들이 **콘텐츠**(contents)에 대해서 하는 것보다 **경험**(experiences)에 대해 서로 다르게 처리하고 이야기한다.

교훈 3. 가상세계 중재의 가치를 보여 주고 측정전략을 학습경험 설계활동과 동시에 구축하기 위해 어떻게 계획할지를 깊이 생각하라. 홀로코스트박물관은 Second Life 브라우저가 시뮬레이션 내 방문자 수를 측정하기 위한 메커니즘을 포함하고 있다고 잘못 가정했다. 그 결과, 그들은 현재 전시실의 방문자 수를 로그 분석할 수 없다. 다행히, 코멘트 게시판이 그것에 대한 유용한 대안으로 사용되고 있으며, 질적으로 우수한 코멘트들은 역사 증언 전시실이 방문객들에게 상당히 가치 있음을 잘 보여 주고 있다.

사례 4: 가상 응급구조대원 학습 경험하기

기관에 관한 배경정보

메릴랜드대학교(University of Maryland) 고등교통테크놀로지센터(Center for Advanced Transportation Technology: ATT) 연구실은 복잡한 교통문제에 관한 응용 연구를 수행하는 데 목적이 있다. 이 연구실은 메릴랜드주 고속도로관리국(Maryland State Highway Administration), 국토안보국(Homeland Security)과 같은 연방 자금, Maine에서 Florida로

I-95의 주요 수송 경로를 오르내리는 사람들과 생산물의 안전하고 효율적인 흐름을 확보하는 데 초점을 두고 있는 I-95 연합체와 같은 독립적인 기구로부터 지원을 받는다.

이 사례연구는 응급구조대원들(emergency-responders)이 I-95상에서 발생한 교통사고를 좀 더 효과적이고 효율적으로 대처할 수 있도록 훈련하는 데 중점을 둔 3DLE 개발과정을 시간 순으로 기록한 것이다.

도전과제

2006년에 매일 평균 117명이 자동차 사고로 죽었다. 이 수치는 12분에 한 명꼴로 죽은 셈이다. 모든 주(州) 간 고속도로에서, 매 분마다 사로고 인해 차선이 폐쇄되고, 종종 더 심각한 이차 충돌이 발생할 가능성이 3%까지 상승하고 있다([그림 6-23] 참조). 매년, 더 많은 경찰과 소방 인력이 다른 업무에서보다 교통사고 처리 도중에 생명을 잃는다.

3DLE 프로그램의 주요한 목적들 중 하나는 신속한 사고처리를 향상시키기 위한 요구, 즉 가능한 한 빨리 사고현장을 정리하는 것이었다. I-95상에서 발생한 사건들을 보다 신속하게 처리하는 것은 응급구조대원의 참사를 줄이는 데 긍정적인 영향을 줄 수 있으며, 요금을 줄이거나(차량이 도로에서 시간을 덜 보내게 될 것이므로) 생산성 향상(생산물이 동부해안을 더 효율적으로 오르내리면서 유통되기 때문에)과 같은 또 다른 장점들도 있을 것이다.

사고현장을 신속하게 처리하는 문제를 다루는 데 있어 핵심 쟁점은 각 주(州)의 경찰국들이 다양한 응급처치 프로토콜을 다루는 상이한 훈련프로그램을 가지고 있다는 것이었

> 고속도로상에서 발생한 충돌의 15~30%가 다른 경미한 사고들의 2차 사고이며, 종종 초기 사고보다 더 심하고, 사고 응급처치자의 상해가 더 심각하다.

2006년 전국 통계치		
충돌유형	충돌건수	희생자수
치명적	1,784,000	42,642
상해		2,757,000
재산 피해만	4,189,000	-
전체	5,973,000	2,617,642
2000년, 충돌로 인한 비용(최종 이용 가능)	2,306억 달러	

[그림 6-23] 미국 전역에서 발생한 사고 통계치

다. 이러한 통일성의 결여는 응급구조대원들이 종종 다른 주들에서 온 주 경계선 근처에서 발생한 사건들을 처리하는 데 혼란을 초래했으며, 현장정리를 지연시켰다.

I-95 연합체 대표단은 비슷한 쟁점들을 처리하는 네덜란드의 접근방식을 살펴보기 위해 네덜란드를 방문했다. 그들은 네덜란드가 어떻게 모든 응급구조대원들이 사고현장을 신속하게 처리할 수 있는 가장 효과적인 방법에 관한 공통된 이해를 갖도록 응급처치 프로토콜과 훈련프로그램을 일치시킨 국가인증 프로그램을 만들었는지를 익혔다.

그 결과, I-95 연합체는 CATT 연구소(CATT Lab)로 하여금 동부해안을 오르내리는 응급구조대원들에게 표준화된 응급처치 훈련을 제공함으로써 I-95상에서 발생한 사고현장을 보다 신속하게 처리하고 응급구조대원의 안전을 증진할 수 있는 인증프로그램을 개발하도록 했다.

3D를 활용한 이유

인증프로그램을 개발하는 데 3D 테크놀로지를 활용하도록 유도한 두 가지의 주요한 동인은 차별화된 가치에 관한 증거와 평가 비용이었다.

I-95 연합체 대표단은 네덜란드에 있는 동안 3D 시뮬레이션이 어떻게 모든 응급구조대원들이 사고현장에 도착하자마자 "불협화음 없이 일사분란하게" 일을 처리하도록 하는 데 활용될 수 있는지를 살펴보았다. 네덜란드에서 사용된 3D 애플리케이션은 대규모 다중플레이어 솔루션(massively multiplayer solution)은 아니었지만, I-95 연합체 대표단에게는 3D 환경의 몰입적인 특성들이 참가자들 간에 동기를 일치시키고 이해를 증진시키는 데 도움을 줄 것이라는 점이 확실해 보였다.

3D가 탐색된 두 번째 이유는 평가 비용 때문이었다. 응급구조대원들을 위한 전통적인 훈련 방법은 영화사를 운영하는 것과 상당히 유사하다. 그러한 방법들은 매우 비싸고 종종 훈련자들만큼이나 많은 역할수행자들을 필요로 한다. 일반적인 훈련활동은 하루 종일 걸리고 한 번에 단지 30명의 응급구조대원들만이 훈련을 받을 수 있다. 다중플레이어 3D 환경의 몰입적인 특성은 응급구조대원들을 전통적인 훈련방법보다는 훨씬 더 저렴한 비용으로, 훨씬 더 신속하게 평가할 수 있는 능력을 지니고, 실제적인 응급처치 상황에 배치하고자 하는 요구를 처리할 수 있다.

이 인증프로그램의 궁극적인 목적이 동부해안을 오르내리는 경찰, 소방, 응급의료서비스(EMS), 운송, 견인과 복구요원들을 훈련시키는 것이라고 볼 때, 3D 테크놀로지를 활용하는 것이 가장 논리적인 선택처럼 보였다.

그럼에도 불구하고, 연구소는 이 프로그램을 개발할 수 있는 후원을 받기 위하여 몇 가지 핵심적인 도전과제들을 처리해야만 했다. 첫째, 극복되어야 할 첫 번째 도전과제는 이러한 학습환경이 비디오게임과 매우 흡사하게 보인다는 인식과 게임은 어떠한 교육적 가치도 없다는 인식이었다. 둘째, 착수 시 약 100만 달러의 3DLE 개발 관련 비용이 드는데, 이러한 고비용은 몇몇 연합체 대표단원들의 눈꼬리를 치켜뜨게 만들었다.

그러나 학습된 것이 실제에서 얼마나 활용되는가의 관점에서 볼 때, 이러한 몰입적인 방법이 얼마나 우수한지를 지속적으로 보여 주었고, 솔루션을 평가해 보았을 때 그것이 훨씬 더 비용 효과적이라는 주장이 은근히 확산되었다. 그 결과, 네덜란드에서 해당 솔루션이 당초 목적을 얼마나 효과적으로 달성시켰는지를 직접 살펴본 I-95 연합체 구성원들은 연구소가 추천한 3DLE 솔루션에 손을 들어주었고, 해당 프로젝트는 마침내 자금지원을 받을 수 있었다.

해결방안

그 해결방안은 매우 반복적인 과정을 통해 설계되었다. 초기에, 디자인팀은 각 학문영역의 내용전문가들로 구성된 조정위원회를 구성했다. 3DLE 디자인은 지난 2년 동안 여덟 번이나 수정 · 개선되었다. 디자인팀은 이러한 공식적인 검토뿐만 아니라 학습경험을 가능한 한 실제적으로 만들기 위한 방법에 관하여 일선 응급구조대원들로부터 직접적인 피드백을 요청하기 위하여 매달 개최되는 응급구조대원 회의에서 3DLE를 시연했다.

3DLE 자체는 보다 더 큰 혼합형 프로그램(blended program)의 한 부분이다. 학습자들은 먼저 신속한 현장 정리, 자동차의 위치, 구조요원의 안전과 같은 핵심적인 역량에 관한 주제들을 가르치는 온라인 강좌를 수강하고 통과해야 한다. 일단 해당 강좌를 통과하면, 학습자들은 달리고, 걷고, 사물들을 집고, 의사소통하는 방법과 같은 가상세계에서 활동하는 방법을 가르치는 두 번째 온라인 강좌를 수강하고 통과해야 한다. 참가자들은 일단 이 두 가지의 선결과제들을 모두 마치면 실제 3DLE에 참가하기 위해 등록할 수 있다.

3DLE 자체는 사건장면과 관련하여 맥락적으로 상황화되어(contextually situated) 있다([그림 6-24], [그림 6-25] 참조). 참가자들은 도로상에서 발생한 사고와 관련된 새로운 쟁점들과 도전과제들을 탐구해 볼 수 있는 일련의 활동들을 행할 때 응급구조대원의 역할을 수행한다.

핵심적인 역량을 이해하기 위해 요구되는 지식의 적용은 3DLE 내에서의 응급구조대원들의 행동들과 응급구조대원들에 의해서 취해져야 할 최적의 행동들을 개괄적으로 나타

[그림 6-24]　응급구조대원들이 사고현장에 도착한다.

[그림 6-25]　최상의 행동조치를 파악하고 있는 응급구조대원들

내 주고 있는 모범사례 스케줄(timeline)과 비교함으로써 평가할 수 있다. 이 스케줄은 모더레이터(moderator)의 인터페이스에 포함되어 있다. 이것은 모더레이터로 하여금 참가자들이 3DLE 활동들을 할 때 참가자들의 행동들을 실시간으로 평가할 수 있도록 해 준다.

일단 연습이 끝나면, 시스템은 모범사례 스케줄과 대비하여 각 참가자의 행동에 관한 기록을 생성한다. 그런 다음, 모더레이터는 모든 행동과 참가자와의 상호작용을 담고 있는, 참가자의 행동들을 모범사례와 대비해 보았을 때 어떤 부분에서 차이가 나는지에 관한 맥락적으로 구체적인 피드백을 제공해 주는 테이프를 검토한다. 모더레이터는 또한 모범사례로 도출된 결과와의 차이점을 검토한다. 이러한 사후조치적인 검토과정은 참가자들에게 모범사례와 대비하여 누가, 무엇을, 언제, 얼마나 잘 수행했는지에 관한 직관적인 시각을 제공한다.

또한 행동 자체에 내재되어 있는 몇 가지의 필연적인 경험이 있다. 응급구조대원이 도착하자마자 방호복을 입지 못한다면, 공격을 받거나 살해될 가능성이 높다. 구조팀이 사고현장을 신속하게 정리하지 못하면, 2차 사고의 발생 가능성 역시 높아진다. 이러한 실시간 결과들을 표면화하면 학습경험에 대한 실재성을 높일 수 있다.

매크로구조도

[그림 6-26]의 매크로구조도는 3DLE 설계의 원형 적용범위를 시각적으로 쉽게 볼 수 있도록 요약 · 제시해 준다.

이점

물리적인 훈련을 수행하는 것보다 훨씬 더 저렴한 비용으로 신속한 사고현장 처리를 위한 모범사례를 중심으로 배치한 실제적인 3DLE에서 동부해안을 따라 오르내리는 주(州)에 있는 응급구조대원들의 상황대처능력을 배양하는 것이 이 솔루션의 주요한 이점이다.

학습한 교훈

위에서 개관한 것과 같은 3D 학습경험 프로젝트를 실시하고자 하는 사람들을 위한 네 가지의 핵심적인 조언은 다음과 같다.

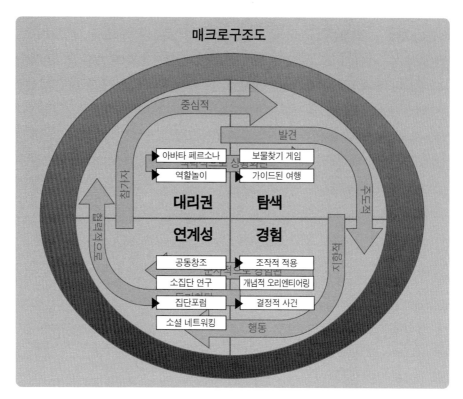

[그림 6-26] 현장응급구조 학습경험을 위한 매크로구조도

교훈 1. 3D의 이점과 한계점을 이해하라. 가상환경은 실제로 참가자들에게 자동차의 각 부품을 조립하여 정비하는 것과 같은 물리적인 기술을 가르치는 것보다 위험한 상황하에서 가장 잘 행동하고 상호작용하는 방법을 가르치는 데 보다 더 적합하다.

교훈 2. 3DLE를 만들기 위해 사용하게 될 소프트웨어 패키지의 한계점을 알라. 3DLE 환경에서 사용되는 대부분의 소프트웨어는 여전히 미숙하다. 그러한 환경에서 작동하는 것들이 성숙하기 위해서는 여러분이 생각하는 것보다 훨씬 더 오래 걸릴 것이다. 테크놀로지 플랫폼의 미성숙과 3DLE 개발이 최고속도에 도달하기 위해 요구되는 학습곡선을 설명하기 위하여 필요하다고 생각하는 시간보다 두 배나 더 많은 시간을 개발시간으로 계획하라.

교훈 3. 3DLE 솔루션을 배치하는 것과 관련된 기술적인 문제들에 주의를 기울여라. 이 사례에서, 연구소는 다양한 주에 있는 다양한 기관들을 다루어야만 했다. 이 기관들 모두는 다른 IT 인프라구조와 다른 클라이언트 장치를 가지고 있었다. 이와 같은 배치상황은 상당한 기술적인 도전과제들을 야기할 수 있다.

교훈 4. 기대를 최대치로 관리하라. 적게 약속하고 더 많이 전달해 주는 것이 그렇지 않은 것보다 항상 더 낫다. 3D가 전달할 수 있는 것과 전달할 수 없는 것을 명확하게 하고 사용하고 있는 소프트웨어 패키지의 한계와 직면하게 될 네트워크 문제들을 아는 것은 주어진 시간 내에 전달할 수 있는 것에 관해 지나치게 약속을 하지 않도록 명확하게 해 주는 좋은 출발점이다. 일반적으로, 처음으로 3DLE를 개발해 볼 계획이라면 상당히 신중하게 접근하는 것이 최선이다.

사례 5: 가상 국경수비대원 훈련

기관에 관한 배경정보

캐나다 온타리오주의 로열리스트대학(Loyalist College)은 세관 관련 분야에서 구직을 원하는 학생들에게 세관과 이민 관련 교육과정을 제공하는 사법(Justice Studies) 프로그램을 운영하고 있다. 많은 졸업생들이 캐나다국경수비국(Canadian Border Service Agency: CBSA) 소속인 캐나다 국경에서 세관원으로 고용되기를 원한다. 국경수비공무원(Border Service Officer: BSO)의 필수적인 기술들 중 한 가지는 여행객을 인터뷰할 수 있는 능력이다. 이 인터뷰는 캐나다에 들어오려는 개인을 모니터링할 때 행하는 표준선별과정의 일부다.[5]

CBSA(이후 캐나다 세관(Canada Customs))는 9/11 이전에 로열리스트대학의 세관 관련 과목들에 등록한 4학년생들이 인터뷰 기술을 실천하고 있는 BSO를 관찰할 수 있는 세관창구에서 3주간의 현장연수 기회를 경험할 수 있도록 해 주는 프로그램에 참여했다. 이러한 배치는 학습자들로 하여금 캐나다로 들어오는 입국관문에서 세관기술과 조작에 관한 실무지식을 얻을 수 있도록 해 주었다.

안타깝게도, 9/11 이후, 입국관문에서의 보안관련 문제의 제고 필요성 때문에, 연수프

---

5) 이 사례연구를 위한 콘텐츠의 상당 부분은 Ken Hudson의 인터뷰와 *Journal of Virtual Worlds*의 자료에 기초했다. Hudson, K., & Degast-Kennedy, K. (2009), Pedagogy, Education, and Innovation in 3-D Virtual Worlds. *Journal of Virtual Worlds*, 2(1), 4-11. Hudson, K. (2009, May, 17). Managing Director, Virtual World Design Centre at Loyalist College. Interview.

로그램은 종료되어 버렸다. 이는 학생들이 국경순찰과정과 여행객들이 실제로 어떻게 인터뷰되는지, 그들이 어떻게 행동하는지와 같은 그들이 접할 수 있는 상황 유형들에 관한 실무지식을 습득할 수 없음을 의미한다.

이 사례연구는 BSO에게 적절한 인터뷰 기술을 훈련시키기 위하여 로열리스트대학이 어떻게 3DLE 솔루션을 개발했는지를 시간 순으로 기술한 것이다.

도전과제

학생들은 세관창구에서의 현장연수 기회를 경험하지 못하였기 때문에, 교수자는 학기 말에 실제 역할놀이 실습에 의해 측정되는, 여행객들과의 인터뷰를 수행하는 것과 관련된 학생들의 수행능력이 감소하였음을 알게 되었다. 결국, 교수자는 실제 평가에서 학생들이 실제 BSO를 관찰하는 프로그램에 참여했던 이전 학생들과 동일한 수준의 표준을 달성하지 못했기 때문에 학생의 성적이 떨어졌다고 말했다. 현재의 학생들은 더 이상 인터뷰를 하고 있는 실제 공무원을 보거나 국경지역에서 근무해 볼 수 있는 경험을 할 수 없다. 더 이상 관찰할 수 있는 기회가 없다. 그 결과, 교수자는 교실 내 역할놀이와 다른 기법들을 활용해 보았지만, 그것들은 실제 국경순찰 경험이 제공해 주었던 적절한 말투와 접근방법, 정보를 전달하는 것보다 비효과적임을 알았다.

BSO는 시민권, 방문의 성격과 목적, 신고물품과 관련된 일련의 필수적인 질문들을 해야 함을 기억해야 한다. 아울러, 해당 공무원은 전문가여야 하고, 2개 국어로 인사할 수 있어야 하며, 가장 중요한 것은 행간을 읽고 비일상적이거나 일관되지 않은 활동이나 행위를 살펴보아야 한다.

3D를 활용한 이유

프로그램 교수자는 국경지대를 방문하는 것을 대신할 방법을 찾았으나 성공적이지 못했다. 로열리스트대학의 가상세계디자인센터(Virtual World Design Center)의 센터장인 Ken Hudson은 이것이 매우 좋은 기회라고 생각했다. "우리는 Second Life의 가상세계를 실험해 왔으며, 이는 학생들이 실제적인(realistic) 환경에서 역할놀이를 수행할 수 있도록 해 주는 한 가지 해결방안이 될 수 있다고 생각했다."

Hudson과 교수자는 3D 솔루션은 학생들이 관찰할 뿐만 아니라(9/11 이전의 경우처럼) 여행처리(travel processing)의 모든 측면에 참여할 수 있도록 해 주는 국경순찰서(border patrol station)를 제공할 수 있을 것이라고 믿었다. 학생들은 더 이상 단순한 관찰자가 아니다. 오히려, 그들은 선임 공무원과 후임 공무원의 모든 임무를 처리할 수 있고, 입국창구에서 충분히 예상될 수 있는 긴급한 문제들을 해결할 수 있을 것으로 기대되는 가상 공무원이 될 것이다.

사례 개발

교수자의 관점에서 볼 때, 실제 방문이 더 이상 가능하지 않기 때문에 가상경험은 좋은 대안처럼 보였다. 실제로, 교수자는 BSO 역할을 수행했던 기관의 전직 고용인이었기 때문에 이 분야에서 직업을 구하고자 하는 사람을 준비시키는 것과 관련된 문제들을 이해하고 있었다. 그녀는 BSO의 높은 실패율을 인식하고 있었으며, 해당 직업의 요구에 대해 학생들과 현직 BSO 모두를 훈련시키기 위한 혁신적인 방법들을 모색하는 데 관심이 있었다. 아울러, 해당 교수자는 다양한 다른 기법들을 시도해 보았으나 커다란 성공을 거두지 못했기 때문에, 가상세계에서 국경검문과정을 역할놀이해 보는 방법으로 시도해 보는 것을 쉽게 받아 들였다.

　기관의 관점에서 볼 때, 그것은 약간 더 어려웠다. Hudson은 그 개념을 행정가들에게 처음으로 설명할 때마다 "그들은 먼 곳을 응시하며, 우리가 말하는 것을 들었지만 그것을 이해하진 못했습니다."라며 안타까워했다. "우리는 대학에게 확실한 필요성을 보여 주어야 했습니다. 우리가 학생들이 가질 수 있는 학습경험 유형의 예들을 제공했을 때, 행정가들도 우리가 수업에 그러한 테크놀로지를 사용할 수 있도록 하는 데 동의했습니다."

　가상세계디자인센터와 세관 및 이민국 프로그램 간의 협력은 실물 그대로의 환경에서 실제적인 역할놀이 경험 세트를 만드는 도전과제를 해결해 주는 시뮬레이션을 만드는 데 목적을 두었다. 사례는 현장여행을 국경순찰포털로 대체하는 혁신적이고 효과적인 방법이며, 디자인센터는 과정을 교수자에게 가능한 한 쉽게 만들기 위해 요구되는 지원과 교수를 제공하도록 개발되었다. 그것은 동의되었고, Second Life에 국경포털을 구축하는 과정이 진행되었다.

해결방안

개발과정은 수업이 시작되기 석 달 전부터 가입하기 시작한 캐나다국경순찰서(Canadian Border Patrol station)를 만드는 것에서부터 시작했다. 개발은 교수자, 교수설계자, 3D 설계자, 실제 세계 건축가들 간의 협력을 필요로 했다. 목적은 온타리오주 랜스다운(Lansdowne) 국경지역을 가능한 한 매우 정확하게 재현하는 것이었다. 이는 현장에 가보고, 사진을 찍고, 국경지역의 배치를 보기 위해 구글어스(Google Earth)를 사용하고, 현직 캐나다 국경순찰 대원들과 공동작업을 통해 가능했다.

검문소가 만들어지고 난 후([그림 6-27] 참조), 다음 단계는 국경을 통과할 차량들을 만드는 것이었다. 상이한 차량들이 만들어질 필요가 있었으며, 각 차량은 문, 트렁크, 밀수품을 수색할 목적으로 열릴 글러브박스(glove box)를 가지고 있어야 했다. 아울러, 학생들이 차량을 수색하는 동안 밀수품을 대면할 수 있도록 상이한 유형의 밀수품들이 만들어져야 했다.

그것은 또한 코드화되어 있어서 차량은 이미지 데이터베이스로부터 차량번호판 번호가 생성되었으며, 번호판 태그가 차량과 국경수비대원의 칸막이한 좌석 안에 있는 가상컴퓨터 모니터에 제시된다. 칸막이한 좌석에 있는 모니터는 차량표지판을 실제 검문지역에 있는 것과 동일한 크기로 제시해 주었다. 훔친 차량, 이민, 밀수문제와 같은 경고기록이 인터뷰 내내 모든 요인들을 평가해야 하는 BSO를 위해 실제적인 자료에 추가된다.

국경검문을 하는 데 있어 또 다른 중요한 요소는 여행서류를 평가하는 것이다. 개발팀은 검사를 위해 BSO에게 전해 주어야 할 여권과 다른 증명서들을 만들었다. BSO가 여권

[**그림 6-27**]　Second Life에 있는 캐나다국경순찰 검문소

을 살펴볼 때, 가장 중요한 정보는 시민권에 관한 증명을 판정하는 것이다. 몰입적인 학습 경험을 준비하는 데 있어 최종적으로 실제감을 주는 것은 학생들의 아바타가 입을 BSO 유니폼을 정확하게 만드는 것이었다. 유니폼은 실제 유니폼의 예를 사용하여 만들어졌다.

훈련은 Second Life 소프트웨어와 교실 안의 모든 학생이 볼 수 있는 큰 모니터를 사용하여 교실에서 행해졌다. 여행객들의 역할을 하는 개인들은 학생들이 운집해 있는 교실과는 다른 방에 모였다. 이렇게 분리한 이유는 BSO 역할놀이를 수행하는 학생들이 누가 아바타 역할을 수행하고 있는지 또는 그들이 캐나다에 들어오려고 하는 누군가의 역할을 표현할 때 무엇을 할 계획인지를 알지 못하게 하기 위해서였다. 교실에서 몇몇 학생들은 BSO의 역할을 가정하기도 했다. 몇 명은 인터뷰 질문을 묻는 것과 같은 주요한 역할을 했고, 몇 명은 문제가 발생하면 주요한 BSO를 지원해 주는 것과 같은 부수적인 역할을 했다. 나머지 학생은 역할놀이와 상호작용을 관찰했다.

역할놀이가 끝난 이후, 학생들은 잠시 휴식을 가졌으며, 그 후 교수자는 여행객의 인터뷰에 대한 토론을 촉진시켰다. 토론은 실제적인 시나리오, 여행객과의 인터뷰의 복잡성, 그리고 그 과정 중에 찾거나 찾지 못한 품목들 때문에 많은 질문이 제기되었으며, 학생들은 대화에 적극적으로 참여했다.

사실성을 더하기 위하여, 국경을 통과하고자 하는 여행객들의 역할을 수행한 사람들은 제공된 인공물(그것에는 증명서류, 아바타, 옷, 민족, 성, 시민권, 자동차번호판이 포함되어 있음)을 사용하여 자기 자신의 시나리오를 개발할 수 있었다. 어떠한 "공식적인" 대본도 없었다. 여행객들은, 실제로 국경을 넘어갈 때 일어나는 것처럼, 캐릭터의 한 부분으로서 분노, 방어, 동요, 과잉 친절과 같은 구체적인 감정 상태를 표현하도록 요구되었다. 시나리오들은 쇼핑 관광, 휴가, 출장, 그리고 다른 종류의 여행과 같이 전형적인 국경 통과 목적들을 대표하도록 의도되었다. 그러나 변화를 주기 위하여, 입국문제와 총기, 밀수, 차량문제와 같은 다른 입국거부문제들이 무작위로 제시되었다([그림 6-28] 참조).

BSO의 역할을 수행하는 학생들은 여행객이 캐나다에 들어올 수 있는 자격이 있는지를 결정하기 위하여 언어적, 시각적 단서 둘 다를 사용했다. 만약 여행객이 "위험인물"처럼 행동하거나 증명서류가 없으면, BSO는 적절한 행동을 취해야 하고 적절한 질문을 해야 했다.

매크로구조도

[그림 6-29]의 매크로구조도는 3DLE 설계의 원형 적용범위를 시각적으로 쉽게 볼 수 있도록 요약·제시해 준다.

[그림 6-28] 국경검문소에서의 인터뷰

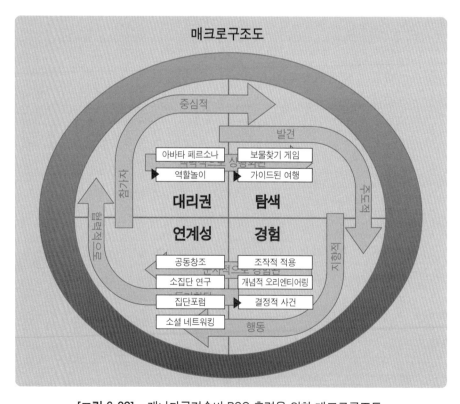

[그림 6-29] 캐나다국경수비 BSO 훈련을 위한 매크로구조도

결과

외부연구자가 학생들에게 시뮬레이션 경험의 결과에 대해 묻는 인터뷰를 했다. 학생들은 자신들의 전체 학습경험을 종합하도록 요구되었다. 학생들은 다음과 같은 응답을 했다.

- 기대에 부응하거나 기대 이상이었다.
- 실제 상황에서 행하는 것과 매우 흡사했다.
- 전통적인 역할놀이에 대한 훌륭한 대안이다.
- 몰입적인 학습경험을 해 보지 못한 사람들에게 유용하다.
- 강좌를 좀 더 흥미롭게 만들었다.
- 보고, 듣고, 행하고. 우리는 실제 그곳에 있었다.

더불어, 교실 내에서 3DLE를 수행한 첫해에 학생들의 성적은 역할놀이를 하지 않거나 국경검문소를 방문하지 않은 이전 연도에 비해 28%나 향상되었다. 두 번째 해에 학생들의 성적은 3DLE를 사용한 첫해에 비해 또다시 9%가 상승했다.

실제적인 시나리오는 학생들로 하여금 자신들이 배운 모든 정보를 적용 가능한 예로 끌어 모으고, 자신들이 만났던 여행객들에게 효과적인 인터뷰를 제공하기 위해 그러한 것들을 연결할 것을 요구했다. 그 결과, 학생들 간에 토론의 양은 평균 이상으로 증가하였으며, 다른 방법들을 사용하는 것보다 훨씬 더 광범위한 주제들을 다룰 수 있는 기회를 제공해 주었다.

기대하지 못한 이점은 학생들이 인터뷰 과정을 기억하는 데 걸리는 속도였다. 처음에는 노트를 사용하는 것이 일반적이었지만, 학생들은 재빠르게 대본에 의존하기보다는 인터뷰하는 동안 자신들의 광범위한 관찰 기술을 사용하기 시작했다. 이것은 그들에게 관찰이 성공적인 직무수행에 핵심이 되는 실제 국경에서 해당 과정을 수행한다는 훨씬 더 강력한 느낌을 주었다.

학생들은 또한 자신들이 그러한 경험을 해감에 따라 자신감도 향상되었다고 말했다. 그러한 자신감은 학생들로 하여금 대부분이 이러한 유형의 선행 훈련이 없는 사람들보다 월등한 수행을 했다고 느끼게 해 주어 경쟁적인 현장검열과정에서 이점이 있다고 인식하게 했다.

학습한 교훈

로열리스트대학이 세관 및 이민과 관련하여 행했던 것과 같은 몰입적인 학습경험을 제공하고자 하는 사람들에게 줄 수 있는 세 가지의 중요한 조언은 다음과 같다.

교훈 1. 몰입적인 학습경험을 수행하기 위하여 조성한 환경이 참가자들이 직업에서 행하게 될 것과 맥락적으로 관련된 것인지를 명확히 하라. 가장 힘든 것은 그러한 환경, 즉 적절한 유니폼에서 여행객들의 차량들, 그리고 캐나다에 들어오기 위해 요구되는 서류들까지를 정확하게 재현하는 것이었다. 역할놀이가 행해지는 맥락은 학습자의 몰입수준에 중요한 영향을 미친다. 세부사항에 대해 세심하게 주의를 기울이면, 참가자들은 실제 여행객들과 상호작용하는 실제 검문소에 있는 것처럼 느낄 것이다. 이는 학습자에게 교육적인 경험을 덧붙여 주었다.

교훈 2. 학습의 개발과 전달이 가능한 한 원만하게 행해질 수 있도록 자원을 적재적소에 배치하라. 환경과 프로그램을 시험하고 재시험하여 교수자가 가장 잘하는 것에 초점에 맞추고 기술적인 문제에 대해 걱정하지 않도록 해야 한다.

교훈 3. 역할놀이 맥락 내에서 성공하기 위해 절대적으로 필요한 내비게이션 기술들만을 가르치라. 로열리스트대학에서 행해진 이 강좌의 경우, 참가자들은 날거나 집을 짓는 것을 배울 필요가 없었다. 우리는 단지 학생들에게 BSO 유니폼을 입는 방법, 부스(booth)를 걷는 방법, 앉는 방법, 말하는 방법, 카메라를 조정하는 방법을 가르칠 필요가 있었다. 그것뿐이었다. 환경 내에서 학습하기 위하여 필요한 핵심기술에만 한정하라.

사례6: 가상환경에서 수사학 교수

기관에 관한 배경정보

미국 인디애나주 먼시(Muncie)에 위치한 볼스테이트대학교(Ball State University) 영문학과에서 가르치는 인문학 강좌들 중 하나가 수사학과 학술연구개론(Introduction to Rhetoric and Academic Research)이다. 전체 90개의 섹션(section)으로 구성된 이 강좌는 학생들에게 주요한 연구기법들을 소개하고, 작문(writing)이 행해지는 다양한 매체와 그러한 매체들이 의사소통에 어떠한 영향을 미치는지를 이해할 수 있도록 도와주기 위해 매년 개설되었다. 이 강좌는 상당한 시각적인 수사학적 요소를 가지고 있을 뿐만 아니라 디지털 작문을 강조한다. 해당 강좌의 교수자인 Sarah "Interllagirl" Robbins에 의하면, "이것은 학생들이 데이터를 수집하고, 집단을 관찰하며, 결과를 보고하는 것을 포함한, 많은 활동들에 참여하면서 자신들을 '지식생산자(knowledge makers)'로 보는 첫 시기들 중 하나다."

도전과제

이 수업의 궁극적인 목적은 학생들이 특정한 독자들을 위하여 일관성 있는 주장을 작문하는 것이다. Robbins가 언급한 것처럼, "수업 중에, 우리는 주장이 어떻게 형성되고, 학생들은 누구에게 글을 쓰며, 그들은 왜 독자에 대해 신경 써야 하는지를 살펴본다." 학생이 고려하고, 이해하며, 인식해야 할 커다란 부분은 자기 자신의 편견이다. 이것은 학생들에게 항상 보이는 것이 아니다.

편견을 노출하고 선입견이 작문에 어떻게 영향을 미치는지를 가르치기 위한 노력의 일환으로, 수업의 대부분은 학생들로 하여금 집단 내 행동들을 관찰하고 그것들을 가능한 한 객관적으로 써 보도록 하고 있다. 전통적으로, 신입생과 2학년 학생들은 무엇이든 가장 쉬운 것을 행하곤 한다. 그들은 기숙사에서 관찰하거나 동료 급우를 면담하곤 했다. 학생들은 몇몇 섹션에서 지역 비영리기구에서 해당 공동체를 도와주면서 자신들의 연구를 수행하기도 했다. 학생들은 상당히 이질적이기 때문에, 친구들을 인터뷰하고 관찰하는 것은 학생들에게 정말 다른 집단들과 충분한 상호작용을 할 수 있는 기회를 제공해 주지는 못했다. 그 결과, 몇몇 학생들은 다른 문화들을 접할 수 있는 기회가 거의 없었기 때문에 상당한 편견을 갖게 되었다. 관찰적인 민족지학적 연구(observational ethnographic research) 수행의 실제와 자신들의 보이지 않는 편견을 이해할 수 있도록 하기 위하여 학생들이 다른 문화들과 상호작용하도록 하는 것이 중요했지만, 선택권(option)은 제한적이었다.

학생들을 다른 나라에 보내는 것은 실현 불가능하고, 그들을 특정한 지역 문화로 보내는 것도 안전하지 않았다. 지리적인 제약과 신변 안전 문제 때문에 선택권은 제한적이었다.

3D를 활용한 이유

학생들을 가르치기 위한 한 가지 선택권은 채팅방과 포럼을 사용하는 것이었지만, Robbins가 학생들이 극복하고자 노력하기를 원했던 요소들 중 하나는 정체성 인식의 개념이었다. 학생들(그리고 우리들 모두)은 옷장, 머리스타일, 신발 선택권을 조작할 수 있는 방법들이 있는데, 이것은 우리가 다른 사람들에 의해 어떻게 인식되며, 역으로 다른 사람들이 우리에 의해 어떻게 인식되는지에 대해 충격을 안겨준다. 아바타를 커스터마이징하는 것이 가능한 가상세계는 학생들이 가상세계에서 옷 입는 방법에 관한 선택권을 가졌을 때 인식과 편견을 좀 더 명확하게 하도록 도와줄 것이라고 생각되었다. 가상세계는 그 주제를 보다 논의 가능하게 해 주었다.

아울러, Second Life에는 학생들이 상대적으로 해롭지 않은 환경에서 다른 사람들과 상호작용할 수 있는 안식처(niche) 문화들이 있다. Robbins는 학생들이 "곧바로 무슨 일이 일어날지를 알 수 없는 문화에 노출되기를 원했다"고 말했다.

3D 환경을 활용한 또 다른 이유는 그것이 학생들 간의 공동체 의식을 증진하는 데 도움이 된다는 것이었다. 공존의식(sense of co-presence)은 학생들이 공동체를 형성하는 데 도움을 준다고 생각되었다. 이것은 작문이 위험부담이 있기 때문에 중요하다. 그리고 만약 학생들 간에 유대가 없다면, 서로에게 좋은 검토(review)를 해 주지 않는다. 그래서 Robbins는 즐거움으로 인해 학생들이 서로 간에 유대감을 주기를 희망하면서 몰입적인 3D 학습환경을 실행하기로 결정했다.

사례 개발

첫 단계는 해당 학과가 학습목적이 이러한 접근방법을 사용하여 달성될 수 있는지를 증명하는 것이었다. Robbins는 학생들을 가르치는 대학원 학생으로서 달성해야 할 구체적인 목적들을 담고 있는 강의계획서와 교실배치도가 주어졌다고 자세히 설명했다. 그 당시에 어느 누구도 이러한 것을 행한 적이 없기 때문에, 학과 구성원들을 설득하는 것은 하나의 도전과제였다. 그녀는 학과와 수업목적이 어떻게 몰입적인 3D 학습환경을 사용하여 달성될 수 있는지를 보여 줌으로써 그 도전과제를 해결했다. 그녀는 그들에게 수업목적이 이러한 새로운 테크놀로지를 통해 달성될 수 있음을 보여 주었다.

기술적인 면 또한 도전과제였던 것으로 밝혀졌다. 영문학과에 있는 소프트웨어 연구실은 Second Life 소프트웨어가 구동될 수 없어서 다른 부서의 지원이 필요했다. Robbins는 연구실에 접근하기 위하여 다른 부서를 사용해야 했고, 이렇게 할 수 있도록 하기 위하여 다른 사람들을 확신시켜야 했으며, VIE 소프트웨어의 값을 치르기 위해 돈을 구해야 했다. 다행히도, 볼스테이트대학교 매체디자인센터(Center for Media Design)는 가상세계 탐색을 도와줄 누군가를 찾고 있어서 Robbins와 볼스테이트대학교 둘 다 상호 간에 유익한 파트너십을 형성했다. 만약 Robbins가 자신의 경험을 보고하고 학생들이 몰입적인 3D 학습경험의 가치를 이해할 수 있도록 도와주면, 센터의 아일랜드를 사용할 수 있었다. 교육적 사례를 만드는 것이 수업이 제자리를 잡도록 하는 데 매우 중요한 요소였다. Robbins는 "내가 이 접근방법을 정당화하지 못했다면, 기금이나 연구실을 구하지 못한 것은 문제가 되지 않았을 것이다. 교육적인 요소가 가장 중요했다"라고 말했다.

해결방안

다행히도, 해당 강좌는 가을학기에 개설되었고, 늦은 봄에 승인이 나서, Robbins는 여름방학 석 달 동안 학생들이 들어올 학습공간을 준비할 수 있었다. 그녀는 처음에 방을 너무 많이 지었고, 학생들에 의해 많이 이용되지 않았던 공식적인 공간들을 만들었다고 말했다. 그녀는 그 후 학생들이 공간을 추가하고 자신들만의 구조들을 구축할 수 있도록 허용했다.

수업을 위해 아일랜드에 만들어진 가장 성공적인 요소들 중 하나는 기숙사였다. 기숙사는 학생들에게 그들만의 공간을 제공해 주었고, 그들에게 그 공간의 일부분에 대한 소유권을 주었기 때문에 매우 효과적이었다. 기숙사의 디자인은 원래 보호시설을 설계해 간수들이 항상 모든 사람을 볼 수 있도록 한 Jeremy Benthem에 의해 만들어진, 한 곳에서 내부가 전부 보이는 원형구조에 기초했다. Robbins와 학생들은 보호소 개념을 역이용하여 방을 서로 볼 수 있도록 하여 학생들이 공통 공간에서 우연히 만났을 때 비공식적인 대화를 할 수 있도록 했다. 그들은 또한 자신들의 방을 꾸미고 동료 학생들과 자신들이 선택한 장식에 관해 토론할 수 있었다. 마침내, 학생들은 실제로 그 아일랜드를 개발했다. 그들은 그 환경 속에 자신들이 원했던 공간과 아이템들을 만들었다([그림 6-30] 참조).

수업은 일주일에 두 번, 75분 동안 행해졌다. 해당 주의 첫 번째 수업은 면대면으로 행해졌으며, 두 번째 수업은 완전히 Second Life에서 행해졌다. 면대면 수업은 교과서에서 읽은 것을 토론하고, 작문기술을 탐색하며, 작문과정을 성찰하기 위해 사용되었다. 실제 가상세계 모임(in-world meeting)은 연구실 시간이 되었다. 그 시간 동안, 학생은 지난 수업시간에 배웠던 기술을 연습하기 위하여 실기에 참여했다. 예를 들어, 참가자의 관찰연구 기법에 관한 주제를 검토할 때, 그 집단은 학생들이 연구를 수행할 수 있었던 공동체의 일원이 되는 방법에 대해 토론했다. 실제 가상세계 모임 동안, 학생들은 쿨에이드맨(Kool-Aid men)처럼 복장을 하고 인기 있는 Second Life 댄스클럽을 방문했다. 쿨에이드맨 복장은 너무 커서 거추장스럽고 이상해서 그 학생들을 댄스클럽에서 인기 없게 만들었다([그림 6-31] 참조). 댄스클럽의 주인은 결국 쿨에이디맨 복장을 한 학생들에게 정중하게 그러나 단호하게 나가줄 것을 요청했다. 그 학생들이 교실로 돌아왔을 때, 그들은 다른 댄서들과

[그림 6-30]   Second Life에 있는 기숙사

[그림 6-31]   클럽에 갔을 때 너무 커서 거추장스러운 쿨에이드맨 복장을 입은 학생들

부딪쳤을 때 그 공간에 비해 너무 크다고 느꼈다고 보고했다. 그들은 댄스클럽을 즐기고 있는 군중에 적합하지 않았다.

그 후, 그 학생들은 클럽에 더 적절한 복장으로 갈아입고 돌아왔다. 클럽에서의 응대는 매우 달라졌으며, 그 결과 학생들은 집단에 받아들여졌다. 물리적인 공간에서는 불가능한 이 연습은 해당 학생들로 하여금 실제적이고 노골적인 방법으로 차별을 느끼게 했다. 그 연습은 편견은 작을 수 있지만 여전히 상처를 줄 수 있음을 지적했다. 학생들은 이제 집단에서 배제되는 것에 관한 실제 지식을 가졌기 때문에, 그들은 자신들이 공부하기를 원했던 사람들 속에 혼합될 필요가 있는 것과 그러한 사람들의 일부가 된다는 것에 관한 값진 통찰력을 얻었다.

매크로구조도

[그림 6-32]의 매크로구조도는 3DLE 설계의 원형 적용범위를 시각적으로 쉽게 볼 수 있도록 요약·제시해 준다.

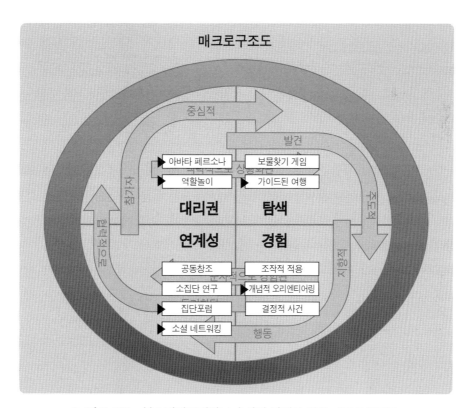

[그림 6-32] 볼스테이트대학교 수사학 강좌를 위한 매크로구조도

이점

주요한 이점은 학생들이 불가능하지는 않지만 실제 교실에서 재현하기 어려운 개념과 문제들을 다루는 실제적인 경험을 했다는 것이다. 예를 들어, 학생들은 성(gender)에 대한 논문들을 읽고 의견을 같이 할 수 있지만, 실제로 그들이 성을 전환할 때까지는 그 개념을 깊은 수준까지 이해하지 못했다. 그들이 어떤 저녁 시간 동안 성을 전환했을 때, 그것은 그들에게 성 역할과 기대와 관련된 감정과 문제들에 관한 새로운 이해를 제공했다. 그들은 외국인 또는 쿨에이드맨과 같은 복장을 하고 여러 장소들을 방문했고, 무작위의 낯선 사람들과 만나 대화를 했다. 학생들은 실제 세계에서는 상당한 잠재적인 위험 없이는 행할 수 없었던 활동들을 수행했다. 몰입적인 3D 학습경험은 학생들이 효과는 있지만 안전한 활동들에 참여할 수 있도록 해 주었다.

결과

주요한 결과들 중 하나는 학생들이 해당 강좌에 매우 적극적으로 참여했다는 것이다. 수업이 끝났을 때, 학생들은 Second Life에 남아 계속해서 수업 프로젝트를 수행했다. 교수자에게 주는 한 가지 이점은 그녀가 그 공간 속에 남아 학생들의 행동과 상호작용을 관찰할 수 있었다는 것이었다. 그 수업을 통해 얻어진 공동체의 수준은 보편적으로 높았다. 학생들에게 물었을 때, 대부분의 학생들은 다른 수업들에서보다 서로 간에 더 가까워졌다고 느꼈으며, 온라인 공간이 지속적인 모임장소를 제공해 주어 그들이 "서로를 어디에서 찾아야 하는지를 알고 있기" 때문에 협동적인 프로젝트를 완수하는 것이 더 쉬웠다고 말했다. 몇몇 학생들은 그들이 외롭거나 단지 다른 과제에 대해 채팅할 누군가를 찾기를 원했을 때 그 공간에 로그인했다고 보고했다. 학생들은 Second Life에서 강좌와 그러한 공간을 부여받았다. 몇몇 학생들은 그 아일랜드에서 "집에 있는" 것처럼 느꼈고, 그곳을 교실 이상으로 생각했다고 말했다. 학생들의 평가는 높았다. 그들은 강좌에서 배웠던 지식을 다른 활동들에 적용하는 것에 대하여 말했다. 그들은 또한 재미있었을 뿐만 아니라 학습도 했다고 말했다.

학습한 교훈

위에서 개관한 것과 같은 3D 학습경험을 제공하고자 하는 사람들에게 줄 수 있는 세 가지의 중요한 조언은 다음과 같다.

교훈 1. 학습목적에서 시작하여 거기에서부터 뒤로 행하라. 가장 중요한 부분은 학습이다. 만약 학습목적이 명확하지 않고 적소에 있지 않으면, 테크놀로지는 작동하지 않는다. 학습목적이 먼저 와야 한다. 만약 단지 테크놀로지에만 집중한다면, 학습경험은 높아질 수 없다.

교훈 2. 학습자와 의사결정자가 수업을 위해 몰입적인 3D 학습경험을 사용하여 얻고자 하는 결과물들을 명확하게 이해하도록 하라. 왜 여러분이 교수(instruction)를 3D에서 행하는지에 관하여 매우 분명하게 하라. 장점들을 명확하게 진술하고, 그 장점들을 전면에 내세우라.

교훈 3. 많은 사람들을 참여시키는 VIE 내에서 가르친다는 것은 교실이 그 교실을 넘어 더 커다란 공동체로 나아갈 수 있음을 의미한다. 교수들은 매우 빈번히 격리된 채 가르치지만, 학생들은 가상환경에서 전 세계의 무수한 사람들과 상호작용할 수 있다. Robbins는 "종종, 수십만 마일이나 떨어져 있는 나라 사람들이 그 교실을 방문하여 학생들과 통찰력과 아이디어들을 공유했다."라고 말했다. 교수자의 관점에서 볼 때, 다른 교수자들이 그 수업에 쉽게 들어와 상호작용을 관찰하고 수업에 참여할 수 있다.

사례 7: 가상 그린홈에서 환경과학 학습

Mary Ann Mengel

기관에 관한 배경정보

펜실베이니아주 리딩(Reading)에 위치한 펜실베니아주립대학교(Pennsylvania State University) 버크스대학(Berks College)은 Pen State University 시스템에 속해 있는 20개의 캠퍼스들 중 하나다. Penn State Berks에는 대략 2,800명의 학부 학생들이 등록되어 있다. 학생 대 교수 비율은 19 : 1이다. 학생들은 Penn State Berks에서 14개의 학사학위나 8개의 연계학위들 중 하나를 이수할 수 있다. 혹은 Penn State의 University Park 캠퍼스에서 이수할 수 있는 160개 이상의 학사학위들 중에서 첫 두 해 동안 수학할 수 있다.

도전과제

환경과학(Environmental Science, Bi Sc 003) 강좌는 대학에서 교양교육 중 자연과학 요건을 충족시킨다. 그 강좌는 전통적으로 강의, 읽기 과제, 퀴즈, 프로젝트, 그리고 다섯 번의 시험으로 구성되어 있다. John M. Meyers 교수는 그 강좌 중 두 섹션을 가르친다. Meyers 교수는 수업에서 그 강좌의 교수자료 모두를 다루는 데 어려움을 겪어 왔으며, 수업시간이 부족하여 이전에 그린홈(green home) 설계를 위한 고려사항에 관한 주제를 다루지 못했다.

강좌에 자기 진도의(self-paced), 온라인 교수요소를 추가함으로써, 학생들은 값진 수업시간을 희생하지 않고 시의적절하고 관련된 주제인 그린홈에 대한 고려사항에 대해 배우곤 했다.

3D를 활용한 이유

3D 가상세계는 학생들에게 그린홈과 같은 실제 세계 3D 공간에 대해 가르칠 수 있는 독특한 교육적 가능성을 제공한다. 가상방문(virtual visit)은 그렇게 하지 않으면 이 강좌의 스케줄 내에서는 불가능한 그린홈을 방문하는 경험을 재현할 수 있다.

학생들은 그린홈에 대한 가상 현장견학에 참여하고, 자신의 아바타들이 공간 구조를 걸어 다니면서 공간적인 특성과 설계요소를 더 잘 이해할 수 있다. 학생들은 가상 그린홈에서 아바타의 존재를 경험하면서 자기 진도대로 3D 공간을 자유롭게 탐색할 수 있으며, 그 과정에서 환경 친화적인 주택에 관한 고려사항들을 관찰·학습할 수 있다. 학생들은 가상방문 동안 다른 아바타들을 만나고, 그린홈에 대한 대화에 참여할 수 있다. 학생들은 3D 가상 그린홈에 대한 가상 현장견학에 참여함으로써 아마도 자신들이 실제로 그 사이트를 방문한 것과 같은 느낌, 즉 그린홈에 관해 기술한 교과서를 읽는 것보다 훨씬 더 기억할 만한 경험을 하고 떠날 수도 있다.

사례 개발

Penn State Berks의 교수학습센터(Center for Learning and Teaching)에 재직 중인 멀티미디어전문가인 Mary Ann Mengel은 3D 학습경험을 Meyers 교수의 환경과학 강좌에 통합하자는 아이디어를 제안했다.

Second Life의 교육적 활용 가능성을 연구해 오고 있었던 Mengel은 가상 그린홈 방문은 Bi Sc 003 강좌에 참여적이고 상호작용적인 온라인 요소를 추가하기 위한 효과적인 방법일 수 있다고 제안했다. Second Life에 있는 교수사이트(instructional site)는 학생들이 추가적인 강좌 콘텐츠를 교실 밖에서 자기 진도대로 경험할 수 있도록 해 줄 수 있었다. Mengel은 이 아이디어에 호기심을 갖고 있는 Meyers 교수에게 Second Life를 시범 보였다. Mengel은 자신의 연구의 일부분으로 이미 그린홈에 대한 가상교육사이트를 개발하고 있었기 때문에, 가상사이트를 만들기 위해 Penn State Berks가 지불해야 할 비용도 없었으며, Meyers 교수는 강의 콘텐츠를 개발하기 위하여 시간을 거의 투자하지 않아도 되었다.

결과적으로, 가상세계에 해당 단원을 제시해 보고자 하는 결정은 쉬웠다. Meyers 교수는 자신의 강좌에 가상 그린홈 방문을 통합하는 것은 가치를 높여 줄 것이라는 데 동의했다.

해결방안

Mengel은 대학원 공부를 하고 있는 블룸스버그대학교(Bloomsburg University)가 소유하고 있는 Second Life 아일랜드에 가상 그린홈을 설계하고 구축했다([그림 6-33] 참조).

학생들이 가상세계를 방문하는 동안 그들을 활동에 참여시키기 위하여, 사이트 설계

[그림 6-33] 블룸스버그대학교의 Second Life 아일랜드에 있는 가상 그린홈

시 보물찾기 게임을 통합했다. 파란색 디스크로 표시된 학습소(learning station)는 그린홈의 실내 공간, 실외 공간, 지하, 지붕 전역에 걸쳐 총 22곳에 배치되었다. 방문자들은 22곳의 모든 학습소를 찾아 위치를 표시하도록 지시를 받았다. 각각의 파란색 디스크는 건드렸을 때 노트카드(note card)를 제공한다. 노트카드는 그린홈의 특정한 면을 기술하고, 관련된 설계 시 고려사항들을 설명한다. 예를 들어, 방문객은 지붕 위의 태양열 패널, 주요 주거공간의 대나무 바닥, 지하의 지열 펌프, 마당의 토착식물 정원에 대해 기술하고 있는 노트카드를 읽을 수 있다.

학생들을 콘텐츠에 좀 더 매료되도록 하기 위하여 몇 가지 상호작용적 특징들을 포함했다([그림 6-34] 참조). 학생들이 벽의 특정 부분을 클릭하면 벽 내부의 면으로 된 절연체가 드러난다. 학생들이 또한 화장실에 있는 두 가지 버튼들 각각을 클릭하면, 이중수세식 변기(duel-flush toilet)에 있는 두 가지의 수세식 옵션이 만들어 내는 소리의 차이를 들을 수 있다. 학생들은 빗물통에 모이는 빗물을 보고 듣는다. 애니메이션화된 퇴비보관함은 퇴비가 만들어지는 방법을 보여 준다. 텔레비전은 사이트의 콘텐츠와 관련된 실제 세계 예제 사진들을 보여 주는 슬라이드 쇼를 제시한다. 그린홈의 복도 끝에 있는 우편함은 방문자들이 사이트의 소유주와 의사소통하기 위한 노트카드를 남겨 놓고 갈 수 있도록 해 준다.

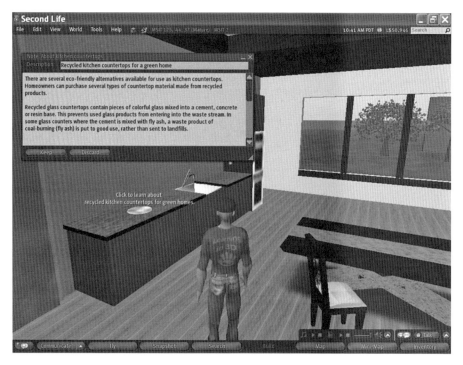

[그림 6-34] 학생들을 가상 홈에 보다 매료시키기 위한 상호작용적인 특징들

학생들은 각 학습소 근처에서 해당되는 노트카드에 기술된 특징에 관한 3D 표현을 볼 수 있다. 학생들은 각각 특징화된 아이템을 둘러보고 그것을 다각적인 각도에서 볼 수 있는데, 각각의 환경 친화적인 특성은 집이라는 맥락에서 시각화되어 있다. 집을 지을 때, 사진처럼 실제적인 렌더링(rendering)이 꼭 필요한 것은 아니었다. 집 설계는 단지 그린홈에 있다는 실제감을 전달하고 각 특징에 관한 정확한 사진을 제시해 줄 정도의 사실성만을 포함하면 된다.

가상세계 내에서의 내비게이션을 보다 촉진하기 위하여, 몇 가지 설계 측면들이 수정되었다. 예를 들어, 지붕은 아바타가 집으로 날아 들어오고 나갈 수 있도록 큰 문을 가지고 있다. 공간 이동 패드(teleport pad)는 지하와 지붕을 방문할 수 있도록 도와주기 위하여 전략적으로 바닥 전체에 배치되었다. 마당에 있는 상호작용적인 공간 이동 지도(map)는 학습소의 위치를 보여 주기 때문에, 아바타들은 지도를 클릭하여 선택한 학습소로 공간 이동할 수 있다.

환경과학 강좌에서, 그린홈 단원은 3주 동안 진행되었다. 학생들은 첫 주 동안에 사전지식을 검사받기 위해 수업시간 동안에 사전검사를 받았다. Mengel은 사전검사 다음 수업 동안에 Second Life에 대한 간략한 시범을 보였다. 학생들을 학습환경에 좀 더 잘 준비시키기 위하여, 온라인 과정관리시스템에 소개문서가 제공되었다. 이 문서는 Second Life를 다운로드하고 계정을 만드는 방법에 대한 설명을 제공해 주었다. 또한, Second Life 사용 방법을 설명해 주는 몇몇 YouTube 비디오에 대한 링크들이 포함되어 있었다.

두 번째 주 동안에, 강좌관리시스템에 가상 그린홈에 대한 Second Life의 URL를 포함한 문서가 제공되었다. 학생들에게는 다음 주 동안 그린홈을 방문하고, 22개의 노트카드 모두를 모으기 위해 보물찾기 게임에 참여하며, 노트카드들을 검토목록에 저장하고, 자신들의 이름이 써진 노트카드들을 그린홈의 우편함에 넣음으로써 방문기록을 남겨 놓는 과제가 주어졌다. 학생들은 편안할 때면 언제든지 가상 그린홈을 방문할 수 있는 옵션을 가지고 있었다. 그들은 혼자서 또는 친구의 아바타를 동반하고 방문할 수 있었다. 그들은 단한 번만 방문하거나 여러 번 재방문하는 것을 선택할 수 있었다. 그 다음 주에 그린홈의 특징에 대한 시험이 있을 것이라고 공지되었다. 그것은 학생들이 각각의 노트카드의 콘텐츠를 워드문서로 붙여 넣음으로써 자신만의 스터디 가이드를 만들 수 있음을 시사했다.

학생들은 세 번째 주 동안에 자신들이 가상방문하는 동안 배웠던 것을 알아보기 위하여 사후검사를 받았다. 학생들은 그린홈에 관련된 콘텐츠에 대한 질문들과 더불어 가상세계에서의 자신의 경험의 질에 대한 질문들을 받았다.

매크로구조도

[그림 6-35]의 매크로구조도는 3DLE 설계의 원형 적용범위를 시각적으로 쉽게 볼 수 있도록 요약·제시해 준다.

이점

학생들은 그린홈과 관련된 강의 콘텐츠를 가상세계에서 전달받음으로써 그렇게 하지 않으면 불가능했을 그린홈에 대한 현장견학을 경험할 수 있었다. 학생들은 아바타를 통해 그린홈의 안과 밖을 걷고 지나갔는데, 이 때 그들은 그린홈의 녹색성장 특징을 관찰할 수 있었다. 학생들은 그린홈을 방문하는 동안 노트카드의 위치를 찾고 저장했다. 교수사이트에 통합된 상호작용적인 특성들을 활용하고 3D 콘텐츠를 탐색해 봄으로써, 학생들의 가상적인 실재성(presence)은 그들이 공부하고 있는 콘텐츠 속에 물리적으로 몰입되었다.

학생들은 이러한 콘텐츠 전달 방법을 좋아하는 것 같았다. 한 학생은 "제가 배웠던 교

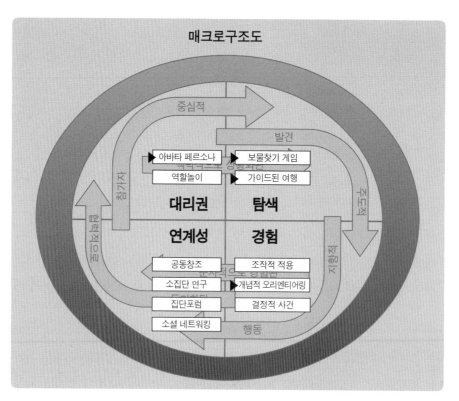

[그림 6-35] 가상 그린홈을 위한 매크로구조도

수자료는 교육적이었기 때문에 그것을 좋아했을 뿐만 아니라, 집에서도 볼 수 있었기 때문에 그것을 직접 경험하는 것처럼 느껴졌습니다."라고 말했다. 다른 학생은 "저는 그린홈을 경험하는 것 같아서 그것을 좋아했습니다."라고 말했다. 또 다른 참가자는 "가상 그린홈에서의 학습은 제가 모든 것을, 그리고 그것의 기능들을 직접 볼 수 있는 기회를 가질 수 있었기 때문에 상호작용하고 학습하는 데 효과적인 방법이었습니다."라고 말했다.

사이트 방문객들은 가상 그린홈의 상호작용적인 요소를 즐겼다고 말했다. 그들이 학습하는 데 어떤 요소가 도움이 되었는지를 물었을 때, 한 참가자는 "저는 화장실, 절연체, 텔레비전 등과 같은 것들을 클릭하는 방법과 그것들이 작동하는 것이 좋았습니다."라고 말했다. 다른 참가자는 상호작용적인 지도의 중요성을 언급했는데, 그는 "제가 노트들 중 하나를 찾을 수 없었을 때, 지도를 살펴보고, 그것들이 있는 곳으로 공간 이동할 수 있었습니다."라고 말했다. 또 다른 참가자는 "사람들에게 도움을 요청하기 위해 자유롭게 타이핑할 수 있는 것"의 중요성을 언급했다. 가상 그린홈을 개선하기 위한 추천사항들에 대해 물었을 때, 한 참가자는 "가상 그린홈과 상호작용할 수 있는 더 많은 방법들을 추가해 주십시오."라고 말했다.

한 참가자는 그가 학습할 수 있도록 도와준 가상 그린홈의 특징은 "날 수 있고 공간이동할 수 있는 것이었습니다. 저는 날 수 있었기 때문에 사이트의 여기저기를 쉽게 이동할 수 있었습니다."라고 말했다. 비슷하게, 또 다른 학생은 날 수 있었던 것을 중요하게 지목하면서, "… 주변을 날 수 있었기 때문에, 저는 모든 집이 제공해야 하는 것을 볼 수 있었습니다."라고 말했다. 비슷한 생각들이 "저는 자유롭게 이동하고 제가 먼저 원했던 것을 탐색할 수 있었기 때문에 날아가는 것은 [저의 학습에서 중요했습니다]."라는 코멘트 속에서도 나타났다.

분명히, 참가자들의 코멘트는 가상환경 내에서 마치 그들이 실제로 참여하고 있는 것처럼 느낀 "경험"과 "상호작용"을 언급한다. 학생들의 실재성을 그들이 학습하고 있는 콘텐츠 내에 섞을 수 있는 이러한 능력은 불가능하지는 않지만 가상세계 영역 밖에서는 달성하기 어렵다.

결과

가상 그린홈을 방문했던 학생들의 사전검사와 사후검사 점수 간에 상당한 차이가 있어 ($t(57)=-10.545$; $p=.00$), 교수사이트는 효과적이었다. Second Life에서 보낸 시간의 양 ($r(57)=.385$; $p=.003$)과 참가자들이 이전에 Second Life를 사용해 본 적이 있는지 여부

((r(57)=.339; p=.009)는 더 높은 사후검사 점수와 상당한 상관이 있었다. 가상 그린홈에서 보낸 시간이 많으면 많을수록 참가자들이 더 높은 사후검사 점수를 받을 가능성은 14.8% 정도 증가했다. 또한 Second Life에 대한 사전경험을 가지고 있으면 참가자들이 더 높은 사후검사 점수를 받을 가능성이 11.5% 정도 증가했다. 학생들은 가상 그린홈을 방문하기 전에 단 일주일밖에 가상세계 환경에 익숙해질 수 있는 시간을 갖지 못했기 때문에, 그들의 사전검사 점수 대비 사후검사 점수가 상당히 증가하였음을 보여 주었다는 사실은 매우 희망적이다. 한 학생은 "저는 단지 교수자료를 학습하는 것 대신에 내비게이션하는 방법을 배워야만 했습니다."라고 말했다. 학습곡선이 높다는 사실은 피할 여지가 없으며, 그 환경에 완전히 순화되기 위해서는 시간이 걸린다.

58% 이상의 학생들이 Second Life에서의 교수적 경험을 즐겼다고 말했다. 55% 이상의 학생들은 교과서나 강의를 통해 배웠던 것보다 가상 그린홈 방문을 통해 더 많이 배웠다고 생각했다. 몇몇 학생들은 컴퓨터기반 교수를 사용하는 것을 즐겼다고 말했다. 일반적으로, 교수경험을 즐기지 못했다고 말한 학생들은 온라인 게임이나 Second Life를 좋아하지 않는다거나 온라인 교수보다는 교과서나 강의를 선호한다와 같은 이유들을 제시했다.

학습한 교훈

위에서 개관한 것과 같은 3D 학습경험 프로젝트를 제공하고자 하는 사람들에게 줄 수 있는 세 가지의 중요한 조언은 다음과 같다.

교훈 1. 테크놀로지가 학습에 걸림돌이 되지 않도록 하라. 가상세계에서 학습할 학생들은 먼저 테크놀로지에 익숙해지는 것이 매우 중요하다. 가상세계를 내비게이션하기 위해서 요구되는 기술들은, 인터넷이 매우 새로웠을 때 단지 몇몇의 테크놀로지를 잘 다루는 사람들만이 하이퍼링크를 찾고 클릭하는 방법을 이해했던 것과 매우 동일하게, 아직 일반적인 지식은 아니다. 학생들이 가상세계에서 내비게이션하고 의사소통하는 방법을 쉽게 다룰 수 있도록 함으로써 교수에 집중하고 완전히 참여할 수 있는 그들의 역량이 손상되지 않도록 하기 위하여, 철저한 오리엔테이션과 훈련을 제공해야 한다. 학생들을 어떻게 가상세계에 쉽게 들어오도록 할 것인지에 관한 계획을 수립하라. 학생들을 참여시키기 위해 준비시키는데, 혹은 교수활동에 완전히 참여할 것으로 기대하기 전에 충족되어야 할 일련의 작은 훈련 이정표들을 설정하는 데 시간이 소비될 것이라는 점을 예상하라.

교훈 2. 이유가 없으면 행하지 말라. 단지 재미있을 것 같기 때문에 새로운 테크놀로지를 사용하려고 한다. 가상세계가 각각의 그리고 모든 학습목표를 달성하는 데 항상 적합하다고는 볼 수 없다. 가상세계에서 전달됨으로써 확장될 수 있는 몇 가지 유형의 교수(instruction)가 있다. 훨씬 더 쉽고 아마도 훨씬 더 효과적인 해결책들이 될 수 있는 다른 유형의 교수도 있다. 만약 가상세계를 활용한다면, 가상세계의 독특한 교육적 잠재성을 극대화하라. 상호작용적인 요소들을 통합하고, 협력적인 집단활동들을 계획하며, 3D 공간에 의해 창출될 가능성을 끌어 올려라. 그렇지 않으면, 교수결과는 방문을 위해 준비하는 데 투자한 시간에 비해 가치가 없을 수도 있다.

교훈 3. 세부사항에 얽매이지 마라. 실제 세계를 정확하게 세부적으로 묘사한 사이트를 구축하거나 구축된 사이트를 가질 필요는 없다. 가상세계 방문자들은 자신들의 주위를 상징적인 용어들로 해석하는 것처럼 보인다. 그들은 단순하게 만들어진 객체(object)도 이해할 수 있으며, 비록 세부사항이 사진처럼 실제적으로 묘사되지 않았어도, 그것이 표현하고 있는 실제 세계 객체처럼 정신적으로 해석할 수 있다. 교수설계를 위한 에너지의 대부분을 극도로 세부적인 환경을 구축하는 데보다는 가상세계에서 무슨 일이 일어날 것인지를 계획하는 데 투자하라.

사례 8: 글로벌 대학원생을 위한 가상 도전과제 만들기

기관에 관한 배경정보

BP(前 British Petroleum)는 세계에서 가장 큰 회사들 중 하나다. 회사의 국제적인 역량과 매우 기술적인 업무활동 때문에, 최고기술책임자(chief technology officer: CTO)는 BP의 비전과 임무를 발전시킬 수 있는 새로운 테크놀로지들을 밝혀내고 활용하기 위하여 "게임체인저(Game Changer)"라는 전략적인 과정에 관여했다.

CTO 팀은 2008년도에 3D 가상환경을 게임체인저 테크놀로지라 명명했다. 그 이후, CTO 팀은 이 테크놀로지가 적용될 수 있는 많은 BP 사업들에 앞장서 왔다. 이 사례연구는 BP의 글로벌 대학원생 도전과제(Global Graduate Challenge: GGC)를 물리적인 회의에서 3D 학습경험으로 전환하는 일련의 과정을 시간 순으로 기술한 것이다.

도전과제

BP는 훈련과 개발을 매우 진지하게 받아들인다. 대학원생들은 과거에 다음과 같은 세 가지의 핵심적인 목표들을 가진 3일 동안의 포럼으로 최정점에 이르렀던 2개년의 초기 개발 프로그램을 시작했다.

1. 참가자들이 미래의 관리자들이 될 수 있도록 BP의 보다 넓은 사업목표들을 이해시킨다.
2. BP가 세계 도처에 있는 우수사례를 신속하게 확인하고 공유할 수 있도록 해 주는 글로벌 네트워크를 만든다.
3. BP의 미래 지도자들에게 회사의 현재의 선임지도자들을 접하게 한다.

글로벌 대학원생 포럼(Global Graduate Forum: GGF)은 2007년에 많은 BP의 선임지도자들이 포함된 일련의 발표와 활동들을 위해 750명의 글로벌 대학원생 중 300명을 런던으로 데려왔다. 물리적인 회의는 참석할 수 있었던 참가자들로부터 호평을 받았지만, 비용과 시간적인 제약(어떤 지역에서는 10명 중 추첨에 의해서 선택된 단 1명만이 참석할 수 있었다) 때문에, 많은 대학원생들이 자신이 속해 있는 곳으로부터 런던까지 오는 데 필요한 적절한 지원을 받지 못했다.

BP는 2008년에 국제적인 경제압력과 도전의 증가로 인해 여전히 GGF 해결방안의 목표들을 달성시켜 주는 다른 대학원생 개발 기회를 찾기로 결정했다. 인적자원부서는 CTO의 3D 가상환경 게임체인저 계획에 관해 들었기 때문에 CTO 팀으로 하여금 해결방안을 찾도록 했다.

해결방안을 개발하는 것은 간단하지는 않았다. 2년 전에, 2006년에 새롭게 선발된 대학원생들은 프로그램이 자신들에게 선임지도자들과 네트워킹할 수 있는 기회가 제공되었던 GGF로 최정점에 이르게 될 것이라는 기대를 가지고 BP에 왔었다. 종종 이러한 네트워킹은 그 회사 내에서 성공적인 리더십 경력을 쌓을 수 있는 기회와 고용으로 이어졌다.

GGF의 원래 학습목표들을 달성하고, 전통적으로 포럼에 참가할 수 없었던 사람들에게 접근할 수 있는 기회를 제공하는 해결방안을 도출해 내며, 동시에 그 해결방안이 참가자들과 선임지도자들 간에 시너지 효과가 있고, 뜻밖의 재미있는 상호작용을 주기 위하여, 물리적인 포럼이 제공했던 네트워킹의 미학을 유지하는 것을 보장하는 것이 중요했다. 이로 인해, GGC가 탄생했다.

3D를 활용한 이유

GGF의 학습목표들을 고려해 볼 때, 처음부터 원격컨퍼런스, 토론방이 있는 비디오스트리밍, 웹 컨퍼런스 발표만으로는 충분하지 않았다. 콘텐츠 중 일부는 이러한 방법들을 통해 효과적으로 전달될 수 있을지 모르지만, 흔히 발표 맥락 밖에서 일어나는 소셜 네트워크를 형성하기 위한 능력을 달성하기는 매우 어려웠다.

CTO 팀은 2008년에 그것을 게임체인저라고 명명했던 선도적인 것으로서, 상당 기간 동안 가상세계 테크놀로지들을 연구해 왔다. 이러한 테크놀로지를 다른 기업학습 및 협력 플랫폼과 차별화해 주는 역량들을 시험하는 과정에서, 3D 환경은 설계에서 적절하게 구현된다면 참가자들을 3일 동안 계속 참여시킬 수 있는 몰입과 공존감을 제공해 줄 수 있을 뿐만 아니라 동시에 참가자들과 선임지도자들 간에 뜻밖에 재미있고 즉각적인 상호작용을 제공해 줄 수 있을 것이라는 점이 명확해졌다.

사례 개발

재정적인 관점에서 볼 때, 회사는 경제적인 상황으로 인해 더 이상 물리적인 GGF 지원과 관련된 엄청난 비용을 감당할 수 없었다. 다른 대안이 마련되어야 했고, 그것은 사람들을 물리적으로 모으는 것보다 훨씬 더 비용 효과적이어야 했다.

인적자원팀의 관점에서 볼 때, 그러한 모임은 2006년 대학원생들이 선발되었을 때, 그리고 그곳에서 일어나는 것으로 설정되기를 기대했다. 대학원생 프로그램의 최정점을 인식하기 위해 아무것도 하지 않는 것은 대학원생들을, 심지어 참여할 사업체로부터 지원을 받지 못할 수도 있는 사람들을 분명히 화나게 할 것이었다. 물리적인 GGF의 원래 목표들을 유지하면서 참여 역량과 네트워크화된 상호작용을 증진시켜 주는 혁신적인 해결방안을 개발하기 위한 요구가 최고조에 달했다.

CTO 팀은 회사의 금융자본과 인적자본 모두에서 훌륭한 관리자들이 되기 위한 동시적인 요구들을 해결하기 위해서 Fordadland 2025(매우 관련 있는 문제에 기초하여)라는 미래의 도전에 기초하여 구축된 3D 학습경험을 호스팅함으로써 사업체의 재정적인, 그리고 인적자원 책무요구 모두를 해결할 수 있는 사례를 만들었다.

인적자원팀의 관점에서 볼 때, CTO 팀들이 Fordadland Challenge를 완수하기 위하여 가상으로 일했고 그 도전과제와 관련된 핵심적인 전략적 결정들에 관하여 선임지도자와 상호작용했던 3D 글로벌 대학원생 빌리지(Global Graduate Village: GGV)의 구축은 학습과 네트워킹을 독특한 방식으로 통합한 것이었다. 재정적인 관점에서 볼 때, GGV 환경구축과 Fordadland Challenge 설계의 모든 다른 측면들은 물리적인 GGF 호스팅 비용의 1/10만으로 달성되었다.

호스팅 비용의 10% 정도로 가상학습과 네트워킹이 촉진된 환경에서 더 많은 사람을 접촉할 수 있도록 해 주는 것은 Fordadland 2025 도전과제 개념에 기초하여 구축한 예비 프로젝트를 만들고, 실행하며, 평가하기 위하여 CTO와 HR 팀들을 함께 일하게 했던 것은 가치 있는 제안이었음이 증명되었다.

해결방안

GGC 3D 학습경험은 17개의 기능횡단(cross-functional) GGC 팀들이 2025년도에 BP의 선임지도자의 역할을 맡게 되는 결정적 사건(critical incident)을 중심으로 설계되었다. 그 시점에, 세계는 Fordadland(가공의 땅덩어리)의 초기 대륙에서 마지막으로 남아있는 석유 보존량을 개발해야 하는지의 여부에 관한 결정을 내려야 하는 시점에 이를 것이다. 만약 개발해야 한다면, 어떻게 그 개발을 급격히 악화된 환경을 보존하는 방식으로 행할 수 있을까? 이 도전과제는 에너지 수요를 환경적으로 책임 있는 방식으로 보장하는 것에 관한 실제 세계 도전과제를 나타냈다. Fordadland Challenge는 전략과 시행계획을 제안하는 팀 발표에서 최정점에 도달했다. 이러한 팀 발표는 평가되었으며, 상위 세 개 팀들은 자신들의 노력에 대해 선임지도자 수준으로부터 인정을 받았다. 승리한 팀은 BP가 대규모 회사들을 가지고 있는 이집트로 1주일간의 여행을 포상받았다.

그 도전과제와 연관된 모든 활동들은 BP의 3D GGV 내에서 가상적으로 수행되었다([그림 6-36] 참조). 참가자들은 팀 발표를 연구하고 개발하기 위하여 4주 이상의 기간 동안, 주당 4~5시간을 사용해야 했다. GGV는 일반적인 기술적이고 도전과제와 관련된 질문들을 도와주고, 절차적인 결정과 팀 역동성을 다루는 것을 도와주기 위하여, 오전 7시부터 오후 7시까지 HR과 CTO 직원들이 배치되었다.

Fordadland Challenge가 시작되는 첫 주 이전 8주 동안에, CTO 팀은 GGC 참가자들이 그 환경과 그것의 역량에 익숙하다는 것을 명확히 하기 위하여 GGV에 관한 가이드된 여행(guided tour)을 제공함으로써 팀원 모두가 자신들에게 요구되는 것이 무엇인지를 이해했음을 명확히 하는 데 전념했다. 아울러, 각 팀은 GGV의 역량에 관하여 추가 훈련을 제공받은 한 명의 지명된 슈퍼유저(패스파인더(pathfinder)라 불림)를 가지고 있었다. 각 팀은 또한 팀들이 도전과제와 관련된 전략과 일련의 제안사항들을 개발하는 데 있어 그들에

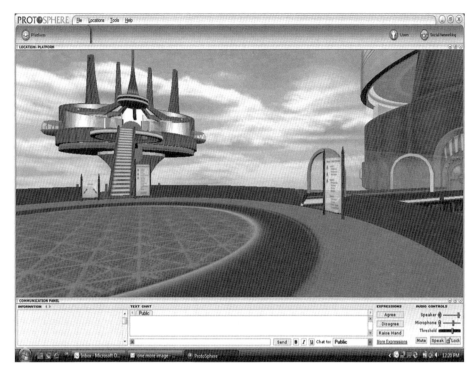

[그림 6-36]   BP의 글로벌 대학원생 빌리지에 있는 도착 플랫폼

게 요구되는 것이 무엇인지를 알기 위하여, 첫 주에 전념을 다했다.

GGV의 핵심적인 발표 분야에서, 선임지도자와 교과내용 전문가들은 그 도전과제와 관련된 브리핑을 제공했다([그림 6-37] 참조). 4주에 걸쳐, 몇 가지만 열거하면, 대체 에너지, 법률 준수와 윤리, 경쟁적인 지능, 환경 정책 및 시행과 같은 주제들을 다루는 16개의 브리핑이 GGC 팀들에게 전달되었다. 이 집단포럼은 또한 대학원생들이 자신들의 발표를 반복적으로 재수정해 갈 때 선임지도자들이나 전문가들로부터 조언을 구하기 위하여 브리핑 다음에 선임지도자들 및 전문가들과 비공식적으로 만날 수 있는 기회를 제공했다.

각 팀에게는 또한 3D 가상팀방(3D virtual team room)이 제공되었다. 이 팀방은 해당 팀을 위한 모든 동시적이고 비동시적인 소집단 연구활동을 위한 가상허브로 사용되었다. 각 팀방은 해당 팀들이 자신들의 전략과 제안사항들뿐만 아니라 도전과제 자체에 관한 내재된(embedded) 비디오 발표를 구축하기 위한 사실적인 토대를 마련할 수 있도록 해 주는 핵심적인 문서들과 보고서들로 꽉 채워져 있었다. 도전과제는 미리 설정된 일련의 기준에 따라 검토된 각 팀이 제출한 제안으로 최정점에 이르렀다.

[그림 6-37] GGC 참가자들이 선임지도자의 브리핑에 참석한다.

매크로구조도

[그림 6-38]의 매크로구조도는 3DLE 설계의 원형 적용범위를 시각적으로 쉽게 볼 수 있도록 요약·제시해 준다.

이점

Fordadland Challenge의 창출을 위한 비즈니스 사례는 물리적인 GGF를 수행하는 것과 관련된 상당한 비용(5백만 달러)을 줄이고 대학원생 참가자들에게 더 나은 접근기회를 제공하기 위해 추진되었다.

재정적인 관점에서 볼 때, Fordadland Challenge는 178명의 GGC 참가자들이 포함된 파일럿 활동(pilot activity)을 물리적인 GGC 포럼비용의 10%만으로 완료했다는 점에서 성공적이었다.

더 나아가, GGV가 구축된 현 시점에서 볼 때, 후속되는 GGV는 훨씬 더 많은 비용 절감을 할 수 있을 뿐만 아니라, 동시에 접근기회도 증진시킬 수 있다. 인상되는 비용은 참가

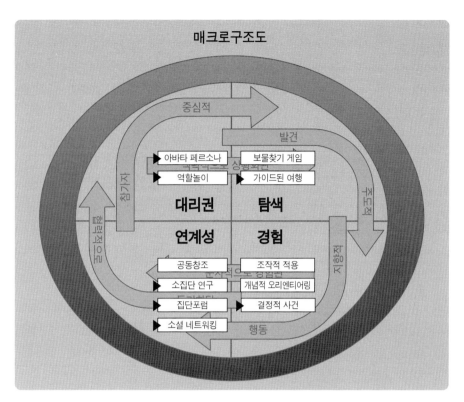

[그림 6-38] BP의 글로벌 대학원생 도전과제(GGC)를 위한 매크로구조도

자들이 그 환경에 접근하기 위한 추가적인 사용자 인가(license)로 인해 발생할 것이다. GGV는 또한 중국, 호주, 뉴질랜드, 트리니다드, 토바고와 같은 상당히 멀리 떨어져 있는 지역 출신의 참가자들도 유치했다는 점에서 성공적이었다.

마지막으로, 도전과제를 GGV에서 주최함으로써 얻은 추가적인 이점은 선임지도자들, 교과내용 전문가들, GGC 구성원들이 가상회의를 운영하기 위한 환경에 투자를 하거나 특정 학문을 위한 가상의 실천공동체를 조성하기 위한 새로운 방법들을 찾고 있다는 것이다.

상당한 비용 절감, 증가된 접근과 영향 범위, 글로벌 대학원생 프로그램 외부에서의 해당 환경에 관한 추가적인 사용 모두는 이 파일럿 활동을 통해 얻은 실질적인 이점들이다.

결과

GGC가 행해진 다음에, 모든 시범 참가자들을 대상으로 설문조사를 했다. 참가자들은 많은 질문에 대한 자신들의 인식에 대하여 7점 척도(매우 부정=1, 매우 긍정=7)로 순위를 매겼다. 아래 제시된 표들은 원래 프로그램 목표들과 관련된 자료들에 관해 몇 가지 수합된 결과들이다.

목표 1. '참가자들이 미래의 관리자들이 될 수 있도록 BP의 보다 넓은 사업목표들을 이해시킨다.' 에 대한 설문조사 자료분석 결과는 〈표 6-1〉과 같다.

〈표 6-1〉 BP의 더 넓은 사업목표들에 관한 설문조사 결과

질문	평균
Fordadland의 맥락이 BP의 사업과 관련이 있었다.	5.7/7.0
프로그램은 BP의 사업에 관한 나의 이해를 확장시켰다.	5.1/7.7

목표 2. 'BP가 세계 도처에 있는 우수사례를 신속하게 확인하고 공유할 수 있도록 해 주는 글로벌 네트워크를 만든다.' 에 대한 설문조사 자료분석 결과는 〈표 6-2〉와 같다.

〈표 6-2〉 다른 사람들과 네트워킹에 대한 질문에 관한 설문조사 결과

질문	평균
프로그램은 내가 새로운 글로벌 네트워크를 구축할 수 있도록 해 주었다.	4.3/7.0
나는 이 프로젝트를 통해 중요한 "노하우"를 얻을 수 있었다.	4.6/7.0

목표 3. 'BP의 미래 지도자들에게 회사의 현재의 선임지도자들을 접하게 한다.' 에 대한 설문조사 자료분석 결과는 〈표 6-3〉과 같다.

〈표 6-3〉 선임지도자와의 상호작용에 관한 설문조사 결과

질문	평균
발표한 SME/선임지도자들은 연계되어 있고, 통찰력이 있었다.	5.6/7.0
SME/선임지도자 세션은 즐거웠고, 참여적이었다.	5.4/7.0
프로그램은 사업에 관한 의견과 해결방안을 BP 선임지도자들에게 발표할 수 있는 기회를 제공했다.	4.5/7.0

학습한 교훈

위 사례에서 개관한 프로젝트와 같은 3D 학습경험 프로젝트를 제공하고자 하는 사람들에게 줄 수 있는 세 가지의 중요한 조언은 다음과 같다.

교훈 1. 새로운 환경을 구축하는 것과 관련된 모든 기술적인 측면들을 확인하고 해결하기 위해서 얼마나 오랜 시간이 걸리는지를 과소평가하지 마라. BP는 GGC를 이용 가능하게 만들기 전에 세계 도처에 퍼져 있는 70개의 사무실에서 접근 가능한지에 대한 검사를 포함하여 GGV에 관한 광범위한 스트레스테스트(stress-test)를 수행했다. GGC 프로젝트팀은 또한 브리핑 동안 GGC가 실패할 가능성을 대비하여 돌발사고 계획을 수립하였고, 지리적인 위치 때문에 인터넷에 접근할 수 없었던 사람들을 위한 대안적인 접속장치를 설치했다.

교훈 2. 사람들이 새로운 학습과 협력 플랫폼에 익숙해지는 데 얼마나 오래 걸리는지를 과소평가하지 마라. 도전과제를 시작하기 전에 슈퍼유저(패스파인더라고 알려진)를 통해 각 팀 내에 전문지식을 전달하기 위해서 엄청난 관심이 필요했다.

또한, 첫주 동안, 참가자들이 그 환경을 내비게이션하고 자신들의 전략과 제안사항들을 고안할 때, 환경의 특성과 기능이 팀에 얼마나 잘 작동하는지를 쉽게 이해하도록 하는 데 주안점을 두었다. 활동 자체와 관련된 학습곡선으로부터 환경에 익숙해지는 것과 관련된 학습곡선을 분리하는 것이 핵심이다.

교훈 3. 위의 두 조언들은 테크놀로지에 초점을 둔 반면, 마지막 조언은 이 모든 것을 사업체의 요구로 되돌리는 것이다. 이 사례의 경우, 사업체의 요구는 가치가 3D 해결방안으로부터 도출될 수 있다는 점에서 테크놀로지의 역량과 합치했다. 구체적인 사업체의 요구가 무엇인지와 3D 해결방안이 어떻게 보다 효과적이고 효율적인 해결방안을 제공할 수 있는지에 관한 주의 깊은 접합은 해결방안이 실행되었을 때 후원을 보장하고 가치를 시연하는 데 있어 중요하다.

사례 9: 테크놀로지 행사에 관한 가상학회 주최

기관에 관한 배경정보

전 세계를 선도하는 정보테크놀로지 회사인 IBM은 엄청난 사업이익을 가져다주는 새로운 테크놀로지를 개발·실행하는 데 주도적인 책임을 맡아 온 오랜 전통을 가지고 있다. IBM 의 테크놀로지아카데미(Academy of Technology: AoT)는 오랫동안 새로운 테크놀로지에 관한 연구와 탐색을 하는 데 선두를 차지해 왔다. 선정된 330명의 창의적인 지도자들과 테크놀로지 혁신가들로 구성된 이 집단은 IBM에 기술적인 리더십을 제공하는, 즉 기술개발과 기회를 확인하고 추구하며, IBM의 테크놀로지기반(technology base)을 향상시키고, IBM의 기술공동체를 개발하는 책임을 지고 있다.

이 사례연구는 AoT 구성원들을 위한 두 가지 가상행사를 주최하기 위해 어떻게 VIE 테크놀로지를 활용했는지를 시간 순으로 기술한다. AoT는 이 두 행사에서의 경험을 토대로 가상세계는 비즈니스, IBM, 그리고 IBM 고객들에게 커다란 영향을 미칠 것이라고 결론지었다.

도전과제

몇몇 AoT 구성원들은 2007년 말 외부적인 면밀한 검사와 IBM의 가상세계공동체(Virtual Universe Community: VUC) 활동에 기초하여, 가상환경은 기존의 비즈니스가 세계적으로 행해져 온 방식을 바꿀 수 있는 잠재력을 가졌음을 분명하게 인식하게 되었다.

그 결과, 가상세계에 초점을 맞춘 AoT 회의를 2008년 10월에 개최하자고 제안되었다. 이 회의를 위한 두 가지의 핵심적인 요구조건들은 가상환경에서 주최되어야 하며, 공유될 정보의 기밀성 때문에 회사의 방어막하에 있는 안전한 환경에서 개최되어야 한다는 것이었다.

가상세계가 제공하는 잠재력을 이해하기 위한 최상의 방법은 그들에게 경험하도록 하는 것이라는 전제하에, 성공적인 행사를 주최하는 데 있어 주요한 문화적인 도전과제는 이전에 가상세계 테크놀로지를 경험해 본 적이 없었던 AoT 구성원들이 자신들의 아바타와 가상회의 공간을 내비게이션하는 데 편안함을 느끼도록 보장하는 것이었다. 주요한 기술적인 도전과제는 AoT 가상세계컨퍼런스(Virtual Worlds Conference: VWC)를 위해 독자적인 방화벽하에 있는 환경을 만들기 위하여 Linden Labs와 함께 일하는 것과 관련되었다. 컨퍼런스 예정일은 여러 가지 면에서 방화벽하에서 작동하는 솔루션을 전달하는 것과 관련된 기술적인 문제들을 해결하기 위하여 양자가 노력하도록 하는 데 촉매작용을 했다.

AoT의 연례 전체회의는 VWC가 열린 다음 달에 플로리다에서 개최되기로 예정되었다. 매년 열리는 연례 전체회의에서, AoT 구성원들은 사업구상들을 비교하고, 전년 대비 달성도에 관한 발표를 하기 위해 함께 모인다. 그들은 핵심 IBM 경영자로부터 회사의 사업전략에 관하여 듣는다. 그들은 차기년도 일정을 구상하고, 가장 중요하게, 회사 내에서 이 전략적으로 중요한 집단의 구성원으로서 서로 간에 네트워크하고 다시 관계를 맺는다.

　AoT의 회장인 Joanne Martin과 집행부는 VWC 다음에 당시의 경제적인 상황을 고려해 볼 때 거대한 물리적인 모임을 갖는 것은 부적절하다고 결정했다. 동시에, 아카데미를 보다 능동적이고 정기적으로 개최되도록 전환하고자 했던 Martin의 임무는 실행되지 못했다. 그녀는 연례 전체회의를 물리적으로 주최하는 것에 대한 수용 가능한 대안을 찾을 필요가 있었으며, 그것도 빨리 찾을 필요가 있었다.

　Martin은 물리적인 회의를 위한 일정을 탐색하면서 연례 전체회의를 가상으로 개최하기 위하여 어떠한 다른 테크놀로지들이 가장 효과적인지에 관한 정신적인 노트(mental notes)를 만들었다. 웹캐스트, 비디오 화상회의, 온라인 브레인스토밍 세션들 모두가 복합적으로 고려된 요소들이었지만, Martin은 여전히 무엇인가가 빠졌다고 느꼈다. 물리적인 AoT 연례 전체회의에서 매우 중요한 부분이었던 것처럼, 공동체 구성원들 간에 네트워크하고, 공유하며, 다시 관계를 맺고, 다시 기운을 북돋워 주고자 하는 요구는 단순히 이러한 테크놀로지들만으로는 재창조될 수 없었다.

　Martin은 AoT VWC에서 그것이 효과가 있었다는 긍정적인 경험을 했기 때문에, 연례 전체회의를 위한 120개의 포스터세션을 개최하기 위하여 VWC 모임을 위해 조성된 가상 환경을 활용하기로 결정했다.

3D를 활용한 이유

VWC의 경우, 분명히 조직자들이 직관적으로 경험해 보도록 하는 것보다 가상세계의 이점들에 대해 추상적으로 말하는 것이 훨씬 호소력이 떨어졌다.

　연례 전체회의의 경우, VIE를 사용한 주요한 동기는 뜻밖에 즐거운 네트워킹을 할 수 있고 공동체 구성원들이 컨퍼런스에 참여하는 동안 실제로 가상적인 공동체 의식을 느낄 수 있다는 것이었다. Martin은 VWC에서 경험했던 연계성과 실재성을 물리적인 연례 전체회의에서만큼 강한 공동체 의식을 형성하기 위해 사용할 수 있을 것이라고 강력하게 느꼈다.

　그녀는 3D 공간이 공간의 지속, 실재성과 연계성이 AoT 구성원들이 물리적인 세계에서와 동일한 수준의 우연성과 자발성을 가지고 서로 상호작용할 수 있도록 해 주는 가상 연례 전체회의의 기반이 되기를 희망했다.

사례 개발

VWC의 경우, 행사 자체가 가상세계 맥락에서 열리도록 설계되어야 했다. AoT는, 만약 그들이 실제로 가상세계의 이점들에 대해 배우려면, 자신들이 직접 경험해야 한다는 데 동의했다. IBM은 출장과 장소비용으로 25만 달러 이상을 절약했고 컨퍼런스를 가상으로 주최함으로써 출장시간을 절약했기 때문에 15만 달러 이상의 생산이익을 거둔 것으로 추정했다. IBM이 가상환경을 구축하고 VWC를 개최하는 데 대략 8만 달러를 투자했다고 볼 때, 그 행사를 가상으로 주최함으로써 25만 달러의 순수 예산이 절감되었다고 볼 수 있다.

연례 전체회의의 경우, 그 당시의 경제적 분위기는 Martin이 물리적인 회의를 가상회의로 대체하는 것은 도전을 감수하는 것이었다. 그녀가 지시한 대로 일련의 협력적인 테크놀로지들을 활용함으로써 가상행사를 주최할 수 있었다. Martin이 해결해야 할 더 큰 도전과제는 그 행사들 자체를 초월하는 접착제 역할을 해 줄 공동체 의식을 재창조하는 것이었다.

만약 Martin이 VWC에 참석하지 않고 공동체 의식이 어떻게 가상적으로 배양될 수 있는지를 직접 경험해 보지 않았다면, 그녀는 이 접근법을 너무 먼 가교(bridge)로 여겼을지 모른다. 그러나 긍정적인 경험과 다른 대안들이 부족했기 때문에, 그녀는 VWC 개최를 수용 가능한 위험이라고 결정했다.

최종적으로, 그 위험은 실제로 수용 가능했던 것으로 입증되었다. 연례 전체회의는 실제 세계 행사비용의 1/5만으로도 매우 성공적으로 수행되었다.

해결방안

해결방안 1. 2008년 10월 21일에, 3일간의 AoT VWC가 개최되었다. VWC는 세 개의 기조 발표와 65개 이상의 제안에서 선정된 37개 세션(session)으로 전 세계 200명 이상의 구성원들을 매료시켰다. IBM의 VUC 구성원들이 자발적인 컨퍼런스 안내자로 봉사했으며, 리셉션장의 키오스크(kiosk)는 참가자들을 가장 관심 있는 세션으로 자동적으로 공간 이동할 수 있도록 해 주었다.

많은 세션들은 발표를 보다 재미있게 만들기 위하여 가상세계 어포던스의 장점을 최대로 활용한 경험 있는 VUC 구성원들에 의해 전달되었다. 한 발표자는 참가자들에게 장치 작동 방법을 보여 주기 위해 서버의 3D 모델을 사용했다([그림 6-39] 참조).

다른 발표자는 각 슬라이드가 아름다운 정원 풍경에 설치된 뷰어들에 제시되는 "무대 주위를 돌면서 하는 연기(walk around)"와 같은 발표 형식을 사용했다. 이 컨퍼런

[그림 6-39]　교수자가 참가자들에게 장치 작동 방법을 보여 준다.

스에서는 지루한 페이지를 넘기는 어떠한 광고도 없었다!

가장 중요한 것은 공간 그 자체가 사회화를 위한 장소로 사용되었다는 것이다. 첫 몇 개의 세션을 끝마친 후에 AoT 팀이 깨달았던 한 가지는 한 세션에서 다른 세션으로 즉 각적으로 공간 이동할 수 있기 때문에 세션 간에 단지 5분만 시간 간격을 두어야 한다 는 것을 의미하지는 않았다는 것이다. AoT와 VUC 구성원들은 다른 세션이 열리는 방 으로 느릿느릿 갔을 때, 또는 그들이 토론을 계속하기 위하여 공통 영역으로 이동했을 때, 컨퍼런스 조직자들은 스스로 조직한(self-organized) 비공식적인 회합을 수용하기 위하여 컨퍼런스의 위키 스케줄을 업데이트해야 했다. 더 나아가, 그날 끝부분에 몇몇 AoT의 저명한 엔지니어들이 공통 영역으로 들어오는 것은 매우 드문 것은 아니었는 데, 그 공통 영역에서 그들은 그 컨퍼런스와 이러한 테크놀로지가 미래에 어디로 갈 것 인지에 관하여 공개적으로 성찰했다.

해결방안 2. 연례 전체회의는 300명 이상의 등록된 참가자들이 있어서 규모가 매우 컸 다. 바쁜 3일 동안의 일정은 다음과 같은 많은 활동들을 포함했다.

- IBM 기술 일정 브레인스토밍 세션

- 경영자 세션

- AoT 연구 프로젝트로부터의 "낭독(read out)" 발표

- 유유상종(birds-of-a-feather) 세션

- 새로운 학회 회원이 자신의 업적을 발표하고 다른 AoT 구성원들과 연구를 위해 협력할 수 있는 기회를 모색해 보는 "포스터 세션"

비록 연례 전체회의의 다른 부분들을 주최하기 위하여 다른 테크놀로지들이 집중적으로 사용되었지만, Second Life는 곧 300명 이상의 컨퍼런스 참가자들이 시간을 보낼 수 있는 지속적인 모임장소가 되었다. 컨퍼런스계획팀은 120개의 포스터 세션을 주최하기 위하여 방화벽으로 보호되는 Second Life 솔루션을 재사용하기로 결정했다([그림 6-40] 참조).

가상세계에서의 자발적인 스스로 조직한 비공식적 회합에 관한 비슷한 패턴을 인지했을 때, 조직자는 그들이 물리적인 공간에서 가졌던 것처럼, 공식적인 네트워킹을 위한 휴식과 칵테일 시간(cocktail hours)을 공식스케줄에 포함시키기로 결정했다. 그들

[그림 6-40] 120개의 포스터 세션 스카이팟(sky-pods) 중 하나

[그림 6-41] 컨퍼런스 끝부분에 열린 AoT 사교 소풍

은 또한 회의가 끝날 무렵에 두 시간짜리의 사교할 수 있는 소풍을 계획했다. AoT 구성원들은 가상의 맥주를 마시면서 주위에 모여 들었으며, 다른 사람들은 가상의 행글라이딩이나 제트스키 수업을 들었다([그림 6-41] 참조).

　VIE는 Martin에게 AoT 구성원들이 물리적으로 만날 수 없는 도전과제에 직면했을 때 필요했던 긍정적인 사회적, 기술적 교류를 가상으로 재창조할 수 있는 기회를 제공했다. 더 나아가, 이러한 결과물은 1/5의 비용만으로, 그리고 어떠한 시차로 인한 피로도 없이 달성되었다.

매크로구조도

[그림 6-42]의 매크로구조도는 3DLE 설계의 원형 적용범위를 시각적으로 쉽게 볼 수 있도록 요약·제시해 준다. VWC와 AoT 연례 전체회의 둘 다 동일한 3DLE 원형을 사용했기 때문에 구조도에 동일하게 표상된다.

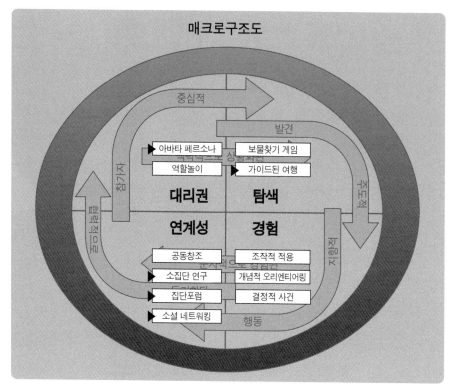

[그림 6-42] AoT 가상행사를 위한 매크로구조도

결과

IBM은 가상경험이 면대면과 어떻게 다른지를 비교하기 위하여 AoT VWC에 참석한 참가자들을 대상으로 다음과 같은 네 가지 범주에 걸쳐 설문조사를 실시했다.

1. 내용: 96%가 동일하거나 더 낮다고 응답했다.
2. 발표 형식: 96%가 동일하거나 더 낮다고 응답했다.
3. 학습: 78%가 동일하거나 더 낮다고 응답했다.
4. 네트워킹: 62%가 동일하거나 더 낮다고 응답했다.

분명히, 이러한 결과들 모두가 전적으로 VIE를 사용한 것 때문만은 아니다. 그러나 네트워킹의 경우, 가상세계 플랫폼의 지속성은 분명히 참가자들이 긍정적인 것으로 간주했던 소셜 네트워킹과 연계성의 유기체적 패턴을 촉진하는 환경을 조성했다.

언급할 만한 가치가 있는 다른 결과는 연례 전체회의 바로 뒤에 IBM 내에 있는 20개의 다른 기관들이 VUC에게 방화벽으로 보호되는 환경에서 모임을 주최할 수 있도록 도움을 요청했다는 것이다. 이미 끝난 많은 성공적인 행사와 더불어, 현재 50개 이상의 모임을 위한 요청이 들어와 있다.

학습한 교훈

위에서 개관한 프로젝트와 같은 3D 학습경험 프로젝트를 제공하고자 하는 사람들에게 줄 수 있는 네 가지의 중요한 조언은 다음과 같다.

교훈 1. 행사 전에 모든 문화적, 기술적인 문제들을 해결하라. 참가자들이 다운로드하고, 문제를 해결하며, 테크놀로지를 익히는 것이 너무 역겹거나 귀찮다고 인식하지 않도록 하기 위하여 행해야 할 업무를 분석하는 구조화된 의사소통 전략이 있어야 한다. 의사소통과 문화수용 간에 적절한 균형을 유지하는 것이 핵심적인 성공요인이다.

교훈 2. 참가자들이 행사에 오기 전에 테크놀로지를 사용하는 것을 불편해한다면, 그들은 그 행사에 가상적으로 참여하는 것이 주는 이점을 볼 수 없을 것이다. 오리엔테이션 세션을 구축하고, 그들이 종종 이용 가능하도록 하라. 초보자들이 첫 번째 행사에 참여하기 전에 플랫폼에 대해 편안한 수준까지 도달하는 데 필요한 단계들을 거칠 수 있도록 도와주기 위하여 버디시스템(buddy systems)[6]을 구축하고 주간목표를 설정하라. 일단 여러분이 과감한 투자를 하면 사람들은 미래에 상당한 이득을 얻을 수 있기 때문에, 그들이 학습곡선을 따르도록 하는 데 과감한 투자를 하라.

교훈 3. 가상세계가 제공하는 모든 이점을 경험할 수 있도록 하라. 가상세계 활동은 아바타를 구축하고 그 환경과 익숙해지기 위하여 자신이 노력할 만한 가치가 있다는 것을 초보자에게 검증하기 위해 필요하다. 만약 그들 모두가 가상교실에서 가상슬라이드를 본다면, 믿지 않는 사람들은 비평가들로 남게 될 것이다. 가상세계 학습경험은 단순히 프레젠테이션일 수만은 없다. 발표자들이 창조적이고, 기억할 만하며, 의미 있는 어떤 것을 할 수 있도록 독려해야만 한다.

---

6) [역주] 버디시스템이란 두 사람 이상이 한 조가 되어 어떤 일을 성공적으로 함께 해 나갈 수 있도록 상대방의 행동을 모니터해 주거나 도와주는 일종의 협동시스템을 일컬음

교훈 4. 필요는 훌륭한 동기부여자(motivator)다. Martin은 경제적인 이유 때문에 이전에는 너무 먼 가교(bridge)로 여겨졌던 테크놀로지에 대하여 위험을 감수하는 것 외에는 다른 대안이 거의 없었다. 테크놀로지가 제공할 수 있는 이점들을 깨닫도록 하기 위하여 사람들을 갑자기 압박하는 위험을 감수함으로써 얻을 수 있는 이점을 받아들여라.

제 3 부

새로운 기반 조성

Learning in
3D

ADDIE에 의해 초래된 혼란 극복

가상의 유령도시 예방

3DLE 설계·개발 시 어디서부터 시작해야 할지 막막할 수 있다. 처리해야 할 여러 가지 고려사항들과 요소들이 있다. 다행히도, 보다 전통적인 교수를 개발하기 위하여 사용된 동일한 과정들 중 대부분이 가상학습세계를 개발할 때 사용될 수 있다. 세부적으로 수정하고 변경함으로써, 보다 더 많은 교수개발방법들이 흥미롭고, 집중적이며, 효과적인 학습경험을 창조하기 위하여 활용될 수 있다. 이 장에서는 효과적인 가상세계학습을 창출하기 위해 ADDIE 모형, 즉 분석(Analysis), 설계(Design), 개발(Development), 실행(Implementation), 평가(Evaluation) 과정을 탐색한다. 이 장에서는 또한 3DLE를 만들기 위하여 관련 사업자들과 성공적으로 일하는 데 요구되는 몇 가지 일반적인 가이드라인과 고려사항들을 기술한다.

기관들이 3DLE 설계 시 흔히 범하는 실수는 형식적이든 비형식적이든 의도된 상호작용을 위한 구체적인 학습목표를 설정하지 않는 것이다. 몇몇 기관들은 애매모호한 학습결과물과 어떠한 형식적인 평가계획도 없이 가상공간을 만든다. 그 결과, 그 기관들은 몇 달 동안 사용하지 않고 어떠한 학습결과물도 얻지 못하며 좌절감만 느낀 후에 효과적이지 않다는 이유로 VIE를 포기한다.

이러한 경우, 학습이 일어나지 않는 것은 VIE 때문이 아니다. 그것은 오히려 교수설계가 제대로 되지 않았기 때문이다. 다른 유형의 계획된 학습사태들처럼, VIE도 원하는 교수목적을 달성하기 위해서는 교수설계에 주의를 기울여야 한다. 교수목적이 비형식적인 학습을 강화하는 것일지라도, VIE는 학습자들 간에 상호작용을 촉진하고 상호작용이 가능하도록 하기 위하여 적절하게 구조화되어야 한다. 그렇지 않을 경우, 그 결과는 아무도 찾지 않는, 텅 빈 가상의 유령도시가 될 것이다.

교수설계의 기본원칙들이 학습을 가능하게 하는 새로운 테크놀로지에 적용되는 것처럼, VIE와 3DLE를 구축할 때에도 교수설계의 기본원칙들은 여전히 적용된다. 기관들은 단지 새로운 테크놀로지를 활용할 수 있기 때문에 교수목표와 과제, 측정을 일치시켜야 한다는 개념을 완전히 버릴 필요는 없다. 최적의 학습이 일어날 수 있도록 하기 위해서는 체계적인 과정이 필요하다.

앞에서 언급한 바와 같이, 3DLE의 개발은 몇 개의 슬라이드나 선다형 문제들을 만드는 것보다는 훨씬 더 복잡하다. 궁극적으로, 3DLE를 만들기 위한 설계과정은 교수설계자의 전통적인 기술의 수정(modification), 완전히 새로운 접근방법이 아닌 수정을 요구한다. 수정의 결과로서, 3DLE를 위한 설계와 개발 노력은 시간과 자원 양자에 있어 더 높은 수준의 노력을 요구한다. 그 과정은 학습환경(맥락)을 주의 깊게 조성할 뿐만 아니라 학습내용에 적합한 학습원형을 선택하고, 학습공간, 활동, 그리고 계획된 상호작용을 만드는 것을 요구한다.

개발의 차이점들을 강조하기 위하여, 2D 학습환경을 만들기 위해 요구된 개발 노력과 제3장에서 논의된 Jane과 Jack의 모델 Z에 관한 경험의 토대가 된 3DLE를 만들기 위해 요구된 개발 노력을 비교·대조해 보자.

Juan의 2D 동시학습설계 사례

이 사례는 eLearning Guild에 처음 소개되었던 "360 동시학습 보고서(360 Synchronous Learning Report)"로, eLearning Guild의 동의하에 이 장에 소개되고 있음을 미리 밝혀둔다.

Juan은 이것을 이전부터 해 왔다. 학습개발부에서의 그의 업무는 내용전문가들이 효과적인 동시학습(synchronous learning)을 개발하고 전달할 수 있도록 돕는 것이다. 그의 업무에는 영업부 훈련자들에게 동시적인 온라인 학습을 전달하는 적절한 방법들을 가르칠 뿐만 아니라 영업부 훈련자들에게 제공된 훈련과정의 처음 몇 번을 검토하는 것도 포함되어 있다.

Juan은 오늘 영업부 신입사원인 Derrick Pablo가 만든 모델 Z에 관한 슬라이드를 검토 중이다. Juan은 "약간의 수정이 필요하겠군."하고 혼잣말한다. 그는 심상적으로 다음과 같은 리스트를 만든다. 학습자들이 앞으로 학습하게 될 내용을 알 수 있도록 교수목표를 기술한 슬라이드를 추가하고, 각 슬라이드에 있는 단어의 수를 줄이며, 몇 가지의 상호작용적인 연습을 추가하고, 몇 개의 교수설계 요소들을 추가하며, 유사한 정보들을 모두 함께 그룹 짓고, 영업부로부터 모델 Z에 관한 몇 가지 사진을 구한다. Juan은 모델 Z의 특성과 기능을 설명해 주는 이미지와 교수자료들을 요청하기 위하여 영업부에 이메일을 보낸다.

Juan은 먼저 "학습목표" 슬라이드를 만들고, 그런 다음 나머지 슬라이드들로 주의를 돌린다. 그는 텍스트를 재정렬하는 데 약 두 시간을 보낸다. 그는 각 화면에 있는 텍스트의 절반을 부지런히 복사하고, 그것을 새로운 슬라이드에 붙여넣기한다. 그런 다음, 그는 각 슬라이드에 제목, 재고품 사진, 또는 클립아트를 추가한다. 그는 보다 복잡한 주제들 앞에 보다 더 간단한 정보를 제시하기 위하여 슬라이드 중 몇 개의 순서를 바꾼다.

이러한 과정은 다소 시간이 걸리지만 필요하다. 그것은 (과거에 불평을 들어 왔던) 슬라이드의 가독성을 높이고, 학습자들이 각 슬라이드에 있는 교수자료를 보다 더 잘 이해할 수 있도록 도와준다. 마지막으로, 덱(deck)은 텍스트가 너무 많은 슬라이드들이 학습자를 압도하지 않도록 해야 하는 지점에 이른다. 21개의 슬라이드를 40개의 슬라이드로 두 배 정도 늘렸다.

다음으로, Juan은 오래된 제품출시 슬라이드쇼를 열어 늘 써 왔던 "환영합니다(Welcome)" 슬라이드를 선택한다. 그것은 학생들이 세계지도 위에 자신들의 위치를 표시하기 위하여 화이트보드 도구를 사용하도록 함으로써 상호작용을 촉구한다.

"환영합니다(Welcome)" 슬라이드를 추가한 후, Juan은 더 오래된 덱을 닫고 모델 Z의 "특성(Features)" 슬라이드로 내비게이션한다. 원래 SME에 의해 제공된 이 슬라이드는 텅 빈 배경에 모델 Z의 특징들이 나열되어 있다. 훌륭한 교수설계자인 Juan은 학습에서는 시각적인 단서와 언어적인 단서를 연계하는 것이 중요한 요소임을 알고 있기 때문에, 이 슬라이드를 수정하는 데 약간의 시간을 소비한다. 그는 방금 영업부서로부터 이메일로 받은 모델 Z의 이미지를 슬라이드에 추가한다. 그런 다음, 이메일에 첨부된 영업 브로슈어에 기초하여 드릴 위의 각 위치에 새로운 특징들을 가리키는 화살표들을 그린다. 그는 교수자가 제품배치를 볼 수 있도록 몇 개의 추가 슬라이드를 만들어 다른 모델 Z 전시이미지들을 삽입한다.

약 6시간이 경과할 쯤에, 덱(deck)은 수업을 할 수 있도록 준비된다. 그것은 적절하게 순서가 매겨졌고, 두 개의 상호작용적인 질문들을 포함하고 있으며, 각 슬라이드마다 최소한 하나의 이미지를 가지고 있다.

Juan은 2D 동시학습도구를 한 번도 사용해 본 적이 없는 강좌 교수자인 Derrick과 연락을 취한다. 두 사람은 다음날 오후에 만나서 슬라이드를 넘기는 방법, 필요한 경우 이전 슬라이드로 돌아가는 방법, 학습자가 질문이 있는지를 확인하는 방법, 수업을 녹음하는 방법, 소프트웨어의 채팅기능을 조작하는 방법을 논의한다. 이 훈련에서, Juan은 화이트보드와 참가자들의 이해수준을 측정하기 위하여 사후투표를 실시하는 것과 같은 상호작용적인 기법들을 사용할 것을 강조한다. 약 한 시간 정도 지난 후, Derrick은 편안함을 느끼고, 혼자서 연습하고 다음 주 초에 수업을 할 준비를 한다.

Sylvia의 3D 동시학습설계 사례

3D 프로젝트관리자인 Sylvia는 방에 모인 팀원들을 둘러본다. 영업부 부사장인 Fred, 신제품 개발책임자인 Larry, 교수설계자인 Kaylee, 맥락개발자(context developer)인 Mark, 3주 내에 VIE에서 수업을 진행할 Horatio가 참석 중이다. Sylvia는 시간이 부족하다고 생각하고 있다. 그녀는 과거에 이러한 3DLE 중 두 개를 개발해 본 적이 있어서 개발에 많은 시간과 노력, 자원이 필요함을 알고 있다.

Sylvia는 오늘 팀원들과 함께 교수가 진행될 장소와 교수를 만들기 위해 여전히 필요한 정보를 검토하고자 한다. 그녀는 각 참석자들에게 VIE 내의 다양한 교육적인 영역들과 각 영역에서 어떠한 활동들이 행해질 것인지를 보여 주는 도면과 스토리보드를 나눠 준다. Sylvia와 팀원들이 콘텐츠를 검토하고, 교수목표를 만들며, 강좌목표들을 달성할 수 있도록 해 주는 학습활동들을 개발하는 데 약 2주 정도 걸렸다. 그들은 매장과 무역박람회 전시장 사례뿐만 아니라 학습자들이 전시장을 설치하는 실습을 할 수 있도록 해 주는 연습기회를 제공하는 두 가지의 보물찾기 게임형(scavenger hunt-type) 활동들을 포함하기로 결정했다. 공사현장에서의 역할놀이가 마지막으로 추가되었다. 이제 Sylvia와 팀원들은 그 환경을 구축하기 시작해야 한다. 그러나 그녀는 영업팀에 있는 내용전문가들의 도움 없이는 일을 진행할 수 없다.

Sylvia는 모델 Z 훈련 세션을 위해 남아 있는 요구들을 주의 깊게 열거하면서 회의를 연다. 그것은 크고 작은 상점전시물 및 전시회 진열품 제작하기, 대형 모델 Z 드릴 모형 만들기, 크고 작은 드릴들에 붙여 새로운 특징들을 설명할 "특징 카드" 제작하기, 판매대표자들에게 "판매 경험" 역할놀이 제공하기, 그리고 마지막으로, 최종 연습으로서 학습자들에게 상호작용적인 전시물을 만들어 보도록 하기 등이다.

Larry는 Sylvia가 이야기하는 것을 가로막고, 그들이 왜 가상교실을 만들고 그 가상교실을 통해 학습자들에게 슬라이드를 전달할 수 없는지를 알기 원한다. 그는 회사가 왜 이러한 미친 활동들에 이러한 모든 시간과 돈을 지출해야 하는지를 알기 원한다. 그는 가상교실은 효과가 그저 그럴 것이라고 주장한다.

Sylvia는 깊게 한숨을 쉰다. 그녀는 Larry와 Fred에게 적어도 백여 번은 설명해 왔다. 그녀는 Larry를 보면서, 다시 천천히 설명하기 시작한다. 그녀는 Larry에게 3DLE의 잠재력을 최대한 발휘토록 하기 위해서는 새로운 테크놀로지로 구태의연하고 비효율적인 과정을 답습하는 실수는 피해야 함을 상기시킨다. 효과적인 학습을 위해서는 단순히 교실을 그대로 옮겨 놓는 것에 그치지 않고 그 교실을 넘어서야 한다. 효과적인 학습은 학습자들이 현재의 학습 형태로는 불가능한 방식으로 탐색하고 학습하도록 해 준다. Sylvia는 VIE는 대부분의 경우 모든 사람이 이메일을 확인하거나 웹 서핑을 하는 2D 동시학습사태보다 더 높은 파지율(retention rate)을 제공한다고 지적한다.

Fred는 갑자기 이전에 논의했던 것을 기억하고, 그들이 이미 VIE를 사용하기로 결정했다는 것을 Larry에게 상기시켜 준다. Fred는 Larry에게 오늘 모임은 이미 선택한 방법에 관해 논쟁을 하는 자리가 아니라 VIE가 제대로 작동하도록 하기 위해 Sylvia의 팀이 무엇을 필요로 하는지를 찾는 것이라고 말한다.

모든 사람들이 동의하자, Sylvia는 그 프로젝트를 완료하기 위해 필요한 항목리스트를 훑어 내려가기 시작한다. Sylvia는 먼저 Larry에게 단순한 사진이 아닌 드릴 구조도가 필요하다고 말한다. 실제로, Sylvia는 가상 3D 드릴을 만들 때 실제 물건을 참조할 수 있는 물리적인 원형들(physical prototypes) 중 하나를 원한다. 그녀는 학습자들이 새로운 특징들을 적절하게 찾을 수 있으려면 그것이 가능한 한 실제적으로 보여야 함을 알고 있다.

Larry는 Sylvia에게 단 세 가지 종류의 원형이 있으며, 영업팀이 사진을 촬영하고 크기를 측정하기 위해서는 그 원형들이 필요하다고 말한다. Sylvia는 모델 Z의 원형이 있어야 한다고 주장하고, Larry와 Mark에게 그것을 이틀 동안만 사용할 수 있으면 된다고 말한다. Fred가 영업도 중요하지만 적절하게 훈련된 판매원이 제품 출시의 전반적인 성공에 더 중요하다고 말하고 팀원들에게 상기시키자 Larry도 마침내 수긍한다.

다음으로, Sylvia는 Fred에게 크고 작은 상점전시물들의 사진과 상점 내 제품 배치도가 필요하다고 말한다. 걸이 배치와 표지위치 등 관련 모든 사항들을 알아야 전시상황을 3D로 실제와 같이 제작할 수 있기 때문이다. 가능한 한 똑같이 제작되어야 하는 만큼, 제품소개 진열대도 동일한 정보가 필요하다. Fred는 Sylvia에게 필요한 정보들을 퇴근 전까지 보내주겠다고 말한다.

Fred는 이 일이 얼마나 걸릴지가 궁금해졌고, Sylvia는 Mark에게 대형 드릴을 만드는 데 시간이 얼마나 걸리는지를 물어본다. Mark는 원형을 받으면 3~4일 정도 소요될 것으로 예상되며, 모든 전시물들을 제작하는 데 추가로 1~2일 정도 걸리고, 제품전시 연습활동을 하기 위한 가상공간을 마련하기까지는 추가로 2일 정도 더 걸릴 것이라고 대답한다. Sylvia는 팀원들에게 학습자들이 다른 곳으로 신속히 이동할 수 있도록 "공간 이동(tele-port)"을 각 장소마다 만들어 놓을 것을 당부하며, 역할놀이에 사용할 공사현장도 만들어야 한다고 말한다.

Sylvia는 Kaylee에게 공정한 평가가 이루어질 수 있도록 모든 특징들을 기록할 수 있는 점수판을 만들 것을 당부한다. Kaylee는 Sylvia에게 모델 Q를 소개할 때 사용했던 점수판이 있음을 상기시키며, 조금 수정하면 모델 Z의 연습활동 점수를 기록하는 데 사용할 수 있을 것이라고 말한다.

잠시 방 안이 조용해지자 Haratio가 처음으로 입을 열었다. Haratio는 3D 촉진자(facili-tator)[1]로서 받아야 할 훈련에 대해 알고 싶어한다. Haratio는 우수한 강사인 동시에 2D 동시학습을 십여 차례 진행해 본 경험이 있으며, 모델 Z에 대해서는 알고 있지만, 3D 환경에서의 훈련진행에 대해서는 아는 바가 없다. Haratio는 아바타가 있어서 VIE 내 회사지원국에 가 본 적은 있지만, 3D 세션을 진행하는 것에 대해서는 마음이 편치 않다.

Sylvia는 Haratio에게 내일 만나서 인터페이스와 사용법을 함께 살펴보고, Haratio가 며칠 동안 사용해 보면 요령을 터득하게 될 것이라고 안심시킨다. Sylvia는 팀원들에게 다른 질문들은 없는지를 물어본 후, 필요한 정보들을 가능한 한 빨리 입수할 것을 당부하며 모임을 마친다.

다음날, Sylvia는 Haratio와 가상공간에서 만나 공간 이동을 이용하여 학습자들의 공간 이동을 돕는 방법, 학습자들의 활동을 모니터하는 방법, 학습자들의 몸짓을 통해 활동수준 및 질문 유무를 파악하는 방법 등을 설명해 준다. Haratio는 계속 날아다니기만 한다든가 Sylvia에게 줄곧 등만 보이기도 했지만, 마침내 많이 나아지는 모습을 보여 주었다. Sylvia는 Haratio에게 며칠 뒤에 다시 만날 때까지 혼자서 사용법을 연습해 볼 것을 부탁한다. Haratio는 그렇게 하겠다고 대답하며 Sylvia와 다음 약속을 잡는다. Haratio가 하고 싶은 것은 교수하게 될 실제 3D 공간에서 연습하는 것이지만, 모임에 참석한 사람들의 말로 미루

---

1) [역주] 교수자료의 설계, 개발, 운영과정 등에서 다른 사람들이 해당 활동 등에 적극적으로 참여하도록 독려하는 사람으로서, '퍼실리테이터'라고도 불림

어보아 Haratio의 바람이 이루어지기까지는 시간이 조금 걸릴 듯하다.

개발팀

Sylvia가 보여 준 설계과정과 Juan이 보여 준 설계과정은 매우 대조적이다. Sylvia와 팀원들이 쏟은 노력은 Juan에게 요구된 것보다 훨씬 복잡하다. Juan은 데스크톱을 이용하여 교수를 실시하기로 결정되어 있어 따로 학습환경을 마련하지 않아도 되지만, Sylvia는 학습공간을 비롯하여 공사현장, 학습자료까지 만들어야 하는 만큼 훨씬 많은 일들을 해야 하기 때문이다.

Sylvia 혼자 감당할 수 없을 만큼 일이 많기 때문에, 모델 Z를 위한 VIE를 성공적으로 구축하기 위해서는 팀을 구성해야 한다. 일반적으로 VIE 개발팀은 다음과 같은 인원들로 구성된다.

- 프로젝트관리자
- 교수설계자
- 내용전문가
- 가상환경개발자
- 스크립터/프로그래머
- 정보공학 대표자
- 학습자집단 대표자

프로젝트관리자. 프로젝트관리자는 팀원들의 활동을 조율하는 일을 맡는다. 가상학습공간개발은 서로 영향을 미치며 진행되기 때문에 팀원들이 개발상황을 잘 이해하고 공통의 목표를 추구하고 있는지를 확인해야 한다.

교수설계자. 3D 공간에서 학습이 효과적으로 일어날 수 있도록 전체적인 교수 프레임워크를 확립하는 일을 맡는다. 목표에 적합한 학습방법을 결정하고, 공식적, 비공식적인 학습활동 모두를 선택하며, 학습에 도움이 되도록 학습공간을 설계한다. 스토리보드와 설계문서를 만들어 3D 공간 개발자들에게 제공하기도 한다.

내용전문가. VIE에서 학습할 내용을 아는 사람이다. 응급구조대원들에게 활동에 협력하는 방법을 반복적으로 연습할 수 있는 기회를 제공하기 위해 사용되는 불 타는 건물을 만드는 것처럼, 학습환경개발과 관련 스크립트 제작에 세심한 주의가 요구될 때도 있고, 아바타들이 만나 가상칠판 위에 모형들을 늘어 놓고 토의하는 것처럼 비형식적인 환경이 개발될 때도 있다.

환경개발자. 학습공간이 될 3D 환경을 만드는 일을 맡는다. Autodesk의 Maya나 3ds Max와 같은 3D 개발 소프트웨어나 시중에서 사용되는 개발도구에 대한 지식이 있어야 한다. VIE에서 실제처럼 보일 수 있도록 정육면체, 피라미드, 원뿔, 구형과 같은 프리미티브 요소(primitive elements)[2]와 서페이스(surfaces)[3]를 정렬시킬 수 있는 지식과 기술이 있어야 하며, 질감, 빛, 규모, 거리 등을 참조하여 학습공간을 구축할 수 있어야 한다.

스크립터/프로그래머. 3D 공간이 예상대로 움직일 수 있도록 코드를 작성하는 일을 맡는다. VIE에서 문을 열거나 계기판을 조작하는 등 구체적인 행동이 요구될 때, 원하는 대로 움직이도록 하기 위해서는 스크립트가 요구되는데, 이처럼 아바타나 사물이 원하는 대로 움직일 수 있도록 스크립트를 작성하는 사람이 스크립터/프로그래머다.

정보기술 대표자. VIE를 효과적으로 운영하기 위해서는 그에 상응하는 기술적인 요건들을 충족시켜야 하는 만큼, 정보기술 대표자가 필요하다. 내부에 VIE를 구축할 경우, 비디오나 오디오카드 관련 요건을 비롯하여 서버와 주파수 요건을 따라야 한다. 외부에 VIE를 구축할 경우, 서버 오픈과 방화벽 관련 요건들을 충족시켜야 한다. 서버가 어디에 위치하든, 기술적인 문제 발생을 최소화하기 위해 정보기술 대표자가 필요하다.

학습자집단 대표자. 자주 간과되는 팀 구성원들 중 하나가 학습자집단 대표자다. 학습자집단에 속하는 사람으로 팀원들에게 학습자들의 입장을 전달하는 역할을 맡는데, VIE가 학습자들에게 보다 편안하게 느껴질 수 있도록 가상학습에 대한 의견을 제시한다.

---

2) [역주] 어떤 모양이나 형태를 만들기 위해 사용되는 가장 기초적인 형태 또는 요소인 구, 원기둥, 원뿔, 정육면체와 같은 것을 지칭함. 3D 구현 시 주로 사용되는 소프트웨어인 3D Max에서는 만들기(Create) 메뉴에서 선택하고 드래그만 하면 만들 수 있는 도형들

3) [역주] 3D 모델링 시 프리미티브 요소들의 겉 표면을 처리하기 위해 사용하는 기능으로, 메시 서페이스(Mesh Surface), NURBS 서페이스(NURBS Surface) 등이 있음

가상학습공간 설계 시 유의점

가상학습설계 시 이러닝 모듈이나 이러닝 코스가 아닌 학습"환경"을 설계한다는 점을 명심해야 한다. VIE는 학습자가 몰입할 수 있도록 흥미로운 환경을 제공함으로써 학습이 신속히 이루어지도록 하는 데 그 목적이 있다. 가상학습에서는 어떤 지식이나 능력이 부족한 학습자가 주어진 과제를 해결하기 위해 그 지식이나 능력을 필요로 할 때 학습이 일어나게 된다. 가상학습은 이러한 학습순간들이 도처에서 일어날 수 있도록 설계되어야 한다. 이러한 학습장면들은 모든 사람들에게 동일하게 적용되지는 않는다. 3DLE에서는 학습자가 경험하는 대로 학습장면을 대면하게 되는 만큼 모두 다른 경험을 하게 되는데, 이 점이 가상학습공간만의 특징이다.

경험은 내용보다 상황에 더 많은 영향을 받는다. VIE에서는 학습내용이 왕이라면, 학습상황은 왕국이다. 상황이 주제와 원칙들을 제시하고 행동하게 한다. 가상학습공간의 진정한 가치는 교실을 얼마나 똑같이 재현할 수 있는가보다는 학습자들이 목표를 향해 움직이고, 상호작용하며, 실패하면 다른 방식으로 다시 시도해 볼 수 있게 함으로써, 결국에는 (직접 배울 때보다 훨씬 빠르게) 기대하는 학습결과를 얻을 수 있도록 하는 데 있다.

이러한 특성들을 고려하여 가상학습설계 시 유의해야 할 점들을 나열해 보면 다음과 같다.

- 적합한 학습맥락 구축
- 구체적인 학습목표 설정
- 최소한의 가이드라인 제공
- 협력 장려
- 학습을 시범 보일 수 있는 기회 제공
- 인센티브 제공

적합한 학습맥락 구축

WebEx나 Centra처럼, 2D 동시학습공간이나 일반적인 교실에서는 학습맥락이 이미 정해져 있는 상태다. 학습자들은 슬라이드나 칠판을 통해 내용을 접하고 이에 대해 협동하게 된다. 학습맥락은 시간별로 다를 것이 없이 비슷하다. 학습내용은 바뀌지만, 학습환경은 변하지 않는다.

VIE의 경우, 수업시간 동안 학습맥락이 자주 변한다. 제3장에서 예로 들었던 것처럼,

학습자들이 모델 Z에 대해 배우기 위해 도착했을 때, 그들은 가상드릴들을 보며 특징 찾기를 했고, 거대한 드릴 주위를 날아다니기도 했다. 또한, 상점에 전시된 것을 훑어보기도 했고, 전시장에서 역할놀이를 하기도 했으며, 작업실에서 자기만의 진열대를 만들어 보기도 했다. 이러한 환경들을 가상학습공간에 구축하고 촉진자의 필요를 예측하는 것은 3D 학습환경 설계자의 몫이다. 2D 동시학습환경에서 촉진자가 슬라이드를 만들어 부연설명하듯이 손쉽게 VIE를 만들어 내지 못하기 때문이다.

학습환경은 VIE 내 학습과정에 중요한 영향을 미친다. 학습자는 물론이고 학습자들이 교수자, 동료 학생들, 학습환경으로부터 얼마나 배울 수 있는지에 영향을 미치기 때문이다. 교수설계자는 (1) 협력을 장려하고, (2) 학습목표 달성에 도움이 되며, (3) 학생 간 상호작용을 장려하고, (4) 학습 가능한 맥락을 제공하는 학습환경을 구축해야 한다. 3D 학습에서 맥락은 콘텐츠만큼이나 중요하다.

구체적인 학습목표 설정. 그러나 학습자에게는 말하지 않기

2D 동시학습공간의 경우, 일반적으로 교수자가 학습자들에게 수업목표와 계획을 알려 주며, 학습자들을 위해 학습목표는 구체적으로 전달한다. 동일한 방식으로, 3DLE 설계자는 학습자들이 성취해야 하는 구체적인 학습목표들을 잊지 말아야 하지만, 학습자들을 위해 가상슬라이드를 준비하고 학습목표를 명시할 필요는 없다. 수업순서나 학습목표들을 자세히 순서대로 알려 주어서는 안 된다. 그 대신, VIE의 개방성을 활용하여 학습자들이 원하는 대로 학습공간을 순차적으로 탐구할 수 있도록 함으로써 학습목표를 달성할 수 있는 환경을 만들어야 한다. "안전수칙 위반사항 7가지를 찾아낼 수 있다"와 같은 학습목표를 제공하기보다는 "이 가상공간에서는 어떤 안전수칙을 위반한 것으로 보이는가?"와 같은 질문을 던진다. 또는 "이 기기를 살펴보고 안전장치를 설치하라", "이 생산공정에서 안전수칙 위반사항 7가지를 시정하라"와 같이 학습목표를 깨달을 수 있는 과제를 제시한다.

최소한의 가이드라인 제공

3DLE 설계 시 학습목표들은 구체적이되 이 학습목표들을 달성할 수 있는 방법은 다양해야 한다. VIE에서는 학습자 간 실시간 상호작용 및 협력이 가능하지만, 학습자들이 학습목표에 도달하기까지는 어느 정도 가이드라인이 필요하다. 따라서 최소한의 가이드라인만 제공하고 학습자들이 학습환경에 몰입하도록 한다. 학습자들을 이동시켜 가며 모델 Z 견

본을 보여 줄 때, 구체적으로 가르쳐 주기보다는 몇 가지 견본들을 보여 주고 질문을 하도록 유도하는 것이 한 예가 될 수 있다.

최소한의 가이드라인을 제공할 때, 학습자들은 "아하" 하며 알게 되는 순간을 경험하게 될 것이다. 맥락과 가이드라인을 알맞게 제공한다면, 학습자들은 동료학습자뿐만 아니라 환경 및 몰입경험으로부터 배우게 될 것이며, 이는 학습내용을 오래 기억하는 데 도움이 될 것이다.

협력 장려

VIE의 최대 강점들 중 하나는 학습자들이 협력하도록 한다는 점이다. 아이템의 공동창조, 특정 장소의 특징 짚어내기, 같은 시각, 같은 가상공간 내에서 동일한 활동하기 등 VIE에는 협력기회들이 존재한다. 따라서 학습활동 설계 시, 협력이 요구되는 상황을 만들어야 한다. 앞에서 예를 든 것처럼, 팀으로 전시물 만들기와 같은 활동이 그러한 예 중 하나다. Sylvia 팀은 작은 드릴의 특징 찾기부터 시작해서 최종연습활동이 끝날 때까지 다양한 협력활동들을 제안했다. 가상공간에서 아바타들이 함께 퍼즐을 풀거나 게임을 하는 것도 예가 될 수 있다. 이 경우, [그림 7-1]에서 볼 수 있는 바와 같이, 교수자가 사회자가 되어 게임을 감독하고 관련 학습을 지켜볼 수 있을 것이다.

학습을 시범 보일 수 있는 기회 제공

훈련 시 고려해야 할 가장 중요한 요소들 중 하나는 학습한 기술이 실제 근무환경에 전이되는지의 여부다. 실제 근무환경을 옮겨 놓은 듯한 VIE에서는 촉진자의 지도를 받으며 기술을 연마할 수 있다.

이러한 유형의 연수환경을 설계할 때, 습득한 기술을 교수자가 검토하고 실행결과를 학습자들이 살펴볼 수 있는 기회를 제공해야 한다. 근무환경과 유사한 환경에서 근무 시 수행해야 할 작업들을 아바타가 똑같이 보여 줄 수 있다면 해당 학습자는 VIE에서 배운 기술을 근무환경에서도 사용할 수 있다고 판단할 수 있을 것이다.

인센티브 제공

VIE 설계 시, 참여, 보상금 지급을 통한 장려, 또는 "보상(tokening)"을 증진하기 위하여

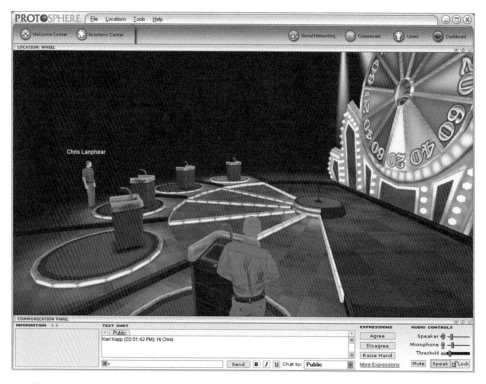

[그림 7-1] 또 다른 물리적인 세계에 있는 공동작업자팀을 상대로 가상게임에서 승리하기 위해 함께 노력하고 있는 두 아바타

몰입과 상호작용성을 촉진하는 맥락은 핵심적인 수단이 된다. Sylvia팀은 Jack과 동료들을 위해 "학습자산(learning bucks)"을 획득할 수 있도록 하기 위하여 연습문제를 만들었다. 이와 같은 획득 가능성은 학습자들이 쉬워 보이지 않는 일에 도전하게 한다. 게임개발자들은 게임사용자들이 오랜 시간 게임에 빠져 있을 수 있도록 인센티브를 제공해 왔다. 레벨을 나누고 보너스 등을 제공함으로써 도전의식과 지루함의 경계를 관리하는 일은 World of Warcraft와 같은 성공적인 게임이 달성해 온 거대한 선택과 사용자 수를 늘리는 데 있어 매우 중요하다. 가상학습공간에서 교수를 전달하는 방향으로 나아감에 따라, 학습흥미와 효과증진을 위해 게임 개발자들이 사용해 왔던 인센티브 지급을 고려해 보는 것도 도움이 될 것이다. 그러나 이러한 방법이 상급관리자들에게는 게임처럼 보일 수도 있기 때문에, 지나치게 게임처럼 보이지 않도록 주의를 기울여 인센티브를 추가해야 한다. 인센티브와 자기 동기부여가 균형을 이룰 수 있도록 세심한 주의가 요구된다.

ADDIE 모형을 적용한 가상학습 개발단계

Sylvia가 VIE 학습을 설계한 방법은 다음과 같다. 우선, Sylvia는 위에서 언급한 대로 일반적인 설계지침을 따랐다. 널리 통용되는 교수설계방법인 ADDIE 모형을 참고하여 분석, 설계, 개발, 실행, 평가에 이르는 일련의 과정을 거쳤다. VIE에 적합한 수업을 개발하기 위해서는 체계적으로 구성된 ADDIE 모형의 다섯 단계를 따라야 한다. 가상학습공간을 창조할 때 고려해야 하는 다른 사항들이 있지만, ADDIE 모형의 기본절차를 따르는 것은 공통적이다.

아마도 가장 큰 차이점을 꼽는다면 VIE 개발팀은 콘텐츠의 설계뿐만 아니라 학습이 행해질 환경도 설계해야 한다는 점이다. 이는 단순히 교수의 순서와 콘텐츠를 설계하는 전통적인 교수설계와는 많이 다르다. VIE의 경우, 여러분은 또한 교수가 행해지는 맥락을 설계할 필요가 있다. 교수설계자는 맥락설계자가 되어야 하며, 아키텍처, 학습자 간 상호작용, 비형식적인 학습공간, 학습자와 객체 간 상호작용 구축과 같은 것들을 고려해야 한다. 다른 고려사항들로는 그 환경이 음성, 텍스트, 또는 노트카드를 통해 학습자에게 "말하도록 (tell)" 할 것인지 여부도 포함된다. 학습자 경험이 VIE 내에서 "죽어 버릴 수(death)" 있는가? 성공적인 학습을 위해서는 어느 정도의 현실감이 요구되는가? 초현실적인 환경은 학습에 유의미한가?

최적의 가상학습경험을 창출하기 위해 이러한 질문들을 ADDIE 준거틀(framework) 내에서 어떻게 해결할 수 있는지를 검토해 보자.

분석

가상학습환경은 학습내용, 학습자, 테크놀로지에 관하여 주의 깊게 분석하지 않으면 보상도 못 받는 거대한 소프트웨어에 투자하는 것과 같은 문제가 발생될 것이다. 분석을 하지 않으면, 학습자들의 요구에 부합되지 않는 교수를 개발하거나, 실제로 필요하지 않은 교수를 설계하거나, 질이 좋지 않은 교수자료를 질이 좋지 않은 가상세계 학습으로 설정하거나, 또는 학습자들에게 매력적이지 않은 공간을 개발하는 것과 같은 문제들이 발생할 것이다. 심지어 가상세계가 현재의 네트워크상에서 실행되지 않는 문제가 발생할 수도 있다. 이러한 상황들 중 어떤 것도 바람직하지 못하다.

성공을 보장하기 위하여, 가상세계 학습경험을 하기 전에 분석이 행해져야 한다. 일반적으로, ADDIE 과정 중에서 분석단계는 네 가지의 주요사항들을 검토해 보는 것으로 구성되어 있다. 첫 번째는 학습할 **과제**(task), **개념**(concept), 또는 **기술**(skill)이다. 두 번째는 학습이 행해질 **환경**(environment)이다. 세 번째는 학습자들이 VIE 내에서 상호작용하기 위해 요구되는 **기술적인 고려사항들**(technical consideration)이고, 네 번째 분야는 VIE 내에서 상호작용할 **학습자들**(learners)에 관한 분석이다.

과제, 개념, 또는 기술. 과제, 개념, 또는 기술을 가상학습세계에서 적절하게 가르칠 수 있는지의 여부를 결정할 때, 몇 가지 변수들을 고려하라. 첫째는 가르칠 학습내용의 유형을 결정하는 것이다. 그것은 사실과 용어, 또는 개념과 절차, 또는 문제해결인가? 〈표 5-1〉에서 살펴본 바와 같이, 지식의 유형을 확인하면, 교수를 만드는 나머지 과정들에 도움이 될 것이다. 학습내용 분석은 적절한 학습원형 선택 시 방향을 제시해 준다. 검토해야 할 또 다른 변수는 교수가 집단협력을 필요로 하는지의 여부다. 만약 과제가 목적을 달성하거나 문제를 해결하기 위하여 여러 집단들이 실시간으로 상호작용하고 함께 일해야 하는 것과 관련된다면, 가상세계가 적합하다고 할 수 있다.

VIE는 지리적으로 여러 다른 지역에 흩어져 있는 학습자들이 활동에 협력하고 함께 일할 수 있도록 연습할 수 있는 기회를 제공해 줄 것이다. 예를 들어, 질병이나 자연재해 발생에 대비한 대처훈련을 준비할 경우, 사전준비와 연습에 많은 시간과 비용이 소요된다. 그러나 VIE를 활용할 경우, 환경을 보다 수월하게 변경시키면서 대규모 훈련을 반복할 수 있다. 응급구조대원들은 다양한 가상상황에서 함께 협력하는 것을 연습할 수 있다.

VIE는 또한 개인들이 강한 압박을 받으며 협력해야 할 때 그들이 집단환경에서 상호작용하는 방법을 가르치는 데 효과적일 수도 있다. VIE의 사실성 때문에, 학습자들은 감정이 격해지고 수행에 대한 압박이 가해지는 상황에 놓일 수 있다. 사람들은 자신들이 협력해야 하는 이러한 유형의 상황들에 처하게 될 때, 자신들이 실제 상황에 있는 것처럼 반응한다. 예를 들어, 몇몇 사람들은 잘못된 결정을 내리거나, 부적절한 것들을 행하거나 말할 수 있다. 이러한 경향들은 상대적으로 안전한 훈련사태에서 검토될 수 있다.

환경. 다음으로 고려되어야 할 영역은 학습이 일어나야 할 환경이다. 학습은 실제적인 환경에서 일어나야 하는가, 보다 인습화되었거나 초현실적인 환경에서 일어나야 하는가, 또는 심지어 실세계에서는 불가능한 환경에서 일어나야 하는가? 몰입(immersion)은 어떤 사람을 판매상황에 놓고 판매해 보라고 요청하는 것과 같이 실제적일 수도 있고, 어떤 의사가 인간해부학에 관한 또 다른 관점을 얻기 위하여 어떤 거대한 심장을 통과하는 것과 같이 보다 초현실적일 수도 있다.

학습환경이 사실성을 필요로 할 때, 가상세계는 효과적인 해결방안일 수 있다. 가상세계는 도시풍경, 자동차, 기계류 등을 사실적으로 묘사함으로써 물리적인 세계를 재현할 수 있다. 만약 최적의 수행을 하기 위하여 높은 정확도가 요구된다면, 가상세계는 필요한 사실성을 제공할 수 있다. 많은 가상세계의 시각적, 청각적 사실성은 사실적인 대상들을 매우 사실적으로 묘사해 준다. 이것은 눈금이나 계기판, 스위치의 작동을 가르칠 때 매우 중요할 수 있다. 그것은 또한 학습자가 연습할 수 있는 실제적인 환경을 제공한다. 가상세계는 또한 실제적인 환경, 의복, 기후조건들을 포함할 수 있도록 해 준다. 이러한 모든 시각적인 단서들은 학습자의 두뇌 속에 부호화되고, 학습자가 학습이 요구되는 정확한 환경 속에서 그것을 회상하는 것을 보다 수월하게 해 준다.

사실적인 가상환경은 또한 학습자들에게 위험한 과정이나 절차를 안전한 환경에서 가르칠 수 있다는 점에서 이상적이다. 전쟁에서 싸우거나 원자로에서 발생한 문제를 안전하게 처리하는 것과 같은 위험한 절차들을 수행하는 방법을 가르치기 위해, 시뮬레이션이 여러 해 동안 사용되어 왔다. VIE는 그와 동일한 안전장치를 제공한다. VIE는 학습자들이 수행할 필요가 있는 위험한 환경을 사실적으로 묘사한 복제품 안에서 몰입시킬 수 있는 능력을 가지고 있다.

역으로, VIE의 또 다른 장점은 학습자에게 그렇지 않으면 시도해 볼 수 없는 몰입적인 환경을 제공할 수 있다는 것이다. 예를 들어, 어떤 사람을 화산의 중앙에 떨어뜨린다거나, 분자만한 크기로 줄여 혈관을 탐색할 수 있도록 하거나, 심지어 다른 성(gender)으로 사는 삶을 경험할 수 있도록 해 준다. VIE는 학습자를 아주 낯선 환경에 몰입시킴으로써 이해하기 어려운 개념들을 가르치기 위한 맥락을 제공할 수도 있다.

VIE가 지니고 있는 또 다른 장점 요소는 스트레스 수준이다. 가상세계는 움직이는 물체, 소리, 화면에 갑자기 나타나는 요소들, 학습자 내부에 있는 불편함을 유발시키는 다른 기법들을 통해 학습자로부터 상당한 스트레스를 만들어 낼 수 있다. 이것은 군부대 작전 수행이나 심화되고 있는 자연재해에 대처하는 것과 같이, 학습자가 수행해야 할 실제적인 환경이 스트레스를 주는 것이라면 매우 유용할 수 있다. 이와 같은 상황에서, VIE는 정서적 또는 감정적인 학습영역에 풍부한 훈련기반을 제공할 수 있다. VIE는 학습자에게 스트레스에 대처하고 자신의 감정을 계속적으로 확인하면서 다른 상황에서 작업하는 방법을 가르치기 위해 사용될 수 있다.

그러한 환경의 예로는 다음과 같은 것들이 포함된다.

- 응급실팀
- 팀 판매활동
- 전투
- 응급구조대 활동
- 감사활동
- 행사 계획/조정
- 보안(건물, 항만)

기술적인 고려사항들. 가상학습 노력을 쉽게 실패하게 만들 수 있는 한 분야가 기술적인 장애들이다. 많은 기관들은 VIE가 원활히 작동하는 데 필요한 그래픽카드나 처리속도를 가지고 있지 않다. 이것은 VIE가 지연되거나 느리게 작동될 때 문제를 야기할 수 있다. 비효과적인 작동은 학습자들의 경험을 크게 손상시킬 수 있다. 아울러, 많은 기관들은 대역폭 요구조건과 관련한 문제들을 지니고 있다. VIE가 대역 사용량이 큰 만큼 작동속도가 현저히 떨어질 수 있다. VIE를 작동하기 위하여 외부 호스트를 사용할 경우 여전히 포트가 열리지 않는다거나, 가상세계를 실행하는 클라이언트 소프트웨어를 다운로드하지 못하거나, 또는 다른 문제들과 같은 IT 부서의 문제들이 발생할 수 있다. 서비스를 시작했을 때, 가상학습세계가 적절하게 기능할 수 있도록 하기 위해서, 이용 가능한 서버 종류, 방화벽 문제, 클라이언트 컴퓨터 용량, 다른 기술적인 사양들에 관한 분석을 시행하라.

학습자. 가장 중요한 요소들 중 하나는 학습자의 VIE에 참여하고자 하는 준비도다. 만약 학습자들이 가상세계에 접속하는 방법, 가상세계를 내비게이션하는 방법, 또는 자신의 아바타를 설정하는 방법을 이해하지 못한다면, 아무리 잘 개발된 VIE도 성공하지 못할 것이라는 점을 이해하는 것이 중요하다. 이러한 항목들 모두는 훈련될 수 있지만, 기관들은 먼저 학습자들의 가상세계에 대한 통찰력 수준을 이해할 필요가 있다. 만약 그들이 가상세계에 대해 익숙하지 않다면, 학습을 100% 가상세계에서 시작하기 전에 약간의 기본적인 교육과 교수를 행하기 위한 계획을 세울 필요가 있다.

VIE에 대한 지식이나 친밀도를 판단하고자 한다면, 학습자들이 가정에서 비슷한 가상세계를 사용하고 있는지, 또는 가상세계에 대해 전혀 익숙하지 않은지를 결정하기 위한 설문조사를 실시하는 것을 고려해 보라. 만약 학습자들이 가상학습세계에 참여해 본 적이 없다면, 이는 학습자들을 위한 교수경험을 만드는 과정이 필요함을 시사한다.

설계

ADDIE 모형 중 이 요소는 3DLE를 설계하기 위하여 적절한 교수전략을 적용하는 것을 필요로 한다. 교수전략(instructional strategy)이란 지식, 기술, 정보를 이해하고 습득하기 위한 학습자의 능력에 영향을 미치는 한 방법이다. 이러한 교수전략들은 학습자가 VIE로부터 실제로 학습할 수 있도록 하기 위하여 사용되는 기법들이다. 그러한 것들로는 교수의 계열화(sequencing), 상호작용, 그리고 방법이 포함된다. 설계과정은 분석에 뒤따른다. 첫 번째 단계, 즉 분석에서 수집된 정보는 학습설계에 반영된다.

동시적 또는 비동시적. 3DLE 설계 시 먼저 결정해야 할 것들 중 하나는 학습을 교수자가 주도하는 동시적인(synchronous) 환경에서 진행할 것인지, 또는 학습자들이 자기진도대로 학습하는 비동시적인(asynchronous) 환경에서 진행할 것인지의 여부를 결정하는 것이다. VIE는 두 가지 유형의 학습을 모두 수용할 수 있지만, 각 유형의 학습은 최적의 학습이 일어날 수 있도록 계획되고 조정되어야 한다. 제5장에서 언급한 바와 같이, 가이드된 여행(guided tours)과 보물찾기 게임(scavenger hunts)과 같은 어떤 유형의 학습원형은 자기주도적인 환경에서는 효과적으로 행해질 수 있지만, 문제해결은 교수자주도 형태에서 잘 작동한다.

고려해 볼 필요가 있는 몇 가지 질문들을 나열하면 다음과 같다:

- 학습활동을 안내하고 상호작용을 위한 조건들을 설정하기 위하여 교수자나 촉진자가 있어야 하는가?
- 학습활동을 위해 다른 학습자들과 상호작용이 필요한가?
- 학습활동은 3DLE(보안요원들이 근무하게 될 환경에서 보안점검 사항들을 가르치는 것처럼, 학습환경과 학습활동이 일치함을 의미함)에 의해 지원되는가?
- 학습자들이 3DLE 환경을 스스로 내비게이션하면서 동시에 학습할 수 있는가?
- 교육적인 요소들이 그 환경 내에 배치되고 학습자들은 그러한 요소들과 독립적으로 상호작용할 수 있는가? 그 환경은 학습자에게 텍스트나 음성을 통해 "전달되는가?"

계열과 교수요소들. 3DLE를 설계하기 위해서는 학습자가 겪게 되는 교육적인 경험 전반을 세심히 고려해야 한다. 3DLE 설계 시 다음과 같은 질문들을 고려하라.

- 무엇이 가장 처음 일어나는가?
- 학습자들은 어떻게 상호작용하는가(음성/텍스트)?

- 학습자들이 어디로 가길 원하는가?
- 바람직한 학습결과물은 무엇인가?
- 압박요소들(시간, 점수)을 추가할 것인가?
- 행동은 얼마나 현실적이기를 원하는가?

학습설계는 또한 교수 동안 일어날 학습활동들을 고려해야 한다.

- 학습자들은 무엇을 하는가?
- 학습자들은 어떻게 교수를 받는가?
- 학습자들은 무엇을 해야 하는지를 어떻게 아는가?
- 학습자들을 어떻게 관찰할 것인가?
- 학습환경 내 활동들은 아바타의 건강에 역효과를 내는가?
- 성공을 어떻게 점수 매길 것인가?
- 교수는 얼마나 분명한가?

환경 및 구조. 3D 학습활동 설계 시 고려해야 할 또 다른 요인은 학습이 일어날 환경을 제작하는 것이다. 이것은 현실성의 수준을 결정하는 것을 포함하지만, 그 커다란 결정보다 훨씬 더 큰 것은 학습을 촉진하기 위하여 조성되는 구조와 공간의 종류들을 고려하는 것이다.

3D 학습공간 설계 시 많은 사람들이 범하는 한 가지 실수는 실제 구조 또는 공간과 최대한 비슷하게 재현하려고 시도하는 것이다. 이러한 접근방식은 제한적일 수 있으며, 아바타가 내비게이션하는 것을 어렵게 만들 수도 있다. VIE에서 아바타가 복도를 걸어 내려가고 사물들 주위를 이동하기 위해서는 물리적인 세계에 있는 실제 사람이 하는 것보다 더 많은 공간을 필요로 한다.

예를 들어, 천장을 실제보다 높게 해야 아바타가 점프하거나 공간 이동할 때 다른 아바타 머리 위에 착지하여 혼란을 겪게 되는 상황을 방지할 수 있다. 또한, 아바타가 방에서 날아오르려고 할 때, 천장이 낮으면 위험할 수 있다. 3D 학습공간 설계 시, 아바타의 움직임을 고려하여 모든 건물들을 실제와 100퍼센트 같은 크기로 만드는 것은 삼가야 한다. 대규모 인원을 수용하기 위한 만남의 장소를 만들 때, 지붕이나 벽을 추가할 필요가 없다. 가상환경에서는 기후를 통제할 수 있기 때문에 천장이 있을 필요가 없다. 이러한 유형의 구조들 중 하나가 있다면, 아바타는 단단해 보이는 물체들을 마치 유령처럼 바로 통과할 수 있다. 이는 가상공간을 가능한 한 실제적인 것처럼 보여 주기를 원하지만 학습자들이 내비게이션하는 것을 단순화시키기를 원할 때 편리하다.
다음에 제시한 학습을 위한 3D 공간을 구축하는 것에 관한 Bart Pursel의 조언을 참고
하라.

VIE에 학습공간 설계하기
Barton Pursel

가상세계에 3D 공간을 설계하는 것은 쉽지 않은 일이다. 설계목적에 따라, VIE 내
3D 환경 제작에 도움이 될 수 있는 몇 가지 영역들이 있다. 우선 생각나는 한 영역은
건축인데, 주의할 것이 있다. 건축가들은 일반적으로 오늘날 이용 가능한 다양한 3D
가상세계와는 매우 다른 물리적인 세계에서 3D 공간을 설계하는 훈련을 받는다. 교
수설계, 게임설계, 웹설계를 혼합적으로 사용하여, 최종사용자들에게 다양한 경험을
제공하는 VIE 환경의 프로토타입을 제작할 수 있다. 몇 가지의 VIE 설계 관련 팁들은
다음과 같다.

1. 설계에 대해 생각하기 전에 항상 분명한 목표를 가지고 시작하라. 교수프로젝트를
   수행하고 있다면, 3D 환경이 해결하게 될 요구나 해결하고자 하는 전반적인 목표
   들을 확인하라. 게임과 매우 흡사한 환경이라면, 사용자들이 이 공간에서 경험했
   으면 하는 바를 간략하고도 분명하게 언급할 수 있어야 한다. 목표가 분명하면, 구
   체적으로 어떤 3D 환경을 사용하여 설계해야 하는지를 결정하는 데 도움이 될 뿐
   만 아니라, 이 3D 환경 내 어떤 종류의 어포던스가 목표나 의도하는 바를 이루는
   데 도움이 되는지를 분간하는 데에도 도움이 된다.

2. 목표나 의도하는 경험에 맞게 가상세계의 어포던스를 사용하라. 가상공간의 어포
   던스란 사용자의 특정 행동을 가능하게 하는 가상공간의 특성을 일컫는다. 예를
   들어, Second Life에서는 공간 이동이나 날기와 같은 몇 가지 이동방법이 가능하
   다(주의: 이러한 이동방법들은 Second Life의 개인별 영역에서 사용 금지시킬 수
   있다). 실제로 우리는 하늘을 날거나 특정 장소로 공간 이동할 수 없다. 따라서 이
   러한 어포던스만으로도 Second Life는 실제 세계와는 매우 다른 공간이 될 수 있
   다. 실제로 우리가 다양한 공룡들을 가르치기 위해 박물관을 설계한다면, 다음 전
   시관으로 길을 안내하는 표지판과 같은 것들도 만들어야 한다. 그러나 Second
   Life에서는 이 가상공간이 허락하는 어포던스를 활용하여 공간 이동 장치만 만든

다면 한 번의 클릭으로 학생들의 아바타들을 다음 전시관으로 데려갈 수 있을 것이다.

3. 아바타를 고려하여 설계하라. VIE에서 아바타를 컨트롤하는 것은 실제로 우리가 우리 몸을 컨트롤하는 것보다 훨씬 어려울 수 있다. 가상세계에서는 복도를 걸어가거나 계단을 올라가는 것과 같은 일들이 매우 어려울 수도 있다. 이러한 어려움이 생기는 한 가지 원인은 가상세계에서 사용되는 카메라 컨트롤 때문이다. 비디오 게임에서 사용되는 전문용어를 빌리면, 대부분의 가상공간에는 3인칭 관점(third-person view)이라는 것이 사용된다. 3D 공간에서 이동 시 우리가 아바타의 뒤를 보게 되는 것처럼, 우리는 3인칭 관점으로 모든 것들을 보게 된다. 실제로 우리가 우리 눈을 통해 세상을 보는 것을 게임에서는 1인칭 관점(first-person view)이라고 부른다. 이와 같은 시선의 차이 때문에 가상공간 내 이동이 매우 어려워지기도 한다. 이러한 시선의 차이는 "카메라 클립핑(camera clipping)"을 초래하기도 한다. 좁은 복도에서 아바타를 90도로 돌릴 경우, 카메라가 복도 바깥을 비추어 시야가 차단되고, 결국 아무것도 보이지 않은 채 움직이게 되는 경우가 발생할 수 있다. 또 한 가지 고려해야 할 점은 대기시간이다. 어떤 가상공간들은 컴퓨터 화면에 수백 개의 텍스처(textures)와 애니메이션을 한 번에 띄우기 위해 대용량의 그래픽카드와 CPU를 요구하기도 한다. 이 때문에, 어떤 물체나 텍스처들이 느리게 뜨기도 하고, 몇 초가 지나야 전체가 다 보이기도 한다. 아바타가 자신을 가로막고 선 벽을 보지 못한 채 앞으로 나가려고 할 경우 혼란을 겪기도 한다.

4. 프로토타입을 만들 때, 프로토타입할 구체적인 객체들은 목적이 있어야 한다. 박물관 설계를 다시 예로 들어 보면, 목적에 부합하는 중요한 학습내용에 초점을 맞춰 전시물의 프로토타입을 개발해야 한다. 많은 설계자들이 문, 복도, 계단 등 모든 것을 한꺼번에 설계하려는 경향이 있다. 가상세계의 이러한 것들은 설계 및 개발에 시간과 노력이 소요될 뿐 기능적인 중요성은 떨어지는 편이다. 따라서 대부분의 시간과 에너지는 목적에 직접적으로 영향을 미치고 그 효과성을 확인해 볼 수 있는 요소들에 집중하는 것이 좋다. 전시관 개발이 완성되면, 다른 설계자들에게 부탁하여 시험 삼아 사용해 보라. 사용자집단을 대표하는 사람들에게 부탁할 수 있다면 더욱 좋을 것이다.

실제 존재하더라도 가상세계에서는 불필요한 요소가 있을 수 있다. 문이 그 좋은 예다. 다른 방으로 이동할 때, 왜 아바타가 문을 열고 나간 후 다른 문으로 들어

가야 할까? 실제로 문은 안전, 온도조절 등 다양한 목적을 위해 사용되지만, 가상 세계에서는 이러한 목적들이 불필요하다. 가상공간의 모든 요소들은 분명한 목적과 기능을 가지고 있어야 한다. 따라서 설계안이 준비되면, 모든 구성요소들이 구체적인 목적과 기능을 갖고 있는지를 점검하는 것이 좋다.

5. 친숙감 대 사용성. 친숙감과 사용성 간에 균형을 맞추기가 매우 힘들며, 많은 설계자들이 힘들어하는 부분이다. 설계를 할 때, 얼마나 실제적이어야 하는지를 스스로에게 물어보라. 만약 박물관 배치와 구조에 관한 지식을 보여 주기 위해 건축수업의 일환으로 가상박물관을 구축하고 있다면, 그 최종 박물관은 실제적이어야 하며, 최종사용자들에게 친숙해야 한다. [그림 7-2]에서 보는 바와 같이, 최종사용자들은 실제 세계에 있는 박물관처럼 보이고 느껴지는 가상세계에서 어떤 구조에 도착하여 들어올 것이다.

　그림들을 안전하게 전시할 수 있는 박물관을 구축한다면, 더 이상 실제적이거나 친숙한 어떤 것을 만드는 데 제약을 받을 필요가 없다. 가상세계의 어포던스에 기초하여, 사용 가능한 어떤 것을 만드는 쪽으로 관심을 돌릴 수 있다. 박물관은 방이 필요한가? 여러 층이 있어야 하는가? 심지어 가상의 건물에 있어야 할 필요가 있는가?

[그림 7-2] 　물리적인 세계에 의해 제약을 받는 패러다임을 사용한 가상박물관 설계하기

[그림 7-3] VIE의 어포던스를 사용하여 가상박물관 설계하기

학습자들이 날아다닐 수 있는 VIE에 박물관을 구축한다면, [그림 7-3]에서 볼 수 있는 바와 같이, 왜 사용자들이 날아다닐 수 있다는 사실을 활용하지 않는가? 이것은 (공간을 절약할 수 있는) 높은 건물을 구축할 수 있도록 해 준다. 대기시간이나 카메라 클립핑 문제는 어떠한가? 전형적인 박물관들은 여러 개의 통로와 출입구가 있는 방들로 구성되어 있다. 이러한 요소들이 설계에 중요하지는 않지만, 왜 박물관에 실외(outdoors)를 만들지 않는가? 이제 아바타들은 카메라 클립핑을 겪거나 구석에 전시된 그림이 있는지도 모른 채 여기 저기 방들을 내비게이션하지 않고 3D 공간을 활보할 수 있다.

VIE의 강점들 중 하나는 사용자에게 강렬한 경험을 제공할 수 있다는 것이다. 이러한 가상공간에 대한 이해 없이 설계한다면 사용자에게 부정적인 경험만 제공하게 될 것이다. 여러분이 경험해 본 최악의 웹사이트를 생각해 보라. 사이트에 정보는 있지만 설계나 검색기능이 열악하여 원하는 정보를 찾을 수 없는 곳이었는가? 이러한 사용성이 사용자의 경험에 영향을 미치기 때문에 VIE 설계 시 고려되어야 한다. 가상공간에 멋진 박물관을 세웠지만 사용자들이 이동하는 데 어려움을 겪거나 여러 곳에서 길을 잃는다면, 사용자에게 좋지 않은 경험을 제공하고 있는 것이다. 설계가 최종적으로 완성될 때까지 테스트와 설계를 반복하여 사용자에게 최상의 경험을 제공할 수 있도록 하라.

모임장소를 만들고자 할 때, IBM이 효과적인 것으로 밝혀낸 한 가지 방법은 커다란 모임공간을 중간에 만든 다음, 그 주요 모임공간 주위에 더 작은 출구공간들을 만드는 것이다. IBM은 그러한 공간을 커다란 모임공간 중간에 X자 형태로 설계하고, X자의 각 끝에 작은 출구 방들을 설계한다.

현실을 초월한 설계. 가상학습의 장점들 중 하나는 학습자들을 시간을 거슬러 특별한 장소로 데려갈 수 있다는 것이다. 고대 이집트나 고대 전쟁터를 만들어 학습자들이 둘러보게 할 수 있고, 해양탐험을 설계하여 학습자들이 해저를 걸어 다니게 하거나, 별자리를 살펴보게 할 수도 있다. 흥미롭고 재미있으며 교육적으로 유용한 학습환경을 만들어라.

요약정리 고찰. 상호작용에 근거한 학습환경에서 고려해야 할 중요한 요소들 중 하나는 적절한 수준의 요약정리(debriefing)를 제공하여 학습자가 경험한 바를 이해하고 학습내용에 대해 성찰(reflection)할 수 있도록 하는 것이다. 성찰은 제4장에서 논의한 일곱 가지 원칙들 중 하나로, 요약정리 과정은 동시적, 비동시적 학습 모두에서 중요한 역할을 한다. 요약정리와 관련하여 고려해야 할 사항들은 다음과 같다.

- 누가 요약정리할 것인가?
- 요지가 무엇인가?
- 교수자는 어떻게 관찰하는가?
- 그것은 문서로 제공되는가?
- 요약정리는 어디에서 할 것인가?

스토리보드. 3DLE 개발은 복잡하고 여러 절차를 거치기 때문에, 많은 개발자들은 먼저 스토리보드로 3DLE를 설계하고 스토리보드가 작성된 이후에 실제로 그 환경을 구축하고, 학습활동들을 "수행한다". 스토리보드를 작성하는 단계는 작성된 학습환경이 학습목적에 부합하는지를 확인하는 데 도움이 된다. 스토리보드는 또한 완성된 가상환경을 수정하는 것보다 스토리보드를 수정하는 것이 더 쉽기 때문에, 값비싼 개발과정을 보다 효과적으로 운영하는 데 도움이 된다. 이것은 영화를 제작하기 위하여 사용되는 스토리보드 과정과 비슷하다. 학습경험이 계획되고, 다음 단계 과정에서 구현된다. [그림 7-4]는 스토리보드의 예를 보여 준다.

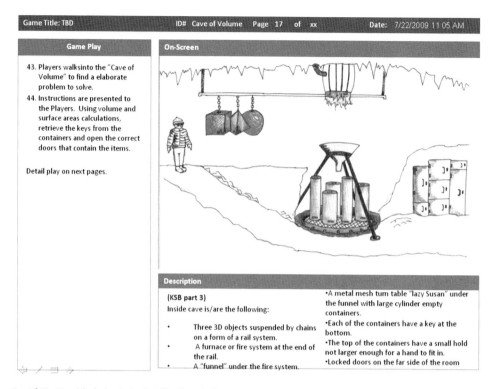

[그림 7-4] 부피와 면적 개념을 가르치기 위해 VIE 내에 3DLE를 구축하기 위한 스토리보드.
저작권은 Institute for Interactive Technologies at Bloomsburg University가 소유함.

개발

개발은 ADDIE 모형 중 일부분인데, 이 단계에서 가상학습환경이 구축된다. 이 단계에서 일련의 3D 구조물, 공간, 설계가 교수를 만들기 위한 다른 요소들과 결합된다. ADDIE 모형 중 개발단계는 교수전략을 교수를 전달하고 학습자에게 경험을 제공하기 위하여 사용될 3DLE로 전환하는 것을 포함한다. 개발은 ADDIE 모형의 중요한 부분이지만, 분석과 설계가 적절하게 행해졌을 때만이 성공적으로 마무리될 수 있다.

VIE를 개발하기 위해서는 교수설계자, 맥락개발자, 프로그래머가 설계단계에서 개괄한 비전을 실행하기 위하여 함께 긴밀하게 일해야 한다. 이 팀은 스토리보드들을 검토하고, 그것들을 VIE 내에 구현한다. 이 과정은 맥락개발자가 제작될 필요가 있는 공간, 건물, 이동기기 또는 기계류를 만들고 프로그래머가 적절한 기능이 필요한 곳에 사용할 스크립트를 작성할 때 행해진다.

대부분 3DLE를 처음부터 구축해야 하지만, 가상환경에 대한 인기가 높아지면서, 학습경험을 창출하기 위하여 필요할지 모르는 많은 아이템들을 구매할 수 있다.

예를 들어, Second Life에서 응급구조대원들을 훈련할 경우, 학습환경을 완성하기 위하여 가상헬리콥터, 경찰차, 소방트럭, 다른 아이템들을 구입할 수 있다. 기관들은 가상세계에 관한 인기가 높아지는 이점을 얻을 수 있으며, 단지 몇 년 전만 하더라도 처음부터 구축했어야 하는 많은 아이템들을 구입할 수 있다. 기관들은 심지어 그것들 자체가 가상학습 세계를 구축하지는 않지만, 많은 아이템들이 이미 존재한다고 하는 사실로부터 이점을 얻을 수 있다. 기관들은 가상학습경험에서 기성 아이템들을 쉽게 이용 가능한 디지털 자산들로 사용할 수 있기 때문에 업체들에 의해 부과되는 전반적인 개발비용을 더 낮출 수 있다.

실행

ADDIE 모형에서 다음 단계는 3DLE의 실행이다. 이 단계는 학습자들이나 기관에게 가상학습 교수를 전달하는 과정이다. VIE의 원활한 실행을 돕기 위해, 학습사태를 시작하기 전에 다음의 항목들을 고려하라.

- 실제로 사용하기 전에 모든 사람이 접속 가능한지 확인하라.
- 학습사태 동안 참여할 학습자들을 위해 학습사태 이전에 기술적인 요구사항, 잠재적인 방화벽 문제, 그리고 다른 요구조건들이 충족되었는지를 확인하라.
- 모임시간 및 장소에 대해 사전공지하라.
- Wiki나 온라인 커뮤니티를 활용하여 통신과 메시지를 전달할 수 있도록 VIE 외부에 사이트를 개설하라.
- 학습경험 전에 학습자들이 아바타를 가질 수 있도록 하라.
- 학습자들이 학습사태가 시작되었을 때 어느 정도 오리엔테이션이 되어 있도록 하기 위하여 수업 전에 VIE를 탐색해 보도록 격려하라.

학습사태가 실행되는 동안, 다음과 같은 것들을 고려하라.

- 모든 사람들이 기본적인 내비게이션을 할 수 있는지를 확인하라. 오리엔테이션 훈련(orientation exercise)을 실시하라.
- 교수가 시작되기 전에, 학습자들이 목적지를 알고 있는지를 확인하라.
- 교수원형에 상관없이, 사전 또는 사후 요약정리를 위해 학습자들이 모일 수 있는 장소를 만들어라.

- 전체 집단과 의사소통할 수 있는 방법을 수립하라.
- 교수가 명확한지를 확인하라. 애매모호한 교수는 수행하기 힘들다. 따라서 가능하면 교수를 문서형태로 제공하라.
- 교수훈련(instructional exercise)을 위해 시간제한을 두라.
- 교수자로서, 학습자들이 어떻게 행하고 있는지를 살펴보고 특정 집단(만약 집단훈련이라면)에게 어떤 질문에 구체적으로 답하려면 여기저기 집단을 돌아다니라.
- 학습환경이 보다 교실지향적이라면, 손을 들고 학습자를 순차적으로 호명하는 방식을 개발하기 위한 메커니즘을 제공하라.
- 교수를 방해할 수 있는 제스처, 소리, 건물, 그리고 다른 활동들에 관한 행동규칙을 수립하라.

3DLE 학습사태가 종료된 후, 다음과 같은 것들을 고려하자.

- 간단히 요약정리하라.
- 미래의 과제가 명확하여 모든 사람들이 이해하고 있는지를 확인하라.
- 공식적인 모임이 없을 때, 학습자들이 지속적으로 VIE에 참여하도록 하기 위하여 공식적인 모임시간 외에 실제 세계 활동들을 할당하라. 이것은 비형식적인 학습(informal learning)을 촉진한다.
- 방과 후, 비형식적인 동료학습자 간 학습 및 정보교환을 위한 기회를 제공하라.

VIE를 마케팅하고, 실행계획을 만들며, 기관들이 창출된 3DLE를 채택하도록 확신시키는 것 또한 실행단계에서 중요한 요인들이다. 이러한 요인들은 제8장에서 다룬다.

평가

이것은 3DLE가 교수적으로 우수하고 문제가 없는지를 확인하는 품질관리과정이다. 평가과정은 그러한 품질관리과정의 모든 단계들에서 행해질 필요가 있다. 그 목적은 학습자들을 위한 양질의 경험을 구축하는 것이다. 학습자들의 지식, 기술, 정보의 습득뿐만 아니라 VIE의 질 양자를 평가하기 위해서는 계획이 수립되어야 한다.

몇몇 경우, 학습자 평가 시 원하는 과제를 수행할 수 있는 그들의 능력에 대한 평가도 포함되어야 한다. 이것은 문제해결과 같은 인지적인 과제이거나 일어날 수 있는 손해를 파악하기 위하여 컨테이너를 검사하는 것과 같은 절차적인 과제일 수도 있다. 이러한 경우,

평가는 가능한 한 실제적이어야 한다. 제6장의 EY 사례에서 살펴본 바와 같이, 그 목적은 어떤 환경에서의 연습을 가능한 한 실제적으로 제공하는 것이다. 누군가가 분자 주위를 날아보거나 가상쓰나미를 목격하는 것과 같은 개념을 지도할 때, 그 목적은 경험을 통해 얻어진 지식을 평가하는 것이다.

두 번째 유형의 평가는 교수가 우수한지를 결정하는 것이다. 이것은 교수가 효과적이었는지를 결정하기 위하여 여러 학습자들로부터 결과를 수합함으로써 행해진다. 설계와 접근법이 원하는 학습에 효과적임을 입증하기 위해서는 성공적인 학습에 관한 결과를 추적하고 지속적으로 측정하는 것이 중요하다.

단계별 설계과정

기관에서 VIE를 설계하고 실행하기 위한 단계별 과정은 다음과 같다.

1단계: 학습자들에게 요구되는 학습목표와 결과물을 확인한다.

2단계: 기대하는 학습결과를 얻기 위해 학습자가 배워야 할 내용을 정한다. 학습자, 환경, 테크놀로지, 기관의 VIE 준비도를 분석한다.

3단계: 학습내용이 VIE에서 학습하기에 적합한지를 결정한다. 주요한 매크로구조를 선택하고, 다른 매크로구조들도 어느 정도 다루어야 한다.

4단계: 학습내용에 가장 적합한 학습원형을 결정한다. 교수가 동시적, 비동시적, 또는 복합적(동시+비동시)인 형태로 진행되어야 하는지를 고려한다.

5단계: 학습환경과 교수계열의 흐름을 개괄적으로 보여 주는 스토리보드를 제작하고, 학습내용을 학습환경에 따라 선택한 학습원형에 적절한 방식으로 나타낸다.

6단계: 가상학습환경에 필요한 디지털 자산들을 제작하거나 구입한다.

7단계: 학습을 평가하기 위한 방법을 결정하고, 학습성과물을 비즈니스성과물로 나타낸다.

8단계: 다운로드, 포트 개설, 방화벽, 그래픽카드와 같은 기술적인 장애요인들이 해결되었는지를 확인한다.

9단계: 촉진자와 학습자들이 가상학습환경에서 행하게 될 것에 관하여 알려 줄 지침을 만든다. 학습했는지를 확인하기 위해 요약정리 연습(debriefing exercises)도 만든다.

10단계: 어떤 문제나 장애를 파악·해결하기 위하여 소규모 학습자들을 대상으로 학습

환경에 관한 사전검사를 수행한다.

11단계: 학습자들이 초보자라면 내비게이션 문제가 학습을 방해하지 않도록 하기 위하여, 그들에게 가상세계에서 내비게이션하는 방법을 가르치기 위한 시간을 제공한다.

12단계: 3DLE를 시작하고 수행한다.

13단계: 학습경험을 요약정리한다.

14단계: 학습경험에 관한 피드백을 모으고, 필요한 경우 가상학습환경을 수정한다.

15단계: 학습효과를 평가하기 위하여 학습성과물을 직무성과와 대비하여 평가한다.

제3자 가상세계 판매업자와 협력

심지어 ADDIE에 대해 충분히 알고 있고 교수설계팀이 있는 대부분의 기관들의 경우에도 3DLE 개발에 소요되는 비용과 노력을 내부적으로 다 충당하지는 않을 것이다. 대부분의 기관이 판매업자와 계약을 맺을 것이다. 이상적으로, 판매업자는 이전에 성공적인 가상학습경험을 만들어 왔던 경험 있는 판매업자가 될 것이다. 그러나 이는 무수한 다른 가상학습세계 제품들이 있기 때문에 쉽지 않을 것이다. 몇몇 판매업자들은 항상 이용 가능한 항구적인 세계를 제공하고, 다른 판매업자들은 가상 화상회의와 같은 일회성 행사를 제공하는 반면, 여전히 다른 판매업자들은 특정한 가상장면이나 시나리오를 제공한다.

가상학습세계를 개발할 때 도움을 받을 수 있는 판매업자들을 찾고자 할 때 고려해야 할 많은 예비적인 것들이 있으며, 곧 출간될 Eilif Trondsen의 책은 VIE 판매업자와 협력하기 전에 물어볼 필요가 있는 질문리스트를 제공해 줄 것이다. 다음의 고려사항들을 Trondsen이 제시한 상위 열 가지 목록과 함께 고려한다면, VIE 판매업자들의 서비스를 구매하는 데 있어 여러분의 기관은 좋은 위치를 점할 것이다.

여러분의 요구를 기관의 필요에 맞추기

성공적인 프로젝트는 가상세계의 요구를 기관의 목적과 일치시키는 데에서 시작된다. 기관의 목적이 공유된 가상공간을 통해 동문들과 소통하는 것이든, 기술자들에게 안전수칙을 가르치기 위하여 가상기계상점을 만드는 것이든, 기본적인 목적, 학술적인 목적, 또는 기관의 목표는 VIE 판매업자에게 분명히 전달되어야 한다. 판매업자가 기관의 요건들이나 학술적인 요구를 이해할 때, 해당 판매업자는 가상학습 솔루션을 보다 더 정교하게 만들 수 있다.

기대하는 바를 알기

가상학습 시장은 상대적으로 얼마 안 되었으며, 이제 막 고속성장의 길로 접어들기 시작했다. 이는 회사들이 생겨났다가 사라지기도 하고, 합병과 매수가 빈번하게 일어나며, 새롭고 향상된 가상세계 테크놀로지를 지닌 회사들이 갑자기 생겨나기도 함을 의미한다. 가상세계 시장은 빠르게 성장하고 있으며, 많은 다른 역할자들이 있다. 어떤 심각한 침체가 일어나기에는 여전히 너무 이르다. 따라서 판매업자 현황, 테크놀로지, 학습 잠재성, VIE의 어포던스를 이해하는 것이 중요하다. 자세한 정보에 근거하여 결정을 내리기 전에, 이 분야에서 무슨 일이 일어나고 있는지를 이해할 필요가 있다. 3DLE에 초점을 둔 전시회를 참관하고, 가상학습에 커다란 영향을 미치는 사람들의 블로그를 읽으며, 출판물과 판매업자의 브로슈어를 읽고, 웹사이트를 살펴보며, 엄청나게 많은 가상세계 옵션들에 대해 스스로 알아보라. 한두 개의 잘 알려진 가상세계 판매업자로만 제한한다면, 여러분의 선택과 옵션도 제한될 것이다. 판매업자들과만 이야기한다면, 그 분야에 관한 견해가 제한될 것이다. 탐색해 볼 필요가 있다. 학습공간을 구축하기 위하여 급하게 판매업자를 선택하기 전에, 관련업계 자료를 읽고 이 분야의 발전방향을 알아볼 수 있는 시간을 가져라.

요구사항을 구체화하기

판매업자들은 여러분의 속마음을 읽을 수 없다. 그들은 여러분이 가상학습세계를 통해 달성하고자 하는 것에 관한 방향과 개념(concept)을 필요로 한다. 상호작용을 위해 마련된 전시회와 장소에서 여러분이 원하는 것을 분명하게 파악할 수 있도록 도와주기 위하여 판매업자들과 이야기를 나누는 것도 괜찮지만, 최종제안서를 만들 때 여러분이 원하는 요구조건들에 대해 분명히 이해하고 있어야 한다. 판매업자가 여러분이 필요로 하는 것을 더욱 명확하게 알면 알수록, 해당 판매업자는 여러분들에게 여러분의 요구에 부응하는 보다 더 나은 솔루션을 제공할 것이다. 여러분이 그 판매업자가 여러분의 솔루션을 제작하는 것을 도와주기를 원할지라도, 여러분이 조언과 상담을 원하는지, 아니면 완전히 개발된 아이디어를 실행해 주기를 원하는지를 분명히 해야 한다.

VIE 판매업자를 고용하기 전에 물어보아야 할 상위 열 가지 질문들

Eilif Trondsen

1. 고객들을 위해 당신이 행해 온 다섯 가지의 가장 성공적인 VIE 프로젝트는 무엇이 며, 그 프로젝트의 성공을 입증하기 위해 고객은 어떤 자료/측정기준을 수집했습 니까?

2. 프로젝트를 성공적으로 마무리하기 위하여 고객들과 어떻게 협력하십니까? 구체 적인 예를 들어 설명해 주십시오.

3. 지난 해 착수한 VIE 프로젝트의 현재 상황은 어떻습니까? 여러분과 고객들은 어떠 한 도전에 직면했으며, 그것들을 어떻게 극복했습니까?

4. 고객과 직면한 가장 어려운 사용/채택문제들은 무엇이며, 이를 통해 배운 점 중에 서 우리의 현재 프로젝트에 도움이 될 만한 것은 무엇입니까?

5. VIE의 사용 및 채택을 위한 미래 비전은 무엇이며, 여러분의 로드맵 중에서 우리 의 VIE 프로젝트가 장기간, 안정적으로 성공할 수 있도록 도와줄 몇 가지 핵심적 인 요소들은 무엇입니까?

6. 최종사용자를 참여시키고, 흥미롭게 하며, 몰입하도록 하는 방법과 관련하여, 이 전 프로젝트들에서 배운 점은 무엇입니까?

7. 가장 강력한 경쟁상대는 누구이며, 경쟁상대보다 우위를 차지하기 위한 앞으로의 계획은 무엇입니까?

8. 고객회사들에서 핵심적인 VIE 배치문제들이 무엇인지에 관한 그들의 관점들을 들 어 보려면, 우리는 누구를 접촉할 수 있습니까?

9. 우리의 웹 2.0 도구와 테크놀로지 및 기업시스템을 판매자의 VIE 플랫폼과 어떻게 결합하면 최고의 혜택을 볼 수 있습니까?

10. 판매자의 VIE 플랫폼을 전 세계적으로 사용하고자 한다면, 판매자는 이를 어떻 게 지원할 것이며, 이와 관련하여 어떤 사전경험이 있습니까?

사전조사하기

프로젝트를 시작하기 전에, 판매업자의 경험과 지식수준을 판단하기 위해 해당 판매업자 를 조사해 볼 필요가 있다. 소규모의 개념검증 가상학습경험을 개발한다면, 다소 규모가

작거나 경험이 많지 않은 판매업자(또는 심지어 학생들)와 협력해 보는 것도 괜찮다. 그러나 기업 전체에 영향력을 미치는 대규모의 프로젝트를 준비한다면, 잠재적인 판매업자들에게 몇 가지 진지하고도 어려운 질문들을 물을 필요가 있다(이 장 끝에 첨부된 Eilif Trondsen의 글을 참조하라).

직접 가상공간을 방문하기

가상학습공간에 대해 들어 보거나 읽어 보는 것과 여러분 자신을 3D 세계에 몰입시켜 보는 것은 전혀 다른 것이다. 구매할 계획인 어떤 잠재적인 가상세계에 몰입되어 볼 필요가 있다. 판매업자에게 데모 사이트나 가상세계의 사례에 로그인해서 한동안 그 세계를 탐색해 볼 수 있는지를 물어보라. 머시니마(machinima)[4]나 사례를 보는 것만으로는 충분치 않다. 가상학습환경 작동방법, 내비게이션의 용이성, 그리고 다른 아바타들에게 이야기하는 것의 편안함 수준을 결정하기 위하여 가상학습환경을 스스로 테스트해 볼 필요가 있다. 로그인하여 그것을 직접 살펴보는 시간을 가져보라. 특정 판매업자의 가상학습환경을 대규모로 시행하기 전에, 혼자 힘으로 해당 제품을 탐색해 보고, 그것이 어떻게 작동하는지를 이해하기 위한 시간을 가질 필요가 있다.

훈련가와 교육자들을 위한 시사점

VIE를 개발하기 위해서는 학습내용에만 초점을 맞출 것이 아니라 학습환경의 조성이 선행되어야 한다. 팀을 이루어 협력해야 효과적인 가상학습공간을 제작할 수 있으며, 가상세계 건설에는 많은 시간이 소요된다. 또한, 가상공간을 학습에 효과적인 상태로 만들기 위해서는 더 많은 노력이 요구된다. 여전히 전통적으로 사용되어 온 분석, 설계, 개발, 실행, 평가 방법이 사용되지만, 가상학습공간의 특성을 수용하기 위해 약간의 수정이 필요하다. 효과적인 학습을 창출하기 위해 트레이너와 교육자들은 교수설계자 및 여러 사람들과 긴밀한 협력관계를 이루어야 할 것이다. 외부 사업자와도 협력하게 될 것이며, 외부사업자가 여러

---

4) [역주] 기계를 의미하는 머신(machine)과 영화를 의미하는 시네마(cinema)의 합성어로, 기존의 게임이 제공하는 엔진을 이용해 만든 애니메이션 영화(출처: http://ko.wikipedia.org/wiki/%EB%A8%B8%EC%8B%9C%EB%8B%88%EB%A7%88)

분의 요구사항에 맞게 VIE를 제공할 수 있도록 세심한 준비와 계획이 마련되어야 한다. 여러분의 VIE를 설계하거나 외부사업자를 선택하여 VIE를 개발하도록 하는 과정이 길고도 복잡할 수 있지만, 학습자들이 가상학습공간을 통해 지식을 습득하고 경험을 얻게 되면 놀라운 결과를 보게 될 것이다.

Learning in **3D**

Adding a New Dimension to Enterprise
Learning and Collaboration

기업의 성공적인 채택을 위한 단계

서론

학습과 협력을 위해 조직에게 VIE를 확신시키는 것은 어려운 일이다. 몰입적인 학습활동이 엄청난 가치를 제공하지만, VIE의 효과적인 채택과 실행은 집중적인 노력 없이는 불가능하다. 몇몇 반대자들은 3D 테크놀로지를 유치하게 본다. 다른 반대자들은 자원을 낭비하는 것으로 본다. 그리고 다른 반대자들은 학습의 새로운 유행으로 본다. 반대를 극복하고 VIE를 성공적으로 실행하기 위해서는 그 테크놀로지의 잠재적인 채택자를 찾아내고, 장애를 극복하며, 올바른 실행 전략과 파일럿 집단을 선택하고, VIE의 매력적인 속성을 홍보하며, 비즈니스 사례를 적절하게 구축할 필요가 있다. 이러한 단계들이 주의 깊게 탐색된다면, 실행 과정은 성공할 것이다. 주의 깊은 계획이 없다면, 그 결과는 쓸모없는 쓰레기 더미 위에 또 하나의 테크놀로지를 얹어 놓는 것이 될 것이다.

계획과정은 다음과 같은 질문에 대한 답변을 이해하는 것으로부터 시작된다. 무엇이 사람들에게 테크놀로지를 매력적으로 만드는가? 그리고 왜 불운의 Betamax나 3Com Audrey와 같은 다른 테크놀로지들은 채택되지 않고 결국 사라져 버리는 반면, 어떤 테크놀로지들은 빠르게 채택되는가? 연구에 의하면, 새로운 테크놀로지와 아이디어의 채택은 사회집단 전체에서 특정한 궤도(trajectory)를 따른다. 그 궤도와 테크놀로지를 잠재적인 채택자들에게 매력적으로 만드는 것에 관한 지식은 어떤 조직이 학습을 위해 VIE를 채택하도록 도와주는 데 있어 중요한 요소다.

테크놀로지의 궤도를 이해한 후, 다음 단계는 어떤 개인들이 새로운 테크놀로지적인 혁신의 실행에 어떻게 반응하는지를 밝혀내는 것이다. 다시 한 번, 연구결과는 잠재적 채택자의 테크놀로지 채택 연속선상에서의 위치에 따라 어느 지점에서 "테크놀로지를 판매"할 것인지를 정하는 데 통찰력을 제공한다. 혁신적인 테크놀로지들을 잠재적 채택자들과 위치 지을 때 단 하나로 모든 사람들의 요구를 충족시킬 수는 없다. 테크놀로지의 매력성, 테크놀로지 채택 연속선상에서의 채택자의 위치와 새로운 테크놀로지의 수용률에 관한 통섭적인 연구를 **혁신의 전파**(diffusion of innovation)[1]라 일컫는다.

조직 내에서 혁신의 전파과정을 이해하는 것은 VIE 테크놀로지를 그 조직에서 활용할 수 있도록 하기 위해 의미 있는 비즈니스 사례(business case)를 창출하는 데 필요한 기초가 된다. 공식적인 비즈니스 사례는 VIE 테크놀로지를 구매해야 하는 경영진과 그 밖의 사람들에게 그것을 채택하도록 구미를 당기게 해 준다.

잘 구상된 비즈니스 계획으로 구매를 받는다는 것도 중요하지만, 실제적인 어려움은 실행 단계 동안에 발생한다. 심지어 상위관리자들이 새로운 테크놀로지를 구매했을지라도, 다른 사람들이 그것을 채택하도록 하는 것은 도전이 될 것이다. 이러한 저항과 싸우기 위해서는 효과적인 실행계획이 구축되고 혁신의 전파가 이해되어야 한다. 그러한 것들이 잘 행해지면, 실행하는 것은 훨씬 덜 힘들 것이다. 파일럿 집단으로 시작하는 것은 초기실행을 충분히 관리할 수 있고, 조직의 잠재적 문제들을 해결하는 데 도움이 되며, 기업 내의 궁극적인 성공과 채택에 대한 장애물을 피하는 데 도움이 될 수 있다.

혁신의 전파

혁신의 전파이론(Diffusion of Innovation Theory)의 개척자는 이 주제에 대하여 연구하고, 실험하고, 집중적으로 글을 썼던 Everett Rogers다. Rogers는 **전파**(diffusion)란 용어를 "혁신이 어떤 사회 시스템의 구성원들 간에 오랜 시간 동안 특정 채널을 통해 의사소통되는 과정"이라고 정의했다.[2] Rogers는 의사소통 형태로서의 전파는 메시지 내용 안에 있는 아

---

1) Rogers, E. M. (2003). *Diffusion of Innovations* (5th ed.). New York: The Free Press.
2) Rogers, E. M. (2003). *Diffusion of Innovations* (5th ed.) (p. 35). New York: The Free Press.

이디어의 새로움과 잠재적 채택자가 인식한 불확실성과 위기의 정도 때문에 특별한 특징들을 가지고 있다고 주장한다. Rogers의 아이디어는 Malcolm Gladwell의 『티핑포인트 (The Tipping Point)』[3]와 Geoffrey Moore의 『캐즘 마케팅(Crossing the Chasm)』과 같은 책에 반향을 일으켰다. 혁신을 전파하는 데 있어 어려움은 어느 누구도 새로운 테크놀로지를 채택하기를 원치 않고, 특히 기업이나 대학과 같은 보수적인 조직 내에서는 전파가 실패해 왔다는 것이다.

매력성 준거[4]

Rogers는 조직의 테크놀로지 채택에 영향을 주는 "매력성(attractiveness)" 준거목록을 밝혀냈다. Rogers는 채택할 테크놀로지의 위치를 정할 때, 매력성 준거들(attractiveness criteria)에 있는 메시지에 초점을 두는 것이 채택률을 높이는 데 유리하다고 지적했다. 이것은 혁신이 유치하거나 겉만 번드르르하다는 낙인이 찍힐 때 특히 중요한데, 그 이유는 VIE가 때때로 *World of Warcraft, City of Heroes, EverQuest* 등과 같은 상업적인 게임과 함께 동일시되는 경향이 있기 때문이다.

　매력성 준거는 경영진, 학장, 관리자, 심지어 동료에게도 VIE의 가치에 대하여 영향을 주고자 할 때 활용되어야 한다. 이러한 준거들에 집중하는 것은 VIE의 개념을 판매하는 일을 더 수월하게 해 준다.

　상대적인 이점. 첫 번째 준거는 **상대적인 이점**(relative advantage)이다. 이것은 혁신이 그것을 대체하는 아이디어보다 더 나은 것으로 인식되는 정도다. 경영진, 관리자, 학생, 교직원, 또는 고용인들은 조직 내에서 VIE를 사용하는 것이 교실수업, 전통적인 이러닝, 또는 심지어 2D 가상교실과 같은 기존의 훈련 방법보다 더 나은 이점을 가지고 있음을 볼 수 있어야 한다. 상대적인 이점의 개념은 혁신 채택률의 중요한 예측변수다. VIE가 다른 방법보다 더 많은 이점을 가지고 있음을 볼수록, VIE는 더 빨리 채택될 것이다. 만약 VIE가 다른 유형의 학습환경 또는 기법들과 동일하거나 더 열등하다고 본다면, 채택은 늦어질 것이다.

---

3) [역주] 이 책의 원저는 2000년에 Little Brown & Company사에서 출판된 *The Tipping Point: How Little Things can Make a Big Difference*이며, tipping point를 '임계치'라 번역하기도 함

4) 뒤의 정의와 예제들은 모두 Everett Rogers의 연구에 기초하고 있다. Rogers, E. M. (2003). *Diffusion of Innovations* (5th ed.). New York: The Free Press.

다른 사람들이 VIE의 상대적인 이점을 볼 수 있도록 도와주기 위하여, 일곱 가지의 감수성, 그 환경의 협력적인 측면들, 그리고 학습자들이 선호하는 키보드에서 안전하게 다른 장소, 시간, 환경을 여행할 수 있다는 점을 강조하라. 많은 사람들이 이점을 스스로 보지 못하기 때문에, 이점을 보여 주는 것이 중요하다. 한 예에서, 이미 2D 가상교실 소프트웨어를 사용하고 있는 교직원은 3D 소프트웨어가 어떻게 다른지 보지 못하고, "그냥 똑같아요, 단지 아바타만 있고, 왜 내가 아바타가 되어야 하죠?"라고 물었다. 그 사람은 상대적인 이점을 자기 스스로 볼 수 없기 때문에, 그에게 상대적인 이점을 보여 줄 필요가 있다.

상대적인 이점을 보여 주는 한 가지 효과적인 방법은 다른 조직들과 대비하여 벤치마킹하는 것이다. 좋은 출발점은 비슷하거나 라이벌 조직들이 VIE를 실행함으로써 얼마나 이득을 얻었는지에 관한 예나 사례연구를 제공하는 것이다. 경영진, 대표, 감독관, 관리자들이 VIE를 사용하는 첫 조직이 아니라는 것을 알도록 하라. 이것은 조직 내에 있는 개인들에게 VIE의 사용은 빠르게 채택되고 있으며, 몇몇 초기 선도자들은 이미 성공을 거두었다는 것을 알리는 중요한 지점이다. 그 좋은 출발점은 제6장에 있는 사례연구들이다. 또한 만약 그들이 채택하지 못한다면, 그들에게 불이익이 있을 것이라는 점을 알려라. VIE가 채택되기 시작했으며, 수년 내에 Malcolm Gladwell이 명명한 "티핑포인트(tipping point)", 즉 광범위한 채택이 대규모로 일어나는 지점에 이를 것이다. 동일한 과정이 인터넷, 휴대폰, Facebook과 같은 소셜 네트워킹 소프트웨어와 메시징 프로그램인 Twitter에서도 일어났다. 다른 사람들이 VIE의 광범위한 채택을 볼 수 있도록 돕는 것은 그들로 하여금 그것의 채택이 자신들의 조직에 이득이 됨을 볼 수 있도록 도와주는 것이다.

경영진, 관리자, 학장, 감독관들만 확신시킬 것이 아니라, 무지하거나 동료들이 이러한 환경들에서의 실험을 시간낭비로 볼 것이라는 인식으로 인한 두려움 때문에 VIE를 멀리하는 일반고용인들이나 교직원들에게도 확신을 주어야 한다. 고용인들은 VIE를 사용하는 것에 대해 죄책감을 느끼거나 염려할 수 있다.

팀들은 이러한 저항을 극복하도록 하기 위해서 해당 테크놀로지의 이점을 널리 알리기 위한 몇 가지 유형의 "마케팅" 캠페인을 전개해야 한다. 마케팅 캠페인은, 제6장에서 제시한 사례연구의 '학습한 교훈' 절에서 상당히 많이 지적한 바와 같이, VIE 사용의 실제 비즈니스적 또는 교육적 이유들을 보여 주어야 한다. 이점들 중 많은 것들이 전체 조직에 적용될 수 있지만, 각 개인이 VIE를 사용함으로써 개인적 이득을 얻을 수 있다는 잠재성을 깨달을 수 있도록 그 이점들을 "개별화(personalize)"하기 위해 노력해야 한다.

양립가능성. 양립가능성(compatibility)은 혁신이 채택자들에 의해서 조직의 현재의 임무, 고용인이나 학생의 과거 경험, 현재의 테크놀로지, 학습자의 요구와 일치하는 것으로 인식되는 정도다. VIE를 자연적인 확산과 동시학습 도구, 비디오 게임, 웹 2.0 및 소셜 네트워킹과 같은 기존의 테크놀로지의 융합으로, 그리고 공상과학의 꿈이 실현되는 것이 아닌 것으로 자리매김한 것은 양립가능성의 개념을 향한 대장정을 시작한 것이다.

양립가능성을 보여 주는 목적은 VIE가 어떻게 전반적인 학습전략, 목적, 그리고 조직의 문화와 어울리는지를 사람들이 볼 수 있도록 하는 것이다. 다른 사람들에게 여러분이 팔고 있는 혁신을 채택하도록 확신시키기 위해, 새로운 테크놀로지나 기법들을 사용하는 것이 이전의 모든 방법을 "전복(overthrow)"시키는 것으로 인식되게 해서는 안 된다. 완전한 전복(complete overthrow)은 대부분의 경영진, 관리자, 교직원, 학습자, 고용인들이 받아들이기에는 너무 급진적이다. 예를 들어, 가상학습세계를 제외한 모든 유형의 훈련, 이러닝, 교실 교수, 그리고 기타 어떠한 것도 선호하지 않고 폐기하는 것은 전복심리(overthrow mentality)다. 완전한 전복은 여러분의 궁극적인 목적일 수 있지만, 슬로건(battle cry)일 수는 없다.

양립가능성은 VIE의 사용이 회사의 현재 실제와 얼마나 어울리는지를 보여 줌으로써 달성될 수 있다. 예를 들어, 고용인들이 전통적인 단독연기 훈련수업에서 제품을 파는 방법을 배우기 위해 현재 교실 역할놀이를 사용하고 있다면, 그러한 동일한 역할놀이를 가상환경에 배치하는 것이 연습시간과 연습기회뿐만 아니라 회사의 전문가가 출장을 가지 않고 가상으로 수십 명의 고용인들을 훈련시킬 수 있는 능력의 측면에서 얼마나 이점이 있는지를 설명하라. 또는 학술적인 환경에서 가상세계에서 달성된 교수목표들이 교실기법들을 사용하여 달성된 교수목적들과 얼마나 일치하는지를 보여 주어라.

양립가능성의 비판적 측면은 혁신이 현재의 고용인이나 학습자들의 요구를 얼마나 잘 충족시키는가이다. 초기에 수용되도록 하고 양립가능성을 강화하기 위해서는 가상학습세계가 기존의 훈련이나 교육과정을 얼마나 증대시키고 확장시키는지를 보여 주는 강력한 사례를 만들어라.

복잡성. 많은 잠재적 채택자들이 가지고 있는 한 가지 정당하다고 인정되는 두려움은 VIE에서 내비게이션하는 방법에 관한 지식의 결여다. 그들은 3D 소프트웨어 플랫폼에서 상호작용하거나 기능하는 방법을 모른다. 사람들은 2D 가상교실 세션이나 면대면 교실에서 기대되는 바를 알고 있다. 그들은 수십 번의 비슷한 세션에 참석해 왔다. 그러나 VIE에서는 그렇지 못했다. VIE와 관련된 인터페이스, 기능성, 경험수준은 보편적으로 높지 않으며, 친숙도의 결여는 잠재적인 사용자들과 의사결정자들 간에 저항이나 두려움을 일으킨다.

Rogers가 지적한 바와 같이, 혁신의 복잡성(complexity)이 사회시스템 구성원들에 의해 인식되면, 채택률과 부적 상관이 있다. 복잡성에 관한 인식이 높을수록, 채택률은 점점 더 낮아진다. 인식된 복잡성을 줄이기 위해서는 조직의 구성원들에게 VIE에서 내비게이션하고 기능하는 방법을 훈련시키기 위해 노력해야 한다.

복잡성 문제를 극복하기 위한 한 가지 방법은 학습자들에게 VIE 테크놀로지, 에티켓, 그리고 VIE에서 내비게이션하는 방법을 가르치기 위하여 면대면 교실 교수자주도 세션을 갖는 것이다. 이 기법은 Sarah "Intellagirl" Robbins가 VIE에서 자신의 수업을 행할 때 사용했던 방법이다. 수업은 일주일에 한 번 면대면으로 행해졌으며, 다른 주중 세션은 가상으로 행해졌다.

이 접근법의 장점은 교실에서 경험이 없는 학습자들이 문제에 봉착했을 때 또는 문제가 있을 때, 교수자 또는 조금 더 많은 경험이 있는 동료들로부터 도움을 받을 수 있다는 것이다. 이러한 즉각적이고 개별적인 조언은 좌절감과 복잡성에 대한 전반적인 인식을 감소시킨다. 교실환경은 또한 VIE를 방문하고 상호작용하는 것이 "좋다"는 심리적 메시지를 제공하기 위해 사용될 수 있다. 이러한 방법은 학습자들이 여전히 웹 브라우저나 인터넷의 편리함에 익숙하지 않은 이러닝의 초창기에 자주 사용되었다. 요즘에는 윈도우를 끄거나 내비게이션 버튼을 클릭하는 방법을 설명하는 데 시간을 거의 소비하지 않지만, 초창기에는 인터페이스에 관한 훈련이 필요했다. 미래에는 3D 인터페이스에 관한 훈련도 필요치 않을 것이다. 인터넷 브라우저가 그러했던 것처럼, 그러한 규칙은 보편적으로 알려질 것이다.

좌절감을 최소화하고 관점에서의 복잡성 문제를 유지하기 위한 또 다른 방법은 학습자들에게 모든 3D 학습경험이 다 재미있지는 않을 것이라는 점을 이해시키는 것이다. 많은 경우의 학습에서처럼, 몇몇 3D 학습경험은 어렵고 좌절감을 안겨 줄 것이다. 학습자들은 학습과정 중에 느끼는 좌절감이 학습과정의 중심에 있고 테크놀로지적 또는 내비게이션적인 문제에 있지 않은 한 반드시 나쁜 것만은 아니라는 점을 이해해야 한다. 학습에 감정을 연계하는 것은 강력한 조합이지만, 그 감정은 누군가의 아바타와 가상의 벽에 부딪히도록 묶어서는 안 된다. 그것은 바람직한 학습결과와 묶여야 한다.

복잡성에 관한 인식을 감소시키는 데 도움이 되는 또 다른 방법은 VIE를 경험해 본 적이 있거나 익숙한 사람과 그렇지 않은 사람을 팀으로 묶는 것이다. 이것은 박식하지 못한 사람에게 일대일 상황에서 VIE의 비결을 배울 수 있도록 도와줄 수 있는 튜터나 멘토를 제공한다. 종종 경험 있는 사람도 초보자가 묻는 질문들을 확실히 알지 못할 수 있지만, 그는 초보자가 물은 질문들에 대한 답변을 탐색함으로써 그 환경에 대해 훨씬 더 많이 알 수 있게 될 것이다.

VIE를 내비게이션하고 작동하는 방법에 관한 기본적인 튜터리얼(tutorial)을 제공하는 것은 가상학습세계를 보다 더 접근 가능하도록 만드는 좋은 방법이다. 많은 학습자들은 "튜터리얼(tutorial)"이나 "작동방법(how-to-play)" 버튼을 곧바로 생략하고 넘어가지만, 교수가 이용 가능하다면 상당수가 VIE에서 조작하는 방법을 배우기 위하여 시간을 할애할 것이다. 많은 VIE의 경우, 그 속에서 오리엔테이션 활동과 교수를 이용할 수 있다. 아바타가 VIE 공간에 들어오면, 학습자들은 오리엔테이션 영역에 곧바로 배치되고 구체적인 과제가 주어지는데, 그것은 그들이 그 환경에서 내비게이션하고 상호작용하는 방법을 배울 수 있는 기회를 제공한다.

다른 조직들은 항상 가상 환영자(virtual greeter)를 가지고 있다. 가상 환영자는 그 공간에 새롭게 들어오는 사람들을 환영하며, 질문에 답하고, 학습자들을 적절한 활동으로 나아갈 수 있도록 안내한다. 가상 환영자가 있으면 복잡성에 관한 인식을 감소시키며, 내비게이션과 기능성에 대한 학습자의 좌절감도 감소시킨다.

마지막으로, 복잡성을 최소수준으로 유지하기 위해서는 아바타의 이동이 있는 VIE를 염두에 두고 설계해야 하며, 100% 정확하게 만들거나 설계하려고 하지 않는다. 제7장에서 언급한 바와 같이, 물리적인 세계 대신에 아바타의 세계인 VIE를 설계하는 것은 혼란을 없애는 데 도움이 될 것이다. 통로를 더 크게 만들고, 실외 공간을 구축하며, 가상방에 문이나 창문을 추가하기 전에 주의 깊게 생각해야 한다는 것을 기억하라.

시도가능성. 시도가능성(trialability)이란 "대충 점검(kicking the tires)"과 관련된 개념이다. 사람들은 VIE를 완전히 사용하기 전에 그 테크놀로지를 확인해 보고자 한다. Rogers에 따르면, "설치 계획상에서 시도해 볼 수 있는 새로운 아이디어들은 일반적으로 나눌 수 없는(not divisible) 혁신보다 훨씬 더 빨리 채택될 것이다."[5] 시도해 볼 수 있는 혁신은 채택을 고려하고 있는 개인에게는 불확실성을 줄여 줄 수 있다. 혁신의 시

---

5) Rogers, E. M. (2003). *Diffusion of Innovations* (5th ed.) (p. 16). New York: The Free Press.

도가능성은 사회시스템 구성원들에 의해 인식되면, 채택률과 정적 상관이 있다.

사람들이 구체적인 목적이나 목표 없이 검토해 볼 수 있는 VIE 공간을 설치하라. 이것은 커다란 사무실이나 기숙사방, 회의실 또는 심지어 정원이나 캠퍼스 등 내비게 이션하기 쉬운, 어떠한 목표나 구체적인 활동이 없는 열린 공간일 수 있다. 이러한 유형의 환경은 사람들에게 VIE를 지금 당장 사용해야만 한다는 느낌 없이 그것을 시도해 볼 수 있는 기회를 제공할 수 있다.

사람들이 와서 그저 서로 만나고 그 환경을 탐색해 볼 수 있는 가상 칵테일 파티와 같은 비공식인 "시험(tryout)" 행사를 개최하라. VIE의 초기채택자들은 시도가능성을 후기채택자들보다 더 중요하게 인식한다는 점을 주목할 필요가 있다. 보다 혁신적인 사람들은 채택하기로 결정했을 때 따라야 할 어떠한 선례도 가지고 있지 않을 것이다. 그러므로 그들은 그것을 스스로 시도해 볼 필요가 있다. 후기채택자들은 일반적으로 이미 혁신을 받아들인 동료들에 의해 둘러싸일 것이다. 동료들이 대리적인 시도를 하면, 후기채택자들은 스스로 시도해 볼 필요가 거의 없다.

관찰가능성. 관찰가능성(observability)은 어떤 사람이 해당 테크놀로지 내에서 작업하는 다른 사람을 관찰할 수 있는 능력이다. 누군가가 참여를 요청받지 않고 3DLE를 관찰할 수 있는 능력을 신장시켜라. 동료들이 참여를 요청받기 전에, VIE에서 역할놀이를 관찰할 수 있도록 3DLE를 배치하라.

관찰가능성에 관한 한 가지 중요한 측면은 관찰되는 사람이 관찰하고 있는 사람과 비슷한 지위를 점하고 있다는 것이다. 관찰되는 사람이나 조직의 지위가 잠재적인 채택자들과 더 근접할수록 채택될 개연성은 더 높아진다. 경영진과 관리자들이 VIE에서 다른 경영진과 관리자들을 환영토록 하라. 학생들이 다른 학생을 환영하고, 교직원이 다른 교직원을 환영토록 하라. VIE에 참여하는 조직의 모든 수준에 있는 사람들의 예를 제공하라. 조직적 수준에서, 학습과 교육을 위하여 VIE를 사용하고 있는 여러분의 조직과 비슷한 회사나 교육조직들을 찾아내라. 그러한 예들을 자유롭게 공유하라.

관찰가능성은 또한 머시니마(machinima)를 통해 제공될 수 있다. 머시니마는 아바타를 배우로, 환경을 세트로 사용하는 VIE에서 만들어진 비디오다. 머시니마는 3DLE가 어떻게 행해지고, 그 환경 속에서 사람들은 어떻게 내비게이션하며 상호작용하는지를 예시해 주어야 한다. 아울러, VIE에서 일어나는 일과 그 환경 속에서 학습자들이 접할 것으로 기대할 수 있는 것을 명확하게 정의한 팁시트(tip sheets)나 업무보조물(job aids)을 제공하는 것을 고려해 보라. 학생과 고용인들이 VIE에서 일어나는 일을 더 잘 이해할수록, 그들이 적극적으로 참여할 개연성은 더 높아진다.

테크놀로지 채택 연속선

매력성 준거를 강조하면 VIE의 채택 속도를 증진시킬 수 있지만, 다른 사람들은 자신들이 테크놀로지 채택 연속선(technology adoption continuum) 상에서 어디에 위치하는지에 따라 다른 준거를 끌어낸다. 어떤 고용인들이나 학생들은 다른 사람들보다 VIE를 더 빨리 받아들일 것이다. 어떤 조직 시스템에는 채택 연속선상에 다섯 가지 유형의 사람들이 있다. 연속선의 한쪽 끝에는 단지 그 테크놀로지가 새롭기 때문에 어떤 새로운 테크놀로지도 거의 맹목적으로 수용하는 테크놀로지 열광주의자들(technology enthusiasts)이 있다. 다른 반대편 끝에는 회의주의자들이 있는데, 그들은 기업체, 학교, 또는 정부 환경에서 어떠한 새로운 테크놀로지도 사용하는 것을 거부한다.

이 양자 간에, 테크놀로지 선도자(technology visionaries), 실용주의자, 보수주의자들이 있다. 후자로 갈수록 테크놀로지를 채택하는 것을 더 망설인다. 도전과제는 이러한 상이한 집단에 속해 있는 사람들에게 VIE를 적절하게 제시하는 것이다. 어려운 점은 테크놀로지 열광주의자들과 테크놀로지 선도자들을 위해 사용된 "팔기 위한 권유(sales pitch)"가 실용주의자, 보수주의자, 회의주의자들을 위해 사용된 팔기 위한 권유와 정반대라는 것이다.

VIE 채택 퍼즐에서 또 다른 조각은 "지식 브로커(knowledge broker)", "수문장(gate-keeper)", "여론 주도자(opinion leader)"라고 알려진, 또는 Malcolm Gladwell이 "연결자(connectros)"[6]라고 부른 사람들이다. 이 사람들은 모든 사람들과 연결되어 있고, 테크놀로지의 채택에 엄청난 수준의 영향력을 행사하는 조직이나 집단 내에 있는 사람들이다. 연결자는 다른 사람들의 태도와 행동에 비공식적으로 영향을 미칠 수 있지만 책임을 선도하는 경향은 없는 사람이다.

책임을 선도하는 사람은 변화관리자(change agent) 또는 종종 "챔피언(champion)"이라고 불린다. 챔피언은 일반적으로 사회시스템에 있는 여론 주도자들의 전파 활동에 도움을 준다. 챔피언은 VIE의 잠재력과 가능성을 볼 수 있는 사람이며, 전도사(evangelist)로서 봉사한다.

---

6) Gladwell, M. (2002). *The Tipping Point: How Little Things Can Make a Big Difference.* New York: Back Bay Books.

VIE에 대한 전도사의 메시지가 조직 내에서 매력성을 얻기 위하여 마지막으로 필요한 사람은 "스폰서(sponsors)"다. 스폰서는 일반적으로 조직의 관리자나 경영진 수준에 있고, 실행을 지지하는 돈이나 자원을 가지고 있다. 만약 챔피언들이 스폰서에 의해 지원을 받지 못하면, 그들은 의욕이 급속히 상실될 수 있다.

VIE의 혁신이 조직으로 전파되는 방법을 이해하기 위해서는 동기, 자극제, 테크놀로지 채택 연속선상에 있는 각 유형의 사람들의 특성들을 이해해야 한다. 일단 독특한 특성들이 이해되면, 그 메시지는 적절하게 맞추어질 수 있다.

테크놀로지 열광주의자들. 이 사람들은 조직의 핵심 테크놀로지 전문가들이다. 이들은 그것이 테크놀로지이기 때문에 테크놀로지를 사랑한다. 테크놀로지 열광주의자들은 새로운 테크놀로지를 수용하는 첫 번째 사람들이다. 그들은 어떠한 새로운 테크놀로지도 즐기며, 기본적으로 헌신한다. 그들은 다양한 유형의 테크놀로지를 만지작거리기를 좋아하며, 새로운 소프트웨어 도구를 탐색하는 데 있어 첫 번째 사람들이 되기를 원한다. 실제로, 조직에서 진짜 테크놀로지 전문가들 중 많은 사람들이 이미 Second Life, World of Warcraft, Whyville, City of Heros 또는 소비시장에 이미 출시되어 있는 수백 개의 다른 가상세계들 중 하나와 같은 몇 가지 유형의 가상세계에 참여하고 있다. 이러한 사람들은 집에서는 가상세계 테크놀로지에 심취해 있고, 그것들을 업무에 사용하기를 즐겨 하곤 한다.

테크놀로지 열광주의자들(technology enthusiasts)은 모든 상세사항, 시스템 요구 사양, 그리고 VIE의 어떤 다른 기술적인 측면을 알기 원한다. 이들은 다음과 같은 중대 사항을 선별할 수 있는 조직에 있는 사람들이다. 즉, 그들은 항상 새로운 테크놀로지에 대한 자신의 관점을 가지고 있다. 그들은 수십 개의 테크놀로지 블로그나 웹사이트에서 제공하는 RSS 피드에 등록되어 있고, 어떤 새로운 테크놀로지적 진보에 대해 알고 있는 첫 번째 사람임을 기뻐한다. 테크놀로지 전문가들은 가상학습세계의 비즈니스적 또는 교육적 이점에 대해서는 관심이 없다. 그들은 가상학습세계의 "새로움(newness)"이나 "와(wow)"하는 놀랄 만한 측면에 심취해 있다.

그들은 "그것은 멋진가?"와 "그것은 괜찮은 물건인가?", "이 소프트웨어의 사양은 무엇인가?", "그것은 다른 3D 가상세계와 어떻게 비교되는가?"와 같은 질문을 한다.

테크놀로지 선도자들. 테크놀로지 전문가들은 VIE의 비즈니스나 교육적 이점에 관심이 없는 반면, 테크놀로지 선도자들은 오직 비즈니스적 또는 교육적 이점에만 관심이 있다. 그들은 테크놀로지를 위한 테크놀로지에는 관심이 없다. 그들은 이 새로운 테크

놀로지가 어떻게 조직을 경쟁자들보다 우위에 위치하도록 하는지 또는 어떻게 그것이
학습자들을 보다 효과적으로 그리고 보다 참여적으로 학습할 수 있도록 도와주는지를
알고 싶어한다. 어떻게 VIE가 그들에게 전략적 또는 전술적인 이점을 가져다줄 것인
가? 어떻게 학생들은 3DLE에서 상호작용함으로써 보다 더 교양 있는 사람이 될 수 있
는가? 어떻게 고용인들은 3DLE에 참여함으로써 이익을 얻을 수 있는가?

테크놀로지 선도자들(visionaries)은 일반적으로 새로운 테크놀로지에 대한 조언과
정보를 위해 테크놀로지 전문가들을 찾는다. 그들은 테크놀로지 전문가들과 효과적으
로 의사소통할 수 있다. 테크놀로지 선도자들은 잠재적인 비즈니스적, 교육적 사용과
다른 조직이 이러한 테크놀로지들을 사용할지 안 할지에 대하여 테크놀로지 전문가들
에게 "질문"한다. 이 사람들은 VIE의 테크놀로지적 이점을 비즈니스나 교육적 이점으
로 전환할 수 있기 때문에 새로운 테크놀로지를 채택하는 동안 중요하다.

VIE는 기업과 교육환경에는 새롭고, 그것이 새롭기 때문에 경쟁자들보다 더 장점
으로 사용될 수 있기 때문에 테크놀로지 선도자들은 VIE에 많은 관심을 가지고 있다.

테크놀로지 선도자들은 "경쟁이 일어나기 전에 제가 어떻게 이 새로운 테크놀로지
를 저의 이점으로 사용할 수 있을까요?"라는 질문을 한다.

테크놀로지 전문가와 선도자들에게 VIE 알리기. 테크놀로지 전문가와 선도자는 모두
조직 내에서 VIE의 초기채택자들일 것이다. 비록 테크놀로지 전문가들이 VIE를 탐색
하고 싶어하는 반면, 선도자들은 그것을 개척하기를 원한다는 점에서 그 이유들은 약
간은 다르지만, 그들은 모두 새로운 테크놀로지에 관한 아이디어를 좋아한다.

VIE는 새롭고 극소수의 다른 조직들이 VIE를 널리 전파하고 있기 때문에, 두 집단
들에게 호감을 준다. 이 두 집단들에게 VIE를 사용하도록 알릴 때, 기업체와 원격교육
애플리케이션을 위해 VIE를 사용하는 것은 새롭다는 것(newness)을 강조하라.

구체적으로, 테크놀로지 전문가에게 VIE를 알릴 때, 소프트웨어 세부사양, 하드웨
어 용량, 그리고 그 뒤에 나올 테크놀로지를 알려 주어라. 테크놀로지와 VIE를 혁신적
으로 사용하는 것은 새롭다는 점을 강조하라. 테크놀로지 선도자들에게 VIE를 알릴
때, 그것이 그 자신들과 조직에 이익을 줄 것이라는 점을 알려 주어라. 그들에게 VIE가
다른 사람들보다 얼마나 경쟁적인 이점을 제공할 수 있는지를 보여 주어라. 아이디어
와 그 테크놀로지의 새로움이 갖고 있는 "이점"을 알려 주어라.

안타깝게도, VIE의 새로움은 실용주의자, 보수주의자, 회의주의자들이 정확히 싫
어하는 것이다. 이들 중 많은 사람들이 조직의 의사결정자다. 그들은 비즈니스나 교육

적 실천에서 한계에 도전하는 것과 특히 테크놀로지적인 특징에는 관심이 없다. 그들은 현재 상황과 보다 일치하는 해결책을 원한다. 그들은 "검증된(tried-and-true)" 접근법을 원하며, 교실 교수에서 잘못된 것을 궁금해한다.

실용주의자들. 이 집단은 일반적으로 VIE의 사용과 같은 혁신을 지지하기 전에 한동안 심사숙고한다. 이 집단은 VIE가 전통적인 방법보다 더 좋은 교육적 도구라는 "증거(proof)"를 원한다. 그들은 채택하기 전에, 백서(white paper), 동일 분야 종사자에 의해 검토된 연구, 그리고 그 이외의 모든 사실들을 원한다. 그들은 자신들이 VIE를 채택하기 전에 VIE가 수백 개의 다른 조직들에 의해 사용되고 있는지를 알기 원한다.

실용주의자들(pragmatists)은 심사숙고하고 증거를 요구하지만, 새로운 테크놀로지를 채택하는 마지막 집단이 되기는 원치 않는다. 만약 어떤 것이 효과가 있고 타당해 보인다는 것을 알게 되면, 그들은 그것을 채택하기 위해 움직일 것이다. 그들은 테크놀로지 전문가나 선도자들처럼 빠르지는 않지만, 몇 가지의 긍정적인 사례연구를 보고 다른 조직들이 그 혁신으로부터 어떻게 이익을 보고 있는지를 알고 난 후에 VIE를 채택할 것이다. 그들은 개척자들은 아니지만, 개척자들을 바로 뒤따른다.

실용주의자들은 "이게 정말 효과가 있을까?", "우리는 개척자는 아니지?"라고 묻는다. 그들은 일단 VIE가 효과가 있고 자신들이 절대적인 첫 번째 채택자들이 아니라는 것을 알게 되면, VIE를 수용할 것이다.

보수주의자들. 혁신을 수용하는 것에 훨씬 덜 열망적인 사람들이 보수주의자들(conservatives)이다. 이 사람들은 VIE를 비즈니스나 교육적인 도구로 채택하는 것이 엄청나게 느리며, 일반적으로 새로운 테크놀로지에 대해 극도로 조심한다. 실용주의자들은 VIE가 수백 명의 다른 사람들에 의해 사용되고 있는지를 알기 원하는 반면, 보수주의자들은 VIE가 수백만 명에 의해 사용되고 있는지를 알고 싶어한다. 이 집단은 새로운 테크놀로지를 거의 반기지 않으며, 다소 회의적이다.

이 집단의 구성원들은 테크놀로지 전문가, 테크놀로지 선도자, 실용주의자들 모두가 VIE를 사용할 때까지 그것을 채택하지 않을 것이다. 그들은 조직에 어떤 가치를 추가하는 데 있어 VIE의 능력에 대해 확신하지 않는다. 보수주의자들은 새로운 테크놀로지를 사용하는 것이 기존의 테크놀로지를 사용하는 것과 대체로 비슷하거나 조금 더 낫기를 원한다.

VIE의 개념을 알리고자 할 때 종종 저지르는 한 가지 실수는 보수주의자들이 VIE를 사용하는 데 열광적인 팬이 되도록 "개종(convert)"시키는 데 엄청난 시간을 낭비한다는 것이다. 그러한 노력을 기울일 가치가 없다. 처음 세 집단들에게 집중하는 것이 더 낫다. 그러면 보수주의자들도 VIE가 더 이상 "새로운" 것이 아니기 때문에 결국 채택하게 될 것이다.

보수주의자들은 "이것을 전통적인 방법으로 행하는 것이 뭐가 문제인가? 그것은 수년 동안 효과적이었다. 그래서 나는 우리가 왜 방법들을 바꿀 필요가 있는지를 이해하지 못하겠다."라고 반문한다.

회의주의자들. 회의주의자들(skeptics)은 결코 VIE가 교육에 적합하다고 생각하지 않을 것이다. 그들은 VIE의 이점에 대한 과대광고와 주장을 문제 삼는 데에서 즐거움을 느낄 것이다. "이것은 유치해요", "재미있을지는 몰라도, 가르치지는 못하죠." "3DLE가 교수자주도 교실수업보다 더 낫다는 증거가 어디에 있습니까?" "VIE에서 한 시간 수업을 설정하는 데 저는 세 배나 더 많은 시간이 걸렸습니다. 게다가 그것을 작동하도록 하는 데 배치해야 할 사람이 너무 많이 필요합니다." "이점들이 그 일을 제대로 보상하지 못합니다." "가상교실 소프트웨어가 훨씬 더 적은 돈으로 VIE와 동일한 일을 하지 않습니까?"

회의주의자들은 VIE의 실행을 약화시키고자 계속적으로 "순진한(innocent)" 질문들을 할 것이다. "사람들이 이 가상세계에서 빈둥거리기만 하면 어쩌죠?", "제가 가상세계에서 길을 잃으면 어쩌죠?", "제 컴퓨터가 그래픽을 지원하지 않는다면 어쩌죠?" 그들은 심지어 자신들의 사례를 지지하기 위하여 실패 사례를 찾아내려고 할 것이다.

회의주의자들은 문제를 재빠르게 지적하며, VIE의 실행 과정에서 발생한 어떤 실수나 약점을 부당하게 사용한다. 그들은 새로운 방법론에 대해 항상 비평하는 사람들이다. 다행히도, 통상적으로 어떤 특정 조직 내에는 단지 몇 명의 회의주의자들만이 있다. 불행하게도, 그들은 목소리가 큰 경향이 있고, 실용주의자와 보수주의자가 회의주의자가 되도록 설득한다. 회의주의자들의 준거지점(point of reference)은 과거다.

여러분은 보수주의자와 실용주의자들이 회의주의자들에 의해 영향을 받는 것을 피하기 위해 그들을 교육시키기를 원하겠지만, 진정한 회의주의자를 개종하기란 불가능하다. 회의주의자를 개종하려고 시도하는 데 에너지와 자원을 쓰는 것은 시간낭비다. 회의주의자들은 새나가도록 내버려두고, 다른 집단들이 성공할 수 있도록 하는 데 에너지를 집중하라.

회의주의자들은 여러분에게 "이건 전혀 효과가 없을 것입니다. 그것은 유행이고 속임수예요."라고 말할 것이다.

연결자들. 연결자들(connectors)은 조직 전체의 사람들을 알고 있다. 그들은 사교계(social circles)를 쉽게 드나들며, 다양한 영역에서 지식과 통찰력이 있어 모든 사람들로부터 존경을 받는다. 연결자들은 다른 사람들의 태도와 심지어 명시적인 행동에 비공식적으로, 바람직한 방향으로, 그리고 상대적으로 빈번하게 영향을 미친다. 이러한 비공식적인 리더십은 시스템 내에서의 그 사람의 공식적인 위치나 지위와 관련이 없다. 여론 주도력(opinion leadership)은 그 개인의 기술적인 역량, 사회적 접근성, 시스템 규범에 대한 순응성에 의해서 획득되고 유지된다.

연결자들은 자신들의 혁신적인 행동이 시스템의 다른 구성원들에 의해 모방되는 사회적 모델로서의 역할을 할 수 있도록 해 주는 사회적 네트워크를 가지고 있다. 연결자들은 테크놀로지 전문가와 이야기를 하고, 무엇이 멋지고 새로운지를 찾아내며, 경쟁적 이점을 제공하고, 이러한 속성들을 테크놀로지 선도자들에게 설명하며, VIE에 대한 자신들의 지식, 신뢰, 열정으로 실용주의자과 보수주의자들에게 영향을 끼친다.

연결자들은 자신들의 영향력 때문에 채택 연속선에서 매우 중요하다. 그들이 VIE에 열광하고 찬성한다면, 조직에 있는 다른 사람들도 따를 것이다. 그들이 반대한다면, 다른 사람들도 또한 그렇게 할 것이다.

채택이나 판매과정 초기에, 조직의 연결자들을 밝혀내고 합류시키라. 이것은 조직에 있는 사람들이 누구의 의견에 가치를 두거나 존경하는지를 알아보기 위하여 그들에게 설문조사를 하거나 인터뷰를 함으로써 알 수 있다. 일단 연결자들을 밝혀내면, 그들에게 VIE를 혁신적으로 사용하면 자신들과 조직에게 가치 있을 것이라는 정보, 자원, 증거를 제공하라. 그들을 학술대회에 보내고, 그들에게 그 주제에 관한 책을 사주며, 그들을 다른 조직들과 대비하여 벤치마킹할 수 있도록 내보내라. 연결자들을 합류시키기 위해 투자된 돈이라면 잘 쓰인 것이다.

챔피언들. 이 사람들은 VIE의 주제에 관하여 열정과 에너지를 쏟기 때문에, 자신들을 챔피언들(champions)로 보는 경향이 있으며, 통상적으로 테크놀로지 선도자들이다. 챔피언들은 테크놀로지의 잠재력을 보고, 모든 사람들에게 알리기를 원하는 사람들이다. 챔피언들이 효과적이려면, 연결자들과 함께 일할 필요가 있다. 조직들이 VIE라는 용어를 확산시키고 VIE를 사용하고자 하는 열정을 불러일으키기 위해서는 챔피언들을 가질 필요가 있다. 챔피언들은 역경과 장애를 뚫고 일할 의지가 있고, 심지어 조직이 VIE를 채택할 준비나 의지가 없는 것처럼 보일 때도 그러하다. 챔피언들은 일반적으로 테크놀로지 채택 척도에서 볼 때 선도자들이지만, 종종 테크놀로지 열광주의자들이기도 하다.

스폰서들. 스폰서들(sponsors)은 학습을 위해 VIE를 채택하는 것을 지지하지만, 챔피언들만큼 목소리가 크거나 열정적이지는 않은 사람들이다. 스폰서들은 일반적으로 조직 내에서 높은 위치를 점하고 있으며, VIE 프로젝트를 시작할 수 있도록 인력이나 예산을 통해 지원을 제공할 수 있는 사람들이다. 스폰서들은 종종 챔피언들과 동일하지만, 일반적으로는 그렇지 않다. 스폰서들이 가져야 할 이상적인 특성은 프로젝트를 지지할 수 있는 돈과 조직의 다른 사람들로부터 어느 정도의 자율성을 가지고 있고, 프로젝트에 인력을 할당할 수 있으며, 새로운 테크놀로지의 사용에 대해 개방적이어야 한다. 영업 관리자들은 일반적으로 조직의 나머지 사람들로부터 상대적으로 독립적으로 행동하는 고용인들을 가지고 있고, 지리적으로 분산되어 있으며, 대부분의 경우 Dell과 Motorola의 전직 학습개발부사장이었던 John Coné이 "발이 넓다(lots of feet)"라고 일컬었던, 즉 테크놀로지와 조직에 영향력을 미칠 정도로 많은 고용인들을 가지고 있기 때문에 훌륭한 후보자들이다. VIE를 실행함으로써 이익을 얻을 수 있는 많은 수의 고용인들을 가지게 되면, 실행하는 데 도움이 될 것이고, 스폰서들에게 충분한 영향력을 줄 것이다.

VIE를 위한 비즈니스 또는 교육 사례 구축

어떤 조직에 VIE를 소개하기 위한 비즈니스 사례를 구축하기 위한 단계들은 다른 도구들, 소프트웨어 습득, 대규모의 구매를 위한 비즈니스 사례를 구축하는 것과 비슷하다. 교육적인 사례의 경우, 그 단계들은 어떤 새로운 교육이나 자원을 요청하는 것과 비슷하다. 이 과정에서 핵심적인 요소는 테크놀로지 채택 연속선의 관점에서 잠재적인 스폰서들이 어디에 있는지를 분석하고, 여러분의 주장을 정교하게 만들기 위하여 그 지식을 사용하는 것이다. 아울러, VIE를 조직의 요구와 비교하여 위치를 정하기 위해 매력성 준거를 사용하라. 그 과정에서의 구체적인 단계들은 다음과 같다.

1. 문제 진술문(problem statement)을 작성한다.
2. 여러분이 충족시키고자 하는 비즈니스나 교육적 요구와 구체적으로 관련된 문제에 대한 기술(problem description)을 제공한다. 현재 상태를 기술하고, 현재 상태를 유지하기 위한 비용을 현금과 생산성 또는 기회 손실의 두 가지로 제시한다.

3. 제안된 해결책, 즉 VIE를 선택해야 하는 근거와 실행을 통해 달성하기를 원하는 것을 제공한다.

4. VIE의 핵심목표와 성공지표를 진술한다.

5. 학습관리시스템(LMS)과 같은 현재 시스템과 기존 콘텐츠(legacy content)가 그 과정에서 어떻게 다루어지거나 통합될 것인지를 기술한다.

6. VIE와 다른 해결책들의 가치를 금전적 · 비즈니스적 · 교육적으로 비교 · 분석함으로써 해결책들을 비교한다.

7. 실행을 위한 최종 권고문(final recommendation)을 작성한다.

VIE의 전사적인(enterprise-wide) 실행을 위한 비즈니스나 교육 사례를 만들 때, 초점은 테크놀로지가 아니라 VIE의 채택을 좌우하는 요구에 맞추어야 한다. VIE는 기업에서는 특정한 비즈니스적 요구를 해결해야 하고, 교육조직에서는 특정한 교육적 또는 학습요구를 충족시켜야 한다. 효과적인 문제 진술문을 작성함으로써 요구를 규명하고 그것을 다른 사람들에게 제시할 수 있다.

문제 진술문

여러분이 VIE를 사용할 것을 제안함으로써 해결하고자 하는 문제를 명확하게 진술하라. 문제 진술문은 실제 요구를 해결할 수 있도록 구성되어야 한다. 다음과 같이 진술해서는 안 된다.

이 비즈니스 사례의 목적은 영업팀을 훈련시키기 위해 본사에 보내지 않고 신제품 출시에 대해 배울 수 있는 방법을 가르치기 위하여 새로운 테크놀로지를 도입하기 위한 VIE를 구축하는 것을 제안하는 것이다.

또는

VIE를 채택하는 목적은 학생들에게 다른 문화를 공부할 수 있는 새로운 테크놀로지 환경을 제공하는 것이다.

위의 진술문들의 초점은 구체적인 학습이나 비즈니스적 요구에 있지 않고 테크놀로지에 있다. 다음과 같이 진술한다면 더 좋을 것이다.

이 비즈니스 사례의 목적은 기업의 전체 이윤을 증진하기 위해 판매팀에게 신제품을 신속하고 정확하게 팔며, 결점을 보다 신속하게 극복하는 방법을 제공함으로써, 동시에 훈련비용을 줄여, 신제품 판매를 증진하는 것이다.

또는

VIE를 채택하는 목적은 학생들에게 현장학습 비용 없이 다른 문화와 안전하게 혼합할 수 있는 실제적인 환경에서 학습할 수 있는 몰입적인 학습경험을 제공하는 것이다.

테크놀로지가 문제 진술문의 초점이 아니라는 점에 주의하라. 대신에, 그 목적은 설득력 있는 비즈니스적 또는 교육적 요구를 제공하며, 그 요구에 초점을 두는 것이다. VIE는 단지 성공요인(enablers)일 뿐, 최종 목적으로 간주해서는 안 된다. 최종 목적은 이윤을 증진시키는 것과 같은 비즈니스적 목적이나 더 잘 준비된 대학원생과 같은 학문적 목적을 달성하는 것이어야 한다.

문제 기술

"문제 기술(problem description)"은 현재 상황을 설명하고, 그것이 왜 제대로 작동하지 않는지 또는 그것이 어떻게 더 생산적이 될 수 있는지에 관한 명확한 증거를 제시한다. 이 절에서는 "어떤 요소들이 VIE의 실행을 위한 요구를 이끄는가?" 또는 "왜 현재 상황은 수용될 수 없는가?"라는 질문에 답해야 한다. 다시 한 번 말하지만, 조직의 요구에 초점을 두어라.

현재 상황에 관한 논의를 시작하기에 가장 좋은 출발점 중 하나는 조직이 비용과 생산성 관점에서 볼 때 그것의 목적들을 가능한 한 효과적으로 달성하고 있는지의 여부를 살펴보는 것이다. 예를 들어, 한 제약회사가 판매 대리인들이 의사의 요청에 따른 적절한 판매 모델을 적용하지 못했고, 그 결과 그들의 제품이 채택될 기회를 놓쳤다고 판단했다. 판매 대리인들은 판매 모델을 적용하지 못한 문제를 해결하기 위하여 6개의 가상 의사 사무실과 각 사무실 내에 다른 관심사와 요구를 가진 다른 유형의 의사를 포함하고 있는 "판매 빌리지(sales village)"를 만들었다. 판매 대리인들은 그 모델을 완벽하게 적용할 수 있기 위해 다른 유형의 의사들과 함께 가상 역할놀이에서 연습을 할 수 있다.

또 다른 예에서, 한 제조공장은 작업자들에게 새롭게 건설된 작업장에서 작업하는 방법을 가르치기를 원했다. 그 회사는 용접, 페인팅, 재료 제거, 기계 관리와 같은 애플리케이션을 위해 작업장을 시각적으로 구성했다. 그런 다음, 가상 작업장은 위치 지정, 주변 도구 배치, 도달 가능성, 그리고 다른 중요한 생산성 요인을 결정하는 것뿐만 아니라 고용인들에게 생산 과정 중에 있어야 할 적절한 위치와 배치를 가르치기 위해 사용되었다. 로열리스트대학은 학생들을 더 이상 실제 국경검문소로 데리고 갈 수 없었고, 학생들의 수행은 떨어지고 있었다. 그들은 가상 국경검문소를 구축했다. 그 결과, 제6장에 기술한 바와 같이, 학생들의 성적은 엄청나게 향상되었다.

이러한 유형의 활동들에 대한 기술은 VIE를 기업 이외에도 사용할 수 있도록 전파하기 위하여 조직에게 제시할 수 있는 사례로서 활용될 수 있다.

해결책 제안

이 절에서는 여러분의 사례에 대하여 제안된 해결책과 주요한 특징들을 기술한다. 여기에서는 투자 이유들과 기대되는 유·무형의 이익을 기술한다. VIE와 그 잠재적 영향력에 대해 기술하라. 해결책의 이점과 현재 상황의 단점을 비교하라.

이 시점에서 제안된 해결책의 효과성에 관한 증거를 제시하는 것은 좋은 생각이다. 대부분의 선임 경영진들이나 대학 운영진들은 "3DLE가 정말로 가르칠 수 있나?" 또는 "투자 대비 성과가 동등한가?"를 물을 것이다. 그것을 증명할 책임은 분명히 VIE를 추천하는 사람에게 있다. 흥미롭게도, 그것을 증명할 책임은 VIE의 경우가 전통적인 교실에서의 교수나 심지어 이러닝의 경우보다 더 높다는 것이다.

VIE의 사용은 상대적으로 새롭지만, 사례를 구축하는 데 도움을 주기 위해 사용할 수 있는 다음과 같은 몇 가지의 예제자료 항목들이 있다.

● 제조부문에서, 오늘날의 조립라인의 복잡성 수준은 2차원적인 시각화로는 달성될 수 없다. 모든 제조장비와 고용인들이 완벽하게 함께 작업할 수 있도록 하기 위해서는 가상 3D 세계가 필요하다. 3D 세계를 사용하면 상당한 비용을 절감할 수 있다. 소규모 제조공장은 연간 100만 달러를 절감하고, 5 대 1의 연간 투자 대비 회수율을 실현할 수 있다. 중간규모의 제조공장은 8만 달러를 절감하고, 8 대 1의 연간 투자 대비 회수율을 실현할 수 있으며, 대규모 제조공장은 50만 달러에서 100만 달러를 절감하고, 10 대 1[7] 정도의 높은 연간 투자 대비 회수율을 거둘 수 있다.

---

7) Walking the Virtual World Saves Money and Avoids Problems in Assembly Layout. (2006). *Modern Application News*, 40(10), 14-19.

- Mercedes-Benz는 S급 쿠페에 쓰이는 알루미늄 부품생산을 시뮬레이션하는 가상세계를 사용하여 시간과 돈을 절약했다. 우선, 조립라인이 세워지고 개발된 후에, 가상세계에서 압축모형 금형이 부품을 제대로 생산하지 못한다는 것이 발견되었다. 그래서 가상세계가 정확한 부품을 생산할 때까지 변화를 주었다. 가상단계에서 문제가 밝혀지지 않고 바뀌지 않았다면 3~6개월 정도의 지연과 실제 생산현장에서 진행과정을 수리하는 데 수천 달러가 소비될 뻔했다. 전반적으로 가상세계를 사용함으로써 고급 자동차회사의 차량계획의 몇 부문에서 최대 30%의 비용절감 효과를 거두었다.[8]
- IBM의 테크놀로지아카데미(Academy of Technology)는 가상회의와 연례회의를 개최해 수십만 달러를 절약한 것으로 추산되었다. 대략 80,000달러의 초기 투자로, IBM은 250,000달러 넘게 출장과 장소비용을 절약했으며, 150,000달러 이상의 추가적인 생산이득을 얻어(참가자들이 이미 컴퓨터 앞에 있고 곧바로 일에 돌아올 수 있기 때문에), 제6장에 설명한 바와 같이, 총 320,000달러의 이윤을 얻었다.
- 캐나다 국경수비대원으로 봉사하는 로열리스트대학 프로그램에서 얻은 성적은, 제6장에서 설명한 바와 같이, VIE에서 가상 역할놀이를 소개한 2년 정도 뒤에 37%나 향상되었다.

VIE를 사용하는 것이 단순히 재미와 게임만을 위한 것이 아니라 지식의 전이를 향상시키고, 비용을 절감하며, 수행을 증진하고, 경쟁적인 이점을 제공한다는 논지를 내세우기 위하여, 이러한 데이터 수치들과 제6장의 다른 사례연구들을 사용하라.

핵심목표와 성공지표

이 절에서는 여러분이 달성하고자 하는 결과물뿐만 아니라 핵심적인 성공지표를 진술하라. 측정 가능한 목표와 여러분이 제시한 해결책들로부터 기대되는 결과물들을 명확하게 기술하라. 이 절에서 기대되는 학습결과물을 제시하되, 그 결과물들이 밝혀진 요구와 관련이 있을 때에만 그렇게 하라. 성공지표는 획득하기 용이하고 기대되는 결과물들이 적절하고 유의미하다는 것을 다른 사람들도 확신하고 동의할 수 있어야 한다.

이 절은 또한 보다 높은 사기와 같은 무형의 이점, 젊은 세대 학생들의 관심을 끌고 지

---

8) Tambaseio, S. (2004). *The Virtual World Meets the Factory*. Tooling & Production, pp. 38-40.

속시키는 능력, 그리고 수량화하기는 어렵지만 조직에게는 중요한 해결책의 다른 이점들을 열거하는 곳이다.

현행 시스템과 기존 콘텐츠[9]

기존의 학습관리시스템(LMS)은 항상 VIE와 인터페이스할 수 있는 사양을 갖추고 있지는 않으며, VIE 테크놀로지는 종종 쉽게 업데이트되거나 LMS와 통합될 수도 없다. VIE로부터 얼마나 많은 정보가 LMS와 공유될 필요가 있는지에 관한 결정을 내릴 필요가 있다. 일단 VIE가 전면적으로 사용되고 조직 내에서 3DLE에 있는 학습자들의 활동과 수행을 추적하기를 원한다면, LMS와 원만하게 의사소통을 하는 것이 매우 중요하게 될 것이다. 기존의 LMS와 어떻게 인터페이스할 수 있도록 할 것인지에 대한 계획과 VIE 내에 있는 어떤 유형의 척도들이 LMS에 기록되는 것이 중요한지를 기술하라.

기존 콘텐츠를 어떻게 처리할 것인지에 대한 비즈니스 사례를 기술하라. 조직들은 많은 콘텐츠를 가지고 있기 때문에, 그 콘텐츠를 VIE 속에 통합하는 방법을 결정하는 것은 중요한 단계이다. 이 절에서는 기존의 콘텐츠, 교실 과정, 그리고 사용자가 만든 아이템들이 VIE 속에 어떻게 통합될 수 있는지를 기술할 필요가 있다. 몇몇 콘텐츠를 다른 용도로 사용하고, 그것을 학습자들을 위해 3DLE에 전시할 수도 있다. 다른 경우, 기존의 콘텐츠를 긁어모으고, VIE에 있는 학습자료들을 재개발할 필요도 있을 것이다. VIE의 사례에서, 이 단계에서는 기존의 콘텐츠를 사용 또는 재사용할 것인지를 고려해야 한다. 또한 학습을 위한 3D 테크놀로지는 한 조직의 전체 학습콘텐츠의 일부분이지 제공물 전체는 아니라는 점을 고려해야 한다. 이 시점에서 VIE를 사용하는 것이 해당 조직의 전반적인 학습전략에 얼마나 적합한지를 기술하는 것이 도움이 될 수 있다. 몰입적인 학습환경에 특화되어 있는 회사인 Tandem Learning의 CEO인 Koreen Olbrish가 언급한 바와 같이, "이메일은 전화를 없애지 못했고, 트위터도 인스턴트 메시지를 없애지 못했다. VIE는 우리가 사람들과 상호작용해야 하는 또 다른 방법이다. 이해관계자들은 이것을 이해할 필요가 있다."

---

9) ARI Quick Start Program. (n.d.). Retrieved June 1, 2009, from *American Research Institute* at www.americanri.com/services/quick-start.php.

재정적 측면의 비교와 분석

마지막 요소는 VIE 솔루션의 비용과 다른 솔루션들의 비용, 또는 심지어 아무런 행위도 하지 않는 것과 비교하는 것이다. 여러분이 제안한 솔루션이 비용 효과적임을 보여 주어라. 모든 개발과 구매 비용뿐만 아니라 인적 자원 비용까지 합산하라. 이것은 방정식에서 비용 부분이다. (VIE의 실행 비용과 관련하여 더 자세한 정보를 원한다면 이 장의 후반부에 있는 Erica와 Sam Driver의 사례를 보라.)

　일단 모든 비용이 결정되면, 모든 이익을 나열하라. 이익을 가능한 한 최대한 달러 가치로 환산하고, 그런 다음 그 이익들의 모든 달러 가치를 합산하라. 조심성 있게 추산하여 회계부서로부터 그 수치들이 적절하다고 승인을 받아 내는 것이 중요한다. 그들이 여러분들이 그 이익들의 달러 가치를 어떻게 결정했는지에 동의했음을 명확히 하라. 이제 개발 비용을 예상했던 이익들과 비교하라. 이익이 비용을 초과해야 한다. VIE의 경우, 비용은 감소된 출장 비용으로 인해 크게 영향을 받을 수 있지만, 향상된 수행의 가치나 실제 상황에서 실수를 범함으로써 발생하는 비용도 살펴보아야 한다.

최종 제안

마지막 단계는 사례의 여러 가지 사실들에 기초하여 제안을 하는 것이다. 이것은 일반적으로 경영진이나 관리자들 또는 데이터를 살펴보고 최종 결정을 할 필요가 있는 상급교육자들에게 사례를 발표하는 것을 포함한다. 만약 가결수를 얻을 만큼 잘 발표했다면, 프로젝트는 일반적으로 (항상은 아니다) 자금지원을 받는다. 이 집단에게 사례를 발표하는 특별히 강력한 한 가지 방법은 의사결정자들이 VIE 내의 활동에 참여해 보도록 함으로써 VIE에서 달성될 수 있는 활동에 관한 시연을 제공하는 것이다. VIE의 효과를 실제로 이해하기 위해서는 3DLE 내에서 몰입적인 경험을 하는 것이 중요하다.

실행 시 고려사항

일단 비즈니스 또는 교육 사례가 구매되고 VIE를 조직에서 실행할 때가 되면, 고려해야 할 많은 요소들이 있다. 첫째, 효과적인 실행 전략이 수립되어 있어야 한다. 둘째, 적합한 파일럿 집단이 선택되어야 한다. 셋째, 프로젝트에 대한 적절한 의사소통과 감독을 보장하기 위하여 관리 과정이 마련되어야 한다. 그리고 마지막으로, 피치 못하게 발생하는 장애들을 극복할 수 있는 방법들이 개발되어야 한다.

실행 전략

잘 작성된 비즈니스 또는 교육 사례는 VIE의 실행을 위한 굳건한 토대로서의 역할을 수행할 수 있다. 기존 시스템에 관한 정보, LMS와의 커뮤니케이션, VIE 실행의 목적, 핵심목표와 성공지표, 그리고 다른 정보들이 실행을 위한 로드맵을 제공한다. 다음 단계는 실행을 위한 집단과 과정을 결정하는 것이다.

Olbrish는 내부에서부터 시작할 것을 주장했다. 그녀는 VIE를 실행하려면 내부팀(internal team: 조직 내에서 일하는 사람들), 직접 고객들(direct customers: 조직이 제품을 팔려는 사람들), 최종 고객들(final customers: 직접 고객들에게 팔린 제품으로부터 이익을 얻는 사람들)이라는 세 가지 개별 집단을 고려할 필요가 있다고 믿는다.

학술적인 환경의 경우, 첫 번째 집단은 교직원과 스태프들이 될 것이다. 두 번째 집단은 학생들일 것이고, 세 번째 집단은 학생들을 고용하는 고용주들일 것이다. 기업 환경, 예를 들어 의약 사업의 경우, 첫 번째 집단은 회사의 고용인일 것이고, 두 번째 집단은 제품을 구매하는 의사들일 것이며, 세 번째 집단은 제품으로부터 이익을 얻는 환자들일 것이다.

Olbrish는 회사가 VIE에 대한 노하우, 감각, 경험을 쌓을 수 있고, 그런 다음 그것들을 다른 두 집단들에게 보다 쉽게 확산시킬 수 있도록 내부에서부터 시작할 것을 제안한다. 그녀는 내부에서부터 시작하면 VIE를 보다 더 통제되고 조직적으로 채택할 수 있도록 해줌으로써 회사는 VIE를 작동하도록 해 주는 과정과 정책들을 더 잘 이해할 수 있게 될 것이라고 주장한다. "내부 사람들이 3DLE를 경험하고 쉽게 채택할 수 있는 과정을 확립하면, 지식기반(knowledge base)을 구축하는 데 도움이 될 것이다. 이 지식기반은 조직이 고객들에게까지 VIE를 확장하기를 원할 때 중요하다. 그것은 조직을 더 똑똑하게 만들 것이다." Olbrish는 계속해서 "내적인 성공은 고용, 고객 협력, 가상 판매 요청과 같은 외적인 VIE 활동에 도움이 된다."고 주장한다.

AstraZenca의 전직 판매훈련전략이사인 John Royer는 조직들 내부에서 직면하게 될지도 모르는 타성을 뛰어넘기 위해서는 다른 전략이 더 효과적일 수 있다고 생각한다. Royer는 어떤 경우에는 내부조직을 건너뛰고 VIE를 직접 고객들, 또는 심지어 최종 고객들로 배치시키는 것이 더 나을 수도 있다고 주장한다. Royer는 VIE의 커뮤니티 측면으로의 거대한 상승경향을 보고 고객들을 위한 VIE를 만드는 데 집중하는 것이 조직이 테크놀로지를 사용하는 데 흥미를 갖게 하는 확실한 방법이라고 생각한다. VIE를 확실한 비전을 가진 고객들로 배치하고, 그런 다음에 여러분의 경쟁자들을 뛰어넘기 위해 여러분이 수집한 지식에 투자하라. "저는 몰입적인 상호작용이 여러분이 일반적으로 가지고 있지 않은 어떤 것이며, 그래서 여러분과 잠재적인 고객이 공유된 공간으로 들어가 정보와 도구를 교환할 수 있는 능력은 문제해결과 솔루션기반(solution-based) 판매를 결합한 것이라는 관점에서 볼 때 엄청나다고 생각합니다."

적합한 파일럿 집단 선택

선택된 실행 전략에 상관없이, 조직 안팎의 많은 전문가들은 파일럿 집단으로 시작할 것을 제안한다. 파일럿 집단을 운영한다고 하는 것은 VIE를 실험하고 탐험할 소규모 사용자집단을 선택하고 그들에게 피드백을 요구하는 것을 의미한다. 장점은 여러분들이 문제들을 소규모로 찾아낸 다음 파일럿 집단의 피드백과 경험에 기초하여 조절, 교정, 수정할 수 있다는 것이다. 파일럿 단계를 생략하고 넘어가는 것은 위험한 도박이다. 파일럿과정에서 중요한 요소는 파일럿을 위해 적합한 집단을 선택하는 것이다. 파일럿 집단을 정교하게 만들기 위한 몇 가지 제안들을 하면 다음과 같다.

- **첨단 테크놀로지 친숙도 수준.** 여러분은 테크놀로지에 친숙하지 않은 집단에게 VIE를 초기부터 접근할 수 있도록 제공하기를 원치 않을 것이다. 테크놀로지를 오랫동안 사용하고 수용해 왔으며 생산성 증진자(productivity enhancer)로서 테크놀로지를 사용하는 것이 친숙한 사람을 선택하라. 이것은 처음에 가상세계 내에서 내비게이션하는 것이 어려울 수 있기 때문에 특히 그러하다.
- **테크놀로지에 별로 친숙하지 않은 사람들도 포함시켜라.** 만일 집단 내에 있는 모든 사람이 테크놀로지를 좋아하고 높은 친숙도를 가지고 있다면 그 테크놀로지가 전체 조직에서 어떻게 작동하는지에 관한 정확한 시각을 갖지 못할 것이다. 높은 친숙도를 가진 많은 사람들을 가지는 것이 좋지만, 그렇게 친숙하지 않은 사람들도 몇 명 포함시켜야 함을 명심하라.
- **상대적으로 작은 집단을 선택하라.** 고용인들이 지리적으로 넓게 흩어져 있는 경우, 감당할 수 있는 규모의 집단으로 시작해서 초기의 예상치 못한 복합적인 문제들이 효과적으로 처리될 수 있도록 하는 것이 중요하다. 집단은 테크놀로지 채택 사이클이 완벽하기 전에 몇 가지의 "대략적인 모습(rough edges)"를 가지게 될 것임을 이

해해야 한다.

- **처음부터 법률과 규제 담당 직원을 포함시켜라.** 법률과 규제 부서의 구성원을 포함한 위원회를 구성하라. 법률과 규제 담당 직원은 VIE의 사용과 관련한 많은 문제들에 직면하게 될 것이다. 따라서 법률과 규제 부서를 더 일찍 포함시킬수록 더 좋다. 심지어 조직이 매우 규제된 환경에서 일을 하지 않는다 할지라도, 이러한 부서의 대표자들을 포함하는 것은 도움이 될 수 있다. 한 가지 주의해야 할 것은 이러한 조직에 속해 있는 구성원들은 매우 보수적인 경향이 있다는 것이다. 시작하기 전에 스폰서에게 이 부서가 VIE를 폐쇄하지 못하도록 요구하되, 그들의 반대를 초기에 알면 당황하지 않을 것이다.

- **처음부터 IT 직원을 포함시켜라.** 법률과 규제 담당 직원을 초기부터 포함시킬 필요가 있는 것처럼, 정보 테크놀로지(IT) 부서의 직원도 초기부터 포함시켜야 한다. 새로운 테크놀로지를 사용하는 경우 필연적으로 복잡한 문제들이 발생할 것이다. 따라서 기술적인 장애들을 신속하게 극복할 수 있도록 도와줄 IT 직원을 포함시킬 필요가 있다. VIE의 경우, 이것은 특히 더 그러하다.

- **가상세계의 잠재력에 대해 관심이 있는 집단을 선택하라.** VIE의 비즈니스적 혜택에 관심이 있는 집단을 선택하라. 이 사람들은 테크놀로지가 올바르게 작동하도록 하기 위하여, 테크놀로지를 사용하는 데 더 많은 시간을 사용하고, 더 많은 노력을 기울일 것이며, 비즈니스적 잠재력을 보게 될 것이기 때문에, 그들이 접하게 되는 테크놀로지적인 문제들에 좀 더 편안해하는 경향이 있을 것이다. 파일럿 집단은 테크놀로지에 대해 매우 잘 알고 있는 사람들뿐만 아니라 비즈니스적 성과물에 초점을 두는 사람들도 필요하다.

- **추적하기 쉬운 집단을 선택하라.** 필요할 때 여러분에게 접근해서 데이터를 제공할 수 있는 집단을 선택하라. 아이디어의 교환을 촉진하고 가상세계에서 상호작용 시 발생하는 문제나 장점들을 제공해 줄 수 있는 집단과 지속적으로 연락을 취할 수 있는 방법을 강구하라.

장애 극복

심지어 이상적인 파일럿 집단을 구성한 경우라고 하더라도, 실행 과정에서 학습을 위해 VIE를 사용하는 것에 대한 반대와 장애들에 직면하기 마련이다. 그러한 장애들 중 몇 가지는 몰입적인 학습을 조직 전체에 공개하기 전에 적절한 기초를 포석함으로써 피할 수 있다. 이러한 것들을 나열하면 다음과 같다.

- **의도한 학습 성과물을 분명하게 표현하라.** 이해관계자들은 과정에 집중하기 위해 학습 목적을 이해할 필요가 있다. 이것은 조직 전체에 명확하게 표현되어 모든 사람들이 그 목적을 이해하고 VIE가 게임을 하는 것이라고 생각하지 않도록 해야 한다.

- **VIE가 오락이 되는 것을 막기 위한 규칙과 가이드라인을 구축하라.** VIE에 익숙하지 않은 것과 그것이 너무 "게임 같다"는 느낌 때문에, 이러한 잘못된 개념들이 호감을 얻는 것을 막기 위하여 가이드라인이 마련되어야 한다. 명확한 정책과 과정은 모호성을 없애 주며, 조직으로 하여금 테크놀로지의 학습측면에 초점을 두도록 할 것이다.

- **마케팅 캠페인을 개최하라.** 마케팅 캠페인은 장점들을 공개적으로 알리고 테크놀로지 전문가들과 선구자들(적어도 첫 라운드에서)을 매료시키는 데 도움을 줄 수 있다. 테크놀로지 열광주의자들과 선구자들이 가장 먼저 관심을 보일 것으로 예견되지만, 다른 사람들도 잊지 마라. 효과적인 메시지를 조심스럽게 작성하고, 연결자에게 특별한 관심을 두어야 함을 명심하라.

- **투자는 긴 여정임을 이해하라.** 실제적이고 지속 가능한 전략적 장점들을 달성하기 위해 VIE를 사용하는 것은 일반적으로 시간이 상당히 걸린다. 파일럿 집단은 그 과정의 초기 국면을 모두 다 경험하고, 성공하며, 그런 후 조직 전체에 성공의 스토리를 퍼뜨릴 수 있어야 한다. 이 과정은 항상 챔피언과 선구자들이 그러한 것보다 훨씬 더 오래 걸리는 것 같다. 비결은 미래를 위한 테크놀로지에 영향을 미치는 것에 초점을 두고 장애들을 극복하는 것이다. 제6장의 "학습한 교훈"을 사용하라. 그러면 그 과정은 성공적일 것이다. 그리고 곧 전체 조직이 VIE를 수용하게 될 것이다.

전문가의 조언: 초기채택자들이 성공하고 성공을 측정하는 방법

Erica Driver와 Sam Driver, ThinkBalm의 공동창업자 겸 회장들

"저한테 무슨 이득이 있습니까?"

간단히 말해, "저한테 무슨 이득이 있습니까?"는 누군가 다른 사람들을 변화시키고자 할 때 대답해야 하는 첫 번째 질문이다. 그것이 어떤 종류의 변화인지, 얼마나 작은지, 또는 얼마나 민감한지는 문제가 되지 않는다. 우리는 그렇게 하기에 충분히 호소력이 있다는 확신이 들지 않는 한 우리의 행동이나 생각을 바꾸지 않으려는 경향

이 있다. 기업에서 새로운 테크놀로지를 채택하게 될 때, 그 호소력 있는 이유는 비즈니스적 가치가 있음을 보여 주는 증거가 된다. ThinkBalm 분석가들은 2009년 봄에 몰입적인 테크놀로지의 업무와 관련한 사용에 대한 "저한테 무슨 이득이 있습니까?"라는 질문에 답하고자 했다. ThinkBalm의 몰입적인 인터넷 비즈니스 가치 연구(ThinkBalm Immersive Internet Business Value Study)인 Q2 2009을 위해, 우리는 66명의 매우 숙련된 실천가들에게 설문조사를 했으며, 15명을 심층 면접했다.[10] 연구결과 도출된 몇 가지 강조점들을 제시하면 다음과 같다.

초기 투자는 실제로 비즈니스적 가치를 창출한다.

작업장에서 몰입적인 테크놀로지를 실행해 온 모두가 다 자신들이 지금까지 행해 온 투자의 비즈니스적 가치를 수량화할 수 있거나 심지어 수량화할 수 있을 것이라 기대할 수 없다. 2008년과 2009년 1사분기에 행해진 몇 개의 몰입적인 인터넷 프로젝트들만이 엄격한 ROI 수치를 달성했다. 우리는 이 프로젝트에 참여한 실천가들 중 상당수가 결코 ROI 모형을 구축하려는 의도도 없었음을 발견했다. 여전히, 우리가 설문조사나 인터뷰를 통해서 수집한 다양한 데이터 수치는 작업장에서 몰입적인 테크놀로지에 투자하는 것은 가치를 창출하는 것으로 나타났다.

● **비즈니스적 가치를 가지고 있다고 생각하는 사람들 중 대부분은 긍정적인 수치를 보고한다.** 설문조사를 한 실천가들 중 40% 이상(66명 중 26명)은 자신들의 조직이 2008년과 2009년 상반기에 몰입적인 테크놀로지에 투자함으로써 긍정적인 총 경제적 혜택(total economic benefits)을 보았다고 말했고, 응답자의 50% 이상(65명 중 34명)은 2009년에 긍정적인 총 경제적 혜택을 얻을 것으로 예상했다.

● **비즈니스적 가치의 수량화는 이해하기 어렵다.** 연구 결과, 우리는 측정된 비즈니스적 가치가 만 달러에서 백만 달러 이상 됨을 알았다. 이렇게 차이가 나는 이유는 비즈니스적 가치가 사용 사례(use case), 출시의 성숙도(maturity), 범위(breath)에 크게 의존하기 때문일 가능성이 높다.

---

10) 2009년 5월 26일 ThinkBalm 보고서를 보라. *ThinkBalm Immersive Internet Business Value Study, Q2 2009.* http://thinkbalrn.files.wordpress.coml2009/05/thinkbalm-immersive-internet?business?valuestudy- final-5-26 -092.pdf

- **어떤 실천가들은 아홉 달 이내에 투자를 회수했다.** 대부분의 응답자(66명 중 44명)는 자신들의 조직이 투자를 환수하지 못했거나 모른다고 답했다. 그러나 응답자들의 거의 30%(66명 중 19명)가 자신들의 조직이 몰입적인 테크놀로지에 대한 투자를 프로젝트가 시작된 지 아홉 달 이내에 회수했다고 답했다.

돈만이 성공의 유일한 직접적인 척도는 아니다.

2008년과 2009년 상반기에 많은 실천가들이 수행한 프로젝트에 대해 가졌던 감정은 압도적으로 긍정적이었다. 우리는 성공적인 사람들이 자신들의 몰입적인 테크놀로지 프로젝트에 대해 어떻게 느꼈는지를 물었다. 응답자의 1/3(66명 중 22명)이 그들의 프로젝트 데이터가 성공을 나타냈다고 말했다. 나머지 61%의 응답자(66명 중 40명)는 프로젝트를 성공한 "것처럼 느꼈다"고 답해, 전체 응답자 중 94%가 긍정적으로 평가했다.

잠간! 성공한 것처럼 느꼈다고? 그것은 염려스러울 수도 있다. 그래서 우리는 몇 가지를 좀 더 자세하게 살펴보았는데, 많은 프로젝트가 여전히 진행 중이며, 그 결과 아직 어떠한 확실한 데이터도 존재하지 않음을 알게 되었다. 다른 프로젝트들은 실제로 직접적인 금전적 성공을 거두지는 못했다. 몇몇 프로젝트들은 R&D에 노력을 한 반면, 다른 것들은 비용이나 이윤과 거의 관련이 없는 방법으로 측정되었다. 교육자, 비영리, 정부조직은 엄격한 금전적인 ROI만이 유일한 성공의 척도는 아니라는 것을 염두에 두어야 한다. 이러한 성공스토리들 몇 가지를 좀 더 자세히 살펴보면, 몰입적인 테크놀로지는 다음과 같은 결과를 얻을 수 있음을 보여 준다.

- **고용인들의 향상된 생산성.** 몰입적인 작업환경의 한 가지 특징은 사람들이 당장 과제에 집중할 수 있도록 해 준다는 것이다. 이러한 환경들은 협력을 단순화하고 모의 면대면 상호작용을 제공한다. 설문 응답자의 72% 정도(66명 중 46명)가 고용인들의 생산성 향상이 2008년과 2009년 1사분기 몰입적인 테크놀로지 프로젝트의 가장 중요하거나 약간 중요한 이익이었다고 답했다.
- **증가된 혁신.** 원래 설문지에는 포함되어 있지 않았지만, 우리는 설문조사를 하기 바로 전에 혁신을 추가했다. 설문 결과, 혁신은 단지 목적을 위한 수단이 아니라 종종 목적 그 자체라는 분명한 메시지를 전달했다. 사람들에게 몰입적인 도구를 주면 그들은 그것을 혁신을 위해 사용할 것이다. 설문조사 응답자들

중 거의 90%(66명 중 59명)가 증가된 혁신이 2008년과 2009년 1사분기 몰입적인 테크놀로지 프로젝트에서 매우 중요하거나 약간 중요한 이익이었다고 답했다.

- **새로운 그리고 기존의 상품과 서비스로부터의 수익.** 몇몇 초기채택자들은 수익 발생이나 증가를 몰입적인 테크놀로지 프로젝트를 위한 실질적인 최종목표로 생각했다. 설문 응답자의 1/3(64명 중 21명)은 새로운 자원으로 인한 증가된 수익이 2008년과 2009년 1사분기 몰입적인 테크놀로지 프로젝트의 매우 중요하거나 약간 중요한 이익이었다고 답했다.

- **비용 절감이나 방지.** 우리는 여러분의 몰입적인 테크놀로지 프로젝트(들)를 위해 비용 절감이나 방지가 얼마나 중요했는지를 질문했다. 설문조사 응답자들 중 거의 90%(65중 56명)가 적어도 어느 정도는 중요했다고 답했다. 이는 많은 성공의 경우에도 그러하다. 즉, 만일 여러분이 몰입적인 테크놀로지로 바꾸고 일하는 낡은 방식을 버린다면, 그것이 비행기를 타는 것이든지 국제전화 요금계산서를 받는 것이든지, 비용을 줄이거나 없앨 수 있다.

몰입적인 인터넷 계획을 위한 자금지원이나 낙찰을 받는 방법

그래서 여러분은 작업장에 몰입적인 테크놀로지의 가치를 들여 왔다. 여러분은 이러한 테크놀로지가 어떻게 조직의 문제를 해결하도록 도울 수 있을지에 대한 좋은 아이디어도 가지고 있다. 어떻게 자금지원을 받을 것인가? 이론적으로 이상적인 방법은 경영진에게 찾아가서 사례를 보여 주면 예산관리자가 여러분의 흠 잡을 데 없는 논리에 근거하여 그 아이디어를 구매하는 것이다. 그러나 실제로는 확실히 몰입적인 테크놀로지의 경우 일반적으로는 그렇게 자연스럽게 진행되지 않는다. 그래서 여러분은 다음과 같이 해야 한다.

- **개념을 증명하기 위해 실험하고 파일럿을 시행하라.** 파일럿(개념을 증명하기 위해 설계된 작은 프로젝트)은 여러분이 그 가치를 시연하는 데 도움이 된다. 사람들을 직접 또는 간접적으로 경험해 보게 하지 않고 몰입적인 테크놀로지의 가치를 그들에게 확신시키는 것은 거의 불가능하다. 사람들이 몰입적인 테크놀로지를 간접적으로 경험할 수 있도록 하는 최고의 방법들 중 하나는 머시니마(machinima, 몰입적인 환경에서 촬영된 비디오)를 활용하는 것이다. 또

다른 방법은 몰입적인 사태를 웹에 스트리밍하여 사람들이 완전히 참여하지 않고도 볼 수 있게 하는 것이다.

● **다른 사람들의 성공에 영향을 주어라.** 이러한 신흥시장은 약간 "황량한 서부 개척"의 느낌이 들 정도로 상당히 역사가 짧다. 종종 조직마다 유일한 대변자가 있어서 지원과 학습을 위해 밖으로 나가는 것이 의무적이다. 초기채택자들은 전통적인 장벽을 능가하는 일반적인 흥미, 말하자면 경쟁자들과 시간을 보내는 것과 같은 것을 결합한다. 채택이 몇 년 동안 초기다수자(early majority) 국면으로 접어듦에 따라, 경쟁은 과열되고 이러한 협력적인 태도는 지속되지 못할 것이다. 그러므로 지금 협력적인 태도의 이점을 취하라.

● **한 가지 비즈니스 문제를 골라 권유하기 전에 그 해결책에 집중하라.** 몰입적인 테크놀로지는 여러 가지 방법으로 활용될 수 있다. 그러나 여러분의 대상(audience)을 위축시키면 안 된다. 몰입적인 테크놀로지를 간단하게 유지하고 비즈니스에 집중하라. 항상 비즈니스에 대하여 몰입적인 환경이 좋은 해결책이 되는 하나의 문제를 골라 그것에 대해서만 연구하라. 권유하기 전에 그 해결책에 초점을 맞추어라. 아주 좋은 짧은 기회는 학습과 훈련, 회의와 컨퍼런스다.

● **손을 잡아라. 사람들이 서서히 익숙해지게 하라.** 그들이 뛰어들기 전에 생산성 부분을 관찰하도록 하라. 머시니마(machinima)를 만들어라. 여러분의 실험이 달성할 수 있었던 것을 보여 주어라. 여러분이 행하기 위해 설정해 놓은 것을 예산을 쥐고 있는 사람들에게 보여 주기 위해 그들을 파일럿의 몰입적인 환경으로 데려와라. 잠재적 프로젝트스폰서에게 기초, 즉 가상세계에서 걷고 말하는 방법과 같은 것을 가르치는 일대일 수업을 제공하라. 그들이 그것에 점차 익숙해지게 하라.

● **언어를 조심해서 사용하라.** 몰입적인 테크놀로지를 위한 홍보를 증진하기 위한 가장 강력한 방법들 중 하나는 적절한 단어들을 사용하는 것이다. 올바른 단어에 대해 생각할 수 있는 한 가지 훌륭한 방법은 실제/가상과 실제/가짜 관계다. "가상세계 괴짜(virtual world geeks)"가 아닌 사람들은 고참이 "실제 생활(real life)" 대 "second life"에 관해 말하는 바를 종종 오해하고 몰입적인 환경에서 행한 일을 물리적 세계에서 또는 전통적인 수단을 통해 행한 일과 비교했을 때 별로 가치가 없거나 가짜라고 가정한다.

매우 적은 비용으로도 경험할 수 있다.

몰입적인 테크놀로지의 가장 중요한 측면들 중 하나는 실험이나 파일럿을 만들고 운영하는 것이 별로 비싸지 않을 수도 있다는 것이다. 많은 초기 파일럿들은 공적인 가상세계(public virtual world)에서 수행되었거나 무료 또는 저렴한 소프트웨어를 사용하여 수행되었다. 자산(assets)은 직접 만들거나, 기부를 받거나, 저렴한 가격으로 구매했다. 새로운 사용자를 위해 종종 가장 비싸게 구매한 것은 헤드셋 정도다.

- **25,000달러보다 적은 비용으로 진행할 수 있다.** 설문 응답자들 중 절반 이상(66명 중 37명)이 자신이 근무하는 조직에서는 25,000달러 이하를 지출했으며, 그들 중 대부분(30명의 응답자)이 10,000달러 이하를 지출했다고 답했다. 응답자들 중 9%(6명의 응답자)는 실제로 전혀 예산을 지출하지 않았다고 보고했다. 이것은 그들이 무료 소프트웨어나 사비를 들여 구매한 소프트웨어를 사용한 자원봉사자들의 노력으로 달성되었음을 의미한다. 이것은 신기술이 적용된 신제품을 직접 보고 어떻게 작동하는지를 사전 검증(proof of concept)해 보기 위해 실행해 볼 수 있는 한 가지 접근법이다.

- **신뢰할 수 있는 실험이나 파일럿을 조직·운영하는 데에는 채 160인시(人時)[11]도 걸리지 않을 것이다.** 공식적으로 비용을 조달받지 못한 프로젝트들을 살펴보면, 비용을 보는 또 다른 방법은 팀 구성원들이 사용한 시간과 관련해 보는 것이다. 응답자의 약 45%(49명 중 22명)가 2008년과 2009년 1사분기 프로젝트에서 자신들이 근무하는 조직은 160인시(人時) 이하를 사용했다고 응답했다. 이는 전임 전문가 고용인의 시간당 비용을 100달러로 계산해 볼 때 약 16,000달러가 지출됨을 알 수 있다.

- **몰입적인 테크놀로지가 다른 대안들보다 더 저렴하다는 것을 알게 될 것이다.** 응답자들 중 거의 60%(66명 중 38명)가 몰입적인 테크놀로지가 다른 대안들보다 더 저렴하다고 응답했다. 오직 11%(66명 중 7명)만이 더 비쌌다고 말했다. 왜 사람들이 다른 대안들보다 몰입적인 테크놀로지를 선택했는지를 살펴본 결과, 응답자들 중 27%(66명 중 18명)가 비용 절감 때문인 것으로 나타났다.

- **그러나 몰입적인 테크놀로지의 도입 비용이 적게 든다는 것에 호도되지 마라.**

---

11) [역주] 한 사람이 한 시간에 처리하는 작업량의 단위

자! 실상을 확인해 보자. 파일럿은 매우 저렴하게 할 수 있다. 즉, 투자한 시간은 산정(算定)하지 않는다 하더라도, 업무 시간 외의 잔업, 투자한 3D 자산, 공간 등 그 목록은 계속될 것이다. 그러나 몰입적인 테크놀로지 프로젝트의 비용은 사용 사례에 따라 크게 영향을 받는다. 회의나 몇몇 학습과 훈련 애플리케이션과 같은 몇몇 프로젝트들은 저렴한 테크놀로지로도 효과를 높일 수 있고, 상당히 간단한 요구사항만을 가질 수 있다. 협력 설계(collaborative design)와 프로토타이핑(prototyping) 또는 원격시스템과 설비 관리와 같은 다른 사용 사례들은 시스템 통합, 3D 모형 전환과 불러오기(import), 센서와 추적 장치와 같은 추가적으로 요구되는 비용이 있다. 비용은 또한 프로젝트의 성숙도에 영향을 받는다. 공적인 가상세계를 활용하는 파일럿은 종종 상대적으로 저렴하다. 또한, 보고된 비용은 자원봉사자 문화가 널리 퍼져있기 때문에 언뜻 보기에 저렴하다. 초기 프로젝트 비용 보고서들은 종종 개발 시간이나 몰입적인 테크놀로지를 사용하거나 커스터마이징하는 방법을 학습하는 데 사용한 시간을 산정하지 않았다.

장애물이 많다.

여러분은 비전이 있다. 여러분은 몇몇 사람들이 그것을 시도해 볼 것을 설득해 왔다. 여러분이 그렇게 하다가 빠질 수 있는 함정은 무엇인가? 채택에 대한 몇 가지 장애물들은 테크놀로지와 관련이 있으며, 다른 장애물들은 사람들과 더 많이 관련되어 있다. 가장 흔한 장애물들은 다음과 같다.

- **테크놀로지 장애 극복.** 최종 사용자가 적절한 하드웨어를 가지고 있지 않는 것은 커다란 문제다. 특별히 비디오카드, 컴퓨터 RAM, 헤드셋이 그렇다. 설문 응답자들 중 60%(65명 중 39명)가 사용자들이 부적절한 하드웨어를 가지고 있는 것을 채택에 대한 장애물이라고 보고했다. 거의 절반(65명 중 32명)은 또한 회사 보안 제한과 관련된 문제들을 보고했다.
- **문제가 있는 학습곡선.** 응답자들 중 45%(65명 중 29명)가 그들이 대상으로 하는 사용자집단을 훈련시키기 위하여 자신들이 예상한 것보다 더 많은 노력이 요구되었다고 답했다. 사용의 용이성(ease of use)은 벤더시장(vendor market)이 발달함에 따라 살펴보아야 할 중요한 요인이다. 오늘날 매우 흔한 일대

일 연결은 측정 가능하거나 지속 가능하지도 않다.

- **관리와 IT 조직으로부터 구매 유도.** 여러분은 IT 규칙과 규율에 묶여 꼼짝 못하게 된 경영진의 후원을 가로막는 장애물을 없앨 수 있을지 모른다. IT 조직이 경쟁하고 있는 우선순위들을 조율하고 있다는 계속적인 기만 행동에 신경 쓰지 마라. 성공적인 몰입적 테크놀로지 프로젝트에 참여한 사람들 모두를 이해하면, 후원을 받기 위해 시도해 볼 만한 적합한 사람을 찾게 될 것이다.

- **최종 사용자들로부터 구매 유도.** 설문 응답자들 중 거의 반(46%, 또는 65명 중 30명)이 최종 사용자들로 하여금 몰입적인 테크놀로지에 관심을 갖도록 하는 것이 그들이 예상했던 것보다 더 어려웠다고 말했다. 몇몇 구매 가능성이 있는 사용자들은 몰입적인 테크놀로지가 너무 기상천외하거나 너무 복잡하기 때문에 또는 단순히 그것을 사용해서 학습을 할 때가 아니라고 느끼기 때문에 구매를 거부한다. 비록 단지 바이러스성이기는 하지만, 프로젝트를 수행할 때 효과적인 의사소통과 마케팅 캠페인은 장기적으로는 여러분이 성공할 수 있도록 도와줄 것이다.

- **조직과 최종 사용자들의 인식 제고.** 여러분이 프로젝트를 시작했고, 여러분이 의도한 대로 사람들이 몰입적인 테크놀로지를 사용하고 있다면, 여러분은 그것의 사용 범위를 확대시키고 싶을 것이다. 어떻게 더 많은 사람들을 끌어들이기 위해 단어를 선택하고 메시지를 다듬을 것인가? 위의 '손을 잡아라' 라는 섹션으로 돌아가 생각해 보라. 거침없이 강경하게 의견을 개진하고 불만이 있는, 특히 힘이 있는 지위에 있는 사용자라면 많은 신규 사용자들이 몰입적인 테크놀로지를 구매·활용하는 것을 방해할 것이다. 언어는 기대를 조건화하는 데 도움이 될 것이다. 따라서 여러분이 신규 사용자를 매혹시킬 수 있는 가장 좋은 기회는 신규 사용자가 새롭고 신나는 어떤 것이 줄어들고 있음을 인식하도록 하는 것이다.

초기채택자로부터 학습한 교훈: 장애물을 극복하는 방법

업무용 몰입적인 인터넷 시장의 결과 중 최고의 특징은 아마도 다음일 것이다.

> "몰입적인 테크놀로지는 모든 조직들에게, 광범위한 사용 사례들에서, 재정적·비재정적인 측면 모두에서, 확실한 비즈니스적 혜택을 제공해 주고 있다. 어쨌든 최소한 몰입적인 테크놀로지를 인식하고 있는 조직들에게만큼은."

유머는 잠시 잊고, 우리가 몰입적인 테크놀로지를 업무와 관련하여 사용함으로써 얻은 비즈니스적 가치에 대해 수집해 온 데이터는 다음과 같은 제언을 제공해 준다.

- **일찍 시작하고, 몰입적인 테크놀로지를 사용한 기술을 습득하여 그 분야에서 성장하라.** 장애물들은 널려 있지만, 초기 실험은 매우 유용한 경험이 될 것이며, 미래에 실수를 줄여 줄 것이다. 비즈니스적 가치는 여러분이 올바른 비즈니스적 문제에 초점을 둔다면 갖게 될 것이다. 회의, 학습, 훈련의 아주 좋은 단기간에 성취할 수 있는 기회를 먼저 살펴보라.

- **수많은 테크놀로지의 장애를 극복할 수 있도록 준비하라.** IT 조직에 근무하는 사람들과 가능한 한 과정 초반부터 함께 작업하라. IT 조직에 근무하는 사람들이 최종 사용자들은 매우 강력한 그래픽카드를 필요로 한다는 것을 알고 있는지를 확인하라. 최종 사용자들이 USB 헤드셋이 없다면, 주문하기 위한 자금지원을 받을 수 있는 출처를 찾아라.

- **임무를 명확히 하고 선언하라.** 최고의 초창기 프로젝트들은 작고, 초점을 맞추었으며, 설치되어 있어서 실제적으로 실패할 수 없었다. 먼저, 하나의 비즈니스적 문제를 푸는 데 집중하라. 출장 예산이 반으로 줄었을지라도 영업사원들이 시간을 같이 보내고 우수 사례들을 공유하기 위해 요구하는 것과 같이, 쉽게 의사소통할 수 있는 문제를 선정하라.

- **관리자가 구매하도록 하기 위해 직접 경험을 사용하라.** 어떤 새로운 테크놀로지 계획의 경우나 마찬가지로, 경영진의 지원은 장기적으로 기술적인 장애를 없애고 회사의 태도를 바꾸는 데 도움이 된다. 실험 결과뿐만 아니라 비디오나 데모와 같이 의사결정자가 경험할 수 있는 어떤 것을 계획 회의에 가져와 보여 줌으로써 관심을 갖도록 하라. 이야기만 하지 말고, 직접 보여 주어라.

- **최종 사용자들을 파악하라.** 최종 사용자들이 테크놀로지를 사용하고자 하는 동기를 확실히 이해해야 한다. 여러분 근처에 즐거운 시간을 갖기를 원하는 사람들이 있다면, 긴장을 풀고 몰입적인 테크놀로지를 가지고 약간 즐길 수 있게 하라. 팀 활동 명단에 가상 스키 여행이나 열기구 타기를 추가하라. 최종 사용자들이 좀 더 근엄한 사람들이라면, 다른 나머지 모두를 빼버려라. 그들에게 그 환경에 들어가 자신들이 원하는 것을 얻고 나오는 방법을 보여 주어라.

● **몰입적인 플랫폼을 평가할 때, 사용자의 기반을 주의 깊게 고려하라.** 기업의 몰입적인 플랫폼을 선택할 때, 사용자 경험을 쉽고 재미있게 만드는 특징과 기능을 찾아보라. 일반적으로 고객층도 더 얇고 기능도 적어서 조작하기가 더 쉬운 단순한 환경과 보다 강력한 사양을 제공하지만 더 높은 테크놀로지 요구사항과 보다 급격히 상승하는 학습곡선을 가진 보다 복잡하고 견고한 환경 간의 거래를 주의 깊게 고려하라.

여전히 몰입적인 인터넷의 경향이 Everett Rogers와 Geoffrey Moore의 테크놀로지 채택 곡선에서 초기 채택 국면에 있다면, 초기다수자 국면에 도달하기는 어렵다. 초기채택자와 초기다수자 국면 간에는 큰 차이가 있다. 즉, 인식의 결여, 지각 문제("그것은 단지 게임이다."), 기술적인 장애가 그것들이다. 그것은 따라야 할 힘든 길이지만, 확실한 비즈니스적 가치를 지녔다는 점에서 저항하기 힘든 매력성이 있다.

학습전문가들을 위한 시사점

컴퓨터 자체가 장난감이나 신기한 것으로 생각되던 때가 있었다. 이제 컴퓨터는 분리할 수 없는 비즈니스와 교육 도구다. 인터넷이 우리 일상생활의 일부분이 아니었던 때가 있었다. 이 테크놀로지가 유비쿼터스가 되기 전의 시기, 즉 이 테크놀로지를 채택하고 실행하는 것을 우려하던 때로 되돌아가기도 힘들고, 기억하기도 힘들다. VIE 테크놀로지를 활용하고 혜택을 취하는 학습 전문가, 비즈니스 전문가, 그리고 교육 전문가의 경우, 그들은 자신들의 조직에 VIE를 소개하고 경쟁적인 이점을 제공하기 위하여 그 테크놀로지를 배치하기 위한 방법을 찾을 필요가 있다. 첫 번째 단계는 VIE를 조직에 확산시키는 방법을 이해하는 것이다. 다음 단계는 해당 테크놀로지에 대한 효과적인 비즈니스 또는 교육 사례를 창출하는 것이다. 그런 다음, 직면할 수밖에 없는 장애물을 피하기 위한(또는 적어도 최소화하기 위한) 올바른 전략, 올바른 파일럿 집단, 그리고 올바른 과정을 선택하는 것이다. 이것은 신흥 테크놀로지다. 따라서 이슈와 문제들이 발생할 것이다. 그러나 핵심은 VIE 테크놀로지가 도래하고 있으며, 그것을 촉진시킬 위치에 있는 조직들은 학습과 비즈니스 성공에서 가장 큰 수혜자가 될 것이다.

Learning in **3D**

*Adding a New Dimension to Enterprise
Learning and Collaboration*

혁명가들로부터 나온 규칙들

혁명가들 만나기

모든 혁명들은 나머지 사람들보다 앞서 미래를 보고 극도의 어려움에도 불구하고 그 비전을 실제로 실현하기 위해 지치지 않고 노력하는 혁명가들에 의해 이루어진다. 이 장에서는 이러한 네 명의 혁명가들로부터 나온 규칙(rule)에 대해 언급한다.

Steve Mahaley는 Duke Corporate Education(이하 Duke CE)의 학습공학이사다. Steve는 Duke CE에서 세계적인 기업과 비영리 고객에게 교육프로그램 및 경험을 제공하기 위해 창의적이고 효과적인 설계에 초점을 둔다. 최근의 활동은 가상세계 분야와 기능성 게임(serious games)에 초점을 두고 있다.

Karen Keeter는 IBM Research의 마케팅이사이며, 실제 비즈니스 이슈에 접근할 수 있는 가상세계, 시각화, 소셜 네트워킹 도구와 플랫폼 애플리케이션으로 정의되고 "3-D Internet"이라고 불리는 통합시장을 규정하는 일을 하고 있다.

Brian Bauer는 Étape Partners LLC의 설립자 겸 고문으로서 경영을 하고 있고, 비즈니스 개발과 전반적인 기업전략에 책임을 지고 있다. Brian은 가상세계와 몰입적인 인터넷을 기대하면서, 혁신이 실제 비즈니스 고객에게 실용적일 뿐만 아니라 혁명적이어야 함을 날카롭게 꿰뚫고 있다.

John Hengeveld는 기술과 비즈니스전략의 개발을 이끈 20여 년간의 경험을 가지고 있다. John은 현재 Intel의 Digital Enterprise의 선임 비즈니스전략가다. John은 MIT를 졸업하고 오레곤대학교에서 MBA를 수료했다.

이 혁명가들은 모두 사심 없이 3D 혁명에서 느끼는 것이 무엇인지에 대한 통찰력을 공유하기 위해 자신들의 시간을 할애해 주었다. 그들의 에세이에서, 그들은 변화를 가져오고 차이를 만드는 것과 관련한 많은 질문에 대하여 솔직한 관점과 의견을 공유해 주었다.

에세이 형식과 질문들

다음의 개요는 혁명가들에게 물어본 에세이(essay)의 형식과 질문에 대한 것이다. 이 장의 나머지 부분에서는 세부적인 각각의 에세이를 제시한다. 이 장의 마지막 부분은 이 변화의 리더들의 지혜를 열 가지 핵심규칙으로 통합한다.

혁명가들의 에세이 형식

반대 극복
- 즉각적으로 접할 것으로 예상되는 가장 일반적인 세 가지의 반대는 무엇이었고, 그것에 어떻게 접근했는가?

교두보 확보
- 3D 학습가치를 재빠르게 시연하기 위해 기업 내에서 행할 수 있는 아주 좋은 기회는 어디에 있는가?

후원 보장
- 후원을 보장받고자 할 때, 기업 내에서 접근해야 할 가장 합당한 사람은 누구인가?
- 어떻게 그들에게 3D의 가치를 팔았는가?

사례 제시
- 후원을 얻기 위해 3D 학습의 가치를 시연하기 위하여 찾아낸 가장 주목할 만한 방법들은 무엇인가?
- 기업 내에서 3D 학습사례를 만들기 위한 가장 주목할 만한 방법들은 무엇인가?

캐즘 마케팅[1]

● 캐즘을 극복하기 위해 개념에서 실행으로 넘어가는 데 있어 성공의 핵심은 무엇인가?

주류화(mainstreaming)

● 성공적인 파일럿에서 실행으로 옮겨 갈 때 고려해야 할 가장 중요한 이슈는 무엇인가?

가치 시연

● 이해관계자들에게 가치를 어떻게 보여 줬는가?

성찰

● 기업 내에서 3D를 실행하고자 하는 사람들에게 줄 수 있는 세 가지의 핵심적인 조언은 무엇인가?

에세이 1

Steve Mahaley, Duke Corporation Education

반대 극복

아마도 우리가 발견한 첫 번째 반대는 우리들 중 대부분(나 자신을 포함하여)이 우리가 더 어릴 때는 이러한 종류의 학습경험이 없었다는 것과 3D 환경과 관련된 우리의 유일한 경험은 매체나 자녀들을 통해서라는 것이다. 우리는 판타지 게임에서 "게이머 세대(gamer generation)"를 읽으며 수많은 시간을 보내고 게임에서 단서와 패턴을 밝혀내고 "레벨업(level up)"을 하고자 하는 욕망에 사로잡혀 있는 아이들을 본다. 게임이 시간을 생산적으로 사용하도록 한다는 생각은 우리의 정신모형과는 대조적이다. 게임은 휴식을 위한 것이었다. 실제 학습은 교실에서 일어났다.

---

1) [역주] 캐즘(Chasm)이란 초기 시장에서 비교적 성공적이던 첨단기업이 갑자기 정체와 급격한 매출감소를 겪는 현상을 말하며, 캐즘 마케팅이란 이러한 현상이 기술수용주기모델에서 말하는 초기채택자와 초기다수자 간의 기술이나 시장, 제품에 대한 시각이 매우 다르기 때문에 발생한다고 보고, 이를 해소하기 위해서, 기업은 각 집단에 적합한 전혀 다른 접근방법을 택하여 마케팅하는 것을 의미함

나는 이것을 우리의 고객에게 설명하기 위하여, 보통 Gee, Squirem Johnson, Beck 그리고 Wade가 쓴 연구결과물을 포함하여, 학습을 위한 게임에 관한 연구와 글 중 몇 가지를 언급한다. 내가 의사결정자들이 좋은 게임 설계, 즉 사람들이 그 경험에 낚이게 되는 이유와 기억 창출과 파지 간의 긍정적인 연계를 할 수 있도록 도와줄 수 있다면, 기능성 게임과 연계 지을 수 있을 것이다. 따라서 첫 번째 단계는 기능성 학습산출물(serious learning outcomes)을 위한 훌륭한 게임 설계를 사용하는 것이다.

둘째, 나는 종종 기능성 학습을 위한 몰입적인 3D 경험은 교실에서 역할놀이를 하거나 다른 몰입적인 경험들(실외 팀 구축 사태와 같은)과는 실제로 다르지 않다는 결론에 도달했다. 이것은 몰입적인 3D 경험이 게임이나 테크놀로지에 대한 것이 아니라 실제로 적절한 학습산출물을 얻기 위해 경험을 설계하는 것에 대한 것임을 알 수 있게 해 준다.

마지막으로, 종종 비용에 관한 인식, 즉 3D 솔루션은 터무니없이 비쌀 것이라는 것과 관련된 반대가 있다. 여기에서 희소식은 기업 환경에서 일반 하드웨어와 네트워크의 처리 능력이 향상됨에 따라 테크놀로지에 투자되는 비용이 줄어들고 있다는 것이다. 이는 진입을 위한 기술적 · 재정적 장벽이 낮아지고 있음을 의미한다.

교두보 확보

3D 환경은 그 환경 자체가 훈련의 부분일 때 학습에 매우 유용하다. 예를 들어, 만약 여러분이 노동자들에게 일부 작업들이 행해지고 있는 물리적인 환경에 대한 오리엔테이션을 할 필요가 있다면, 3D 세계는 실물에 관한 시뮬레이션화된 버전을 제공할 수 있다. 그렇게 함으로써, 여러분은 물리적인 환경에 관한 공간적인 이해를 가속화하고, 그 환경을 내비게이션하며, 그 속에 있는 팀원들 간의 노력을 조율하는 방법을 제공할 수 있다. 그것은 한 사람 또는 계획된 여러 사람을 시뮬레이션하기 위해 구조화된 환경일 수 있다.

이러한 환경들은 또한 여러분이 어렵거나 위험하거나 또는 규모면에서 시뮬레이션하기에 비싼 어떤 환경을 만들 필요가 있을 때 가장 효과적으로 사용될 수 있다. 예를 들어, 그것은 일들이 고객들과 어긋나게 진행되어 실제로 조직에게 문제가 되기 전에, 학습자들에게 핵심기술과 특정 맥락에서의 행동에 관해 연습하고 피드백을 얻을 수 있는 기회를 주거나 쟁점사항에 관해 대화가 필요한 경우, 어려운 기술의 경우, 또는 자료를 평가하고 해결책을 제시해야 하는 시간적인 압박을 받는 팀들의 노력을 조율해야 하는 경우에 효과적으로 사용될 수 있다.

후원 보장

우리가 3D 환경을 사용하여 학습 경험을 개발하는 것에 대해 생각할 때, 학습과 개발 기술만이 아니라, 조직의 선임자들로부터 후원을 보장받는 것이 언제나 중요하다. 이러한 연계성 없이, "기술을 위한 기술"로 인식될 수 있는 것들을 시도하는 것은 그 계획과 관련한 지원 수준에 대한 반박을 받게 될 것이다.

나는 부서장들(C-suite)의 후원뿐만 아니라, HR과 IT를 포함하여, 학습과 개발 지도자들을 포함하는 것이 매우 도움이 된다는 것을 알았다. 여러분은 학습과 개발 기술에서 3D 교육을 시작할 수도 있지만, 수주를 따고 참여하도록 하기 위해, 특히 구체적인 역량모형과 그것을 통합하고자 할 때, HR 지도자들에게 가서 대화하는 것은 정말 좋은 생각이다. 또한, IT는 처음부터 참여해야 하는데, 그렇게 함으로써 그들은 소유권(ownership)을 공유할 수 있고, 테크놀로지적 관점에서 성공적인 통합을 위해 필요한 자원을 제공할 수 있기 때문이다.

3D 교육의 가치를 그들 각자에게 알리기 위해서는 약간씩 다른 관점이 필요하다. 부서장들의 경우, 그것은 비즈니스 수행에 대한 것이 될 것이다. 나는 시뮬레이션과 게임에 대한 연구를 시간 대비 수행을 가속화함으로써 궁극적으로 비즈니스 수행에 긍정적으로 영향을 미치는 접근법이라고 강조한다. HR 전문가의 경우, 핵심역량은 코칭, 평가, 피드백의 기회를 제공하는 몰입적인 경험을 통해 발현될 수 있다는 것을 알려 주면 잘 반응할 것이다. IT 전문가의 경우, 내 경험에 비추어 보면, 교육과 비즈니스적인 영향에 대해 적게, 표준과 보안에 대해서는 더 많이 강조하는 것이 더 좋다. 그들을 초기에 참여시키는 것은 언제나 좋은 생각이다.

사례 제시

후원자에게 사례를 제공하기 위한 가장 호소력 있는 방법들 중 하나는 그들의 경쟁자가 하고 있는 어떤 것을 시연해 주는 것이다. 가능하면 명확한 데이터(계획의 범위와 규모 및 비즈니스 수준의 영향)를 제공하고, 그렇지 않을 경우에는 3D 세계가 사용되고 있는 다른 비즈니스(의약, 군사, 제조, 에너지 등)의 비슷한 사례들을 보여 준다.

여러분이 그렇게 할 수 있다면, 나는 후원자에게 직접적인 경험을 제공해 줄 것을 권한다. 이러한 환경들 중 하나를 시범 보일 수 있도록 미리 준비하고, 후원자들에게 가이드된 여행(guided tour)을 제공하라. 말로는 이러한 환경을 충분히 표현할 수 없으므로, 이러한 환경들을 보고 "그곳(there)"에 있어 보도록 하는 것이 훨씬 더 강력한 접근법이다. 한 명이상의 후원자들을 프레젠테이션에 참여시키고, 실제로 (해당 접근방법이 생생한 환경에 유리하다면) 그 환경에 있는 실제 발표자(live presenters)를 시연의 일부로 포함시키는 것도 도움이 된다.

나는 또한 구매자중립적인(vendor-neutral) 접근을 하기를 권한다. Duke CE에서의 내 직책이 주는 혜택들 중 하나는 우리가 언제든지 구체적인 학습설계를 위한 최상의 플랫폼을 선택할 수 있다는 것이다. 이것은 우리가 학습산출물과 최종사용자에 더 초점을 맞추고 구체적인 테크놀로지에는 덜 초점을 맞추어 시연할 수 있도록 해 주었다.

사례 제시는 또한 파일럿 프로젝트를 개관하는 것도 포함한다. 단지 3D 환경은 학습과 비즈니스 수행을 향상시킬 것이라는 모호한 생각을 가지고 진행하지는 마라. 여러분이 가지고 있는 실제 데이터(예를 들어, 신규 종업원들을 위한 시간 대비 숙련도)의 실제 차이를 규명한 후, 파일럿 프로젝트를 제안하라. 파일럿 프로젝트는 여러분이 잠재력에 대해서 낙천적이며, 아주 작은, 제한적인 단계를 밟는 것이 현명함을 보여 준다.

캐즘 마케팅

첫째, 적절한 사람을 참여시켜라. 위에서 언급한 바와 같이, 경영진을 프로젝트의 후원자로 갖는 것은 매우 중요하다. 학습과 개발을 위해 적합한 인력, 인적 자원, IT 대표들도 프로젝트의 후원자로 포함시켜라. 프로젝트를 설명하고 시간, 범위, 예산, 평가를 조정하기 위한 개시모임(kickoff meeting)을 가져라. 상급후원자에게 공지사항, 즉 그들이 볼 수 있을 것으로 예상되는 것과 그것을 언제 볼 수 있는지를 명확하게 알려 주어라.

둘째, 적합한 프로젝트를 선택하라. 프로젝트에서 핵심적이지 않은 영역을 선택하는 것은 좋지 않은 생각이다. 왜냐하면 이것은 3D 가상세계나 게임을 필요로 하지 않고 값비싼 노력이라고 생각하도록 만들 수 있기 때문이다. 향상될 경우, 긍정적으로 비즈니스 영역에 영향을 줄 수 있고 3D 공간을 사용하는 것이 최상인(위에서 기술한 바와 같이) 수행 차이를 보여 줄 수 있는 프로젝트를 선택하라.

다음으로, 설계방법론을 가져라. Duke CE에서 우리가 사용한 접근방법은 비즈니스 전략에서부터 수행 차이, 최종사용자, 효과적인 학습경험을 제공하기 위한 적절한 방법, 테크놀로지, 평가에 이르기까지의 모든 것들을 명확하게 기술해 주는 설계방법론을 사용하는 것이다. 이렇게 하지 않을 경우, 비즈니스 수행의 관점에서 볼 때, 프로젝트를 위한 논리적인 근거를 제공해 주지 못하며, 이는 아마도 참여한 모든 사람들에게 매우 부정적인

(그리고 값비싼) 경험을 제공할 위험이 있다.

마지막으로, 작게 시작해서 크게 설계하라. 이미 언급한 바와 같이, 파일럿 경험을 가지고 나아가라. 첫 경험으로 전체 대상에게 무엇인가를 실행하려고 시도하지 마라. 또한 모든 것을 다 설계하려고 하지 마라. 내가 의미하는 바는 모든 가능한 학습목표와 행동목표를 해결하려고 시도하지 말라는 것이다. 여러분의 노력을 정말로 문제가 되는 2~3개에 집중하라. 그리고 그 환경을 융통성 있게 설계하라. 그러면 그 환경을 추가적으로 활용할 수 있고, 투자가치도 최대로 달성할 수 있을 것이다.

주류화

일단 파일럿이 성공하면, 프로젝트 후원자(상급 경영자)에게 전달사항을 보고하기 위한 시간을 조정해야 한다. 그 회의 동안, 새로운 3D 환경과 방법을 실행하기 위해 요구되는 단계와 자원들을 설명하는 실행계획 초안을 마련하는 것이 중요할 것이다. 여기에서 중요한 것은 (학습경험을 비즈니스의 분기별 상태에 따라 최적화하여 연결하기 위한) 비즈니스의 자연적인 주기, HR 과정 스케줄(예를 들어, 연례 업무평가 스케줄), 요구되는 내·외부의 교과내용 전문가, 배포하는 데 있어서의 IT의 영향(예를 들어, 학습관리시스템에의 추가적인 통합, 로딩 테스트), 내부 마케팅과 의사소통에 대한 아이디어, 그리고 요구되는 추가적인 조사 등을 이해하는 것이다.

가치 시연

만약 여러분이 적절한 사람을 포함시키고, 적절한 학습요구와 최종사용자를 확인하는 작업을 해 왔고, 적합한 3D 환경을 개발해 왔으며, 파일럿을 성공적으로 수행해 왔다면, 희소식은 여러분은 그 경험의 가치에 대해 보고할 몇 사람이 있을 것이라는 것이다. 그리고 실제 학습사태의 사전과 사후수행 측정을 통해 몇 가지 비교할 만한 자료를 가져야 한다. 3D로 시뮬레이션화된 환경을 사용하는 절차적인 학습산출물의 경우, 여러분은 비즈니스에서 살펴보아야 할 몇 가지 핵심 수행지표를 가져야 한다. 소프트기능(예를 들어, 3D 환경에서 팀 구축)의 경우, 여러분은 개인 수행 향상에 관한 몇 가지 주관적인 보고와 360도 자료를 얻을 수 있어야 한다.

성찰

학습을 위해 3D 환경을 고려하기 시작한 사람들에게 우리가 조언하고자 하는 바는 그 환경 내에서 상당한 시간을 보내라는 것이다. 예를 들어, 라이브 멀티플레이어 콘솔게임을 해 보라. Second Life를 설치하고, 아바타를 만들며, 그곳에 있는 무료 교육행사들 중 하나에 참여하라. 그곳(Terra Nova와 같은)에 있는 몇 개의 선행 연구와 블로그를 읽어 보라.

만약 여러분이 비즈니스 중 학습 분야에 종사하고 교수설계팀을 운영하고 있다면, 여러분의 팀에게 자신들이 팀원들을 위해 비슷한 학습 환경을 설계할 때 도움이 되는 특징이나 기능이라고 생각되는 다섯 가지의 다른 상업적인 기존의 3D 환경을 확인해 보도록 하라. 밤에 게임을 해 보고, 모든 것을 직접 시연해 보며, 몇몇 비즈니스 지도자에게 그 과정을 보여 주어라.

마지막으로, 시뮬레이션화된 (또는 은유적인) 3D 세계를 사용하여 가장 잘 해결될 수 있는 핵심적인 비즈니스 수행 차이를 규명하는 데 최선을 다하고, 설계하고 파일럿을 실행하기 위해 필요한 후원과 자원을 모아라.

에세이 2

Karen Keeter, IBM

반대 극복

우리가 듣는 가장 일반적인 세 가지 반대는 다음과 같다.

- 신규사용자에게는 너무 어렵다.
- 게임처럼 보인다.
- (다른 비즈니스 애플리케이션과의) 통합, 보안 또는 확장성은 어떻게 할 것인가?

이 반대들을 하나씩 살펴보자.

반대 1: 신규사용자가 정통하기는 너무 어렵다. 이것은 매우 일반적인 우려로서, 나의 첫 번째 응답은 "어느 정도는 그렇다"이다. 가상환경에서 성공적인 참여자가 되려면, 여러분은 종종 몇 가지 소프트웨어를 내려받아야 하며, 가상환경에 로그인하여 들어가는 방법을 배워야 한다. 그런 다음, 걷고, 의사소통하며, 검사하고, 주변 환경들과 상호작용하는 방법을 배워야 한다. 처음 사용자의 경우, 특히 첫 시간에, 이것은 사람들이 전혀 시도조차 하지 않도록 만들 수 있는 꽤 겁나는 경험일 수 있다.

그러나 우리들 중 대부분은 우리가 처음 워드프로세스를 사용하려고 하거나, 프레젠테이션을 만들거나, 스프레드시트에 계산식을 만들고 수행했던 처음 순간이 어떠했는지 기억하지 못한다. 그 반대는 명확하지만, 대부분의 새로운 테크놀로지 역시 그러했으며, 따라서 처음부터 시도조차 하지 않겠다는 것은 이유가 못 된다. 나는 종종 웃고 마는데, 왜냐하면 이러한 문제를 제기하는 사람은 아마도 여전히 핸드폰에서 문자 메시지를 보내기 위해 자판을 사용하는 사람들이기 때문이다.

동시에, 나는 그 책임은 신규사용자를 위해 설계해야 할 개발자에게 있지만, 여전히 고급사용자도 활용할 수 있어야 한다고 믿는다. 우리가 여기에서 할 수 있는 것은 무엇인가? 우리는 오리엔테이션 영역을 원 안에 두었기 때문에 사람들이 처음에 도착했을 때 오리엔테이션으로 가기 위해 걸어가는 방법을 알 필요가 없다. 우리는 훈련자에게 신규사용자가 되는 것이 어떤지에 대해 상기시키고 그들에게 "초보(신규사용자)처럼 생각하라"고 부탁했다. 우리는 사람들이 무엇을 할 수 있는지를 기억하도록 도와주기 위하여, 그 공간 전역에 커다란 사인을 배치했다. 우리는 카메라 조절장치가 장착된 자리를 개발해서, 사람들이 [페이지 위로] 또는 [페이지 아래로] 키를 사용하여 여러 가지 적절한 지점들을 둘러볼 수 있게 했다. 우리는 또한 곧 신규사용자가 될 사람들에게 단시간에 많은 것을 배우고 소화하도록 하는 것 대신에, 그들과 조금씩 의사소통하려고 노력했다. 우리는 몇몇 큰 이벤트의 경우, 사람들을 준비시키고 (희망컨대) 흥미를 갖도록 하기 위해서 4주 동안 네 개의 이메일을 보낼 수 있다.

어떤 이는 그들에게 단지 가상세계 클라이언트를 설치하도록 요구한 후, 그들을 실제 세계로 가도록 초대하여 그들의 오디오("환영자(greeters)"가 주최하는 세션)를 테스트하도록 할 수도 있다. 그런 다음, 그들은 오리엔테이션 세션(session)에 초대되곤 한다. 몇몇 경우, 우리는 그들이 새롭게 배운 기술을 연습할 수 있도록 사전 투어를 운영할 수도 있다. 우리는 실제 회의가 일어나기 전에 탑승 세션(on-boarding sessions)을 실행하고, 그 세션을 실제 업무에 즉시 수행해야 할 어떠한 압박도 없는 비공식적이고 재미있는 세션으로 만들려고 한다.

우리는 또한 후원자, 경영진, 또는 다른 핵심 실력가들이 사적으로 학습할 수 있도록 하는 일대일 세션을 운영함으로써, 그들이 팀 앞에서 전문가처럼 보일 수 있도록 하고 있다. 아이러니하게도, 우리가 가장 초기채택자일 것이라고 예상하는 최선임 기술자들 중 몇몇은 하위 선임자들보다도 큰 규모의 회의나 이벤트에 참여하는 것을 더 꺼려하는 경향이 있음을 알았다. 그것을 증명할 수는 없지만, 우리는 그 원인이 고숙련 전문가들은 자신들이 "바보"처럼 보이는 상황을 거의 접해 본 적 없고, 그러한 상황에 스스로를 두려고 하지 않기 때문이라고 생각한다.

반대 2: 게임처럼 보인다. 많은 비즈니스 사용자의 경우, 가상세계에 대한 그들의 경험은 소비자로서의 경험이었다. 그들 또는 그들의 아이들은 게임 플랫폼을 집에서 온라인이나 장치로 사용해 왔다. 이러한 게임들 대부분은 비즈니스를 위해 가상세계가 사용된 초창기, 즉 비즈니스 사용자들이 실제 비즈니스를 하기 위해 기존의 소비자 환경을 사용하려고 시도했던 시기에 우리가 보았던 것, 다시 말해서 종종 웃긴 옷을 입고 있고, 웃긴 형태를 하고 있으며, 이상하게 물들인 머리를 한 애니메이션화된 캐릭터(아바타)로 표현된 사람과 비슷한 능력을 가지고 있다. 나의 어머니는 나에게 첫인상이 매우 중요하다고 말씀하시곤 하셨다. 그리고 어머니가 옳으셨다! 비즈니스를 위한 가상환경은 가상세계 개발환경에 내재된 확장성과 창조성의 이점을 취해야 한다. 그러나 동시에, 우리는 구매결정에 대한 책임이 있는 사람은 실제 작업이 이 가상세계에서 이루어질 수 있음을 명심해야만 한다.

이것은 무엇을 의미하는가? 여러분이 실제 비즈니스를 위해 애플리케이션을 구축하고 있다면, 여러분은 비즈니스를 위해 준비하고, 비즈니스를 위해 구축할 필요가 있다. 우리는 비즈니스 사용자들에게 익숙한 가상환경 속에서 애플리케이션을 구축하기 시작해 왔다. 인터페이스를 Star Trek의 소도구와 같이 만들지 않고서 가상세계와 상호작용하는 방법을 배우기는 상당히 어렵다. 우리는 접착식 노트(모든 사람들은 접착식 노트에 쓰고, 그것을 벽에 붙이는 방법을 알고 있다), 플립차트(flip charts), 프레젠테이션 화면과 같은 익숙한 물건들을 사용한다. 이러한 익숙한 물건들은 초기의 두려움을 없애 주고, 신규사용자로 하여금 더 빨리 익숙해질 수 있도록 해 준다. 그러나 여러분이 말하는 대로 우리는 훨씬 더 많이 할 수 있다! 그리고 여러분이 맞을 수도 있다. 익숙한 물건들로 시작하라. 그런 다음, 그들에게 이 물건들은 가상적이며, 물리적인 것이 아니기 때문에, 얼마나 더 많이 할 수 있는지를 보여 주어라. 예를 들어, 가상세계에서 가상 플립차트에 있는 노트는 전자적으로 보낼 수 있기 때문에 옮겨 적을 필요도 없다.

현재의 시장(2009 봄) 현황을 살펴보면, 시연되고 있는 가상환경 중 대부분이 동일한 기본적인 기능을 가지고 있다. 아바타가 만들어지고, 옷이 입혀지며, 가상세계에 들어올 수 있다. 일단 아바타들이 가상세계에 들어오면, 그들은 서로 텍스트 채팅이나 음성 채팅을 할 수 있다. 그들은 또한 서로의 프레젠테이션을 볼 수 있다. 가상세계에서 프레젠테이션을 하는 절차는 매우 간단한 "드래그 앤 드롭"에서 여러 단계 과정까지 다양하다. 어떤 환경에서는 참여자가 가상세계에서 다른 참가자가 파일을 수정하는 것을 볼 수 있는 애플리케이션 보기나 데스크톱 보기를 수행할 수 있다. 몇몇 애플리케이션은 실제로 애플리케이션을 공유하는 것을 보여 주는데, 그곳에서 컨트롤은 파일을 편집하기 위해 한 가상세계 사용자로부터 다른 가상세계 사용자로 넘겨질 수 있다. 이러한 것들은 모두 흥미로운 시연이다. 그러나 잠재적 고객의 대다수인 아직 가상세계를 사용할 계획이 없는 사람들에게 있어 이러한 것들 중 어느 것도 "가상세계"로 들어가는 데 투자할 만큼 호소력 있는 이유들이 되지 못한다. 왜 그러한가? 이러한 기능들 모두가 시장에서 광범위하게 이용할 수 있는 다양하지만 보다 복잡하지 않은 웹기반 도구를 사용하여 수행될 수 있기 때문이다. 이러한 형태의 시연들은 가상세계가 "단지 게임"에 불과하다는 믿음을 강화시켜 줄 뿐이다. 왜냐하면 그러한 시연들이 가상세계가 비즈니스 사용자들에게 가져다줄 수 있는 부가적인 가치를 명확하게 시연하지 못했기 때문이다. 만약 우리가 이러한 반대를 극복하려면, 웹 컨퍼런스, 원격화상회의, 웹캐스트, 또는 비디오화상회의의 도구들로서는 할 수 없는 진실로 협력적인 활동, 즉 가상세계 활동을 시연할 필요가 있다.

반대 3: (다른 비즈니스 애플리케이션과의) 통합, 보안 또는 확장성은 어떻게 할 것인가? 일단 잠재적인 고객이 앞의 두 가지 반대를 통과시키면, 다음 질문은 가상세계 애플리케이션의 기능에서 평범하기는 하지만 동시에 중요한 이슈로 전환되는 경향이 있다. 많은 고객들은 고용인들에 의해서 사용되는 기존의 협력도구와 다른 소프트웨어를 가지고 있다. 그래서 그들은 종종 이러한 기존의 애플리케이션에 가상세계를 포함하여 자신들이 습득한 새로운 애플리케이션을 통합하는 방법을 찾고 있다. 그러나 대부분의 가상세계 비즈니스 애플리케이션은 독립적, 독점적인 시스템으로 구축되어 있어 기업 환경에 통합하기는 그렇게 쉬운 일이 아니다. 위에서 논의한 바와 같이, 대부분은 공통 파일 타입을 보여 주거나 조작함으로써 애플리케이션이 통합될 수 있음을 보여 준다.

그러나 다른 비즈니스 애플리케이션에서 가상세계 애플리케이션에 접근할 수 있는 능력과 같은 보다 심층적인 수준의 통합은 부족하다. 예를 들어, 한 형태의 콘텐츠(예: 스프레드시트)를 워드로 가져오고, 가상세계에서 더 유용한 형태로(벽에 붙이는 접착식 노트처럼) 조작한 후, 원래 형태로 다시 내보기할 수 있도록 해 주는 보내기와 받기 기능은 부족하다.

보안과 권한은 또 다른 우려사항이다. 기업 애플리케이션과 가상세계 애플리케이선 간에 단일사용승인(single sign-on: SSO)을 가능하게 해 주는 기업권한도구(예: LDAP)가 통합되지 못했다는 것은 사용자의 접근과 ID 관리를 위해 복합시스템을 사용해야 함을 의미한다. 희소식은 가상세계 개발자들이 기업 내부에서 보다 심층적인 통합의 필요성을 깨닫기 시작했으며, 그러한 기능이 최신 애플리케이션에서 나타나기 시작했다는 것이다.

확장성(수백 또는 수천 명의 사용자에 대한)은 여전히 규칙보다는 예외적인 사항이 더 많다. 우리는 고객들에게 작게 시작하고, 되도록이면 복합적인 다양한 애플리케이션과 플랫폼을 가지고 파일럿을 하며, 이 특정 영역(확장성)에서 보다 심층적인 개선을 계속해 나가도록 독려한다. 우리는 또한 모든 고객의 요구를 맞출 수 있는 플랫폼이 반드시 단 하나일 필요는 없다고 생각한다. 소규모 협력회의를 위한 솔루션은 수천 명이 참가하는 대규모의 회의를 위한 솔루션과는 매우 다를 것이고, 심층적인 시뮬레이션을 지원할 수 있으려면, 완전히 다른 플랫폼이나 도구가 필요할 수도 있다.

교두보 확보

우리 회사(IBM)에서의 내 경험을 살펴볼 때, 아주 좋은 기회로 판명된 매우 광범위한 사내집단들이 있었다. 그리고 내가 외부고객과 일할 때, 비슷한 규모의 초기채택자들이 있었던 것으로 밝혀졌다. 물론, 우리 회사와는 달리, 대부분의 회사들은 초기채택자 집단들이 단 몇 개일지도 모르지만!

조직 내 친목집단. "끼리끼리 모인" 집단, 동일한 관심사를 가지고 있는 공동체, 그리고 공통된 관심사로 함께 뭉쳐 있지만 지리적으로는 다양한 집단일 수 있다. 이러한 집단들은 대부분 비공식적인 집단이다. 따라서 그들은 회의를 하기 위한 출장예산을 가지고 있지 않다. IBM에서 가상세계에 대한 관심은 널리 분포해 있는 IBM인들, 즉 경영진 수준에서부터 그 아래까지 모두에게 가상세계의 가능성을 소개했던, 작지만, 헌신적이고, 목청을 높여 온 "가상세계 전도사"(그들은 이렇게 불리는 것을 좋아하기 때문에) 집단의 노력의 결과다. 나의 첫 경험은 이 친목집단의 구성원으로서였다. 2006년 11월에 내가 멤버였던 국제혁신공동체로부터 온 다음과 같은 이메일로부터 시작되었다. "Second Life에서 국제혁신회의 중 하나를 운영하도록 도와줄 사람이 있나요?" 우리는 2007년 1월 후반부에 140명 정도 모이는 행사를 계획하고 실행했다. Second Life를 처음 접해 본 대부분의 사람들과 나는 그것에 매료되었다.

초기채택자 공동체. 이것은 특별한 형태의 친목집단이다. 이 친목집단은 최첨단에 서 있기를 좋아하고, 뭐든지 많이 해 보려고 하는 사람들이다. IBM에서, 우리는 IBM 공동체, 특히 초기채택자들에게 새로운 테크놀로지를 알리는 공식적인 프로그램인 기술채택프로그램(Technology Adoption Program: TAP)의 혜택을 누렸다. 2009년 봄, TAP에는 사용 가능한 애플리케이션이 1,200개 이상이나 있었다. "새임다임(Sametime) 3D[2)]" 계획이 TAP 뉴스레터에 발표된 일주일 사이에, 1,500명 이상의 사람들이 그 애플리케이션을 설치하기 위해 "지금 시작해 보기(Try it now)" 버튼을 눌렀다. 심지어 우리조차도 그러한 높은 관심에 놀랐을 정도였다!

원격팀. 가상세계는 회의를 위해 원격지에 있는 팀원들을 모으기 위한 매우 매력적인 접근방법이다. 시작해야 할 지점은 본질상 보다 기술적인 팀들(예: IT)과 함께 하는 것이다. 그들은 새로운 테크놀로지를 수용하는 것을 더 편안하게 느끼는 경향이 있다. 우리는 프레젠테이션 뷰어와 브레인스토밍 보드, 그리고 필요한 경우 다른 도구들을 사용하는 협력 공간들 중 하나에서 매일 개발 "스크럼 콜(scrum call)" 가상세계를 운영하고 있다. 우리의 경우, 팀은 미국, 독일, 호주 출신 등 다양하게 구성되어 있다.

인적 자원, 훈련, 학습부서. HR은 특히 강력한 고용인들의 협력에 초점을 맞추고 있어, 그들은 고용인 전체에서 협력을 증진시키기 위한 방안들을 찾는 경향이 있다. 초기 계획은 "보편성"(훈련), 멘토링, 전문가 세션, 포스터 세션, 소셜 네트워킹 회의 등을 포함하고 있었다. 아울러, 특정 산업(예: 군사, 복지)의 경우, 가상 시뮬레이션 도구를 사용하여 수행되고, 실제 시뮬레이션보다 더 안전하고 비용효과적인 방법으로 더 폭넓은 대상에게 전달할 수 있는 다양한 훈련 연습이 있다. 시뮬레이션 훈련 시장은 아마도 다양한 시뮬레이션 개발 플랫폼과 사전에 정의된 시뮬레이션을 제공하는 폭넓은 회사들과 더불어 이 분야에서 가장 많이 성장한 부분일 것이다. 많은 시뮬레이션 도구는 이미 개별 학생들의 학습결과를 기록하기 위해 학습관리시스템과 통합되어 있다(더 많은 시장 성숙도를 나타내는 지표).

"새로 정착한" 사람들. (과거에) 면대면으로 회의를 진행했으나 더 이상 그렇게 하지 않는 집단들을 찾아보라. 이 집단들은 종종 팀원들을 함께 모으기 위한 방법을 몹시 갖고 싶어하는데, 가상회의는 이렇게 하기 위한 비용효과적인 방법을 제공한다. IBM의

---

2) [역주] IBM이 가상세계와 통합커뮤니케이션, 협업솔루션을 하나로 통합한 기업용 가상회의 소프트웨어

전체 부서원들이 잠재력을 이해하기 시작했던 IBM 테크놀로지 아카데미(제6장 참조)의 후원을 받은 가상세계 행사들 중 첫 번째 시리즈를 마친 후, 나는 출장예산이 감소될 때마다 가상회의를 열자는 전화를 받았다고 동료들에게 농담을 했다.

후원 보장

교두보 확보와 마찬가지로, 다른 조직들에는 다른 기회들이 있어, 그 기회에 접근할 수 있는 사람이 단 한 사람밖에 없는 것은 아니다. 접근할 수 있는 기회들 중 대부분은 조직의 구조와 "특성"에 따라 달라진다. 고려해야 할 몇 사람을 예를 들면, 다음과 같다.

"최고혁신관리자(Chief Innovation Officer: CIO)". 회사에서 첨단 테크놀로지를 찾고 회사의 미래를 계획하는 업무를 맡고 있는 사람을 찾아라. 그는 아마 "혁신경영자" 또는 "e-비즈니스 경영자"로 불리거나 조직의 전략 경영자일 수 있다.

CIO 사무실. 특히 과거에 실험하려는 경향을 보여 온 비전 있는 지도자가 있는 곳인 최고정보관리자 사무실은 종업원들의 생산성을 향상시키기 위한 방법을 결정하는 임무를 수행한다. 원격프로젝트팀 간의 회의를 위해 가상세계 애플리케이션을 사용하는 것은 이를 위해 매우 효과적이다. 앞서 논의한 바와 같이, 애플리케이션이 기존 도구들보다 더 많은 것을 할 수 있는지를 명확히 하라.

비즈니스 경영자의 계선조직. 회사 내에서 특정한 기능 영역을 책임지고 있고 조직의 다른 부분(예: IT)에도 영향을 미칠 수 있을 만큼 조직 내에서 상당히 높은 지위에 있는 경영자들에게 초점을 맞춰라. IT 조직에 어떠한 영향력도 미치지 않는 비즈니스 후원자들을 가상세계를 활용하도록 설득하기는 상당히 힘들 것이다. 왜냐하면 그 후원자가 심지어 가상세계를 활용하는 것이 낫다는 확신을 한다고 하더라도 실제로 솔루션을 실행(그리고 지원)하기 위해서는 여전히 IT에 있는 누군가에게 그 효과성을 확신시킬 필요가 있기 때문이다. 어떤 경영자들이라 하더라도, 초기 논의는 여러분이 그들을 위해 할 수 있는 일을 구체적으로 알 수 있도록 하라. 그들에게 애플리케이션이 어떻게 종업원들이 업무를 더 빨리, 더 좋게, 더 저렴하게(또는 앞의 세 가지 모두) 할 수 있도록 도와줄 수 있는지를 보여 수어라.

HR/훈련조직. 이 조직들은 매우 넓게 흩어져 있는 종업원들 내에 공동체를 구축하고, 훈련의 효과성을 증진하는 방법을 강구하고자 노력한다. 그 결과, 그들은 이러한 도전을 하는 데 도움이 되는 새로운 접근방법을 기꺼이 시도해 보고자 하는 경향이 있다. 그들은 우리 회사에서 가상세계를 실험해 볼 수 있는 첫 번째 내부집단들 중 하나였고, 또한 우리의 가상 협력공간을 파일럿해 보기를 원하는 첫 번째 집단들 중 하나였다. 그들은 세계적으로 다양한 종업원들을 관리하는 데 어려움을 겪고 있는 문제들을 논의하기 위한 세계관리자회의를 개최하기 위해 협력공간을 사용했다. 그들은 참가자들로부터 어려움을 겪고 있는 문제들을 수합하고, 그들의 경험을 서로 공유하고 토론하며, 그런 다음 그 문제들을 해결하기 위한 논의과정에서 도출된 아이디어들을 문서화하기 위하여 브레인스토밍 벽(brainstorming wall)을 활용할 수 있었다.

통합된 의사소통이나 전화통신을 책임지고 있는 사람. 이러한 역할을 하는 사람들은 다양한 기술을 가지고 있으며, 일반적으로 조직 전체의 의사소통을 지원하기 위한 새로운 테크놀로지를 모색하고 있다. 특히 VoIP와 결합되어 있을 때, 가상세계를 사용하는 것은 조직 전체에 확장된 의사소통/협력을 제공하기 위한 비용효과적인 방법이다.

사례 제시

전도사들과 초기채택자들을 지원하라. 여러분은 모든 조직에서 이러한 사람들, 즉 새롭고 혁신적인 어떤 것의 일부분이 되기 위해 새로운 테크놀로지를 실험하는 데 시간과 에너지를 (심지어 자기의 시간을) 쓸 의지가 있는 사람들을 찾을 수 있을 것이다. 이러한 풀뿌리들의 노력을 격려하고 좋은 아이디어들을 확실하지 않은 것에서 최고조에 이르도록 해 주는 것은 조직 내에서 투자를 거의 하지 않고도 초기 검증 지점을 만들 수 있도록 도와줄 수 있다. 분명히 그것은 정답만 택하지 않는 소규모의 헌신적인 "전도사들"의 도움으로 가상세계 비즈니스를 구축한 방식이다.

　　이것은 초창기에 우리에게 잘 작동한 것이 사실이지만, 우리는 실제로 이 초기 전도사들 덕택에 두 가지 접근방법을 사용했다. 우리는 개념검증 프로젝트를 개발하는 데 도움을 주기 위해 상향식(bottom-up) 계획을 시작했는데, 그것은 매우 초기 시장에 투자하기 위한 하향식(top-down) 위임을 초래했다. 그렇게 해서 만들어진 "신규 비즈니스 기회" 집단은 프로토타입과 최초의(first-of-a-kind) 역량을 개발하고, 그런 후에 그러한 초기 프로젝트들을 보다 큰 회사에 통합하는 방법을 이해하기 위한 목표를 설정했다. 사실, 우리 부서의 성공척도는 만약 2~3년 내에 성공한다면 가상세계가 회사 내의 다른 조직들에 의해 채택되고 일반적인 비즈니스가 됨으로써 우리가 더 이상 있을 필요가 없게 되는 것이었다. 3년째에 접어들면서, 우리가 시작했던 한 가지 계획은 회사의 CIO 사무실의 업무의 일부분이 되고 있으며, 또 다른 계획은 초기 프로토타입을 만들기 위한 노력에 기초한 제공물이라고 알려질 생산집단으로 전환되고 있다.

백문이 불여일견. 이것은 아마도 사람들에게 시범을 보여 그들이 가상세계의 가치를 이해할 수 있도록 해 주는 가장 중요한 방법일 것이다. 가상세계는 누군가가 지켜보는 어떤 것이 아니라 누군가가 경험하는 어떤 것이다. 이 도구의 몰입적인 특성은 여러분이 확신시키려고 하는 사람들이 실제로 그것을 스스로 경험해 보는 직접적인 시연을 더욱 중요하게 해 준다. 차트가 아니라 시연하라. 시연할 수 없다면 비디오를 보여 주어라. 그러나 그들이 가상세계에 들어갈 수 있도록 최선을 다하라. 나는 내 눈 앞에서 회의주의자들이 옹호론자들로 바뀌는 것을 계속해서 보아 왔다. 처음에는 협소하게 초점을 맞춘 시연이 더 효과적이며, 시연을 대상자들에 맞게 커스터마이징하는 것이 중요하다. 매력적으로 보이는 일반적인 목적의 공간은 그 공간이 대상자들에게 적절한 구체적 비즈니스 과정을 어떻게 지원하는지를 시연하는 것보다 확신을 덜 줄 것이다. 물론, 그들이 그 활동이 웹 미팅, 원격화상회의, 또는 다른 전통적인 방식으로는 잘 할 수 없는 어떤 것이라는 것을 알게 될 때, 그들은 더 분명하게 확신할 수 있을 것이다. 우리는 현장학습이나 팀구축 활동을 포함한 회의/이벤트에서부터 멘토링 세션과 훈련까지, 실제 데이터에 제한되는 3D 데이터센터로부터 가상 그린데이터센터에서 우리의 가상 협력공간을 사용하는 다양한 협력적인 모임에 이르기까지 다양한 시연/연구프로젝트를 수행해 왔다. 그저 그들을 가상세계에 데리고 오라. 나의 모토는 "가상세계 전도사를 만들어라. 한 번에 한 아바타씩" 이다.

주류화

우리는 이미 많은 교훈을 얻었지만, 여전히 주류로 가는 초기 단계에 있다. 나는 이 길을 따라 배워야 할 교훈이 더 많이 있음을 확신한다. 우리가 초기에 배운 것들을 제시하면 다음과 같다.

개인적인 관심이 중요하다. 일단 여러분이 초기채택자 단계를 지나면, 여러분은 매우 다양한 흥미(또는 반대), 인센티브(또는 인센티브가 아닌 것), 그리고 광범위하게 채택하도록 하려면 더 큰 도전에 직면하게 되는 기술적인 능력(또는 그것들의 부족)을 지닌 공동체로 신속하게 옮겨 갈 것이다. 여러분의 회사가 초기 채택에서 광범위하고 일상적인 사용으로 이동할 수 있도록 도와주기 위해서는 시간이 걸리며, 인내와 사람을 필요로 할 것이다. 초기에 노력할 때, 먼저 이러한 테크놀로지를 활용함으로써 가장 큰 혜택을 받을 수 있는 집단들과 주류화하는 것에 초점을 두어라. 주류사용자들을 지원하고, 사람들과 일대일로 많은 시간을 사용할 것으로 예상되는 전도사들과 초기채택자들을 활용하라. 사람들이 잠깐 방문하여 전문가들에게 질문을 할 수 있는 주별 훈련 세션(다른 지역을 위해 다른 시간대에)을 운영하라. 나는 사람들이 잠깐 방문하여 구경을 하거나 질문을 할 수 있는 신규사용자 시험 공간(New User Test Space)의 '오픈 하우스(Open House)'를 매주 운영한다. 신규사용자 시험 공간(우리의 협력회의 공간의 한 예)은 실제로 매우 흥미로운 공간이다. 여러분은 그곳에서 누구를 만나게 될지 결코 알지 못한다. 커다란 내부 공동체에 발표된 바로 직후인 어느 날 이른 아침, 나는 미국, 독일, 프랑스, 인도, 호주에서 온 사람들 모두가 동시에 그 공간을 탐험하고 있음을 알았다.

핵심과정의 자동화. 예를 들어, 여러분이 수동으로 아바타 이름과 비밀번호를 만들고 그것들을 소집단의 신규사용자들에게 보낼 수 있는 파일럿을 운영하는 것은 매우 다르다. 그러나 일주일에 100명의 사람이 있거나 한 회의에 500명의 사람이 있는데, 모두 다 처음으로 설치할 필요가 있다면 어떻게 할 것인가? 여러분이 사용할 계획인 솔루션이 조직 내의 기존 서비스들과 통합할 수 있는 메커니즘을 가지고 있거나 여러분 스스로가 가상세계를 관리하는 데 많은 시간을 소비할 수 있는지를 확인하라. 예를 들어, 우리가 만들었던 핵심요소들 중 내부종업원 인명록('블루페이지'라 불림)에 연결하기 위한 메커니즘이 있었다. 그래서 우리가 인트라넷에 접속하기 위해 사용하는 것과 동일한 사용자 권한 과정을 새로운 아바타를 만드는 데에도 사용할 수 있었다. 사용자가 우리의 가상 협력공간에 접속할 때마다 인트라넷 ID와 패스워드가 프롬프트되었는데, 그것은 가상세계에서 그들의 ID(그들이 처음 접속했을 때의 그들의 아바타 이름을 포함하여)를 확인하기 위해 사용되었다. 그 결과, 어떤 사용자 ID 설정도 필요하지 않았다. 여러분이 다른 도구들이나 플랫폼들을 실험할 때, 파일럿에 참여한 사람들보다 10배 또는 100배나 많은 사람들이 갑자기 접속한다면 무슨 일이 벌어질 것인지를 고려해보고, 선택한 도구들이 참여자들이 갑자기 증가했을 때에도 감당해 낼 수 있는지를 살펴보라.

좋은 문서/도움자료. 대부분의 도구들이 사용자 안내서를 제공하고 있지만, 사람들이 갑자기 증가했을 때 도와줄 다양한 형태의 많은 지원자료를 만들었다. 우리는 "(second) Life 시작하기" 프레젠테이션, 흔히 발생하는 문제들에 대한 해결방안들에 관한 섹션들이 포함된 위키백과사전(우리가 흔히 발생하는 문제들을 새로 찾을 때마다 업데이트한), 한 장짜리 참조 종이, 그리고 다양한 가상세계 도움말 기호들을 가지고 있었다. 예를 들어, 어떤 사용자가 "채팅"을 원한다면, 그 사람에게 채팅창을 여는 방법을 알려주는 것을 잊지 말아라.

플랫폼 확장성과 사용성을 고려하고 적정한 예상치를 설정하라. 시장에 있는 보다 더 새로운 도구들 중 대부분은 아직 수천 명의 최종사용자들보다 훨씬 적은 100명 정도의 사용자들에게도 적합한지가 검증되지 않았다. 최종사용자 공동체 및 후원자들과 함께 명확하고 합리적인 기대치를 설정하라. 수용능력을 과대선전하여 공동체 구성원들을 실망시키는 것보다 수용능력을 줄여 그들을 기쁘게 하는 것이 더 낫다.

가치 시연

경험상, 이해관계자들에게 가치는 다른 형태로 나타난다. 즉, 어떤 것은 측정 가능하고 금전으로 평가할 수 있는 반면, 다른 것은 금전으로 평가하기가 그렇게 용이하지 않다. 우리는 회의와 행사에 참여한 종업원들로부터 일화적인 스토리들을 수집해 왔으며, 그러한 것들을 내부공동체 내에서 공유했다.

우리는 또한 참여자들로부터 설문조사의 형태로 더 많은 측정 가능한 피드백을 수집하려고 애쓰고 있다. 예를 들어, 주요 회의들의 경우, 일반적으로 참가자 설문조사를 실시했다. 또한 테크놀로지 아카데미(Academy of Technology) 컨퍼런스의 경우, 면대면 컨퍼런스와 비교하여 내용(54%/43%), 프레젠테이션 스타일(41%/21%), 학습량(16%/18%)이 "같다(the same)"/"더 낮다(better)"고 보고할 수 있었다. 놀랍게도, 심지어 P2P 네트워킹의 경우에도 41%가 면대면과 동일한 경험을 했다고 느꼈으며, 21%는 더 나았다고 느꼈다. 우리는 또한 초기 투자 예측치(8만 달러)와 출장 비용 절감과 출장 및 개인 업무에 소요되는 시간을 줄임으로써 얻는 생산성의 증가로부터 추정되는 절감 비용(32만 달러)에 기초하여 절감액을 계산해 왔다. 이러한 수치들은 심지어 가장 완강한 회의주의자들로부터 관심을 끌어내는 데에도 도움을 줄 수 있다.

성찰

조직 내의 "열성분자들(heat seekers)"을 찾아내라. 그들을 찾아서 새로운 테크놀로지를 시도해 보게 하라. 우리의 전도사들 중 대부분(나 자신을 포함하여)은 "여유시간에" (우리가 모든 실제 작업을 끝마친 한) 실험을 할 수 있도록 허용해 준 지원적인 경영자가 있었다. 우리는 새로운 테크놀로지의 잠재성을 믿었고, 그것을 조직구성원들에게 증명하기를 바랐기 때문에, 야간과 주말에도 일했다.

초기에 성공하려면, 작게 시작하고 열심히 일하라. 모든 눈덩어리는 작은 몇 개의 조각에서 시작된다.

여러분의 경험을 측정하고 보고하라. 몇몇 의사결정자들은 직관에만 의존하여 결정을 내리지만, 실제 수치는 단지 "느낌이 좋은(feels right)" 어떤 것보다 더 많은 사람들에게 영향을 준다. 여러분의 가상세계 활동을 측정할 수 있는 방법을 찾아라.

에세이 3

Brian Bauer, Étape Partners

반대 극복

반대 1: 가상세계 테크놀로지는 "기능성(serious)" 테크놀로지가 아니다. 아주 종종 가치 있는 비즈니스 도구로 판명된 테크놀로지는 그러한 방식으로 시작하지 않는다. 공공 "채팅방(chat room)"과 웹포럼 또한 비즈니스적인 도구로 시작하지는 않았다(예를 들어, 1992년에 AOL은 "동료 협력(co-worker collaboration)"을 위한 채팅방에 초점을 두지 않았다). 가상세계는 여러분이 가상세계가 그렇게 되기를 원하는 것만큼 기능적일 수 있다. 그러나 여러분은 비즈니스 목표들을 먼저 정의해야 하며, 이러한 목표들을 달성할 수 있도록 해 줄 구성요소들을 명확하고 분명하게 확인하기 위하여 가상세계 테크놀로지들을 합리적으로 분리해야 한다. 예를 들어, "가상 종업원라운지 제공"은 타당한 비즈니스 목표가 아니다.

필수적인 테크놀로지는 그것이 다른 무엇인가를 대체하거나 조직 내에서 기능적인 공간을 채웠기 때문에 그렇게 정의된다. "기능성" 테크놀로지는 그것이 기능적인 과제나 비즈니스 목표를 달성하기 위하여 사용되었기 때문에 그렇게 정의된다. 가상세계 테크놀로지들에 대해 회의적인 사람들 대부분은 그 테크놀로지의 그렇게 기능적이지 않은 측면(판타지 정원을 날아다니는 엉뚱한 아바타)에만 노출되어 온 사람들이다.

온라인에서 프레젠테이션을 공유하기 위해 사용된 동일한 테크놀로지(WebEx, Live Meeting)가 사진앨범 또는 아이들의 이야기를 공유하기 위해 사용될 만큼 쉬울 수 있다. 마이크로소프트는 Live Meeting을 판매하려고 애쓰지 않고, 단지 친구들이 생일 파티 사진을 보기 위해 스크린 주위를 허둥대는 것을 보여 주었다. 그들은 자신들의 테크놀로지를 맥락 속에서 보여 주고, 어떤 이점이 있는지를 알려 주며, 그것이 기능적인 비즈니스 업무를 수행하는 것을 보여 준다. 가상세계의 경우에도 그렇게 동일하게 해야 한다.

반대 2: 필수적이지 않은 테크놀로지에 투자할 돈이 없다. 극소수의 회사들만이 필수적이지 않은 테크놀로지에 투자할 돈을 가지고 있다. 여러분의 회사가 가상세계 테크놀로지에 투자하는 것을 약속할 수 없고, 회사가 필수적인 테크놀로지를 어떻게 활용할 수 있는지를 이해하기 위해 필요한 시간/에너지를 소비할 수 없다면, 여러분의 조직은 준비가 되지 않은 것이다.

이미 언급한 바와 같이, 오늘날의 경제적인 환경은 혁신적인 테크놀로지를 소개하는 데 이상적이다. 출장 예산은 대폭 삭감되고, 유동적인 시간과 재택 근무가 훨씬 더 널리 퍼지고 있다. 그리고 아직 동료 협력의 필요성과 기존 인간자본의 영향력이 확장되고 있다. 왜 여러분은 기존의 도구들만으로 동일하거나 감소된 인원수에서 더 많은 수행을 영원히 계속 쥐어짤 수 있다고 믿는가? 이를 위한 견고한 역사적인 토대가 있는가? 오히려, 유지하고 있는 인적자본을 강화하는 데 집중하고, 모든 IT 달러를 과거보다 더 중요시하라.

여러분의 가장 높은 우선순위를 비즈니스 목표들로 정의하라. 가장 긴급한 조직의 금전적 압박들을 정의하고, 가상세계 테크놀로지들이 어떻게 기업 내에 있는 기존의 협력도구들보다 그 압박들을 보다 더 효과적이고 효율적으로 해결할 수 있는지에 대한 신뢰할 만하고 성공적인 논쟁을 구축하라. 여러분의 비즈니스 목표를 실행 가능한 구체적인 수준으로 정의할 수 없고, 금전적인 제약(그리고 기회)을 정의할 수 없다면, 여러분은 가상세계에 대한 준비가 되어 있지 않은 것이다.

반대 3: 가상세계 테크놀로지를 배치하는 데 있어 "부분적으로만 성공"한 많은 주목할 만한 사례들이 있다. 왜 우리가 그것을 시도해야 하는가? 가상세계에는 특히 기업환경에서 아직 완전히 성숙한 테크놀로지가 아니기 때문에, 심지어 최고의 비즈니스 관리자들도 이러한 테크놀로지가 도입되었을 때 그들이 알고 있는 모든 것을 잊어버릴 수도 있다. 다시 말해서, 지나치게 풍부한 것은 실패를 초래할 수도 있다. 역사적으로 실패한 새로운 테크놀로지들 중 대부분은 최종사용자들에게 적합하게 만들어지지 않은 채 실행되었기 때문이다.

가상세계 테크놀로지를 기업의 비즈니스 도구로 활용하는 것은 걸음마 단계에 있다. 그것을 잘하는 것은 빠르지도, 쉽지도, 저렴하지도 않다. 그것은 잘 될 수도 있다. 그러나 그렇게 되려면 상당히 전념해야 한다. 오늘날, 기업들이 이러한 새로운 테크놀로지를 도입하는 방식에 있어 다음과 같은 몇 가지의 주요한 문제들이 있다.

첫째, 가상세계 테크놀로지 판매자들은 그들이 가지고 있는 것을 판매한다. 이것은 고객이 판매자가 구축한 것을 원하거나 필요로 한다고 가정하고 있다. 대부분의 비즈니스 세계의 경우, 제품이 구매자의 요구를 충족시킬 만큼 충분히 완비되었고, 특징이 많기 때문에, 마이크로소프트는 워드와 엑셀을 이와 같은 방법으로 판매할 수 있었다. 가상세계 테크놀로지의 경우, 우리는 여전히 초보적인 수준에 머물러 있다. 가상세계를 기업에서 활용할 수 있도록 판매하려면, 먼저 고객들에게 다음과 같은 질문을 해야 한다. "여러분의 비즈니스 요구는 무엇입니까?"라고 물어야지 "왜 가상세계가 필요합니까?"라고 물으면 안 되며, "우리 제품이 얼마나 좋은지 말씀해 드리겠습니다."라고 하면 절대 안 된다.

둘째, 가상세계 시장은 작게 가는 것보다 "크게 가는" 경향이 있다. 크게 가는 것은 작게 가는 것보다 달성하기가 더 어렵다. 과업(task)을 달성하는 것이 개념(concept)을 달성하는 것보다 훨씬 쉽다. 예를 들어, "동료들과 더 협력하라"는 개념이지만, "전화기를 들어 동료에게 전화하라"는 과업이다. 우리는 최종사용자들을 정의하고, 그런 다음에 그들에게 가상세계가 할 수 있는 개념이 아니라 그들이 개선하거나 변화시켜야할 활동과 과업을 설명해야 한다.

목적은 과정을 통해 달성된다. 과정은 일련의 과업으로 정의된다. 과업은 도구를 사용함으로써 성취된다. 가상세계는 망치와 같은 도구다. 망치가 집을 짓지는 않지만, 망치 없이는 집을 지을 수 없다. 이것이 우리가 최종사용자들에게 가상세계 테크놀로지에 대해 반드시 말해야 하는 방식이다.

교두보 확보

가상세계 테크놀로지를 활용함으로써 궁극적으로 성공할 수 있다는 것을 이해하기 위한 최고의 참조(reference)와 전례(precedent)는 1998년부터 대략 2000년도까지의 "인터넷과의 싸움"을 기억하도록 하는 것이다. 모든 사람들이 그 운동의 일부분이 되었다. 모든 아이디어가 성공할 수 있는 무한한 잠재력이 있는 것처럼 보였다.

그러나 십년 후에, 우리는 "좋은" 아이디어는 언제나 좋고, 나쁜 아이디어는 언제나 나쁘다는 것을 명확히 볼 수 있다. 그래서 우리가 여기서 취할 수 있는 것은 무엇인가? 좋은 아이디어를 좋게 만드는 것을 이해하고, 과거에 좋고 타당한 비즈니스 결정이 미래에도 계속될 것인지를 가정해 보라.

인터넷은 다음과 같은 것 때문에 성공했다.

- 물리적인 제약 때문에 물리적인 실제에서 수행될 수 없는 서비스. eBay가 그 좋은 예다. "모든 것"을 입찰할 수 있는 물리적인 경매를 시도하는 것은 실행 불가능하다. WebMD도 또 다른 좋은 예다. 의사집단에게 의학정보 교환소(clearinghouse)를 엄청나게 제공하고자 시도하는 것은 물리적으로 불가능하다.
- 인터넷에서 더 빨리, 더 좋게, 더 저렴하게 전달할 수 있는 서비스. 전자상거래가 그 좋은 예다.

잠시 인터넷의 성공/실패에 대해 성찰해 본 의도는 과거에 대단했던 '와해성 기술(disruptive technology)'을 소개하고 매우 중요한 교훈을 배우는 것이다. 우리가 가상세계 테크놀로지와 관련된 아주 좋은 기회를 찾을 때, 우리는 다음과 같은 두 가지 중 한 가지를 할 수 있다.

- 생각나는, 상세하게 점검되지 않은 아이디어들을 모두 적고, 그것을 가상세계 테크놀로지 공간에 놓은 다음, 무엇이 남아있는지를 보기 위해 기다린다.
- 어떤 다른 테크놀로지를 사용해서는 쉽게 가능하지 않은 것들을 매우 열심히 살펴보고 그것들에 집중한다.

시간과 돈이 문제가 되지 않고, 여러분의 계획이 높은 성공률을 얻는 것이 중요하지 않다면, 산탄총식의 접근방법(scatter-gun approach)이 흥미로울 수 있다. 그러나 대부분의 비즈니스와 마찬가지로, 여러분의 비즈니스가 ROI를 사용하여 매우 면밀하게 검토되고 성공률을 프로그래밍한다면, 우리의 조언은 성공적인 인터넷 프로그램처럼 새로운 테크놀로지가 도래하지 않고서는 실제로 불가능했던 서비스에 초점을 둔 소수의 실제 비즈니스 과업에 집중하라는 것이다.

후원 보장

대기업의 IT를 내비게이션해 보면, 가상세계 테크놀로지는 실제로 그렇게 독특한 것은 아님을 알 수 있다. 다음과 같은 동일한 변수가 작동하고 있다.

- 누가 비용을 지불하는가?
- 누가 그것을 지원하는가?
- 비즈니스 가치는 무엇인가?
- 우리가 이미 이러한 종류의 테크놀로지를 가지고 있는가? 전에 시도해 본 적이 있는가?

유토피아적인 기업환경에서 주객이 전도되는 일은 없다. 그러나 많은 거대한 기관들에서, 객(IT)은 종종 주(비즈니스)를 흔든다. 우리는 전체 책을 이 현상을 이해하기 위해 노력하는 내용으로 사용할 수 있지만(분명히 이미 그렇게 된 책이 있을 것이다), 우리는 그 게임의 규칙을 수용하고 다음과 같은 규칙을 염두에 두고 그것을 실행할 수 있다.

첫째, 우리는 돈을 지출할 것이다. 그 돈은 누군가의 예산으로부터 나와야 한다. 그러므로 우리는 비즈니스 후원자가 필요하다. 돈을 쓰기 전에, 이 비즈니스 후원자는 거의 항상 더 높은 "비즈니스 권한자(business authority)"에게 답할 필요가 있다. 그 더 높은 권한자는 명확하게 정의된 비즈니스 가치를 보기를 원할 것이다. 따라서 프로젝트의 실제 달러 가치로 계산된 비즈니스 목표를 설정하라.

둘째, 여러분은 IT를 충분히 즐길 필요가 있다. 이렇게 하기 위한 가장 좋은 방법은 심지어 여러분이 그것을 필요로 하지 않거나 원하지 않더라도 가능한 한 채택과정의 초기부터 IT의 도움을 요청하는 것이다. IT는 여러분의 제품을 호스트하고 지원할 필요가 있을 것이다. 이것은 그들에게 더 많은 짐이 된다. 그러나 열광적인 IT 관리자들은 또한 다음과 같은 것을 인식할 것이다.

- 멋지고 엽기적인 신제품을 직접 다룰 수 있다.
- 성공적인 프로젝트로 인해 신임을 얻을 수 있다.

사례 제시

융통적인 작업스케줄, 전혀 다른 물리적 장소, 기능적인 배열로 정의되는 오늘날의 기업환경에서, 이러한 도전과정을 극복할 수 있는 영향력 있는 도구를 제공하는 것이 필수적이다. 가상 기업 환경(virtual corporate environment: VCE)은 그러한 도구들 중 하나다.

VCE는 물리적으로 떨어져 있고 기능적으로 단절되어 있는 조직의 다양한 동료들을 연합하도록 도울 것이다. 효율성과 효과성은 현재로서 물리적인 공간에서는 달성될 수 없는 수준까지 올릴 수 있는데, 이는 궁극적으로 호의적이고 영향력 있는 비즈니스 결과를 낳게 한다. VCE는 물리적인 공간에 의해서뿐만 아니라 기능에 의해 분리되어 있는 동료들을 한데 모으기 위해 존재하는 환경이 될 것이다.

VCE는 동료들이 물리적으로 근접한 거리에서 작업을 할 때 서로 상호작용하는 방법과 동일한 방식으로 협업자들과의 구조화된 만남이나 간단한 만남을 가능하게 해 줄 것이다. 협업자들과 더 빈번히, 그리고 영향력 있는 만남을 촉진하면 작업 관계를 확장시키고, 궁극적으로 증가된 생산성과 효율성에 의해 촉진된 향상된 비즈니스 결과를 산출할 것이다.

VCE는 공식적·비공식적인 협업자와의 만남을 독려하는 협력적·사교적인 환경을 만들 것이다. 기능적인 사일로(silos)와 물리적으로 분리된 동료들 간의 증가된 만남은 모든 교차기능적인(cross-functional) 과정에 있는 개인과 집단들 간의 의사소통과 교차기능적인 인식을 촉진할 것으로 예상된다.

기능적 책무감을 전수하는 과정을 인식하는 것은 목표가 하나의 결과를 향상시키는 것일 때 성공의 핵심요인일 것이다. VCE는 모든 동료들이 비즈니스 우선순위, 문화적 원리, 과정지향 목표들을 잘 이해할 수 있도록 보장하기 위한 플랫폼을 만든다. 만약 모든 과정에 공헌하는 사람들이 기능만이 아니라 과정에 완벽히 몰입했다면, 각 공헌자들의 독특한 능력은 최종결과의 품질을 개선하는 데 도움이 될 것이다.

캐즘 마케팅

고품질의 가상세계 테크놀로지는 종업원의 관심을 끄는 데 매우 효과적인 매체일 수 있다. 그것은 또한 수업과 협력하는 데 사용될 수 있는 강력한 도구다. 그러나 우리는 비즈니스 목표를 달성하기 위해 어떤 "세계"가 필요한가? 또는 우리는 구체적인 상황에서 필요한 경우 적절하게 사용될 수 있는 비즈니스 도구 세트로 더 나은 서비스를 받는가? 궁극적으로, 우리는 "매트릭스"를 만들지 않을 것이다. 우리는 비즈니스 결과를 달성하려고 할 것이다.

종업원들은 결과를 달성하기 위한 과정의 일부분인 과업을 달성하기 위한 비즈니스 도구들을 사용한다. 마찬가지로, 우리는 올바른 방식으로 적절하게 활용된다면 가상세계 테크놀로지도 비즈니스 도구라고 생각할 수 있다. 그것을 다음과 같은 방식으로 생각해 보

자. 마이크로소프트가 처음 MS Word를 만들었을 때, 그들은 사람들이 일을 행했던 방식을 근본적으로 바꾸려고 시도했을까? 또는 그들은 엄청나게 향상된 속기사를 만들려고 했을까? 20여 년이 지난 후에, 우리는 Microsoft Office가 사람들이 일하는 방식을 근본적으로 바꾸었지만, 처음에 그 목적들은 그렇게 많은 것을 바라지 않았다고 말할 수 있다.

혁명적인 변화는 점차 더 많이 일어난다. 패러다임 전환 도구들은 별개로 전달되고, 여기저기에 산재해 있다. 타이밍이 적절하면, 이러한 도구들은 결합되고, 우리는 "미래의 사무실"이 존재하는 것을 알게 될 것이다. 기업에서 가상세계 테크놀로지를 채택함으로써 직면할 수 있는 죽음의 덫은 여러분의 물리적인 현실만큼이나 커다란 동일한 가상적인 현실(parallel reality)을 만들려고 시도하는 것이다. 방이나 세계가 필요한가? 여러분 자신과 조직에게 정직하라.

주류화

가상세계 테크놀로지를 "주류화"하는 문제를 강행할 수는 없다. 가상세계 테크놀로지들은 여전히 최첨단에 서 있으며 틈새시장이다. 이것은 매우 급격하게 변할 수 있지만, 그 짐을 짊어지지 않기로 하자. 대신에, 우리의 새로운 테크놀로지가 그것을 극복하는 데 필요한 모든 것을 가지고 있고, 그것을 극복하지 못하게 하는 어떠한 제약도 가지고 있지 않음을 확신시키는 데 집중하자.

다음은 성공을 위한 방책이다. 위험을 무릅쓰고 다음과 같은 것들을 우선순위로 하여 벗어나라.

- 사용의 용이성
- 안정성
- 비즈니스 기능
- 수행

가치 시연

여러분은 이해관계자에게 어떻게 가치를 시연할 것인가? 여러분은 이해관계자에게 목표, 과정, 과업의 관점에서 그들의 비즈니스 목표들이 무엇인지를 묻는 것에서부터 시작해야 한다. 여러분은 필수적인 과업을 수행하기 위해 사용된 기존의 도구들을 조사한다. 강점,

약점, 차이, 기타 등등은 무엇인가? 여러분은 가상세계 테크놀로지를 사용하여 무엇을 할 수 있는지(이미 행해 왔던 것과는 반대로)를 탐색하고 이러한 접근방식이 그 목표, 과정, 과업을 수행하는 데 더 나은 도구를 제공하는지의 여부를 결정한다.

만약 여러분이 가상세계 테크놀로지들이 비즈니스 문제에 부가가치를 실제로 제공한다고 결정할 수 있다면, 여러분의 마지막 작업은 구축하고 실행하는 것이다. 그러나 이것은 쉬운 부분이다. 여러분의 프로젝트를 잘 운영하면, 새로운 도구들은 도구상자에 포함될 것이고, 기존의 작업방법들보다 더 빠르고, 더 좋고, 더 쉬운 것으로 빠르게 인식될 것이다.

성찰

"모방" 역할("me too" play)로 가상세계에 참여하지 마라. Second Life는 수십억 달러의 "모방" 가치로 벌집투성이가 되었다. 인터넷은 무덤과 비슷하다. 가상세계 테크놀로지가 여러분의 비즈니스에 무엇을 할 수 있을지를 이해하기 위한 시간을 가져라. 그리고 단순히 가상세계 판매자에게 묻지 마라. 조직 내에서 무엇인가 의미 있는 탐색과 적절한 비즈니스 분석을 하라. 여러분의 도전과 요구에 대해 문서화하고, 생각하라. 그런 후, 그 도구를 판매하는 영업사원에게 전화하라.

비즈니스 목표를 실행 가능한 수준에서 정의하라. "수행을 향상시켜라"라는 목표는 실행 가능하지 않다. "비용을 절감하라"라는 목표도 실행 가능하지 않다. "고객과 친밀성을 증진하라"라는 목표 역시 실행 가능하지 않다. 이것들은 모두 훌륭한 비즈니스 목표들이지만, 우리가 알고 있듯이, 목표들은 과정을 따름으로써 달성되고, 과업들로 구성되며, 도구를 사용하여 수행된다. 실행 가능한 변화는 과업과 도구 수준에서 일어난다(물론 그렇지 않으면, 여러분은 비즈니스 목표들을 바꿀 것이다). 비즈니스 목표들이 과정을 통해 과업과 묶이는 방법에 대해 분명히 하고, 활용된 가상세계 테크놀로지들이 기존의 협력도구들보다 더 나은 상당히 차별화된 가치를 제공해 줌을 분명히 하라.

가상세계를 비즈니스에 중요한 테크놀로지, 그 이상도 그 이하도 아닌 것으로 접근하라. 이것은 단지 돈에 관한 것이 아니다. 종업원들은 바쁘다. 그들은 잘 이해하고 있고(변화 이외에) 더 생각하는 것을 요구하지 않으며, 매우 빈번히 효율적이기 때문에 사용하는 자신만의 작업방법들을 가지고 있다.

와해성 테크놀로지(disruptive technology)를 "이거 한번 써보지" 식으로 도입하는 것은 "이 새로운 테크놀로지는 사용하기 쉽고 업무부하를 25% 정도 줄여 주기 때문에 가족과 더 많은 시간을 보낼 수 있어."라고 하는 것과는 다른 결과를 도출할 가능성이 상당히 높다. 이것은 극단적인 예일지 모르지만, 요점은 가상세계 계획에 대한 사람들의 인식을 관리해야 한다는 것이다. 만약 그들에게 생각하는 바를 말하지 않는다면, 그들은 자신만의 결론을 도출할 것이고, 그것은 훌륭한 위기 완화책이라 볼 수 없다.

에세이 4

John Hengeveld, Intel

> "위대했던 기업들도 이리하여 흐름이 어긋나고 행동으로 얻은 평판도 잃는 것이거늘..."
> – 햄릿 제3막 제1장

2D냐, 2D가 아니냐? 그것이 문제로다. 우리의 물리적인 세계는 쌍안경의 발명/진화 이후 3D로 인식되어 왔다. 그러나 우리의 학습세계, 우리의 지적 세계는 책, 논문, 칠판, 컴퓨터 스크린, 즉 통찰력, 의사소통, 창의력의 이차원적인 투사의 세계다.

혁명적인 사고는 "3D 테크놀로지를 더 많이 사용합시다"가 아니라 "우리에게 휴식을 주고, 우리가 가지고 있는 어려움을 참도록 하기보다는 그러한 어려움을 가지고 있지 않은 우리가 알고 있는 다른 사람에게 날아가도록 하는 것"이다. 우리가 이 영역에서 변화를 이끌고자 할 때, 회사와 종업원들을 편안한 것에 안주하도록 하는 정신적인 관점을 이해하는 것이 첫 번째 핵심 단계다.

반대 극복

사람들이 3D에 대하여 가지고 있는 핵심적인 인식은 무엇인가? 대부분의 사람들은 상품 설계와 기계적인 CAD 이상의 엔터프라이즈급 애플리케이션으로는 3D를 만들지 말라고 한다. 3D는 멋진 그림을 만들고, 가지고 놀기도 재미있다. 압도적인 상위 세 가지의 부정적 인식은 다음과 같다.

- 3D는 목적상 오락적이다.
- 3D 환경은 우리의 통제하에 있지 않아 안전하지 않다.
- 3D 환경은 실행, 관리, 유지가 어렵다.

반대 1: 3D는 목적상 오락적이다. 경영진이 3D 환경을 고려할 때, G로 시작되는 단어 (game)를 학습과 협동 활동들에 부적절하게 적용한다. 심지어 "기능성 게임"은 학습 과 협력이 게임이 아닌 것과 같이 이윤을 위한 경쟁도 아니라는 핵심개념을 혼란스럽 게 한다.

그러나 3D 환경을 경험한 대부분의 사람들은 G로 시작되는 단오를 학습과 협동 활동에 부적절하게 적용하는 것을 게임들, 즉 몇몇 전쟁게임들(*Battlefield 1942, World of Warcraft*), 몇몇 소셜 게임들(Second Life)에서 보아 왔다. 의사결정자들이 회사가 협력하도록 하고 협력을 3D 공간 속에서 학습시키고자 할 때, 그들은 나비로 가득한 공간에서 까불대는 털복숭이(Second Life의 문제)나 적들을 때리는 곤봉을 가진 거인 들(*World of Warcraft*의 문제)의 이미지들로부터 강한 인상을 받는다. 이러한 이미지들 은 3D 환경의 판타지적인 본질에서 비롯되고, 환상적인(fantastical) 것은 다수의 경영 자들의 관점에서 볼 때 생산성에 적(敵)이다.

이 문제를 어떻게 다룰 것인가? 먼저, 3D 테크놀로지의 기능적인 과학적, 기술적인 활용에 대해 말하라. 경영진에게 물리학자들이 협력을 위해 테크놀로지를 그들의 연구 에 적용하도록 하는 것에 대하여 생각하도록 하는 것이 까불대는 털복숭이들을 생각하 도록 하는 것보다 훨씬 더 쉽다. 3D 공간을 마케팅 공간으로 말하는 대신에, 지도자들 은 변화무쌍한 공간에서 3D 테크놀로지의 협력에 대해 말할 필요가 있다. 협력과 학습 분야의 지도자들은 3D를 사회화와 놀이와는 다른 것으로 다시 브랜드화할 필요가 있 다.

반대 2: 3D 환경은 우리의 통제하에 있지 않다. "우리는 회사 데이터와 우리 도메인 밖 에서 진행되는 토론을 할 수 없다." 이러한 반대는 사실 맞다. 산업체는 지금까지 기업 채택에 대해 장난감을 제공해 왔다. 이 장난감들은 사람들로 하여금 그 잠재력을 볼 수 있도록 해 주었지만, 그 도구들을 진지하게 사용하도록 해 주지는 않았다. 기업에서 3D를 채택하면, 기존의 IT 환경에서 안전하고, 데이터 보안과 관리의 용이성을 확실하 게 보여 주며, 수행과 비용이 안정적인 상태에 있을 것으로 예측된다.

3D 학습과 협력을 위한 가치명제들 중 하나가 참가자당 더 낮은 비용이라면, 총비 용(관리의 용이성과 지원 등을 포함하여)을 명확하게 이해시켜야 한다. 기능을 습득시 키고, 이러한 애플리케이션의 역동성을 이해시키기 위한 파일럿 프로젝트를 갖는 것은 사례를 만드는 데 있어 필수적이다. 인텔은 과학주의(scienceism)라는 협력활동을 통 해 "몰입적인 연계 환경(immersive connected environments)"의 수행을 최적화하는

방법을 탐색해 왔다. 이러한 노력 중 일부가 이러한 환경들을 대기업 규모로 확장시키기 위한 작동요건들을 경험해 보는 것이다. 데이터로 잘 무장을 하면, 우리는 IT 황제에게 말을 할 수 있다. 데이터가 없으면, 우리는 그렇게 할 수 없다.

반대 3: 3D 애플리케이션은 관리하고 확장하기가 너무 어렵다. 역사적으로, 이 말의 대부분은 사실이다. 산업체는 "클릭하고 가기(click and go)" 행동이 필요한 도구들에 보다 중점을 두어 왔다. 나는 산업체가 "30초 규칙"을 채택해야 한다고 믿는다. 사용자가 처음으로 협력공간에 들어가기로 결정한 시간부터 그가 다른 사람과 생산적으로 작업하는 시간까지 걸리는 시간은 이메일의 수신함을 불러오기 위해 걸리는 시간보다 더 걸려서는 안 된다. 약간의 융통성(여러분의 아바타를 털복숭이로 만드는 것과 같은)은 기업의 학습과 협력에는 좋지 않다. 산업체는 대규모 채택을 하도록 하는 데 필수적인 것만을 남기고 다른 기능성들은 없애야 한다.

교두보 확보

영업 훈련은 "우리가 왕의 의식을 사로잡는 것"이다.

3D를 시작하기 위한 가장 좋은 적용 분야는 어디인가? 지금까지, 그것은 분명히 영업 훈련과 판매 이벤트였다. 판매 이벤트는 무대 중앙에 자료 전달, 면대면 협력, 훈련 시뮬레이션을 필요로 한다. 이 세 가지 영역은 3D 협력 테크놀로지의 장점들 중 가장 높은 가치를 가지고 있다. 누군가가 참여하도록 하는 데 드는 낮은 비용, 물리적인 추상성에 대한 상대적인 인내, 판매사원의 스케줄에 대한 훨씬 낮은 부담(판매 전문가는 영업을 해야지 훈련을 위해 날아와서는 안 된다)과 결합될 때, 이 적용 분야는 3D 학습과 협력에 투자를 제안할 때 가장 좋은 출발점이 될 것이다. ROI는 시연하기 쉽고, 이벤트 계획자는 라이브 이벤트에 가상 이벤트 트랙을 시범적으로 추가하는 것을 쉽게 확신할 수 있다. 다음에 벌어질 일은 적정한 수의 참가자들이 가상으로 참여하기를 원하고, 3D가 그 첫 단계를 취하는 것이다.

이것과 관련된 문제는 많은 마케팅 경영진들이 3D 마케팅 활동에 형편없이 투자하여 실패의 쓴맛을 보았을 수도 있다는 것이다. 따라서 가야 할 올바른 곳은 마케팅 경영진이 아니라 영업운영 지도자들이다. 영업 훈련 비용을 절감하고 판매 역량을 향상시키는 것은 모두 운영 수행과 비즈니스 이윤에 매우 중요하다.

캐즘 마케팅과 주류화

Bruce Damer는 자신의 책 『아바타(Avatars)』에서 가상세계의 역사는 17세기부터라고 기술하고 있다. 그는 몇몇 실험의 시대, 확산, 테크놀로지의 한계를 거쳐, 가상세계 계획의 소멸을 보여 주었다. 새로운 세대의 컴퓨터와 디스플레이 테크놀로지가 가상세계 계획의 소멸을 사라지게 했던 장애들을 극복함에 따라, 각각의 변동에서 테크놀로지를 채택하는 것이 중대되어 왔다.

따라서 묻고 싶은 질문은 이러한 종류의 3D 테크놀로지를 유지시키고 주류로 사용될 수 있도록 해 주는 방법이다. 나는 주류에서 널리 채택되도록 하는 세 가지 조건이 있다고 믿는다.

테크놀로지는 다양한 클라이언트 장치들과 완벽하게 통합되어야 한다. 주류로 채택되려면, 고객들에게 고사양의 컴퓨터를 갖추도록 요구해서는 안 된다. 오늘날의 플랫폼은 종종 사용자에게 높은 사양의 게임 성능을 요구하는데, 그것은 주류 고객들이 미래에 디지털 세계를 어떻게 경험할 것인지와는 무관하다.

경제 상태와 수익성이 혁신과 주류 배치를 이끈다. 어떤 사람은 시장에 도달하기 위한 솔루션을 만들기 위하여 견고하고 지속 가능한 비즈니스 모델을 통해 돈을 벌 수 있어야 한다. 그러므로 수익성을 달성하려면, 새로운 애플리케이션의 효율적인 개발, 많은 사용자들을 지원할 수 있는 비용효과적인 수단, 관련 서비스나 제품을 위한 매우 합리적인 제품이나 서비스가 포함된 매우 합리적인 화폐화(monetization) 모형을 가져야 한다. 효과적인 개발을 할 수 있도록 하기 위해서는 기술표준들이 풍부하게 만들어져 웹과 클라우드 혁신이 최소한의 복제 투자로 더 나은 3D 경험을 할 수 있도록 해야 한다.

서비스를 효율적으로 전달하기 위해서, 애플리케이션을 많은 사용자들에게 적절하게 설계하도록 해 주는 테크놀로지가 널리 배치되어야 한다. (게임과 구별되는) 3D의 협력과 훈련 애플리케이션을 합리적으로 화폐화하기 위해서, 주류 소프트웨어 회사들은 궁극적으로 수축 포장된 제품들을 최종사용자들이 사용할 수 있도록 전달해야 한다. 서비스 모델과 광고 모델은 이러한 영역들을 위한 주요한 비즈니스 모델이 될 수 없다.

주류 사용자들은 세부사항을 관리할 시간이나 의향도 없다. Moore의 주류 구매자들을 위한 "캐즘 마케팅(Crossing the Chasm)" 모형에서 핵심적인 것들 중 하나는 주류 구매자들은 자신들의 문제들에 대한 완전한 솔루션들이 자신들의 요구에 가장 초점을 맞춰 함께 전달되기를 원한다는 것이다. 이 사용자들은 가능한 한 효율적인 방법으로 자신들의 사용으로부터(그것은 오락, 협력, 시각화, 또는 정보일 수 있다) 가치를 추출하기를 원한다. 그들은 이면에서 행해지고 있는 것을 추출하는 3D의 "자동적인 전환"을 원한다.

따라서 애플리케이션 개발자들은 사용법을 단순화하고 당면한 과제를 혼란스럽게 하는 특성들을 제거해야 한다. 그 결과는 매우 효율적인 다목적 플랫폼 위에 구축된 주류 사용(mainstream usage)을 위한 맞춤형 애플리케이션이 될 것이다. 이러한 접근법은 "모두에 적합한 하나의 애플리케이션" 접근법과 구분된다. 우리가 모바일 증강현실을 살펴보면, 그것의 요구는 집단협력 이벤트와는 다른데, 이 집단협력 이벤트는 과학적 협력과도 다르다. 각 사용자는 전체의 특징 중에서 일부만이 필요하며, 오직 그러한 특징들만이 사용자들에게 표현되어야 한다.

성찰

나는 미래에 3D 테크놀로지가 활용될 것이라는 것을 매우 강력하게 믿는다. 그러나 나는 추종자들이 각 단계가 그들에게 의미 있는 현재 위치에서 그러한 것을 예측해 볼 수 있도록 하기 위하여 그 열정을 누그러뜨려야 한다.

위에서 시사한 것은 내가 여러분에게 제언하는 몇 가지 어길 수 없는 규칙들이다.

- G-단어를 피하고 여러분의 커뮤니티에 속해 있는 사람들의 마음속에 3D를 재배치하라.
- 여러분 회사의 IT 철학과 일치하는 테크놀로지를 채택하라.
- 데이터를 가져라.

이것 이외에, 세 가지의 조언을 제시하면 다음과 같다.

이해관계자들의 동기를 이해하라. 여러분이 영향을 미치려고 시도하는 경영진의 리더십에 관한 근본적인 동기를 이해하기 위한 시간을 가져라. 그들이 오늘 신경 쓰고 있는 것은 무엇인가? 학습과 협력 효율성에서 얻은 결과를 어떻게 그들의(THEIR) 비전과 요구의 한 부분으로 실현할 것인가? 내가 거래하는 각 경영진마다 다르다. 한 사람은 유산에 대해 걱정한다. 한 사람은 수익성에 대해 걱정한다. 한 사람은 자신의 야망에 대해 걱정한다. 만약 여러분이 각 사람에 대해 말한 것이 그들의 관심거리가 아니라면, 경영진은 여러분이 제안한 투자에 대해 관심을 기울이지 않을 것이다. 연관을 짓기 위한 시간을 가지라.

판매하라. 그러나 너무 과장광고하지 마라. 혜택이나 스케줄을 너무 과장광고하지 마라. 그러나 판매해야 한다는 것은 명심하라. 이 세상에서 가치로운 모든 것이 그러하듯, 상호 간에 교환을 증진하는 주장과 감정적인 호소가 있다. 어떤 테크놀로지가 채택되도록 하려면 오래 걸린다. 나는 1990년대 초반에 HDTV에 관해 연구한 것을 기억한다. 그 테크놀로지는 과장광고되었고, 채택속도도 과대평가되었으며, 생태계를 전환하기 위한 스케줄도 심하게 잘못 이해되었다. 과장광고의 결과로 이러한 전환은 대략 5년 정도 지연되었다. 사람들은 그 메시지를 꺼 버리고, 나중에 그 메시지가 명확하고 옳았을 때에야 비로소 다시 켰다. 3D 테크놀로지는 상당한 혜택을 가지고 있다. 그러나 첫 단계는 먼저 판매하는 것이다.

강한 인상을 남겨라. 각 프로젝트는 여러분의 회사 내에 인상을 남긴다. 여러분이 프로젝트를 계획할 때, 그 인상도 계획하라. 가치를 전달하는 데 있어 각각 안정되고 안전한 구체적인 측정단계들을 취하라. 각 단계들을 마친 후, 그 인상이 남아 있는 곳을 측정하고, 그에 따라 여러분이 있었던 경로를 채택하라.

3D 인터넷과 훈련, 학습, 협력에 그것을 적용하는 것은 하룻밤 사이에 지어지는 것이 아니다. 이것은 먼 길이 될 것이고, 모든 회사에서의 각각의 작은 성공들이 우리 모두를 위한 매력적인 미래를 구축하도록 도와줄 것이다. 이 여행에서의 여러분의 노력에 감사드린다. 행운을 빈다.

혁명가들로부터 나온 규칙들

다음의 규칙들은 위의 에세이들로부터 도출된 것이다. 규칙들을 얻기 위해서는 각 에세이를 완전히 읽는 것 이외에 다른 방법이 없겠지만, 다음의 규칙들은 독자에게 혁명가들로부터 나온 종합된 통찰력의 정수를 제공하기 위하여 설계되었다.

규칙 1: 게임 이름을 바꿔라

게임을 시간을 생산적으로 사용하는 것이라고 생각하는 것은 우리의 정신모형과는 대조적이다. 비즈니스는 게임을 하는 것이 아니다. 게임은 휴식을 위한 것이었다. 실제 학습은 교실에서 일어난다. 이 문제를 극복하기 위해, 우리는 3D 테크놀로지를 "게임(games)" 또는 심지어 "기능성 게임(serious games)"과 동떨어져 있는 기업에서도 적용하도록 하고 3D 테크놀로지가 기업훈련과 협력에 가져다줄 혜택에 기초하여 게임을 새롭게 틀지어야 한다. 비즈니스 결정을 책임지고 있는 사람은 실제 작업이 가상세계에서도 행해질 수 있다는 분명한 증거를 제공받아야 한다.

규칙 2: 풀뿌리 공동체를 구축하라

어떠한 혁명도 일련의 열정적인 신봉자들, 즉 공유된 미래를 위한 비전을 달성하기 위하여 자신들의 에너지와 노력을 자발적으로 제공할 의지가 있는 핵심적인 개인들이 없이는 승리를 거둔 적이 없다. 여러분의 조직 내에 있는 전도사들을 의도적으로 찾아내고, 그들이 서로 관계를 맺고 친하게 지낼 수 있는 방법을 찾아라. 어떠한 조직에서도, 3D 혁명은 한 번에 한 아바타만을 구축할 것이다.

규칙 3: 비즈니스 이슈에서 시작하라

여러분의 3D를 비즈니스에 매우 중요한 테크놀로지로 접근해야지 그 이하로 접근해서는 안 된다. 최우선순위의 비즈니스 목표들을 정의하라. 여러분의 조직에서 가장 긴급한 재정적인 압박을 정의하고, 왜 3D 테크놀로지가 그 문제를 해결할 수 있는지에 대한 신뢰할 수 있고 성공적인 주장을 구안하라. 3D 솔루션을 사용하여 해결될 수 있는 결정적인 비즈니스 차이(gap)를 확인하고, 설계하며, 파일럿(pilot)을 실행하기 위해 필요한 후원과 자원을 모아라. 이것을 할 수 없다면, 여러분의 기업에 3D를 도입하기 위한 적절한 시점이 아닐 수도 있다.

규칙 4: 핵심 동기와 관련지어라

동기가 매우 중요하다. 여러분이 영향을 주려고 하는 경영진의 리더십에 대한 근본적인 동기를 이해하기 위한 시간을 가지라. 3D 솔루션에 투자하려는 그들의 동기가 무엇인가? 이해관계자들에게 가치는 많은 다양한 형태로 나타난다. 여러분이 제시한 가치명제가 그 동기와 일치하지 않으면, 그들이 여러분을 지지할 가능성은 희박해진다. 그들이 3D에서 기대하는 가치를 이해해야 하며, 그 동기와 관련지어 투자를 위한 여러분의 주장을 구축하라.

규칙 5: 올바른 파일럿을 선택하라

생각은 크게, 그러나 시작은 작게 하라. 파일럿을 선택할 때 후원뿐만 아니라 고려해야 할 많은 준거들이 있다. 여러분이 시작할 곳은 주로 3D 솔루션이 고객의 요구들을 얼마나 잘 해결해 줄 수 있는지, 그 가치를 얼마나 쉽게 보여 줄 수 있는지, 그리고 그 고객이 여러분과 파트너십을 구축하는 데 얼마나 헌신적인지에 따라 달라진다. 일반적으로, 작게 시작하고, 초기 성공을 실현하고 영향력을 보여 주기 위해 열심히 일하며, 반복하는 것이 좋다.

규칙 6: 파일럿을 초기에, 그리고 종종 행하라

백문이 불여일견이다. 각각의 파일럿은 여러분의 회사 내에 인상을 남긴다. 파일럿을 계획할 때, 그 인상도 계획하라. 혜택을 과장광고하거나 스케줄을 짧게 바꾸지 마라. 가치를 보장하는 구체적인 측정단계들을 취하라. 각 단계를 마친 후에, 인상을 재평가하고, 그에 따라 후속 파일럿을 변경하라.

규칙 7: 첫 시간에 집중하라

불편함은 열망을 감소시킨다. 어떤 파일럿의 성공이나 실패는 통상 참가자들의 초기 경험에서 시작된다. 참가자들이 3D 환경에 노출되는 첫 시간에 자신감과 호기심에 스며들어 확신할 수 있도록 모든 노력을 경주해야 한다. 이것은 의미 있는 계획과 노력을 요구하지만, 그 혜택은 그 비용보다 더 가치 있다.

규칙 8: 익숙한 것부터 시작하라

"현재 위치", 우리가 쇼핑몰에서 찾아볼 수 있는 표시다. 가상세계에서 학습과 협력 기회가 많은 것은 사실이지만, 많은 사람들이 채택하도록 하려면 참가자들에게 익숙한 것부터 참여시키는 것이 좋다. 교실, 프레젠테이션 스크린, 플립차트, 접착식 노트는 실제 세계에서 매우 익숙한 물품들이다. 그러한 것들을 참가자들이 가상세계에 익숙하도록 하기 위한 어포던스들로 사용하고, 그런 다음에 그들을 다음 수준으로 데려가라. 너무 힘들게, 너무 빨리 압박을 가하는 것은 이탈을 초래한다.

규칙 9: 증거기반을 구축하라

증거는 강력하다. 각각의 계획된 파일럿은 여러분의 조직이 기업규모에서 이러한 환경을 구축하기 위한 실행 요구사항을 이해하는 더 많은 경험을 얻을 수 있도록 해 준다. 각각의 파일럿은 테크놀로지의 가치명제를 비즈니스 요구와 비교하여 정당화해 주는 증거기반 (evidence base)에 기여해야 한다. 성공적인 파일럿 경험의 입증과 비즈니스 영향력(business impact)에 관한 증거 없이는 규모를 확장하기는 매우 힘들 것이다.

규칙 10: 확장을 미리 준비하라

종종 주(비즈니스)와 객(IT)이 전도될 수 있음을 안다면, 이해관계자들을 가능한 한 빨리 파일럿 과정에 포함시키는 것이 실제적이다. IT 전문가들은 비즈니스 영향력이나 교육은 별로 중요시하지 않지만, 사용의 용이성, 비즈니스의 기능 수행, 표준, 보안, 확장성은 상당히 중요하게 생각한다. 만약 여러분이 올바른 이해관계자들을 포함하여 일해 왔고, 올바른 학습요구와 대상자들을 규명해 왔으며, 적절한 3D 환경을 개발해 왔고, 성공적인 파일럿을 실행해 왔다면, 여러분은 긍정적인 경험을 보고해 주는 몇몇 사람들을 얻게 될 것이다. 이러한 모든 것은 기업의 규모를 확장할 것인지에 대해 논의할 때 제시될 것이다.

제 나 부

지평선을 넘어

Learning in
3D

Learning in **3D**

*Adding a New Dimension to Enterprise
Learning and Collaboration*

미래 전망

서론

Double Happiness Jeans 공장은 맞춤형 청바지를 제작하는 것으로 특화되어 있다. 생산과
정은 고객들이 자신들의 정확한 요구사항들에 따라 주문을 커스터마이징할 수 있도록 되
어 있다. 회사는 다른 패션에 관한 요구를 들어 줄 수 있는 몇 가지의 유행에 맞는 컷(cuts;
재단법), 즉 플레어컷(flare cut), 스키니레그컷(skinny leg cut), 부츠컷(boot cut), 나팔바
지모양 컷(relaxed cut)을 제공한다. 맞춤형 세부사항들로는 워싱, 주머니 스타일, 리베트
(rivet) 디자인, 공그른 단(hemline), 단추 덮개(fly)를 선택하는 것이 포함되어 있다. 청바
지는 유행하는 스타일이며, 선댄스 영화제(Sundance Film Festival)와 다른 명성이 있는 유
행지에서 특색 있게 다루어져 왔다.

회사는 고객이 청바지가 어떻게 제작되는지를 보려면 공장을 방문할 것을 적극적으로
장려한다. 많은 고객들이 방문한다. 공장시설에 도착했을 때, 고객들은 Double Happiness
Jeans 공장을 방문하는 것은 다른 일반적인 직물 제조업체들을 방문하는 것과 매우 흡사함
을 알게 된다. 베틀, 볼트 롤 커터(bolt roll cutter), 드릴 프레스(drill press)와 같은 익숙한
작업 선반들이 있다. 음료, 커피머신, 심지어 꽤 깔끔한 휴게실과 같은 고용인 편의설비들
이 있다. 고객들은 공장을 둘러보는 동안 새로운 제품을 브레인스토밍하기 위해 사용되는

몇몇 업무 관련 회의실, 계획들을 늘어놓기 위한 화이트보드, 고용인의 업무 스케줄이 적혀 있는 커다란 월간 계획표를 볼 수 있다.

고객들이 방문해서 볼 수 없는 것은 실제 장비, 실제 커피, 또는 심지어 실제 직물이다. Double Happiness Jeans 공장은 일반적인 직물공장과 여러 가지 면에서 비슷하지만, 그것은 예외적이며, 가상의 몰입적인 환경의 미래일지 모른다. 실제로, 전체 시설은 Second Life의 컴퓨터 서버상에만 존재하며, 어떠한 물리적인 자산이나 재고품도 없다([그림 10-1] 참조).

어떤 고객이 Happiness 청바지를 주문할 때, 그것은 다른 작업장에 앉아 있는 가상 노동자들에 의해 "제작"된다. 각 노동자는 버튼을 누르고, 가상 청바지의 디자인을 설계하는 파일에 정보를 보내는 기계를 조작한다. 청바지는 고객의 디자인 요청을 충족시킬 때까지 10여 개 정도의 작업 선반을 거친다. 각 작업 선반에서 수집된 데이터는 Double Happiness Jeans 회사를 위해 특별하게 개발된 애플리케이션 프로그램 인터페이스(application program interface: API)를 통해 그래픽 애플리케이션인 Adobe Photoshop을 실행시키는 서버로 전송된다. 청바지는 20분의 생산과정 끝에 인쇄공정을 통해, 즉 닳았을 때 부풀려

[그림 10-1] Double Happiness Jean 공장의 레이저 커터 옆에 서있는 모습

지고 줄어드는 캔버스 같은 재료(데님(denim)과 비슷한)가 탑재된 대형 프린터가 청바지를 인쇄하면 실물이 된다. 고객은 "인쇄 출력된" 청바지를 끄집어내어 별개의 부분들을 잘라 낸 다음, 그것들을 꿰매어 깁는다. 그런 다음, 그것을 입고 거리를 돌아다닌다.

이 과정 또는 이와 비슷한 과정이 VIE와 3D 세계의 미래다. 제품의 가상세계 생산을 가능하게 하며 심지어 호감이 가게 만드는, 3D 수지(resin) 프린터와 같은 아이템의 형태인, 이러한 테크놀로지가 오늘날 존재한다. 공장들 내에 있는 많은 정보 시스템들은 중요한 생산 정보를 고객서비스 직원, 판매원, 작업 현장에 있는 요구지점에까지 전달한다. 기본적으로, 컴퓨터보조 제도(computer-aided drafting: CAD), 컴퓨터보조 제조(computer-aided manufacturing: CAM), 심지어 전사적 자원 관리(enterprise resource planning: ERP) 프로그램들 모두 물리적인 세계에서 사용되는 아이템을 설계하고 제조하기 위해 VIE를 사용하는 개념의 전조들(forerunners)이다. 스프레드시트, 문서, 다른 디지털 매체들이 작업 노력의 최종결과물인 다른 환경들에서 그 가능성들은 훨씬 더 즉각적이다. 현재 실제 작업을 달성하기 위해 가상공간에서 작업하고, 협력하며, 학습하는 사람들이 생기기 시작하고 있으며, 이는 미래에 더욱 가속화될 것이다.

건강관리 시나리오에서, AstraZenca의 영업훈련전략이사인 John Royer는 미래에는 환자가 일반적인 심장보다는 자신의 심장의 가상적인 렌더링을 실제로 통과하여 걸을 수 있을 것이라고 예측했다. Royer에 따르면, "사람의 심장은 MRI로 스캔할 수 있어 정확하게 복제할 수 있다. 그런 다음, 의사는 환자에게 자신의 심장을 여행(tour)해 보라고 할 수 있다. 의사는 환자에게 동맥을 막기 시작하는 악성 전염병을 보여 줄 수 있다. 그것은 가상세계이기 때문에, 의사는 심지어 환자에게 식이요법을 바꾸지 않으면 어떻게 될 것인지 또는 운동을 시작하기로 결정했다면 어떻게 될 것인지를 보여 주기 위하여, 일련의 "만약 ~한다면"이라는 시나리오를 전개할 수 있다."

Double Happiness Jeans과 여러분 자신의 심장을 통과하여 걸어 보는 것은 많은 미래의 가능성들 중 단지 두 가지에 불과하다. 가까운 미래에, 작업, 학습, 그리고 가상세계는 통합될 것이다. 가상환경에서 수행된 실제 작업은 VIE의 미래이며, 학습은 요구를 뒤따르거나 이상적으로는 이끌어 가야 한다.

2D에서 3D로 이동

50여 년 전에, 핸드폰은 단지 공상과학에 불과했었다. 그 후, 1973년 4월에 Martin Cooper

는 벨연구소(Bell Labs)에 있는 자신의 경쟁자에게 핸드폰으로 처음으로 전화를 걸었다. 그 다음은 알고 있는 그대로다. 45여 년 전에, 인터넷은 미국방부(Department of Defense)가 연구 목적으로 ARAPANET을 주문할 때까지 공상과학이었다. 그러나 2006년에 인터넷에 콘텐츠를 만들고 게시하는 개인의 능력 때문에 "당신(You)"이 *Time*의 올해의 인물로 선정되었다. 인터넷은 10여 년 전에는 그렇게 대규모로 하는 것이 불가능했다. 일단 어떤 테크놀로지가 몇 년 정도 되면, 사람들은 이전에는 어떠했는지를 잊어버리는 경향이 있다. Tandem Learning사의 Koreen Olbrish가 언급한 바와 같이, "오늘날 우리는 우리 자신들에게 'Google이 나오기 전에 우리는 인터넷에서 정보를 어떻게 찾았을까?'라고 반문한다. 머지않아 '가상세계 없이 우리는 원격지에서 어떻게 만났을까?'라고 말할 때가 있을 것이다."

몇 십여 년 전에는 공상과학과 같았던 것이 이제는 현실이 되었다. VIE에서 제품을 만들고, 배송품들을 처리하며, 조직들 간에 대규모로 협력하고 있기 때문에, 실제로 3D 환경에서 작업하고, 학습하며, 협력하는 것은 그렇게 먼 미래가 아니다. 오늘날 많은 사람들의 경우 매우 많은 콘텐츠와 정보가 여전히 2D에서 제시되고 있을 때 임머넷(Immernet)을 생각하기는 어렵다. 그리고 처음으로 3D 공간 속으로 들어왔던 것들 중 몇 가지가 슬라이드 쇼와 정면을 보고 있는 책상들로 줄지어 있는 교실을 완전히 재현했지만, 다른 선구자들은 훨씬 더 많은 것이 가능함을 보여 주었다. VIE는 이전에는 불가능했던 데이터 시각화(data visualization)와 아직은 고려되지 않은 학습과 협력을 위한 활용을 가능하게 해 준다. 조직들은 뒤처지지 않으려면 진전할 필요가 있으며, 이 공간들 내에서 완전히 작업하고 학습하기 시작할 필요가 있다.

불행하게도, 몇몇 조직들은 2D 학습환경을 3D 공간에 단순히 모방하는 과정에 있다. 조직들이 그 상태를 거쳐 진전하도록 하기 위해서는 성숙모형(maturity model)의 형태와 같은 준거틀(framework)이 필요하다. 성숙모형은 VIE를 사용하기 시작하는 수준에서부터 Double Happiness Jeans 공장과 비슷한 시나리오에 이르기까지 로드맵을 제공한다.

3D 학습 성숙모형

3D 학습 성숙모형의 이면에 있는 개념은 어떤 조직에게 VIE의 실행 측면에서 어디에 위치하고 있는지를 측정할 수 있는 방법을 제공하는 것이다. 소프트웨어 성숙모형이 어떤 회사가 소프트웨어 개발 역량에서 어디에 위치하는지를 측정할 수 있도록 도와주는 것과 마찬

가지로, 이 모형은 조직이 3D 학습맥락의 사용을 측정할 수 있도록 해 준다. 3D 학습 성숙모형은 교실을 3D 공간에 모방하는 것에서부터 실제 작업 생산물을 3D 환경 내에서 생산하는 것으로 이동시킨다.

　3D 학습 성숙모형은 조직 내의 대부분의 활동들에 적용할 수 있지만 개인의 활동에는 적용할 수 없다는 점을 주목할 필요가 있다. 모형의 각 수준에는 최상위의 성숙수준을 포함하여 모형의 모든 수준에서 요구되는 요소들이 있다. 예를 들어, 항상 VIE 내에 공간을 모으기 위한 요구가 있다. 수준 1에서의 공간 모으기(gathering spaces)와 수준 4에서의 공간 모으기 간에는 차이가 있다. 즉, 수준 1에서 공간 모으기는 교수를 전달하기 위한 주요한 방법으로 사용되지만, 수준 4에서 공간 모으기는 참가자들이 다른 활동에 참여하는 동안 잠깐 모이는 곳으로 사용된다. 그것은 지식을 전이하기 위한 주요한 방법이 아니다.

성숙수준 1: 기존의 교실구조 모방

이 수준에서 대부분의 조직들이 VIE를 실행하기 시작한다. 이 수준에서, 교수(instruction)는 교실과 같은 전통적인 교육상황에서 행한 것을 재현하는 데 기초하고 있다. 실제적인 물리적 공간이 재구축되고, 학습자들은 줄을 맞춰 앞을 보고 앉아 있도록 요구된다. 교수는 3D 공간의 앞에 서서 슬라이드들을 보여 주고 있는 아바타/교수자에 의해 제공된다. 학습자들은 질문을 하기 위해 손을 들고, 그 환경 내에서 거의 이동하지 않는다. 상호작용과 통제의 위계 모형은 물리적인 교실에 기초한다. 이러한 유형의 환경을 VIE로 전환하면 지루함을 초래하며, 상당히 제어하기 어려운 교실이 될 것이다. [그림 10-2]는 그러한 한 가지 예다.

　다른 때에는 실내 대강당을 만들고, 캠퍼스나 건물을 가능한 한 정확하게 묘사하려고 노력한다. 실제성(realism)은 물리적인 세계에서는 위치감과 공간을 확인할 수 있도록 해 주지만, VIE의 잠재력을 모두 이용할 수 있도록 해 주지는 않는다. VIE에 있는 실제적으로 개발된 건물과 공간 역시 물리적인 세계에서 존재하는 제약들에 의해 구속된다.

　성숙수준 1에서, 3DLE는 종종 기초적인 수준의 학습자들에게 정보를 제공하고, 도움이 되는 학습을 산출하지만, 전이되는 대부분의 지식은 2D 동시학습 소프트웨어를 통해 효과적으로 전달될 수 있다. 이 수준은 사실, 전문용어, 명칭, 그리고 다른 유형의 선언적 지식, 즉 기억되어야 할 정보에 초점을 둔다. 이것은 학습을 위해 3D 환경을 사용하는 일상적인 수준이다. 수준 1 교수에서, 학습사태(learning event)의 성공은 역동적인 교수자가 흥미 있는 슬라이드를 가지고 있는지에 따라 크게 좌우된다. 그 결과, 잠재적인 채택자들

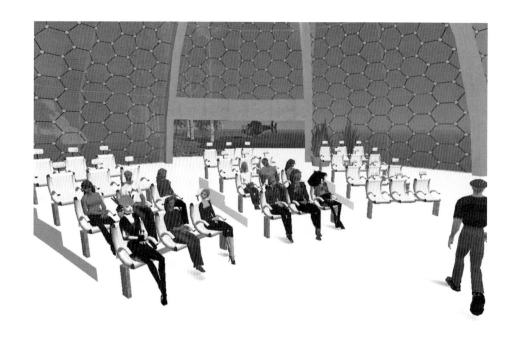

[그림 10-2] 가상교실의 확보는 3D 학습 성숙모형의 첫 번째 수준이다.

은 2D의 3D 버전 가상교실을 사용하는 것이 거의 가치 없음을 알게 된다. 그것은 3D가 불필요함을 보여 준다.

이 수준 이상으로 이동하기 위해서는, 교실 강의보다 현장답사(field trips)와 현장방문(site visits)과 같은 것을 생각해야 한다. 학습자들이 어떤 주제에 대해 더 많이 학습하기 위해 방문해야 할 곳이나 어떠한 유형의 환경이 제시될 콘텐츠를 강화시켜 줄 수 있는지에 관해 생각하라. 목적은 교실의 네 벽을 넘어 생각하고, 학습자들을 자신들의 지식과 기술을 적용하게 될 환경으로 전송하는 것이다.

이러한 문제를 해결하기 위한 한 가지 방법은 아바타들이 공간을 이동할 필요가 있는 활동들을 의도적으로 개발하는 것이다. 3D 공간 내에서 적극적인 학습을 만드는 데 초점을 두면, 교수설계가 교실을 넘어갈 수 있도록 촉구할 것이다. VIE의 경우, 모든 학습사태에서 현장답사를 하거나 학습자들을 어떠한 여행에 대한 걱정 없이 최소한의 시간 제약으로 이곳저곳으로 전송할 수 있다. 일상화로부터 벗어나도록 하기 위해서는 공중에 떠다니는 건물을 만들고, 역사적인 장소들과 물리적인 교실의 한계 내에서는 불가능한 다른 환경을 재창조하라.

성숙수준 2: 기존의 학습구조 확장

이는 학습자들이 VIE에서 몰입적이고 능동적으로 참여하는 수준이다. 이것은 학습자들을 보물찾기 게임이나 가이드된 여행에 보내는 것을 수반한다. 그것은 아바타들이 3DLE 내에서 주변을 돌아다니고 상호작용하는 것을 수반한다. 학습은 3D 교실 또는 심지어 실제적인 환경을 넘어 학습자들이 서로 그리고 공간과 상호작용하도록 특별하게 설계된 맥락으로 이동한다. 이 수준은 종종 학습자들이 소방호스, 건물 위에 있는 태양전지 패널, 또는 가상키오스크와 같은 환경적인 요소들과 상호작용하는 동안 집단활동과 여행을 수반한다. [그림 10-3]은 한 가지 예다.

수준 2를 위한 교수설계를 하려면, 창출된 공간을 주의 깊게 고찰해 볼 필요가 있다. 공간 자체는 학습을 위한 촉매제로 사용되도록 설계되었다. 공간은 보물찾기 게임이나 노트카드 또는 그 공간을 탐색하는 학습자들에게 정보를 제공해 주는 다른 논플레이어 캐릭터(non-player characters)(또는 봇(bots))에서 발견되는 아이템들과 같은 요소들을 가지고

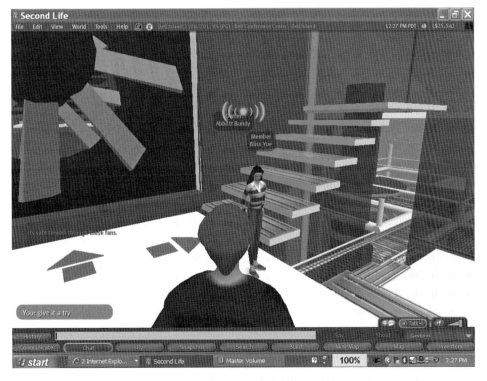

[그림 10-3] Yue를 만족시키기 위해 델 컴퓨터의 외부를 가상여행시켜 주고 있는 Abbott Bundy/Karl Kapp

있다. 이 수준은 선언적인 지식을 제공하지만, 학습될 개념의 예(examples)와 비예(non-examples)를 통해 개념적인 아이디어를 가르친다. 예를 들어, 차별의 개념은 볼스테이트 대학교 학생들이 거대한 쿨에이드맨으로 가장하고 인기 있는 가상댄스클럽에서 차별을 경험했던, 제6장에서 기술한, 사례연구에서 강조되었다.

성숙수준 2의 3DLE는 강의를 통해 전달하기 어려울 수 있는 3D 환경 내에서의 상호작용의 과정 동안 학습자들이 달성해야 하는 구체적인 목적과 목표들을 제공한다. 수준 2에서, 학습사태의 성공은 3DLE가 얼마나 잘 구안되었으며, 여행 가이드나 촉진자가 학습자들에게 그러한 상호작용 과정 동안 그들이 발견한 것 또는 본 것을 얼마나 잘 보고하는지에 달려 있다.

다음의 성숙수준으로 이동하려면, 목적은 실제적인 활동들을 구축하는 것이 되어야 한다. 보물찾기 게임은 기본적인 학습을 위해서는 효과적이었지만, VIE의 실제 가치는 보물찾기 게임이 실제 상황을 재창조할 수 있다는 것이다. 이것은 건물이나 환경을 100% 실제적으로 구축하는 것을 의미하지는 않는다. 그것은 그 상황의 본질이 그 일이 실제로 수행되는 조건들을 반영해야 함을 의미한다. 이러한 한 예가 제6장에서 언급한 로열리스트대학 국경수비대원 수업에 참여한 학생들이 캐나다 국경검문소로 공간 이동되었을 때다. 그들은 자신들이 물리적인 세계에 있는 것처럼 VIE 내에서 차량들을 검색하고, 행동을 관찰한다. 이것은 학생들이 물리적인 환경 내에서 책을 읽고 상황에 대해 논의함으로써 배웠던 기술들(skills)을 적용해 볼 수 있는 실제적인 맥락을 제공한다.

기술들의 적용, 즉 "행함으로써 학습"의 개념에 관해 생각하라. 사람들은 종종 작업상황에서 활동들을 조장하고, 목적을 달성하기 위하여 함께 일해야 한다. 학습자들에게 실제적인(authentic) 연습을 제공하기 위하여, 이러한 유형의 상황을 작업장 내로 가져와서 그것들을 VIE로 바꾸어라. 대부분의 3DLE가 실제적인 행동을 재현하는 데 초점을 두었을 때, 조직은 성숙모형에서 다음 수준으로 이동할 것이다.

성숙수준 3: 실제적인 과제 연습

이 수준에서, 학습자는 자신이 작업환경에서 실제로 수행하게 될 과제에 몰입한다. 이것은 제조업무를 위해 부품들을 조립하고 소매점에서 고객을 기다리며 판매를 위해 협상을 하는 것일 수도 있다. 창출된 3DLE는 지식의 전이를 촉진하고 아바타의 다른 쪽에 있는 실제 사람들이 실제의 공동작업자나 고객들과 동일한 방식과 동일한 기준으로 의사결정을 할 수 있도록 가능한 한 실제적이고 사실적이어야 한다. [그림 10-4]는 한 예다.

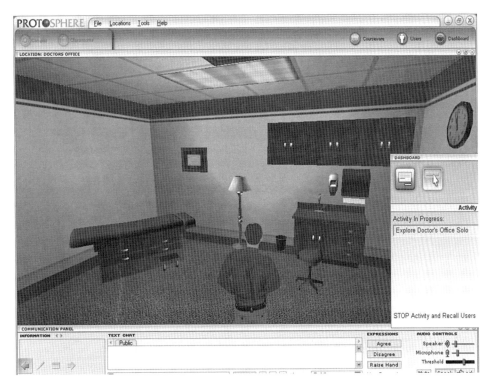

[그림 10-4] 사실적인 사무실에서 내과의사에게 판매전화를 걸 준비를 하는 것은 성숙모형의 3 수준의 예다.

이 수준에서 일어나는 학습은 규칙과 절차, 심리운동 기술 연습, 수월한 기술 적용, 즉 협상이나 리더십 기술을 적용하는 것을 수반한다. 이 성숙수준은 기술의 적용에 초점을 둔다.

이 성숙수준의 예가 제6장에서 논의한 Ernst & Young의 재고조사 입회관찰(IO)이다. 그 환경에서, 참가자들은 들어오는 재료들을 계수하는 방법에서의 불일치를 처리하고, 계수용지와 태그 간의 차이와 어떤 아이템들이 시험 계수되어야 하는지를 결정해야 했다. 3DLE의 기저에 있는 생각은 학습자들이 사실적인 재고조사 감사에 가능한 한 심층적으로 몰입하도록 함으로써, 그들이 실제 과정 동안에 접할 수 있는 독특한 도전과제들을 이해할 수 있도록 하는 것이다.

수준 3에서, 학습사태의 성공은 그것이 실제적인 작업상황과 얼마나 밀접하게 닮았고 학습자가 행하고 있는 것뿐만 아니라 다른 아바타들이 자신들의 역할들을 숙련되게 실행할 수 있도록 하기 위하여 그 과정 후에 얼마나 효과적으로 보고하는지에 달려 있다.

성숙모형의 최종수준으로 이동하려면, 조직은 단지 VIE에서의 학습사태들뿐만 아니라 작업이나 작업산출물이 VIE 내에서 어떻게 창출될 수 있는지를 고려해야 한다. 작업산출물을 가치 있게 만드는 과정은 학습과정에 추가되고, 혁신을 위한 기회를 제공한다. 작업, 협력, 학습이 동시에 일어날 때, 혁신은 일어난다.

성숙수준 4: 작업하기

3D 동시학습 사태에서 성숙의 최상위 수준은 해당 환경 내에서 가치를 실제적으로 창출하는 것이다. 이것은 내·외부 고객이 요구하는 상품(deliverable)을 만들기 위하여 3D 공간 내에서 함께 작업하는 두 명 이상의 사람들을 수반하며, 그 상품을 만들기 위해 작업하는 사람들은 자신들이 최종산출물을 만들 때 학습한다. 한 가지 예가 새로운 차량의 가상 프로토타입을 만들고 잠재적인 고객들이 그것을 운전해 볼 수 있도록 해 주는 차량디자인팀이다. 또 다른 예는 자신들이 설계한 공간에서 아바타들이 어떻게 여행하는지를 관찰하고 있는 건축가집단이다.

성숙모형에서 수준 4는 사람들이 문제를 해결하고 새롭게 접촉하기 위하여 사회적으로 네트워크화하는 것을 도와주는 것을 수반한다. 그것은 환경의 협력적인 특성을 통해 실제적인 문제들에 대처하고 해결하는 데 초점을 둔다. [그림 10-5]는 한 예다.

작업을 위해 VIE를 사용하는 한 예가 IBM이 기술적인 리더십을 제공하는 책임을 맡고 있는 IBM의 330명의 선택된 사고 지도자들(thought leaders)과 테크놀로지 혁신가 집단을 VIE에 들여보내고, 그런 다음 그들에게 그 테크놀로지의 방향에 대한 생각과 아이디어를 요청했을 때다. 세션(session)의 목적은 IBM 컨설턴트들의 작업을 알리기 위해 그들이 사용할 리포트를 작성하고 경향을 분석하는 것이었다.

수준 4에서의 성공은 가치 있는 것을 만들 수 있는 집단의 능력에 따라 좌우된다. 그러한 한 예가 가상 부동산 재벌들이 다른 아바타들이 집의 구조와 아름다움 때문에 거주하기 위해 돈을 지불한 집을 지을 때다. 물론, Double Happiness Jeans에 관한 이 장의 서두에 제시한 예는 VIE에서 가치 있는 것을 만들고 그것을 물리적인 세계로 확장하는 것의 자연스러운 확장이다.

3D 성숙모형 차트

성숙수준을 조직의 목적을 달성하기 위하여 어떤 회사 내에서 VIE가 어떻게 사용되고 있는지를 측정하기 위한 가이드로 사용하라. 어떤 조직이 한 성숙수준에서 다음 성숙수준으

[그림 10-5]   가상세계에서는 청바지가 커스터마이징된, 물리적인 세계에서 온 동료 고객

로 이동해 갈수록, 학습경험은 성숙수준에서 더 낮은 수준들뿐만 아니라 더 높은 수준도 포함할 것이다.

성숙수준, 학습유형, 학습 아키텍처의 조합은 여러분이 효과적인 3DLE를 만들 수 있도록 도와줄 것이다. [그림 10-6]은 상이한 학습유형들이 상이한 아키텍처 및 성숙수준과 어떻게 연계되는지를 보여 준다.

수준 4에 있는 조직들은, 〈표 10-1〉에서 볼 수 있는 바와 같이, 3D 환경 내에서 실제적인 작업을 수행하는 행동을 포함하여, 모든 수준의 상호작용을 일상적으로 포함할 것이다.

결론

우리는 임머넷(Immernet)의 최저층(bottom line)에 있다. VIE의 미래는 발전적이고, 인상적이며, 약간은 두렵기도 하지만, 위층은 거의 한계가 없다. 사례, 모델, 학습한 교훈, 그리고 나아가는 경로는 VIE를 사용하는 방향으로 나아가기 위한 단계들을 대범하게 행해 온

모두 함께 통합

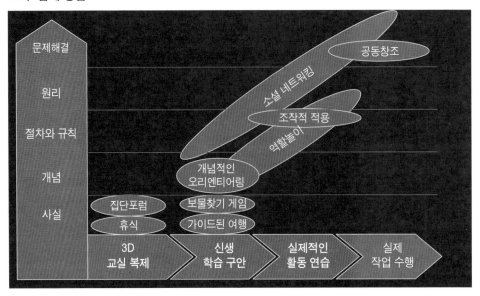

[그림 10-6]   3D 학습 성숙모형의 네 가지 수준, 다른 학습유형, 학습 아키텍처의 상호작용

〈표 10-1〉 다양한 성숙수준별 학습유형

3D 환경유형	학습유형	원형	성숙수준
가상교실	사실, 전문용어, 명칭	아바타 페르소나; 휴식시간; 집단포럼	수준 1: 기존의 교실구조 모사
건물, 풍경, 소형화되거나 확대된 공간(컴퓨터 속으로 걸어 들어감)	사실, 전문용어, 명칭	가이드된 여행; 보물찾기 게임; 대집단포럼	수준 2: 기존 학습구조의 확장
건물, 풍경, 소형화되거나 확대된 공간(컴퓨터 속으로 걸어 들어감)	개념	개념적 오리엔티어링; 역할놀이; 소집단 토론; 소셜 네트워킹	
실제적인 작업환경 (실제 기계, 상점, 공장 등)	규칙/절차	역할놀이; 조작적 적용; 소셜 네트워킹	수준 3: 실제적인 과제 연습
실제적인 작업환경 (실제 기계, 상점, 공장 등)	심리운동 연습	조작적 적용; 공동창조	
실제적인 작업환경 (실제 기계, 상점, 공장 등)	원리	역할놀이; 소셜 네트워킹	
공동개발을 위해 개방된 작업장(가상통풍 터널, 가상시험장)	문제해결	공동창조; 소셜 네트워킹	수준 4: 작업하기

가상세계 개척자들에 의해 꾸준히 단조(鍛造)되어 왔다. 그들의 힘든 연구, 가상적인 성공과 실패는 조직들이 VIE의 미래를 구축할 수 있는 기초가 된다. 오늘날은 이러한 테크놀로지를 적용하기에 적합한 시기다. 실제, 적용, 기회의 융합이 도래하고 있다. 이 책을 VIE의 미래에 가능한 비전들을 개괄적으로 기술한 두 편의 에세이로 결론짓는 것이 적절해 보인다. VIE의 혁신적인 과정에서의 다음 단계는 여러분 손에 달려 있다.

만약 여러분이 이러한 역동적인 대화를 계속하고 VIE의 잠재성을 보다 심층적으로 탐색하기를 원한다면, www.learningin3d.info에 합류하라.

캠프파이어 3.0 −차세대의 협력과 작업공간

Chuck Hamilton, IBM 고등교육센터 가상학습전략실

가상사회세계 공간은 유형이나 적용에 있어 매우 광범위하고 매우 재빠르게 진보하고 있기 때문에, 그것의 미래를 예측하기는 불가능하다. 그래서 나는 이 책의 저자들이 가상세계의 미래를 제안하기를 요청했을 때 주저했다. 그러나 나는 초기채택자들이 종종 새롭게 도래하고 있는 테크놀로지를 위한 최상의 활용과 기회를 상상하거나 희망할 것이라고 믿는다. 나는 또한 역사적인 선례들의 맥락에서 미래의 테크놀로지들을 검토해 보는 것은 가치 있다고 믿는다. 공자는 "만약 미래를 정의하려면, 과거를 공부하라."[1]고 말했다.

나는 나의 예측을 두 부분으로 나눈다. 첫 번째는 가상세계가 왜 글로벌 협력의 미래에 기여하게 될 것인지를 이해하기 위해 캠프파이어(campfire)의 은유(metaphor)(아마도 원래의 소셜 네트워크)를 사용한다. 두 번째 부분은 가상세계가 캠프파이어의 현대적인 구체물(incarnation)이 새롭고 계속적으로 바뀌는 형태를 취할 작업장으로 들어옴으로써 도래하는 기회들을 나열한다.

첫 번째 부분

[그림 10-7]에 묘사된 것과 같은 캠프파이어(사람들이 인생, 우주, 스모어[2]의 중요성을 논의하기 위해 원형으로 함께 둘러앉아 모여 있는)는 오늘날의 글로벌 협력공간

---

1) Confucius, Chinese philosopher and reformer (551 BC-479 BC).
2) 스모어(s' rnores)는 캠핑과 연관이 있다. 이 간단한 디저트의 즐거움은 그러한 캠핑 여행에서 만들어진 풍습이다. http://en.wikipedia.org/wiki/S%27mores.

[그림 10-7] 가상 캠프파이어 주변에 앉아 있다.

의 적극적인 부분이다. 오늘날의 캠프파이어는 중역회의실 모임, 교실, 라이브 이벤트, 회의, 복음 집회, 정부 집회, e-미팅, 그리고 모든 종류의 대인 간 회합을 포함한다. 이러한 보다 새로운 변경은 사람들을 인간으로서 만나고, 일하며, 연결하기 위해 함께 회합시키기 위한 우리의 기본적인 필요에 근거하고 있다. 가상 회합 장소와 협력 도구로 바뀜으로써, 우리들 대부분은 물리적인 공간과 인간의 친밀도는 팀을 구성하는 가장 좋은 방법이라는 개념을 바꾸어야 하는 도전에 직면하고 있다. 우리는 다음 출시(release), 즉 *캠프파이어 2.0*으로 업그레이드하고 있다.

2007년에, IBM의 최초의 가상세계 공간들 중 하나는 탁탁 소리 내는 모닥불 주변에서 편안하게 앉아 잡담을 하기 위하여 여러 나라 출신의 사람들을 함께 불러 모았다. 긴 일과가 끝나면, 사람들은 소식을 듣고, 서로 학습하며, 다음 단계를 논의하기 위해, 이 편안한 가상공간에 여전히 모인다.

점점 더 글로벌화되는 사회에서, 우리 학교와 대학, 직장 학습환경과 모임 장소들은 우리의 필요를 지원해 줄 만큼 그렇게 크지 않다. 웹과 같은 최첨단의 가상공간에서는 엄청난 규모의 사람들과 테크놀로지, 즉 지식창출 공동체가 작동한다. 2세대 웹

공간은 물리적인 경계를 넘어 기하급수적으로 성장하고 있다.

동시에, 우리는 Thomas L. Friedman이 자신의 책 『세계는 평평하다(The World Is Flat)』[3]에서 2005년에 예측한 바와 같이, "보다 더 평평한 세계"에 살고 있다. 최근의 경제적인 침체는 우리의 글로벌 경제시스템의 근본적인 연계, 즉 보다 더 평평하고, 더 연계된 글로벌 상황에서의 삶의 강력한 신호이며, 결과를 명백하게 나타낸다. 우리의 직장도 더 평평하다. 물리적 공간의 복사품으로 기능하든, 모임, 교수, 학습, 멘토링, 그리고 재화와 서비스의 교환을 위한 새롭게 인식된 장소이든, 그것은 가상세계 공간을 지원하고 있다. 인도 출신의 동료가 한번은 나에게 "우리에게 있어, 지리는 역사가 되어버렸다."라고 말했다. 그는 자신이 IBM의 가상공간을 내비게이션했을 때, 인도와 세계의 다른 지역들에 동시에 있으며, 집처럼 편안하다고 느꼈다. 이러한 평평한 세계를 새롭고, 강력하며, 종종 무료의 글로벌 대중 협력도구로 통합하라. 일과 놀이를 위해 가상세계가 폭발적으로 사용될 것이라는 점은 의심할 여지가 없다.[4] 접근 가능한 대중 협력 과정은 새로운 시대의 웹 참가자들을 창출하는 데 도움을 주었다. 그것은 75세인 나의 어머니와 17세인 내 어린 조카가 이보다 더 평평한 세계에서 생산자들이자 소비자들이 되도록 해 준다.

다음의 캠프파이어 모델을 위한 우리의 조사, 우리의 평평해진 세계, 그리고 점점 더 이용 가능해지고 있는 협력 도구들은 우리에게 함께 할 수 있는 새로운 방법들을 제공한다. 아바타들이 인간을 대신하지는 않지만, 우리의 가상의 자아를 증대시킨다. 사람들은 모이고, 가르치며, 서로 배우고, 코드를 공유하며, 세계를 통과하고, 사물들을 증대시키며, 새로운 기능을 시연하고 구축하며, 글로벌 연계성의 가치를 찾고 발견한다. 세계의 중간쯤에 있는 누군가를 실시간으로 보고 협력하면, 우리가 확인해 온 커다란 어포던스, 즉 사람들이 어디에서 왔는지는 상관없이 그들이 이해할 수 있는 새로운 시각적인 언어를 포함한 새로운 혜택들을 제공한다. "백문이 불여일견이다." 협력은 가상공간에서 신뢰와 실재성(authenticity)을 구축할 수 있도록 도와주지만, 필요한 경우 익명으로도 연계할 수 있도록 해 준다.

---

3) Friedman, T. (2005). *The World Is Flat* (p. 48). New York: Farrar, Straus and Giroux.

4) Tapscott, D., & Williams A.D. (2008). *Wikinomics: How Mass Collaboration Changes Everything.* New York: Portfolio. 우리가 직면하게 될 기회와 도전에 대한 세계적인 협력의 잠재적인 영향을 기술하고 있는 제10장 협력적인 마음: 다르게 생각하는 힘(Collaborative Minds: The Power of Thinking Differently) (p. 268)을 보라.

이러한 모든 변화는 우리를 "모든 사람의 힘(the power of everyone)"이 이용될 수 있는 병렬적이고 장기간의 유기적으로(organically) 형성된 가상공간으로 나아가게 한다. 사람들은 항상 켜져 있고 항상 이용 가능한 가상환경에서 어려운 개념들을 시범 보이고 가르침으로써 다른 사람들을 돕기 위하여 대양을 건너간다. 이것은 심지어 시각장애가 있거나 단지 전화접속만 가능한 사람들에게도 공평한 경쟁의 장을 제공한다.

이러한 맥락에서, 나는 우리의 타고난 놀기 좋아하는 것(playfulness)이 수십만 명이 공동 노력하도록 연계하고, 재조직하며, 배치하고, 그들의 역량, 흥미, 명성에 기초하여 자기 조직화된(self-organized) 혁신엔진(innovation engine)을 위한 기름이라고 본다. 접근, 협력도구, 그리고 확장·축소하여도 난조가 보이지 않는 혁신엔진의 조합은, 제목이 암시하는 바와 같이, 훨씬 더 큰 기회를 축적한다. 우리는 캠프파이어 3.0을 향해 나아가고 있으며, 이것은 머지않아 일어날 것이다.

두 번째 부분

자기 조직화(self-organized)되고 있는 가상세계 공간이 번창해 가고 있는 현 시점에서, 문제는 원격지에서 혼합하고 협력하는 것을 넘어, 우리 모두는 거기에서 그 밖에 무엇을 할 것인가 하는 것이다. 현재의 여러 상황을 고려해 볼 때, 우리는 다음과 같은 것을 할 것이다.

- **가상공간에 복잡한 모형을 상세하게 시각화해 줄 것이다.** 새로운 개념과 도구들은 일정한 척도에 따라 공간의 어포던스를 이용할 것이다. 우리는 오버래핑 (overlapping) 시각, 맥락상에서 지적해 주는 능력, 그리고 사용자 생성 콘텐츠 (user-generated content: UGC)를 사용하여, 방대한 것, 복잡한 것, 또는 미세한 것과 상호작용할 것이다.
- **창의적인 생각을 표현할 수 있는 장소, 즉 "우뇌사고자들(right-brain thinkers)" 을 위한 공간을 찾을 수 있다.** Daniel Pink는 새롭게 도래하고 있는 수많은 우뇌사고자들과 그들이 왜 미래를 지배할 것인지를 기술했다.[5] 어떻게 생각하는가? 이들은 학습전달팀으로부터 더 많은 것을 요구하는 하이콘셉트(high-con-

---

5) Pink, Daniel H. (2005). *A Whole New Mind: Why Right-Brainers Will Rule the Future* (p. 54). New York: Riverhead. MBAs and MFAs about critical hires in the age of and or the conceptual age.

cept)[6]의 시각적인 사고자들이다. Pink는 자신이 "중요도에 의해 신장되는 활용"이라고 기술했던 디자인(design)은 개인적인 만족과 직업에서의 성공을 위한 필수적인 소질이 되어 왔다고 주장한다. 이러한 맥락에서, 우리는 아바타지향(avatar-oriented) 가상공간을 우뇌와 좌뇌의 협력을 위한 "매시업(mash-up)"이라고 볼 수 있다.

- **위험을 무릅쓸 수 있는 보다 안전한 장소를 찾을 수 있다.** 여러분은 실패나 잘못하는 것이 실제 세계에 영향을 미치지 않도록 하면서 프레젠테이션을 "예행연습"하고, 행글라이더를 타며, 자연재앙에 대한 생체반응을 테스트하고, 심장을 수술하거나, 핵 발전설비를 작동하는 시뮬레이션을 하기를 원하는가? 만약 실패가 좋은 교사(failure is a good teacher)라면, 우리는 편안하고 위험이 없는 환경에서 쉽게 그리고 종종 실패하는 것으로부터 혜택을 얻을 것이다. 어떤 사람은 가상공간에서, 그렇게 하지 않으면 불가능한, 위험을 무릅쓸 수 있다.

- **휴대 가능한 병원기록을 위한 도구들을 신뢰할 수 있다.** 오늘날의 아바타들은 우리의 병원기록을 운반할 수 있다.[7] 그들은 더 많은 것을 할 수 있는가? 여러분의 건강기록부는 다른 사람들이 비슷한 기록들을 찾고 여러분이 고려해 볼만한 건강법을 제안할 수 있는 살아있는 이력서처럼 태그될 수 있는가? 여러분은 의학적인 치료를 받기 전에 그 치료 절차를 가상으로 관찰할 수 있는가? 만약 여러분이 시각장애를 지녔다면, 다른 감각(촉각과 같은)이나 기관(혀와 같은)을 사용하여 공간을 내비게이션하고 다른 사람들과 여러분의 경험을 공유할 수 있는가? 곧 촉각 테크놀로지(haptic technology)가 아바타를 통해 만지고 효과를 느낄 수 있도록 가상공간을 뒤덮을 것이다. 기술적인 가능성들이 통합되어 감에 따라, 가상공간은 학습과 협력을 위한 보다 풍부한 기회들을 제공할 것이다.

---

6) [역주] 하이콘셉트(high-concept)는 Daniel Pink가 제시한 개념으로, 트렌드와 기회를 감지하는 능력, 무관해 보이는 아이디어의 결합을 통해 남들이 전혀 생각하지 못했던 새로운 아이디어를 창조하는 역량을 의미함

7) Avatars Innovate Medical Records, General Research. The American Society of Radiologic Technologists, May 21, 2009. http://www.asrt.otg/Conrenr/News/IndustryNewsBriefs/GenRes/avatarsinn090521.aspx.

● **보관을 위해, 아바타에게 지식을 이전할 것이다.** 나는 보관을 위해, 나의 개인 정보관리(personal information management: PIM) 도구로 지식을 정규적으로 이전한다. 전화번호와 주소, 생일, 좋아하는 애완동물의 이름과 이메일 주소를 적어 놓던 조그마한 검은색 수첩은 사라진 지 오래되었다. 만약 아바타가 내 의학기록을 보관·관리할 수 있다면, 내가 그것을 사용하지 않을 이유가 있는 가? 신용정보, 사이트 접속 패스워드, 삽입된 칩 정보는? 우리가 공유하는 엄청 나게 풍부하고, 항상 켜져 있으며, 정보가 풍부한 세계에서, 필터(filters)는 생 활방식이 되었다. 오늘날 세 가지의 필터가 가장 문제가 된다. 그것은 신뢰 (trust), 실제성(authenticity), 실재성(presence)이다. 잘 지정된 아바타는 이 세 가지 필터들 모두 관리할 수 있으며, 우리가 정보를 요구할 때 그것에 반응할 수 있다. "아바타, 내 의사에게 전화해서 금요일 오후에 예약해 줘." 아마도 두 려울지 모르지만, 새롭게 도래하는 가상 테크놀로지를 사용하면 가능하다.

● **공통의 해결책을 위하여, 여러 사람의 힘을 이용할 수 있다.** Malcolm Glad-well의 책 『아웃라이어(Outliers)』에서, 우리는 성공하기 위해서는 아웃라이어 들, 즉 우리 자신들의 성공과 다른 사람들의 성공을 이해하는 데 있어, 우리가 놓친 종종 숨겨져 있고 엄청나게 다른 요인들을 이해해야 함을 배운다.[8] 많은 사람들이 적절한 전문기술을 적절한 맥락에, 적재적소에 통합할 때, 우리는 아 웃라이어들을 탐지할 수 있는가? 우리는 매일 접하는 사람들, 이슈들, 도전과 제들에 대해 더 많이 배우기 위해 우리의 집합적인 노하우를 사용할 수 있는 가? 가상사회 공간은 공존하는 집단지성 환경에 관한 최초의 예가 될 것이다. 우리는 이러한 공간들이 지향하고 있는 곳을 배울 필요가 있다. 우리는 가상학 습 상호작용을 위한 기회들을 만들고, 우리가 구축하고 있는 가상사회 세계에 서 도래하고 있는 것을 관찰할 필요가 있다.

● **자아와 실재성의 여러 가지 표상(representations)을 이용할 수 있다.** 여러분이 잠시 동안 머무를 수 있는 단 세 가지 장소가 어디일지를 생각해 보라. 그것은 작업장, 집, 놀이(이러한 것들 중간 어디쯤에 모바일이 있다)이며, 세계는 점점 더 혼합된다. 우리는 각각이 매우 다른 수준의 익명성(anonymity)을 가지고

---

8) Gladwell, Malcolm (2008). *Outlier: The Story of Success.* Boston: Little, Brown and Company. 3 쪽의 아웃라이어(outliers)에 관한 정의를 보라.

있는 이러한 상호작용 수준들을 위해 우리 자신들의 표상을 개발할 수 있다. 내 아바타는 이미 나와 함께(그리고 나를 위해) 컨퍼런스에 참석하고 있지만, 이 실재성은 만약 우리가 아바타들을 좀 더 잘 익힌다면 깊어질 수 있다. 한 가지 기회는 더 가상적으로 행하는 것이다. 또 다른 기회는 멘토 및 조언자들과 보다 더 많은 관계를 갖는 것이다. 우리는 세상에 더 적극적으로 참여하고 실재할 수 있는 능력을 탐색하고, 행해야 하며, 작업장, 집 공간, 노는 방법에 관한 개념을 확장해야 한다. 이 개념은 촉각이 향상된 아바타들이 이미 많은 집들에 들어와 있고 훨씬 더 깊은 상호작용을 위해 비슷한 마음을 가진 사람들과 연결되어 있는 닌텐도 Wii의 제작자들에서도 그대로 유지되었다.

- **이전에는 접근할 수 없었던 장소와 활동들에 참여할 수 있다.** 우리는 로켓 위에서 깡충깡충 뛰고, 달까지 날아가며, 하루 내내 걸을 수 없다. 그러나 우리는 친구들과 함께 가상으로 달에 가고, 그곳에서 모래밭용 소형 자동차(dune buggy)를 타며, 시뮬레이션화된 중력상태에서 멀리에서 벌어지고 있는 장면을 탐색할 수 있다. 우리는 탄소분자에 앉거나 환경문제를 공부하기 위해 대양의 바닥을 따라 수영하는 동안 탄소분자에 대해 학습할 수 있다. 무제한의 접근이 가능하다면, 우리는 그 밖에 어디를 갈 수 있을까? 우리는 글로벌 이슈를 결정하기 위하여 가상으로 투표하기 위해 집단으로 모바일을 할 것인가? 또는 많은 사람들이 도시가 구축되기 전에 우리가 필요한 것이 설계된 시뮬레이션화된 가상도시에 한꺼번에 들어올 때 어떤 일이 벌어질지를 탐색할 것인가?

우리는 캠프파이어 3.0에서 협력하여 일하고 있다. 가상세계는 공동체, 문화, 실재성, 시장, 학습, 놀이, 협력이 훨씬 더 간단하며 훨씬 더 비용효과적인 인터페이스들에 혼합된 통합적인 도구 세트의 일부분이다.[9] 우리는 이 새롭게 도래하는 매체가 우리가 이미 잘 하는 일들을 지원할 뿐만 아니라 우리가 이전에는 상상할 수도 없었던 새로운 기회와 실제를 제공하기를 바란다.

3D 가상공간은 만병통치약이 아니다. 우리는 이미 잘 작동하는 다른 공간들 및 실제들과 대비하여 그것들을 신중하게 평가해야 한다. 그리고 비록 이러한 공간들이 사용하기 쉬워야 하지만, 그것들은 설계하기 어려울 수도 있다. 비록 그렇다 하더라

---

9) 웹 사이트 Dipity(www.dipity.com/xanrherus/Virtual_Worlds)는 가상적인 사회활동 장소의 통합과 진화를 위한 매우 시각적이고 흥미진진한 스케줄(timelines)을 만든다.

도, 수백여 학교, 대학, 비즈니스들이 최근 6개월 동안 이 공간에 들어왔으며, 지속적으로 넓어지는 학습과 협력공동체를 위한 혁신과 가치를 탐색하고 있다. 이러한 초기채택자들과 혁신자들이 이 공간에서 다음 2년 동안 이 공간들을 구축하는 동안 계속 기다리리라. 여러분의 베개를 캠프파이어에 조금 더 가까이 끌어당겨라. 가장 좋은 것은 아직 오지 않았다.

2020년 3D 학습

Randy J. Hinrichs

차세대 학습자들이 시장에 들어오기 시작한다. 여러분이 그리드(grid)에 있는 어떤 디지털 국가에 있다면, 넷세대(NetGen)는 바로 여러분 앞에 자신들의 멀티미디어, 많은 게임들, 모바일, 학습요구를 가지고 올 것이다! 그들은 항상 상당한 주의를 요구하는 스트림된(streamed) 콘텐츠에 몰입되어 있다. 그들은 매우 빠른 속도로 결과들을 연구하고, 통합하며, 생산하도록 학습해 왔다. 2020년 학습환경은 그들을 위해 준비되었다. 그것은 데이터가 풍부하고 3D이며, 학습자들이 가상세계와 물리적인 세계로부터 공급된 지리데이터를 사용하여 문제를 해결하는 몰입적인 세계다. 학습자들은 끊임없이 의사소통하고 모바일하면서 어떤 평평한 표면 위에 콘텐츠를 제시한다. 새로운 도구들은 스토리, 디지털 배우, 멀티미디어, 협력팀, 전 세계적인 데이터, 그리고 전 세계적인 프레젠테이션 플랫폼일 수 있다.

3D 학습에 관한 미래 전망에 들어온 것에 감사드린다. 2020년에 대한 이러한 예측들은 학습자들이 3D에서 "존재(to be)"하기 위해 학습할 필요가 있는 개념이 되었다. 그들은 더 이상 어떤 것을 학습하고, 그런 다음에 그것을 다른 어떤 곳에 적용하는 데 초점을 두지 않는다. 학습자들은 자신들이 항상 참여하고 있는 학습환경에 익숙하다. 작업환경은 가상적이고, 학습환경도 가상적이며, 접속된 오락환경도 가상적이다. 학습은 지속적으로 행해지며, 디지털 생활의 모든 것에 통합되어 있다.

이러한 변화들을 반영하고 있는 2020년의 학습에 대한 몇 가지 예상들이 있다. 이러한 예상들은 우리가 학습에 대해 생각하고, 그것을 설계하며, 그것을 지식경제의 일부로 이용하는 방식을 결정하는 거시적인 예상들이다. 그런 다음, 나는 미국 상무부에 제출한 "2020 비전: 첨단 테크놀로지를 통한 교육과 훈련 변형(2020 Visions: Transforming Education and Training Through Advanced Technologies)"이라는 보고서에서 나와 동료들이 행한 이전의 예측들에 관한 비교표를 제시한다. 그 예측들은 7년 전인 2002년에 행해졌다. 무엇이 바뀌었는가?

예측 1: 우리는 2020, 적응을 통한 학습에 있는 데이터 안에서 살고 있을 것이다.

데이터들이 이미 우리를 모든 곳에서 둘러싸고 있다. 집에서, 일에서, 일하러 가는 도중에, 커뮤니케이션 시스템 안에서, 오락과 미디어 시스템 안에서. 2020년에, 학습자들은 가상학습세계에 몰입할 것이다. 그들은 동시에 모바일 컴퓨팅 장치들을 통해 가상세계와 물리적인 세계 간을 이동할 것이다. 그들은 물리적인 센서들로부터 직접적으로 전달된 데이터를 읽는 홀로텍(holodecks)[10]에서 조작할 것이다. 서로 가상세계에 있는 아바타로 연결되어 있기 때문에, 학습자들은 가상세계에 있는 다른 사람들과 기술(skills)을 연습하기 위하여 가상 시나리오로 들어갈 것이다.

평가는 지속적으로 행해질 것이며, 공통의 스레드(threads)로 연결되어 다양한 학습경험에 관한 적절한 지원 자료와 업무보조물(job aids)을 제공하는 개별화된 추천자시스템(personalized recommender systems)과 연계될 것이다. 학생들은 자신들의 개별화된 학습관리시스템에 어디에서나 접근할 수 있을 것이다([그림 10-8] 참고).

실험실들도 가상적이 될 것이며, 원격조정을 위한 소프트웨어 인터페이스들이 제공될 것이다. 주문형 슈퍼컴퓨팅과 저장공간은 학습자들이 몰입적인 3D 데이터베이스와 인적사항 데이터베이스에 접속하거나 만들 수 있도록 해 줄 것이다. 학습자들은 자신들의 학습전략을 세우기 위한 가설들을 지지해 줄 수 있는 데이터를 얻을 수 있을 것이며, 접속할 수 있는 많은 적절한 교사들이나 조언자들을 가질 것이다. 그들이 학습문제에서 업무문제로 이동할 때, 그들의 개인 라이브러리는 자동적으로 상호작용을 위한 적절한 인터페이스를 만들 것이다.

가상세계 도구들은 소셜 네트워킹 특별관심집단(SIG)을 출범시킬 것이다. 혹은 그러한 도구들은 학습자가 3D 시각화 모형이 작동되는 방법을 이해할 수 있도록 돕기 위하여, 조사하고, 조작해 볼 수 있도록, 그 모형을 호출할 것이다. 혹은 그 학습자

---

10) [역주] "스타트렉; 그 다음 세대"에서 나온 이상적인 형태의 컴퓨터 대 인간 인터페이스로, 말로 이미지를 불러 낼 수 있는 방

는 거대한 데이터베이스로 뛰어 들어가 별, 대양의 바닥, 혹은 의학도를 위한 원격의료 시술에 관한 스트리밍 비디오 공급장치를 살펴볼 것이다. 역사, 사회과, 판매훈련, 혹은 리더십 코칭의 경우, MMORPG 게임은 여러분의 기술을 테스트할 수 있도록 해 주고 여러분이 명예를 지킬 수 있도록 해 줄 것이다.

2020년에, 우리는 어떤 위치에서나 어떤 표면에서도 계산을 할 수 있도록 해 주는 장치들을 착용할 것이다. 우리는 비행 중에 멀티미디어 모임을 설정할 수 있을 것이다. 우리의 신체는 가상환경에 생체 피드백을 생성하여 우리의 아바타들을 변경함으로써 다른 사람들이 우리의 인지 상태를 시각화할 수 있고, 그들의 피드백을 조절할 수 있을 것이다. 우리의 아바타들은 그들이 보상과 명예를 위해 자신들의 가장 좋은 지식객체들을 교환할 수 있는 가상세계 내에서의 활동들에 의해 주도될 것이다. 우리는 우리가 들어간 모든 학습환경에 가치를 더하려고 노력할 것이며, 그렇게 함으로써 학습경제를 촉진할 것이다. 데이터 속에 몰입하는 것은 관련성(relevancy)을 엄청나게 증가시키며, 가상세계에 일련의 디지털 생체학적 적응을 강요한다. 우리들 자신을 방어하고 생존하려면, 우리는 학습을 방어 메커니즘으로 사용해야 한다.

[그림 10-8] VIE의 가능성들 중 한 모습

예측 2: 우리는 문제중심적, 성찰적인 학습자들로 발전할 것이다.

2020년에, 학생들은 학습을 암기(memorization)하는 것이 아니라 문제를 해결하기 위해서 알 필요가 있는 것이라고 생각할 것이다. 그들은 어떠한 자원들이 필요한지, 그들이 필요로 할 도구들이 무엇인지, 그들의 협력자들과 경쟁자들은 누구인지를 배우는 데 적극적이다. 그들은 가상세계에 문제를 만들고 고객들과 파트너들이 그 문제를 검토하고 해결책을 강구하기 위한 전략들을 강구할 수 있도록 돕기 위하여, 고객들을 자신들의 3D 학습환경으로 불러 모은다.

학습자는 다른 사람을 만나고 그 사람의 가상세계에 들어가는 것이 훨씬 더 쉽기 때문에, 해결책이 있을지도 모르는 장소를 찾기 위하여 가상세계를 사용할 수 있을 것이다. 그는 마치 가상 도매상에서 실제로 걸어 다니며 사람들이 자신이 가지고 있는 문제를 해결하는 것을 지켜보는 것처럼, 시뮬레이션들을 공간 이동할 수 있다(한 예로 [그림 10-9] 참고).

학습자는 문제해결 활동의 그룹관리자가 된다. 가상세계는 의견을 제시하고 통합된 전문지식과 경험을 최상으로 만들기 위하여 학습자들의 수업공동체(teaching community)를 함께 맺어주는 결합체가 된다. 가상세계 학습자는 강좌를 수강하고

[그림 10-9] 가상세계에서 문제를 해결하기 위해 협력하고 있는 고객과 회사

어떤 것에 대해 학습하는 것 대신에, 문제를 확인하고 그 문제를 해결하기 위하여 자원들을 함께 모은다. 학습자는 그 문제와 문제해결전략들을 소유한다. 그는 가상학습 객체(object)의 큐레이터 역할을 하여 다른 사람들이 자신이 기술하고 있는 것을 볼 수 있도록 해 준다. 그는 그 객체와 그 구성요소들에 태그를 붙이고 그것을 다양한 믿을 만한 네트워크에 링크시킨다. 어떤 학생이 2020년에 학습을 할 때, 그는 기본적으로 평생 학습하는 동안 상호작용하고 처리하기 위하여 사용되는 지속적인 문제해결 포트폴리오를 만들 것이다.

이와 같은 집단 문제해결은 가상세계에서 정보 리터러시와 시각화 리터러시를 가속화한다. 누군가에게 어떤 것을 행하는 방법을 묻는 것과 그가 당신에게 바로 그 때, 거기에서 행하는 방법을 보여 주는 것은 같지 않다. 그때에, 여러분은 동일한 기술을 사용하여 연습을 하고, 그 사람으로부터 즉각적인 피드백을 받을 수 있다. 그런 다음, 그 학생은 접근방법이나 실행에 있어 여러분들 중 두 사람이 얼마나 다른지를 성찰할 수 있다. 집단학습에 참여하면 참여적인 교수-학습 사이클을 만들 수 있어 교사의 부담을 동등화한다(leveled).

글로벌 집단학습의 또 다른 부작용은 다양한 사람들 사이에서 학습이 일어나 개인들은 문제해결에 대한 다른 접근방법들을 경험하게 된다는 것이다. 몇몇 해결책들은 주변환경에 의해 좌우되지만, 다른 해결책들은 본질적으로 세계적이다. 가상세계에서의 이러한 차이들과 문화적 정체성을 보면, 지식자산들을 지역화하고, 동시에 글로벌화할 수 있는 능력을 가질 수 있다.

학생들은 자신들의 참여를 비디오와 마시니마에 기록하고 그것들을 멘터와 동료들과 함께 성찰하기 위하여 사용한다. 학생들은 자신들의 학습성찰을 다른 사람들이 가상세계에서 학습하는 동안 보거나 사용할 수 있도록 확장기능(add-ons)으로 패키지화한다. 이러한 "동등한 경험(leveled experience)"의 교환은 동료의 사물을 보는 방식과 매우 흡사한 학습경험에 대한 정보를 더해 주고 형식적인 훈련 교재를 향상시켜 주는 학습객체의 경제를 증진한다.

예측 3: 우리는 학습을 시각화하여 나타낼 수 있을 것이다.

20세기의 매우 많은 디지털 콘텐츠는 워드프로세서, 스프레드시트, 데이터베이스, 사진, 비디오와 음성파일 형태였다. 가장 뛰어난 기술을 가진 컴퓨터 사용자들만이 멀티미디어 구성요소들을 제작할 수 있었다. 2020년에, 학습자들은 자신들의 모든 표현을 3D 상호작용적 시각화로 통합할 수 있는 도구를 가지고 있다. 3D 상호작용성이 리터러시가 되며, 학생들은 3D에 몰입되고, 3D 콘텐츠를 재빨리 제작할 것이다. 소프트웨어 도구들은 학습자들이 객체를 통해 자신의 학습경험을 쉽게 설계, 개발, 측정, 시연할 수 있도록 해 줄 것이다. 어떤 사용자가 엔터테인먼트 홈 시스템(entertainment home system)을 설치하는 방법을 학습한다고 생각해 보라([그림 10-10] 참고). 그는 그 시스템을 더 면밀히 보고 입력과 출력장치들이 무엇인지를 배우기 위하여, 그 장치만큼의 크기로 줄어든다. 학생은 그 환경에서는 없는, 존재하지 않는 3D에 그 물체들을 재현한다. 학생은 설명을 위한 Q&A 시스템을 통해 동일한 질문을 가졌을지 모르는, 콘텐츠와 상호작용하고 있는 다른 사용자들의 지식기반(knowledge bases)과 머시니마를 통해 참고하기 쉽게 배열된 음성 제품 사용설명서(instruction)에 접근한다.

학습자들은 사물들이 어떻게 생겼는지, 프로그램된 행동들은 어떠해야 하는지, 그리고 그 세계 내에서 상호작용하는 방법을 설명하는 세계를 만든다. 이 과정은 역량을 보여 주며, 보편적인 교육객체 시장에 부가적인 3D 가상학습 자산들을 제공한

[그림 10-10] VIE에서 코드가 적절하게 위치해 있는지를 먼저 확인함으로써 전자기기를 연결하는 방법 학습

다. 학습자들은 위키, 블로그, 웹페이지, 소셜 노트북, 게임, 커뮤니티 정보시스템에 첨부된 2D 콘텐츠를 모음으로써 자신들의 시각화를 지원한다. 연계된(linking-in) 콘텐츠는 이해에 도움이 된다. 동료들 간에 부가적인 태깅(tagging), 저장, 공유는 학습의 유용성을 증진한다. 학습객체들이 3D이기 때문에, 그것들은 주변지역으로부터 정보를 추출하며, 집합적인 몰입을 위한 홀로덱을 만든다. 사람들은 서로의 3D 객체나 장소들을 방문하며, 그 환경에 있는 다른 객체 및 사람들과 상호작용하고, 반응한다.

학습자와 데이터는 전문가와 학생의 학습데이터를 저장한 풍부한 시각화를 만들어 주는 연계된 클라우드 서비스들에 서로 엮여 있다. 학생들은 자신들의 학습포트폴리오들 간에 상호작용적인 학습객체들을 저장하고, 통합하며, 다른 학습자들이나 파트너들을 둘러싸고 있는 가상세계에 모든 가상객체들을 내놓을 수 있다. 학생들은 이야기해 주는 3D 객체들을 가지고 있는 어떤 특정 지역에 자동적으로 정주한다.

그들은 계량(metric) 데이터를 가지고 있어서 새로운 정보가 소개되면 빨리 바꿀 수 있다. 이 과정은 학습자들이 2020 가상환경에서 생존하기 위해 학습하도록 도와주는 가상적인 연속사이클을 만든다. 그래서 학습자들이 만들고 경험함에 따라, 그들은 자신들이 이용할 수 있는 자원들로부터 최상의 것을 획득하고 최상의 결과를 산출한다.

예측 4: 우리는 새로운 모든 것을 최초로 만들 수 있을 것이다.

항상 켜져 있고 우리가 누구이든 상관없이 항상 동일한 정보를 우리에게 제공해 주는 오늘날의 웹에 있는 콘텐츠와는 달리, 2020년에는 학습자가 정보를 검색하러 가는 장소들이 그들의 도착에 따라 자동적으로 바뀐다. 학습환경은 모든 사전지식을 평가하고, 학습자에게 질문을 하며, 그 반응들을 들어 주는 상호작용적인 대화를 시작한다. 사용자들은 그 환경에서 자신들에게 적절한 장소라고 느끼고 나타내 주는 정보 구성요소들 주변으로 이동한다. 학습환경에 처음 들어온 사람들은 자신들의 참신함과 정서적인 IQ 때문에 그 학습자들과 짝지어진다. 경험적인 상호작용이 핵심적인 산출물이다. 학습자는 학습요구를 충족시켜 주는 그러한 구성요소들 쪽으로 몰림으로써 그 환경을 만든다.

보육원을 만든다고 생각해 보라([그림 10-11] 참고). 여러분은 그 환경 속에 어떤 구성요소들을 들여 놓겠는가? 몇몇 학습자들은 재빨리 들어와서 방이 어떠해야 하는지를 정의하기 위해 3D 라이브러리 목록으로부터 선택한 아이템들을 추가한다. 그

[그림 10-11] 아동의 학습경험을 위한 맞춤형 콘텐츠 제작

들은 아동들이 그 환경에서 어떻게 이동하는지, 그들이 방의 다양한 각도에서 어떻게 지켜봐지는지를 점검하고, 아이들이 가지고 놀 교구의 안전한 특성들을 살펴본다. 다른 전문가들이 그 환경에 들어와 물건들을 배치하고, 색깔을 바꾸며, 준수해야 할 문제들을 알려 주고, 새로운 정보를 제공함으로써 자신들의 아이디어들을 추가한다. 가상세계의 공동창조 구성요소는 역동적인 개발을 만든다. 누군가가 가상세계에 들어올 때마다, 그는 객체, 스크립트, 텍스처(textures), 오디오, 비디오 등과 같은 새로운 정보를 남긴다. 가상세계가 점점 더 진화할수록, 학습자들은 계속해서 점점 더 많이 전문가답게 될 것이다.

예측 5: 학습자들은 자신들의 결과들을 거래상의 인터페이스로 걸러낼 수 있을 것이다.

모든 사람들이 가상세계를 이용할 수 있기 때문에, 학습자들은 자신들의 문제의 구성요소를 이해할 수 있도록 도와주는 다른 사람들로부터 나노컨설팅(nanoconsult-ing)[11] 시간을 구매할 수 있다. 학습자들은 거래 화폐로서 돈이나 지식객체를 사용할

---

11) [역주] 매우 짧은 시간 동안 컨설팅을 하는 것

수 있다. 이러한 층(layer)을 학습에 추가하면 동기를 유발시키고 양질의 콘텐츠를 개발할 수 있다.

각각의 학습자는 2020년에 산출물들을 전 세계에 유통시킬 수 있는 잠재성을 지니고 있다. 문서관리 도구들 대신에, 공유된 2D 웹 공간, 즉 가상세계는 쉴 사이 없이 생성되며, 맥락이 새로운 위치에 따라 추가된다. 2020년의 대역폭(bandwidth)과 계산속도(computing speed)를 고려해 볼 때, 학습자들은 초당 100기가의 콘텐츠를 쉽게 업로드할 수 있을 것이다. 학습자가 만든 원래의 콘텐츠가 많을수록, 그 학습자는 공헌도 면에서 점점 더 가치가 높아진다.

개개인의 뇌의 건강상태와 독특한 구성은 적절한 때에 적절한 프로젝트에 상당히 기여할 수 있을 것으로 인식되고 있다. 모든 학습자는 자신의 경험을 유통시키기 위한 거래시스템을 관리한다. 학습자가 소비자이든, 여론조사원이든, 운동선수이든, 협력자이든, 혹은 컨설턴트이든, 각각의 학습자가 가지고 있는 조그마한 독특한 정보도 양도할 수 있고, 전이되며, 거래될 수 있다. 따라서 오늘날 우리가 알고 있는 기업은 회사가 아닌(non-corporate) 구조에서 일하기를 좋아하는 것처럼 회사 내에서 일하기를 좋아하는 개별 공헌자들을 수용해야 한다. 그 개인에게 정보를 구안하고, 설계하며, 패키지하고, 그것을 자유롭게(또는 경제적으로) 유통시킬 수 있는 자유가 주어지는 한, 학습문화는 널리 퍼져 나갈 것이다.

학습자가 지식기업가가 될 것이라는 생각은 급진적이다. 그것은 2010년의 수동적이고, 디지털이며, 강의주도적인 환경과는 상당히 다르다. 비록 우리는 우리의 학습경험을 변형하기를 원하지만, 종종 형식적인 강의와 파워포인트 프레젠테이션을 선호한다. 우리는 그것을 바꿀 수 있다는 것을 믿어야 한다. 우리는 행함으로써 학습하고, 학습자를 학습의 중심부에, 그리고 실제적인 평가에 둘 수 있다는 것을 믿어야 한다. 우리는 또한 3D에서 학습이 그러한 것을 가능하게 하기 전보다 더 많은 상호작용, 더 많은 게임과 같은 인터페이스, 문제를 해결하는 데 있어 더 많은 도전과제, 그리고 더 많은 동기와 소유권을 요구하는 넷세대를 기꺼이 받아들여야 한다.

과거 고찰

"2020 비전: 첨단 테크놀로지를 통한 교육과 훈련 변형(2020 Visions: Transforming Education and Training Through Advanced Technologies)"이라는 보고서의 "평생학습을 위한 비전-2020년"에서, 나는 2002년에 미국 상무부의 요청으로 10명의 다른

저자들과 공동으로 준비한 문서에서 학습에 관한 나의 예측을 공유할 수 있는 기회를 가졌다. 이러한 예측들을 〈표 10-2〉에 지난 7년 동안 바뀌어 온 것에 대한 나의 의견과 함께 여기에서 제시한 예측들과 비교하여 요약·제시하였다.

〈표 10-2〉 미래 예측

2002년도 예측	2009년도 예측	의견
전략: 학습은 다양한 집단이 적절한 과제에서 일할 수 있도록 연결시켜 주고 일의 아크뷰(arcVie)를 만드는 테크놀로지에 의존할 것이다.	**전략:** 학습은 가상환경 내에서 공동창조를 알 수 있도록 전문가, 멘터, 동료 커뮤니티들을 연결시켜 주는 가상세계에 의존할 것이다.	단지 테크놀로지에 접근하는 것에서 풍부한 가상환경 속에 있는 데이터 속에서 사는 것으로 전환될 것이다.
하드웨어: 학습자들은 상호연결된 네트워크, 다양한 장치들, "귓속의 인터넷(Interent in the ear)" 장치 간에 광대역 화상회의, 상호작용적 시각화에 의존할 것이다.	**하드웨어:** 학습자들은 어떤 표면에서나 계산할 수 있도록 해주는 장치들을 착용하고, 슈퍼컴퓨터와 인지 상태를 결정하기 위한 신체 센서들에 접근할 수 있을 것이다.	'컴퓨터'에서 모든 장치들과 디지털 상호작용을 하는 쪽으로 이동할 것이다. 피드백을 위해 신체 속에 더 많이 통합될 것이다.
소프트웨어: 소프트웨어는 비디오, 오디오, 음성인식을 통해 협력학습을 지원할 것이다. 소프트웨어는 여러분의 정보 모두를 개별화할 것이다.	**소프트웨어:** 소프트웨어는 개별화된 역동적인 3D 디지털 라이브러리를 사용하여 멀티미디어 가상세계에서 생산할 수 있도록 지원할 것이다.	데이터를 "검색"하기보다는 3D 가상세계에서 생산하고 데이터와 상호작용하는 방향으로 전환될 것이다.
교육: 학습은 게임과 같은 환경에서 경험이고 개별화될 것이다. Q&A가 상호작용을 지배할 것이다.	**교육:** 학습은 문제중심적이고, 요구조건, 획기적인 사건, 수용기준에 의해 주도될 것이다.	학습은 소비하기보다는 시각화를 통해 문제를 해결하기 위하여 보다 직접적으로 연결될 것이다. 그래서 사용자들은 학습을 창출할 것이다.
콘텐츠: 어느 누구도 최종생산물로서의 콘텐츠를 소유하지 못할 것이다.	**콘텐츠:** 콘텐츠상의 IP 소유권은 권리를 복사, 양도, 수정할 수 있는 내재된 메타데이터에 따라 나뉠 것이다.	학습환경은 경험과 소셜 네트워킹을 제공할 것이다. 그렇게 함으로써, 콘텐츠에 가치를 더하고, 그것을 만들며, 학습자들이 보다 지식경제의 일부가 되도록 할 것이다.
장난감: 내재된(embedded) 테크놀로지가 학습자들의 습관과 선호도를 사로잡을 것이다.	**장난감:** 내재된 테크놀로지는 학습자들의 습관을 캡처하고 변경될 것이다.	장난감은 칩을 가지고 있고, 개조를 위해 3D 프린터와 상호작용할 것이다.

2002년도 예측	2009년도 예측	의견
멘토: 가상 멘토들이 모든 학습자들을 지원할 것이다.	**멘토**: 가상팀들이 모든 학습자들을 지원할 것이다.	전문가집단들이 가상세계로 이동할 것이다.
평가: 캡처 테크놀로지들이 학습자들의 인지적 성취를 기록하고 지속적인 피드백을 제공할 것이다.	**평가**: 학습자들은 학습환경의 인지적 성취를 평가하고 지속적인 피드백을 보낼 것이다.	평가는 상호 연결된 학습의 핵심이 될 것이며, 쌍방향적 피드백을 요구할 것이다.
경제학: 거래와 추천자시스템이 학습환경 속에 통합될 것이다. 학교는 콘텐츠를 위한 산업체와 시민활동들에 보다 더 결부될 것이다.	**경제학**: 모든 학습자가 자신의 디지털 학습객체를 만들고 그것을 팔거나 선물로 줄 것이다.	학습자를 경험의 중심에 놓음으로써, '행함으로써 학습'이 이루어질 것이다. 3D 학습은 일자리를 창출하고, 교육을 보편적인 모형(universal model)에 따라 평가할 것이다.

현재 고찰

이것은 당신에게 무엇을 의미하는가? 왜 여러분의 조직에서 3D 학습에 대해 정말로 신경 써야 하는가? 고용인 정책이 바뀌고, 국가 계획들이 가상의 몰입적인 환경과 새로운 테크놀로지들을 지원하기 시작함에 따라, 성공은 경쟁적인 디지털 글로벌 경제를 만들고 유지하는 것을 의미한다([그림 10-12] 참고).

이것은 하나의 기본적인 무장 명령이다. 즉, 여러분은 **다른 종류의 직장을 위해 준비할 필요가 있다.** 소규모팀의 시대가 오고 있고, 팀은 뛰어나고 경쟁적인 서비스를 제공한다. 소규모팀의 비즈니스는 하루 24시간 동안 움직인다. 팀은 국제적인 구성원들과 분절된 시간을 수용하기 위하여 노동시간을 나눴다. 팀은 파트너, 공급업자, 소비자들을 연결시켜 주는 모든 테크놀로지를 사용한다. 팀은 3D 게임과 같은 인터페이스에 중독되어 있다. 그래서 여러분은 3D 비즈니스가 지속적인 공급 사슬을 만들기 때문에 신경을 써야 한다.

둘째로, 역사적으로 어려운 경제상황에서, 여러분은 **건물과 통근의 필요성을 없앨 수 있다.** 여러분은 재택 근무를 지원함으로써 비용을 절감한다. 고용인들은 세계 어디에서나 일을 할 수 있다. 여러분은 가상 사무실 공간을 제공하고, 비즈니스 과정들을 시각화하며, 거의 모든 훈련을 가상세계에서 수행하고, 공동작업자를 매일 지

[그림 10-12]　　유인원에서 아바타까지

도할 수 있다. 여러분은 비용을 절감함으로써, 팀 구축, 프로젝트 관리, 리더십 기술에 초점을 둘 수 있다. 여러분은 하루에 단지 8시간만 사용하는 건물에 돈을 지출하는 대신, 더 많은 직업을 만들고, 더 나은 임금을 지불할 수 있다. 이러한 조치는 속도에 기초한다.

마지막으로, 여러분의 생산물과 서비스에 학습을 구축하면 수입을 늘릴 수 있는 가능성이 있다. 고용인들이 내부와 외부 고용인들로 구성되고 IP가 양자에 의해 만들어진 학습객체들 속에 통합됨에 따라, 패키지하고 콘텐츠와 맥락을 여러분의 고객들에게 유통시킬 수 있는 능력은 최저점(bottom line)을 쳤을 가능성이 매우 높다. 모든 판매 가능한 객체나 서비스에서 개별적인 콘텐츠를 창출할 때, 추가된 가치는 항상 켜져 있는 네트워크상에서 성장하고 있는 지식경제의 성공의 일부다. 널리 퍼져 있는 3D 테크놀로지를 사용함으로써, 비용 절감과 수입 창출의 혜택을 얻는 사람들은 여러분들이 기대하지 못했던 경쟁자들이 될 것이다.

이 비전이 왜 중요한가?

왜냐하면 여러분은 생산물에서, 서비스에서, 그리고 팀에서의 혁신에 초점을 두고 있기 때문이다. 그리고 생기가 있는 사람이라면, 더 많은 즐거움을 가질 것이다.

최저점

여러분은 학습을 일의 모든 측면에 통합하는 방법을 강구해 볼 필요가 있다. 가상세계는 모바일 접근, 글로벌 비즈니스 파트너십, 환경에 대한 책무성, 개념적인 설계를 사용한 혁신, "클라우드 서비스", 소셜 네트워크, 게임기반 컴퓨팅과 같은 것 모두에 학습을 통합한다. 유동적인 학습문화는 모바일 전화, 놀랄 만한 인터페이스 외관, 그리고 끊임없이 의사소통하는 가상세계를 사용하는 네트워크화된 디지털 인프라 구조에 이러한 밀레니엄 소프트웨어 환경을 이용한다.

여러분은 가상세계가 전 세계적인 협력을 변화시키고 있고 "경쟁력의 결정요인"을 바꾸고 있기 때문에 신경을 써야 한다. 적응이 절실히 필요하다.

_earning in **3D**

Adding a New Dimension to Enterprise
Learning and Collaboration

3D 가상공간에서의 학습 정의

서론

가상세계는 심지어 컴퓨터가 나오기 이전부터 있었다. 인간은 '던전스 앤 드래곤스(Dun-geons and Dragons)' 와 같은 게임을 하는 동안 보이지 않는 친구들을 상상할 때, 그리고 아이들이 "집(house)" 놀이에서 부모인양 가장할 때 가상세계를 만들어 왔다. 많은 전문가들은 가상세계에 관해 일반적이고 명확하지 않은 이해를 가지고 있다. 그들 중 몇 명을 한 방에 한꺼번에 두었을 때 가상세계에 관한 모든 개념들이 다 동일하지는 않음을 쉽게 알 수 있다. 부록은 가상세계가 기존의 테크놀로지들을 어떻게 융합시켰는지를 개괄하고, 가상세계와 관련된 몇 가지 용어들을 정의하며, 가상세계가 학습의 맥락에 어떻게 조화되는지를 이해하는 데 중요한 정의들을 제공한다.

기존 테크놀로지의 융합

현재의 3D 학습 테크놀로지들은 단순히 현재 온라인 학습을 위해 사용되고 있는 몇 가지 테크놀로지들의 자연스러운 확장이며, 그것들을 통합한 것에 불과하다. 융합된 테크놀로지들로는 동시학습 도구들, 웹 2.0, 소셜 네트워킹, 비디오 게임을 들 수 있다. 이 테크놀로지들은 3D 그래픽과 비디오 게임 인터페이스에서 성장해 온 차세대 학습자들에 의해 소비될 것이다.

동시학습 도구

3D 웹을 구성하는 첫 번째 소프트웨어 요소는 WebEx나 Adobe Connect 또는 Saba Centra와 같은 동시학습 도구의 구성요소다. 동시학습 도구는 아주 멀리 떨어져 있는 학습자들 간에 컴퓨터상에서 실시간 상호작용이 가능하도록 해 준다. 교수자는 학습자들과 마찬가지로 정해진 시간에 소프트웨어에 로그인한다. 그런 다음, 학습자들과 교수자는 화면상에 있는 모든 학습자들의 이름을 공유할 뿐만 아니라 전자 슬라이드, 화이트보드, 심지어 애플리케이션까지도 공유할 수 있다. 교수자와 학습자들은 텍스트나 음성기반 채팅을 통해 서로 이야기할 수 있다.

웹 2.0

3D 웹의 두 번째 테크놀로지 구성요소는 가상세계 내에서 콘텐츠를 쉽게 만들 수 있는 능력이다. 이것은 위키나 블로그의 웹 2.0 능력, 즉 바뀌고 갱신되는 능력과 비슷하다. 또한 HTML이나 어떠한 프로그래밍 언어를 알기 위해서 요구되는 공헌자 없이도 웹사이트를 쉽게 추가할 수 있다. 학습자들은 3D 웹에서 집, 차량, 심지어 거대한 라우터와 같은 자기 자신만의 아이템들을 구축할 수 있다. 이것은 교수설계자들로 하여금 코딩이나 3D 개발 도구들을 알 필요도 없이 학습자들의 요구를 충족시키기 위하여 커스터마이즈된 학습 환경을 만들 수 있도록 해 주는 프로그램 내에서 기본적인 건물 블록을 사용하여 만들 수 있다. 그 환경은 교실과 같이 실제적일 수 있고, 거대한 컴퓨터, 드릴, 또는 동맥의 내부를 만드는 것과 같이 초현실적일 수도 있다.

소셜 네트워킹

3D 웹의 또 다른 중요한 구성요소는 소셜 네트워킹 능력이다. 3D 웹의 소셜 네트워킹 측면들은 고용인들이 가상세계에 있는 동안 서로 상호작용하고, 데이터와 정보를 서로 공유할 수 있도록 해 준다. 아바타의 형태인 어떤 사람이 여행용 가방이나 휴대용 컴퓨터와 같은 객체를 만들 때, 그는 그 아이템을 다른 사람들과 공유할 수 있다. 정보는 노트카드나

사회적 상호작용을 촉진하는 다른 도구들을 통해 교환될 수 있다. 여러분은 동료 학습자들이 온라인에 있을 때 볼 수 있고, 그들과 함께 텍스트나 음성 채팅을 할 수 있다. 이러한 가상세계는 사회적이며, 아이디어나 비형식적인 학습을 무료로 교환할 수 있도록 해 준다.

비디오 게임

이러한 소프트웨어 요소들은 많은 다른 프로그램들에서 이용 가능하지만, 그것들을 가상세계로 함께 끌어들이는 것은 소셜 네트워킹, 실시간 상호작용, 콘텐츠의 생성이 비디오 게임 인터페이스와 비슷한 3D 세계에서 행해진다는 사실이다. 이 세계에서, 캐릭터들과 환경은 3D로 렌더링되고, 학습자들은 종종 자신들의 성격을 나타내기 위하여 자신들의 캐릭터나 아바타를 교체할 수 있는 능력을 지니고 있다. 이것은 상호작용에 실제적인 느낌을 제공하며, 학습자들이 일하고, 공부하며, 함께 협력하는 실제적인 공간에 있는 것처럼 느낄 수 있도록 해 준다. 학습자들은 서로를 깨우고, 마치 자신들이 동일한 물리적인 공간에 있는 것처럼 상호작용한다. 이것은 가상세계 내에서 높은 참여도를 제공한다.

이러한 네 가지 구성요소들의 융합은 가상 학습 세계를 위한 기초를 형성하며, 가상세계가 다소 위협적으로 보일 수 있지만, 그것은 단지 의사소통과 학습을 위한 소프트웨어 도구들의 진화에 불과하다. 가상세계는 효과적인 온라인 학습의 설계, 개발, 전달을 위한 이전의 도구들보다 훨씬 더 많은 기회들을 제공하기 때문에, 학습 환경에서는 자연스러운 다음 단계다.

이러한 요소들의 조합은 3D 학습 환경, 즉 학습자들이 가상세계 외부에서는 불가능한 방식으로 상호작용하고 학습할 수 있도록 해 주는 환경을 만든다.

차세대 학습자

테크놀로지가 3D 가상세계를 창출하고 사용할 수 있게 해 주지만, 이러한 세계의 매력은 차세대 학습자들에 의해 주도되었다. 테크놀로지에 몰입되어 성장해 온 차세대 학습자들은 텍스트 메시지, 소셜 네트워킹, 비디오 게임을 좋아한다.[1] 이 세대는 이전 세대와는 다른 초점, 사물을 보는 관점, 학습스타일, 즉 비디오 게임을 하고, Nicktropolis, Whyville, Club Penguin, RuneScape, Mokitown, Toon Town, Pirates of the Caribbean과 같은 이름

---

1) Kapp, K. M. (2007). *Gadgets, Games, and Gizmos for Learning.* San Francisco: Pfeiffer.

의 3D 세계와의 상호작용에 의해 단조(鍛造)된 사물을 보는 관점과 학습스타일을 가지고 교육과 비즈니스 조직들에 들어오고 있다. 이러한 세계들 각각에는 수백만 명의 어린이들과 십대들이 거주한다. Viacom의 한 부서인 Nickelodeon이 만든 가상 직장인 Nicktropolis는 800만 이상의 시민들을 가지고 있는데, 이는 런던 인구보다 훨씬 더 많다.[2]

차세대 학습자들과 노동자들은 가상과 물리적인 세계 간의 경계를 흐릿하게 만든다. 그것은 그들이 그 둘 간의 차이를 알지 못하기 때문이 아니다. 그것은 단지 차세대 학습자들이 어느 쪽 세계, 즉 실제 세계든 가상세계든 동일하게 편안해한다는 것이다. 그들은 비디오 게임, 가젯(gadgets), 또는 인터넷과 함께 성장하지 않은 세대들에 의해서는 달성될 수 없을 정도로 테크놀로지를 편안하게 생각한다.

이러한 학습자들과 노동자들은 자신들의 콘텐츠를 만들고, 아바타가 되며, 자신들의 실제를 전자적으로 만들 수 있는 인터넷 시대에 성장해 왔다. 그들은 3D 세계에서 편안하게 상호작용하며, 비즈니스와 학습 애플리케이션들이 3D 측면들을 가지고 있기를 기대한다.

가상세계 정의

만약 여러분이 4~5명의 학습전문가들을 한 방에 넣고 그들에게 가상 학습 세계를 정의하라고 요청하면, 여러분은 6~7개의 대답을 들을 것이다. 어떤 형태로든 가상세계라고 할 수 있는 많은 상이한 온라인 환경들이 있다. 학습에서의 가상세계의 활용을 정확히 이해하려면, 상이한 유형의 가상세계들을 구별하고, 어느 유형이 학습을 위해 가장 적절한 것인지를 기술하는 것이 중요하다.

가상세계들 간의 차이와 그것이 학습자들에게 미치는 영향을 제대로 인식하면, 이러한 온라인 세계들 중 어느 것을 여러분의 조직에 전파하기를 원하는지를 보다 더 잘 선택할 수 있다. MUD, MOO, MMORPG, 메타버스, VSWs, HIVES, 3DLE, 그리고 다른 용어들과 같은 온라인 환경에 관한 용어의 혼란을 초래할 수 있다. 그러나 모든 온라인 환경들이 3D는 아니며, 심지어 그 모두가 학습을 위해서 적절한 것도 아니다. 다른 온라인과 3D 환경을 간단히 살펴보면, 용어들 중 몇 가지를 명확히 할 수 있어 혼란을 최소화할 수 있다.

---

2) About Nicktropolis. (n.d.), Welcome Citizens of Nickrropolis. Retrieved June 1, 2009, from www.nick.com/nicktropolis/game/

시뮬레이션

"시뮬레이션(simulation)"이라는 용어는 많은 다른 의미들을 지니고 있다. 가장 잘 알려진 유형은 비행 시뮬레이터(simulator)다. 조정사들이 매우 실제적인 환경에서 항공기를 비행하는 것을 학습하는 것은 바로 이 시뮬레이터에서다. 시뮬레이터의 개념은 실제 장치를 모방하기 위하여 소프트웨어를 사용하는 것을 포함한다. 현재 플라스틱 압출 성형기와 같은 수백억 달러나 되는 장치의 전자적인 버전을 만드는 것이 가능하다. 이러한 시뮬레이터들은 일반적으로 3D에서는 없다. 그것들은 기계의 제어판이나 다른 부분들의 표상(representation)일 가능성이 더 높다.

또 다른 유형의 시뮬레이터는 "소셜 시뮬레이터(social simulator)"다. 이것은 어떤 사람이 다른 사람들과 상호작용하는 것을 모의화한 시뮬레이션이다. 소셜 시뮬레이션은 실제 환경과 비슷한 환경에서 일어나며, 학습자가 상호작용하도록 독려한다. 이것은 때때로 "분기형 시뮬레이션(branching simulations)"이라 불린다. 그것은 사진, 비디오, 또는 더 최근에는 3D 캐릭터를 사용하여 제작될 수 있다. 이 시뮬레이션에서, 학습자는 질문을 제시받은 다음 몇 가지 가능한 반응들을 제공받는다. 학습자는 의사와 같은 가상 캐릭터를 만나고, 의사는 미리 프로그램화된 스크립트에 기초하여 해당 학습자에게 반응한다. 학습자는 의사의 답변에 기초하여 선택한 반응에 상응하는 시뮬레이션 영역으로 분기된다.

분기형 시뮬레이션은 초보학습자들이나 교과목을 새롭게 접하는 학습자들에게 효과적이다. 선택은 반응에 따라 적절한 표상이 제공되고 학습자가 적절하게 행동하도록 안내해 준다. 학습자가 콘텐츠 문제에 더 많은 경험이나 지식을 가지고 있을 때, 분기형 시뮬레이션은 그렇게 효과적이지 않다. 이는 경험이 풍부한 학습자는 일반적으로 시뮬레이션에 열거되어 있지 않은 반응을 옵션으로 제공받기를 원하기 때문이다. 이것은 경험이 풍부한 학습자를 좌절시킨다. 경험이 풍부한 사람은 일반적으로 자신이 생각한 것이 정답인 것을 선택하며, 어떠한 새로운 정보나 행동도 학습하지 않는다.

시뮬레이션은 일반적으로 혼자서 하는 활동들이다. 비록 동료학습자가 시뮬레이션을 내비게이션하는 것을 관찰하는 동안 의사결정을 도와주기 위하여 집단이 함께 일할 수 있지만, 학습자는 단지 시뮬레이션 이면에 있는 프로그램과 온라인으로 상호작용한다. 이와는 대조적으로, 가상세계에서는 여러 학습자들이 동시에 "시뮬레이션 안에" 있고 서로 상호작용하고 반응한다.

MUD - 다중사용자 던전

사람들이 온라인에서 상호작용할 수 있었던 최초의 가상환경들 중 하나가 MUD였다. MUD는 "multi-user dungeon(다중사용자 던전)"의 두문자어다. "던전(dungeon)"이라는 용어는 텍스트기반 게임들이 '던전스 앤 드래곤스(Dungeons & Dragons)'라는 장르의 보드게임으로 확장되었기 때문에 사용되었다. 캐릭터들, 채팅이 행해지는 방, 그리고 환경은 던전 앤 드래곤스 게임들과 비슷했다. 그것은 다중사용자 대화(multi-user dialogue) 또는 다중사용자 차원(multi-user dimension)이라고도 불렸다.

　MUD는 전적으로 텍스트로 기술되었던 실시간 가상세계였다. 환경, 캐릭터, 상호작용도 모두 텍스트기반이었다. 만약 여러분이 여러분의 캐릭터를 이동하기를 원한다면, 여러분은 "Move two paces to the left(왼쪽으로 두 걸음 이동)" 또는 "Explore cave(동굴 탐험)"이라고 타이핑해야 한다. 여러분이 방에 들어가자 플레이어에게 "You have entered a dark room with a table and chair and a small light in the far corner(당신은 책상과 의자, 그리고 먼 구석에 조그마한 전구가 있는 어두운 방에 들어간다)"라고 기술되었다. MUD는 환타지 게임을 위해서는 좋았지만, 학습 환경으로서는 결코 인기를 얻지 못했다.

MOO - 다중사용자 객체지향 환경

MOO는 실시간, 다중플레이어(multi-player) 환경의 다음 진화였다. MOO라는 용어는 다중사용자 객체지향 환경(multi-user object-oriented environments)의 개념을 나타낸다. MOO는 텍스트기반이지만 계속해서 재사용할 수 있고 특정 간격으로 기능들을 수행하는 코드와 구문들을 만들 수 있는 추가적인 혜택을 제공한다. 예를 들어, 여러분은 어떤 플레이어가 MOO 내의 어떤 방에 걸어들어 올 때마다 가상 교수자가 "Welcome to my classroom(제 교실에 오신 것을 환영합니다)"이라고 말하도록 프로그램화할 수 있었다. 많은 대학기반(university-based) 프로젝트들이 가상 교육환경을 만들기 위하여 MOO 테크놀로지를 활용했지만, 다시 한 번 MOO는 결코 교육이나 훈련 목적으로 널리 채택되어 사용되지 못하였으며, 보다 그래픽적으로 풍부한 애플리케이션들로 대체되었다.

MMORPG - 대규모 다중플레이어 온라인 롤플레잉 게임

가상세계 영역에서 다음 진화는 대규모 다중플레이어 온라인 롤플레잉 게임(massively

multiplayer online role-play games) 또는 MMORPG의 개발이었다. 이 가상 3D 환경에서, 플레이어는 일반적으로 자신의 실제 세계 자아와 관련되어 있지 않은 역할과 정체성을 가정하고 게임 내의 더 높은 수준으로 이동하기 위하여 점수를 따려고 시도한다. 플레이어들은 특별한 힘을 가지고 있는 마법사, 기사, 성직자, 또는 전사들이 되며, 영속적인 온라인 세계 내에서 상호작용한다. 플레이어는 팀, 동업조합(guild), 또는 씨족(clan)과 함께 모험이나 탐색을 시작한다. 플레이어는 보물을 찾고, 괴물들을 물리치며, 또는 그 세계의 선천적으로 가지고 있는(inherent) 부분인 다른 구체적인 목적과 목표를 달성한다.

이 세계들은 또한 그들이 모두 영속적인 세계에서 서로 상호작용하는 수많은 플레이어들을 가지고 있다는 사실에 의해 구별된다. 영속적인 세계(persistent world)는 심지어 플레이어가 그 세계를 로그아웃한 뒤에도 지속적으로 존재하고 기능하는 세계다. 가상세계에 있는 객체나 아이템들에 대해 플레이어가 생성한 변화는 물리적인 세계와 비슷한 방식으로 그대로 유지된다. 만약 여러분이 물리적인 세계에 있는 어떤 의자를 옮긴 후 세 시간 이후에 되돌아오면, 그 의자는 다른 누군가가 그것을 옮기지 않은 한 동일한 장소에 그대로 있을 것이다. 영속적인 세계에 있는 의자를 옮기면, 플레이어가 게임을 로그아웃할 때 "복원(reset)" 되는 몇몇 환경들과는 달리, 동일한 결과를 제공할 것이다.

이러한 세계에는 또한 봇(bots)(아마도 로봇(robot)의 준말)이나 요원(영화 매트릭스 (The Matrix)에서 스미스요원(Agent Smith))으로 알려진 논플레이어 캐릭터들(non-player characters: NPCs)이 거주한다. 이 NPCs는 사람들에 의해 조정되지 않는다. 그들은 실제로 가상세계에 있는 캐릭터들처럼 보이도록 설계되었지만, 어떤 과제들을 수행하거나 보물에 대한 단서를 제공하는 것과 같이 제한된 역할을 하도록 설계된 프로그램들이다. NPCs 는 미리 프로그램화된 로직(logic)에 기초하여 작동된다.

예를 들어, 많은 온라인 롤플레잉 게임들에서, 점수를 따거나 부를 축적하기 위해서 무찌를 수 있는 NPCs가 있다. 이러한 NPCs를 무찌르면 플레이어는 게임에서 더 높은 수준들로 나아갈 수 있다.

대부분의 MMORPG는 어떤 목적들을 달성하기 위하여 플레이어들이 함께 협력하기를 요구한다. *World of Warcraft*에서, 다양한 기술과 역할을 가지고 있는 다양한 플레이어들이 많은 여러 가지 요청들에서 성공하기 위하여 힘을 합친다. 예를 들어, 끓고 있는 거대한 불의 신(그리고 그 게임의 사인용 적들(signature foes) 중 하나인) Ragnaros를 무찌르기 위하여, 여러분은 마법사, 사냥꾼, 신앙 요법사, 또는 성직자와 같은 역할들을 가정하기 위하여 다양한 사람들의 집단이 필요하다. Ragnaros의 공격에 참여한 각 플레이어는 다른 과제를 수행한다. 그 과제들은 관련되어 있고 상호의존적이다. 예를 들어, 무사로 행동하고 있는 플레이어는 전쟁을 수행하고 치명적인 손상을 입을지 모르지만, 마법사로 행동하는 동료 플레이어의 주문에 의해 계속 생존할 수도 있다.

MMORPG는 예들을 통해 실제 세계와 관련된 개념들을 가르치기 위하여 사용될 수도 있다. MMORPG에서는 한 시장을 완전히 매점한 후에 그 영향을 관찰하는 것이 가능하지만, 그것은 실제 세계에서는 불가능하다. 사람들은 또한 팀워크, 집단 목적, 그리고 다른 사회적 상호작용들을 이해하기 위하여 플레이어들 간에 상호작용을 관찰할 수 있다. *Harvard Business Review*는 MMORPG에서 학습한 리더십 기술들이 실제적인 가상팀들 내에서의 몇몇 기술들에 어떻게 전환될 수 있는지에 대한 논문을 발행했다. 그러나 대부분의 MMORPG의 환타지적 측면들은 작업환경 내에서 이러한 게임들을 활용하는 것을 어렵게 만든다.

MMORPG라는 용어는 MMORPG를 말하는 것보다 세 배나 더 빨리 말할 수 있기 때문에 때때로 MMO 또는 MMOG라고 간단하게 표현된다. MMO는 대규모 다중플레이어 온라인(massively multiplayer online)을, MMOG는 대규모 다중플레이어 온라인 게임(massively multiplayer online game)을 말한다.

MUVE – 다중사용자 가상환경

MUVE는 하버드대학교 교수인 Christopher Dede에 의해 만들어졌다. Dede는 국립과학재단(National Science Foundation)의 지원하에 River City라 불리는 가상세계를 만들었다. 이 가상환경에서, 학생들은 아바타가 되고, 어떤 19세기 읍(town)의 건강문제를 해결하기 위해 가상환경 내에서 함께 연구한다. 그 환경은 실제적인(authentic) 역사적, 사회학적, 지리적 조건에 기초한다. 목적은 읍에 거주하는 사람들이 왜 전염병에 걸리게 되었는지를 이해할 수 있도록 도와주기 위하여 학생들이 소규모 연구팀에서 함께 연구하도록 하는 것이다. 학생들은 모두 온라인 내에서 의문의 질병 원인들에 대한 힌트가 되는 단서들의 흔적을 추적한다. 학습자들은 가설들을 설정하고, 테스트하며, 자신들의 가설들을 테스트하기 위하여 통제된 실험을 진행하며, 자신들이 수집한, 온라인 환경 내에 있는 모든 자료들에 기초하여 권고를 한다.

그 환경은 학습활동들과 학생들이 협력하고 문제를 해결하며 비판적인 사고기술을 적용할 수 있는 기회를 제공한다. MUVE는 초점이 맞추어진 환경이다. 과제, 힌트, 도구들은 그 읍을 전염시키고 있는 질병의 원인을 결정하는 과제를 해결하기 위해 특별하게 포함되었다. 의학적인 위기를 해결하는 것이 River City라는 가상세계의 선천적으로 가지고 있는 부분이다.

메타버스

이 용어와 개념들 중 많은 것이 공상과학소설로부터 나온 것처럼 들린다. 이 용어는 실제로 공상과학소설(sci-fi novel)에서 나왔다. 메타버스(metaverse)라는 용어는『스노우 크래시(Snow Crash)』라는 Neal Stephenson이 쓴 1992년 공상과학소설에서 유래한다. 이 용어는 3D 가상현실기반 인터넷이 미래에 어떻게 진화될 것인지에 관한 Stephenson의 비전을 구체화하고 있다. 이 용어는 실제 세계의 인간에 의해 조정되는 아바타들이 거주하는 추상적인(free-form) 온라인 3D 세계에 관한 생각을 표현하기 위하여 만들어졌다.

아바타는 사람들이 가상세계에서 자기 자신을 표현하는 방법이다. 아바타(avatar)라는 단어는 지상에 있는 신의 형태의 화신(incarnation)을 의미하는 산스크리트어라고 한다. 이것이 원래의 의미였을지 모르지만, 그 용어는 또한 3D 세계에서 상호작용하기 위하여 학습자가 만들기로 결정한 가상 인물을 나타낸다.

대부분의 온라인 환경에서, 플레이어들은 자신들의 아바타들을 바꾸거나 개조할 수 있는 능력을 지니고 있다. 이러한 개조들에는 신체 모양, 옷, 머리 스타일이 포함된다. 아바타들은 컴퓨터 키보드나 마우스를 통해 조정된다. 그들은 실제 세계 소유자들에 의해 통제되는 가상환경을 통해 독자적으로 이동할 수 있다. 가장 간단한 용어로, 아바타는 메타버스에 거주하는 사람의 온라인 버전, 즉 속퍼핏(sock puppet)이다. 메타버스에 대한 다른 용어들로는 **합성된 세계**(synthetic worlds)와 **사이버 세계**(cyber worlds)가 있다.

메타버스는 MMORPG와 유사하지만, 몇 가지 중요한 차이점들을 가지고 있다. 첫째, 플레이어들은 메타버스에서 사냥꾼이나 마법사와 같은 정의된 역할을 수행하지 않는다. 그들은 자신들이 만들어 왔던 캐릭터들의 역할을 수행한다. 메타버스는, MUVE와는 달리, 일반적으로 메타버스 자체에 의해 만들어진 구체적인 목적이나 목표들을 가지고 있지 않다. 플레이어들은 그들 자신의 목적이나 목표들을 만들 수 있지만, 구체적인 목적이나 목표들은 이러한 세계의 선천적으로 가지고 있는 부분은 아니다.

마지막으로, 메타버스의 환경은 일반적으로 플레이어로 하여금 스크립트 언어를 사용하거나 아이템들을 끌어다 놓음(dragging and dropping)으로써 집과 옷 같은 자기 자신의 디지털 아이템들을 만들 수 있도록 해 준다. 메타버스에서 자신의 물건들을 만들 수 있는 능력 때문에, 이러한 환경들은 일반적으로 실제 세계의 달러와 연계된 몇 가지 유형의 화폐통화로 교환될 수 있다. 메타버스에 있는 사람들은 자신들이 만든 디지털 자산을 사고,

팔며, 거래하고, 그런 다음 가상 화폐통화를 실제 세계 화폐통화로 교환할 수 있다.

아마도 가장 잘 알려진 메타버스의 예는 Second Life일 것이다. 그러나 Second Life는 상업적으로 이용 가능한 유일한 메타버스는 아니다. Active Worlds와 There와 같은 다른 가상세계들이 존재한다. 실제로, Open Source Metaverse Project라 불리는 조직은 무료의, 오픈소스 버전의 메타버스를 적극적으로 홍보하고 있다.

메타버스 환경은 훈련 목적을 위해서 사용될 수 있다. 공간들은 훈련활동들과 사태들을 수행하기 위해 메타버스 내에 구축될 수 있다. 그것은 또한 사람들이 3D에 있는 아이템들에 대해 학습하기 위해 상호작용할 수 있는 많은 다른 학습 환경들을 만드는 것이 가능하다. 예를 들어, 여러분은 메타버스 내에서 휴대용 컴퓨터의 가상 여행을 통해 휴대용 컴퓨터를 수리하는 방법에 관한 교수(instruction)를 제공할 수 있다.

VSW — 가상사회세계

메타버스와 교환 가능하게 사용되는 다른 용어가 **가상사회세계**(virtual social world)다. 이 용어는 사회화(socialization)가 주요 초점인 가상세계를 만드는 것을 나타내는 개념이다. 이 세계는 아바타들 간에 다른 유형의 상호작용이 다른 지역에서 일어날 수 있는 광대한 가상공간일 수 있다. 또는 그것은 사람들이 어떤 주제를 논의하기 위해 들어온 후 잠시 뒤에 떠날 수 있는 회의실과 같은 조그마한 "장소(scene)"로 한정될 수도 있다.

몰입적인 학습 시뮬레이션

이러닝전문가들을 위한 실천공동체인 The eLearning Guild는 몰입적인 학습 시뮬레이션(immersive learning simulation)을 "실제로 참여적이고 행동의 변화를 촉발하는 학습형태를 만들기 위하여 시뮬레이션, 교육, '즐거운 놀이(hard fun)'를 결합한 학습시스템"이라고 정의한다. 이러한 것들을 다 아우르는 용어는 가상세계뿐만 아니라 많은 상이한 형태의 몰입적인 학습을 포함한다. 게임, 미니 게임, 가상 랩(virtual labs), 기능성 게임, 시뮬레이션/시나리오가 "몰입적인 학습 시뮬레이션"이라는 용어 속에 포함된다.

콘솔기반 가상세계

"홈(Home)이라 불리는 Sony PlayStation 3 환경과 같은 콘솔(console)에 의해 제한되는 가상의 몰입적인 환경이 이러한 범주에 속한다. 그 세계에는 Nintendo Miis가 거주한다. 사람들이 3D 세계와 상호작용하려면, 콘솔에 로그인해야 한다. 아바타는 그 가상세계에서 상호작용하며, 그 세계 내에서 아이템들을 구입하고, 그 VIE의 다른 거주자들과 만나고 인사할 수 있다.

MMOLE—대규모 다중학습자 온라인 학습 환경

MMOLE는 많은 수의 학습자들이 구체적인 학습목적을 가지고 가상 3D 세계에서 서로 상호작용하는 컴퓨터가 만든 학습 환경에 관한 장르를 위한 또 다른 용어다. 학습은 교실과 같은 환경을 통해 또는 (역할놀이와 같이) 대본이 있는 시나리오를 통해 공식적으로 행해질 수 있다. 이러한 점에서, 그것은 구체적인 목적을 가지고 있는 대규모 다중사용자 온라인 롤플레잉 게임/다중접속 역할수행 게임(MMORPG)과 비슷하다. 그러나 학습은 메타버스와 비슷한 형태로 학습자들 간에 채팅과 토론을 통해 비공식적으로 행해질 수도 있다. 따라서 MMOLE는 학습을 위해 설계된 메타버스와 MMORPG를 통합한 것이다.

MMOLE는 일반적으로 두 가지의 모드(mode), 즉 교수자용 모드와 학습자용 모드를 가지고 있다. 교수자용 모드는 누군가가 학습사태를 촉진하고 그 환경 내에서 상호작용을 관리할 수 있도록 해 준다. 이것은 모든 사람들이 한꺼번에 채팅하는 것을 막아 주고, 학습할 수 있는 공식적인 환경을 제공한다. 다시 말해서, 그것은 학습이 관리될 수 있도록 해 준다.

그러나 관리된 학습(managed learning)은 MMOLE에서 행해질 수 있거나 행해져야 하는 유일한 종류의 학습은 아니다. 아바타들이 가상공간을 여기저기 돌아다니고 미리 프로그램화된 어릿광대(jesters), 음성 인터넷 프로토콜(voice over Internet protocol: VoIP), 또는 텍스트 채팅을 통해 상호작용할 수 있다는 사실은 그 환경이 비형식적인 학습을 강화하고 독려할 수 있음을 의미한다.

가상사태

이것은 가상공간에서 열리는 일회성 이벤트다. 그것은 가상 컨퍼런스나 가상 모임 공간을 포함할 수 있다. 가상사태(virtual events)는 몇 달 동안 진행될 수 있지만, 그 사태가 열리는 가상세계는 무한대로 유지되지는 않는다. 주요한 목적은 아주 종종 컨퍼런스 환경에 있는 가상세계처럼 구체적이고 목적이 정해진 이유를 위해 사람들을 모으는 것이다.

데이터 시각화

이것은 가상세계의 한 유형(type)이라기보다는 가상세계의 한 기능(function)이다. 그러나 데이터를 시각화하는 과정은 가상세계가 물리적인 세계에서 행해진 훈련을 단순히 모사하는 것을 넘어갈 수 있는 기회이며, 그래서 여기에서 특별히 언급한다. 가상공간에서의 데이터 시각화는 숫자나 경향, 통계치의 표현을 위한 여러 가지 가능성을 제공한다. 이러한 경우, 일반적으로 숫자로만 구성된 센서로부터 수집되거나 데이터베이스 내에 있는 데이터는 가상세계 내에서는 보다 더 잘 감지할 수 있도록 만들어 주기 때문에, 참여자들은 그 데이터의 시각적인 표상에 둘러싸여 있을 때 데이터를 볼 수 있고 조작할 수 있다.

VIE—가상의 몰입적인 환경

VIE라는 용어는 이 책을 위해서 채택되었다. VIE는 가상의 몰입적인 환경(virtual immersive environment)의 개념을 나타내며, VSW와 MMORPG와 같은 몇 가지의 다른 3D 가상 환경의 속성들을 통합한다. 이 개념은 VIE가 학습이 일어날 수 있는 테크놀로지를 나타낸다는 것이다. 그것은 위에서 논의된 테크놀로지를 포함하며, 아바타들이 상호작용하고, 그 환경, 서로 간에, 그리고 촉진자(facilitator)로부터 학습할 수 있는 가상 3D 학습 환경을 의미한다. 이 학습사태는 3D 학습경험(3DLE)이라 불린다.

3DLE—3차원 학습경험

이 책에서는 사람들이 VIE 내에서 갖는 학습경험을 3차원 학습경험(three-dimensional learning experience)이라고 한다. 이 용어는 학습자가 참여하고 있는 사태를 기술한다. 경험은 VIE 내에서 설계되고, 그 경험을 위한 장소를 제공하기 위해서 VIE를 요구하지만, VIE만으로는 적절한 설계와 초점 없이 학습을 촉진할 수 없다. 〈표 A-1〉은 몇 가지 몰입적인 환경과 그러한 것을 제공하고 있는 대표적인 업체들 리스트와 그러한 유형의 학습에 대한 정의를 제공한다.

결론

이 부록은 친숙한 이러닝과 소셜 네트워킹 소프트웨어를 통해 상업적으로 이용 가능하게 된 맥락을 기술했다. 또한 3D 가상세계에서 교류되고 있는 개념들과 관련된 흔히 사용되는 용어들을 정의했다. 3DLE의 역사와 전문용어들을 조금만 더 잘 이해하면, 가상 3D 공간에서의 무수한 가능성들을 개념화할 수 있는 굳건한 기초를 갖게 될 것이다.

〈표 A-1〉 몰입적인 환경의 유형과 사례[3]

몰입적인 환경 유형	사례	정의
시뮬레이션	Virtual Leader, Branching Simulations	사람들이 그 환경에서 상호작용할 수도 있는 모든 것이 갖추어진(self-contained) 세계. 그러나 일반적으로 단 한 사람만이 아바타를 내비게이션할 수 있고, 상호작용은 컴퓨터와 해당 학습자 간에만 이루어진다.
다중사용자 던전(MUD), 다중사용자 객체지향 (MOO)	Zork, Adventure, MirrorWorld, Medieval	학습자들이 텍스트 입력을 통해 공간 및 서로 간에 상호작용하는 텍스트기반 세계. 이것은 시각적으로 기초한 가상세계의 전조(precursors)였다.
메타버스, 가상사회세계 (VSW)	Second Life, There, Active Worlds. 어린이용: Disney의 Toon Town, Club Penguin, Pirates of the Caribbean; 콘솔기반: Sony의 Home	어떠한 구체적인 목적이나 목표들이 없는 온라인 세계. 여러분이 아바타를 만든 다음 그 아바타로 그 세계를 탐색케 하는 가상세계다. 여러분은 그 세계에서 서로 채팅을 하고 다른 아바타들과 상호작용할 수 있다. 일반적으로, 거주자는 건물, 옷, 거주환경, 또는 그들이 생각할 수 있는 다른 아이템들을 만들 수 있다. 메타버스는 통상 상품들이 일대일로 교환되거나 가상 화폐로 지불되는 어떤 유형의 경제시스템을 가지고 있다. 때때로 이러한 가상 화폐들은 실제 화폐통화(미국의 달러나 유로와 같은)에 기초하여 교환율이 정해진다.
대규모 다중플레이어 온라인 롤플레잉 게임 (MMORPG)	EverQuest, RuneScape, World of Warcraft, City of Heroes	사람들이 역할을 가정하고 어떤 임무나 목적을 달성하기 위하여 다른 사람들과 팀을 구성하는 온라인 세계
가상사태	InXpo, Unisfair, Qwaq Forums	가상 컨퍼런스, 모임, 또는 다른 일회성 이벤트. 가상세계는 일정 기간이 지난 후에 "사라져 버리거나" 오프라인이 된다는 점에서 영속적이지 않다.

---

3) Tandem Learning의 대표이사인 Koreen Olbrish에게 이 차트(chart)에 대한 영감과 지원을 해 준 것에 대해 특별히 감사드린다.

〈표 A-1〉 몰입적인 환경의 유형과 사례 (계속)

몰입적인 환경 유형	사례	정의
대규모 다중학습자 온라인 학습 환경(MMOLE), 가상 학습 세계(VLWs), 다중사용자 가상환경(MUVE)이라고 알려진 가상의 몰입적인 환경(VIEO).	ProtoSphere, OLIVE(Forterra), Icarus Platform, Virtual Heroes. 어린이용: Whyville, River City	대규모의 학습자들이 학습목적을 가지고 가상 3D 세계에서 서로 상호작용하는 환경. 학습자들은 아바타를 만들어 특정 모습으로 가정한다. 이 아바타들은 컴퓨터 키보드나 마우스로 조정된다. 아바타들은 가상환경을 통해 독립적으로 이동할 수 있다. 학습은 교실과 같은 환경 또는 논플레이어 캐릭터들을 이용한 스크립트된 상호작용을 통해 공식적으로 또는 비공식적으로 행해질 수 있다.

용어 해설

가상사회세계(Virtual Social World: VSW)   이 용어는 사회화(socialization)가 주요 초점인 가상세계를 만드는 것을 나타내는 개념이다. 이 세계는 아바타들 간에 다른 유형의 상호작용이 다른 지역에서 일어날 수 있는 광대한 가상공간일 수 있다. 이 세계는 흔히 Second Life나 There와 같은 상업적인 세계다.

가상세계(Virtual World)   아바타로서의 참여자들이 서로 상호작용하는 매우 다양한 온라인 공간을 논의하기 위한 총칭적인 용어

가상의 몰입적인 환경(Virtual Immersive Environment: VIE)   VIE는 가상사회세계(VSW)와 대규모 다중 사용자 온라인 롤플레잉 게임 또는 다중접속 역할수행 게임(MMORPG)과 같은 몇 가지의 다른 3D 가상환경의 속성들을 통합한다. 이 개념은 VIE가 학습이 일어날 수 있는 테크놀로지를 나타낸다는 것이다. 그것은 위에서 논의된 테크놀로지를 포함하며, 아바타들이 상호작용하고, 그 환경, 서로 간에, 그리고 촉진자(facilitator)로부터 학습할 수 있는 가상 3D 학습 환경을 의미한다. 이 학습사태는 3D 학습경험(3DLE)이라 불린다.

네티즌(Netizen)   많은 시간을 인터넷상에서 일하고, 협력하며, 학습하는 데 소비하는 사람을 기술하기 위해 사용된 용어

논플레이어 캐릭터(Non-Player Character: NPC)   가상의 몰입적인 환경(VIE) 밖에 있는 사람이 거주하지 않는 VIE 내에 있는 캐릭터. NPC는 실제로 가상세계 내에 있는 캐릭터와 비슷하게 설계되었지만 신호단서(signal clue), 인사(greeting), 또는 다른 정보를 제공하는 것과 같은 특정 과제를 수행하거나 제한된 역할을 행하는 프로그램이다.

다중사용자 가상환경(Multi-User Virtual Environment: MUVE)   이 용어는 하버드대학교 교수인 Christopher Dede에 의해 만들어졌다. Dede는 국립과학재단(National Science Foundation)의 지원하에 River

City라 불리는 가상세계를 만들었다. 이 가상환경에서, 학생들은 아바타가 되고 어떤 19세기 읍(town)의 건강문제를 해결하기 위해 가상환경 내에서 함께 연구한다. 그 환경은 실재적인(authentic) 역사적, 사회학적, 지리적 조건에 기초한다. 목적은 읍에 거주하는 사람들이 왜 병에 걸리게 되었는지를 이해할 수 있도록 도와주기 위하여 학생들이 소규모 연구팀에서 함께 연구하도록 하는 것이다. 학생들은 모두 온라인 내에서 의문의 질병 원인들에 대한 힌트가 되는 단서들의 흔적을 추적하며, 가설을 형성하고 테스트하고, 자신들의 가설을 검증하기 위하여 통제된 실험을 하며, 수집한 자료들에 기초하여 권고(recommendations)를 한다.

다중사용자 객체지향 환경//(Multi-User Object-Oriented Environment: MOO)　이 텍스트기반 가상환경은 계속해서 재사용할 수 있고 특정 간격(interval)에 기능들을 수행할 수 있는 코드와 구문을 만들 수 있는 능력을 제공한다. 많은 대학기반 프로젝트들은 가상교육환경을 만들기 위하여 MOO 테크놀로지를 활용했지만, MOO는 결코 교육과 훈련에서 널리 활용되지 못하였으며, 보다 그래픽적으로 풍부한 애플리케이션들로 대체되었다.

다중사용자 던전 또는 머드(Multi-User Dungeon: MUD)　완전히 텍스트로 기술된 실시간 가상세계. MUD는 사람들이 온라인에서 상호작용할 수 있는 최초의 가상환경들 중 하나였다. "던전(dungeon)"이라는 용어는 이 텍스트기반 게임들이 던전 앤 드래곤스(Dungeons & Dragons)라는 장르에 속하는 보드게임(board games)의 확장이었기 때문에 사용되었다. 캐릭터, 채팅이 행해지는 방, 주제, 환경은 던전 앤 드래곤스 게임과 유사하다. 이것은 또한 다중사용자 대화(multi-user dialogue) 또는 다중사용자 차원(multi-user dimension)이라고 일컬어진다.

대규모 다중플레이어 온라인 롤플레잉 게임 또는 다중접속 역할수행 게임(Massively Multiplayer Online Role Play Game: MMORPG)　이 가상 3D 환경에서, 플레이어는 일반적으로 자신의 실제 세계의 자아와 관련 없는 역할과 신분을 가장하고 게임 내에서 보다 더 높은 수준으로 올라가기 위해 점수를 획득하려고 시도한다. 플레이어들은 특별한 힘을 지니고 있는 마법사, 기사, 성직자, 또는 전사가 되고, 영속적인 온라인 세계 내에서 상호작용한다. 일단 어떤 역할이 가정되면, 플레이어는 팀, 동업조합(guild), 또는 씨족(clan)과 함께 모험이나 탐색을 시작한다. 플레이어는 보물을 찾고, 괴물들을 물리치며, 또는 그 세계의 고유한 부분인 다른 구체적인 목적과 목표를 달성한다.

대규모 다중학습자 온라인 학습 환경(Massively Multilearner Online Learning Environment: MMOLE)　MMOLE는 많은 수의 학습자들이 구체적인 학습목적을 가지고 가상 3D 세계에서 서로 상호작용하는 컴퓨터가 만든 학습 환경에 관한 장르를 위한 또 다른 용어다. 학습은 교실과 같은 환경을 통해 또는 (역할놀이와 같이) 대본이 있는 시나리오를 통해 공식적으로 행해질 수 있다. 이러한 점에서, 그것은 구체적인 목적을 가지고 있는 대규모 다중사용자 온라인 롤플레잉 게임/나중접속역할수행게임(MMORPG)과 비슷하다. 그러나 학습은 메타버스(metaverse)와 비슷한 형태로 학습자들 간에 채팅과 토론을 통해 비공식적으로 행해질 수도 있다. 따라서 MMOLE는 학습을 위해 설계된 메타버스와 MMORPG를 통합한 것이다.

데이터 시각화(Data Visualization) 이것은 데이터를 선택하고 그것을 가상의 몰입적인 환경에 불러들임으로써 3차원에 표현할 수 있도록 하는 과정이다. 가상공간에서의 데이터 시각화는 숫자나 경향, 통계치의 표현을 위한 여러 가지 가능성을 제공한다. 이러한 경우, 일반적으로 숫자로만 구성된 센서로부터 수집되거나 데이터베이스 내에 있는 데이터는 가상세계 내에서는 보다 더 잘 감지할 수 있도록 만들어 주기 때문에 참여자들은 그 데이터의 시각적인 표상에 둘러싸여 있을 때 데이터를 볼 수 있고 조작할 수 있다.

디지털 네이티브(Digital Native) 태어날 때부터 인터넷이나 비디오 게임과 같은 디지털 테크놀로지에 둘러싸여 성장한 사람을 의미하기 위해 Marc Prensky가 만든 용어

디지털 이민자(Digital Immigrant) Marc Prensky가 만든 용어. 이 용어는 인터넷이나 비디오 게임과 같은 디지털 테크놀로지와 함께 성장하지 못한 사회에서 사는 사람을 의미한다.

머시니마(Machinima) 3D 게임이나 가상세계로부터 애니메이션화된 캐릭터를 사용하는 영화작품을 만드는 행위. 이 용어는 컴퓨터나 기계로 만든 캐릭터, 배경, 또는 대상을 사용하여 만든 애니매이션화된 레코딩의 개념을 만들기 위하여 "기계(machine)"와 "영화(cinema)"라는 단어를 조합한 것이다.

메타버스(Metaverse) 이 용어는 『스노우 크래시(Snow Crash)』라는 Neal Stephenson이 쓴 1992년 공상과학소설에서 유래한다. 이것은 3D 가상현실기반 인터넷이 미래에 어떻게 진화될 것인지에 관한 Stephenson의 비전을 구체화하고 있다. 이 용어는 실제 세계의 인간에 의해 조정되는 아바타들이 거주하는 추상적인(free-form) 온라인 3D 세계에 관한 생각을 표현하기 위하여 만들어졌다.

몰입 상태(Flow State) 게임 플레이어로서 게임을 하고 있는 사람이 자신의 일상적인 근심과 시간의 경과를 잊어버린 마음의 상태. 게이머(gamer)는 게임으로부터 요구되는 활동을 수행하는 것에서 매우 큰 즐거움을 느껴 엄청난 만족감을 얻어 그 게임 자체에만 몰두하게 된다. 게이머는 매우 매혹되어 있어 게임이 일종의 현실이 되어 게이머 자신이 실제 상황에 있는 것처럼 반응한다.

몰입적인 학습 시뮬레이션(Immersive Learning Simulation) 이 용어는 eLearning Guild에 의해 만들어졌으며, "학습을 진실로 참여적이고 행동을 변화시키는 형태로 만들기 위하여 시뮬레이션, 교육학, '매우 즐거운 삶(hard fun)'을 조합한 학습시스템"을 의미한다. 이 용어는 가상세계를 넘어 많은 다른 형태의 몰입적인 학습을 포함한다. 몰입적인 학습 시뮬레이션이라는 용어에는 게임, 미니게임(mini-game), 가상 랩(virtual labs), 기능성 게임(serious game), 시뮬레이션/시나리오가 포함된다.

봇(Bot) 다른 사람에 의해 조정되지 않는 아바타. 대신에, 그것은 특별한 공간을 여행할 수 있는 사람을 지원하는 아바타에게 정보를 제공하는 것과 같이 어떤 기능을 수행하도록 프로그램되어 있다. 이것은 MMORPG에서의 논플레이어 캐릭터(non-player character: NPC)와 비슷하다. 어떠한 사람도 봇을 조

정하지 않는다. 그것은 프로그래밍을 통해서 작동한다.

스노우 크래시(Snow Crash) 메타버스(metaverse)라는 개념을 정의한 공상과학소설 작가 Neal Stephenson이 1992년에 쓴 소설 이름

시뮬레이션(Simulation) 학습자가 기술이나 지식을 학습하거나 연습할 목적으로 그 환경 내에서 상호작용하는 데 필요한 모든 것을 완비한(self-contained) 몰입적인 환경. 일반적으로 한 사람만이 스크린상에 있는 아바타를 내비게이션할 수 있으며, 상호작용은 컴퓨터와 학습자 간에만 일어난다. 가장 흔한 형태의 시뮬레이션들 중 하나가 학습자에게 일련의 질문을 하고 그 학습자는 자신이 그 상황에서 말하거나 행한 것을 흉내 내는 분기(branch)를 선택하는 분기스토리(branching story)다.

아바타(Avatar) 플레이어들(players)이 가상의 몰입적인 환경(VIE)이나 다른 가상세계 환경에서 마치 자신들이 움직이는 것처럼 간주되는 캐릭터. 이 산스크리스트어는 종종 화신(incarnation)으로 번역된다. 그것은 문자 그대로 강림(descent)을 의미하며, 신이 물리적 세계로 체현(體現)하는 것처럼, 일반적으로 보다 높은 영적 존재의 영역에서 보다 낮은 존재의 영역으로 의도적으로 강림하는 것을 의미한다. 오늘날의 가상세계 환경에서, 여러분의 가상 캐릭터는 3차원 학습경험(3DLE) 맥락 내에서 구체화되고 몰입된 아바타가 된다.

영속적인 세계(Persistent World) 이것은 심지어 참여자나 학습자가 가상세계를 나간 뒤에도 지속적으로 존재하는 가상세계의 한 형태다. 가상세계에 있는 참여자에 의해 행해진 변화는 그 참여자가 로그아웃한 뒤에도 그대로 유지된다. 예를 들어, 어떤 아바타가 한 가구를 옮기면, 그 가구는 다시 복원되지 않을 것이다. 그 가구는 다른 아바타가 옮기지 않는 한 그 아바타가 옮겼던 곳에 그대로 있을 것이다.

웹볼루션(Webvolution) 웹의 진화하는 상태를 기술한다. 웹은 정적인 Web 1.0에서부터 참여자들에게 자기 자신만의 콘텐츠를 만들 수 있는 기회를 제공하는 Web 2.0을 거쳐 웹 참여자들이 웹 환경에 몰입되어 있는 Web 3.0(임머넷(Immernet) 참조)으로 진화해 왔다. 참여자들은 웹을 통하여(through) 행동하는 대신에 웹 내에서 행동한다.

음성 인터넷 프로토콜(Voice Over Internet Protocol: VoIP) 이것은 가상의 몰입적인 환경(VIE) 자체를 통해 VIE 내에서 말할 수 있음을 나타내는 개념이다. VoIP를 제공하는 VIE는 다른 사람이 말하는 것을 듣기 위해 별도의 전화선을 필요로 하지 않는다. 음성이 VIE 내에 통합되어 있다.

의인화(Anthropomorphic) 인간과 같은 특성이나 형태를 갖는 것. 인간은 아니지만 인간과 같은 특성이나 형태를 취해 온 어떤 것. 대상의 인격화. 이 책에서, 인간과 같은 인터페이스에서 학습자와 상호작용하는 컴퓨터 애니메이션화된 캐릭터의 특성

임머넷(Immernet) "몰입적인(immersive)"과 "인터넷(Internet)"의 조합을 의미하는 용어. 이 용어는 인터넷이 어떻게 점점 더 몰입적이 되는지를 나타낸다.

홀로덱(Holodeck) 가상적인 물체들이 3D 홀로그래픽 이미지 형태로 보이는 폐쇄된 방이나 공간. 그 공간 내에 있는 물체는 홀로덱에 서 있는 사람에게는 실재처럼 보인다. 따라서 사람은 3D 가상 이미지에 반응하고 상호작용한다. 이 용어는 원래 텔레비전 시리즈 "스타트렉: 넥스트 제너레이션(Star Treck: Next Generation)"에서 항공모함에 있는 레크리에이션 방과 연관이 있다. 그 후, 이 용어는 몰입적인, 실물 크기의 실재를 만들기 위해 3D 물체를 투사하는 여러 유형의 방을 의미하는 것으로 확장되었다.

3차원 학습경험/3D 학습경험(Three-Dimensional Learning Experience: 3DLE) 이것은 학습자가 명시적인 학습목적을 달성하기 위해 아바타를 통해 다른 아바타들과 참여하기 위해 행동하는 3D 가상환경 속에 몰입되는 과정이다. 이 과정에서 형식학습 목표는 이해와 적용을 촉진하는 일련의 경험들을 통해 유도되며 비형식적인 동료 대 동료 간 학습이 일어날 수 있다.

찾아보기

| 역자 소개 |

노 석 준

전남대학교 교육학과(교육학사)
전남대학교 대학원 교육학과(교육학석사)
인디애나대학교 교수체제공학과(교육이학석사)
인디애나대학교 교수체제공학과(Ph. D)
현) 성신여자대학교 사범대학 교육학과 교수
szroh@sungshin.ac.kr

3D에서의 학습

Learning in 3D Adding a New Dimension to Enterprise Learning and Collaboration

발행일 | 2012년 5월 29일 초판 발행
저 자 | Karl M. Kapp, Tony O'Driscoll
역 자 | 노석준
발행인 | 홍진기
발행처 | 아카데미프레스
주 소 | 413-756 경기도 파주시 문발동 출판정보산업단지 507-9
전 화 | 031-947-7389
팩 스 | 031-947-7698
웹사이트 | www.academypress.co.kr
이메일 | info@academypress.co.kr
등록일 | 2003. 6. 18 제406-2011-000131호
ISBN | 978-89-97544-11-0 93370

값 20,000원